ro
ro
ro

BERNARD CORNWELL

Der sterbende König

Historischer Roman

Aus dem Englischen von Karolina Fell

Rowohlt Taschenbuch Verlag

Die Originalausgabe erschien 2011
unter dem Titel «Death of Kings»
bei HarperCollins Publishers, London.

9. Auflage Mai 2020

Deutsche Erstausgabe
Veröffentlicht im Rowohlt Taschenbuch Verlag,
Reinbek bei Hamburg, September 2012
Copyright © 2012 by Rowohlt Verlag GmbH,
Reinbek bei Hamburg
«Death of Kings» Copyright © 2011 by Bernard Cornwell
Redaktion Jan Möller
Umschlaggestaltung any.way, Barbara Hanke/Cordula Schmidt,
nach der Originalausgabe von Harper CollinsPublishers 2011
Umschlagabbildungen Lee Gibbons/Tin Moon –
www.leegibbons.co.uk; David Ridley/Arcangel Images
Karte S. 8/9 Peter Palm, Berlin
Satz aus der Janson Text (InDesign)
bei Pinkuin Satz und Datentechnik, Berlin
Druck und Bindung
CPI books GmbH, Leck, Germany
ISBN 978 3 499 25903 6

Der sterbende König
ist für Anne LeClaire,
Schriftstellerin und Freundin,
von der die erste Zeile stammt.

INHALT

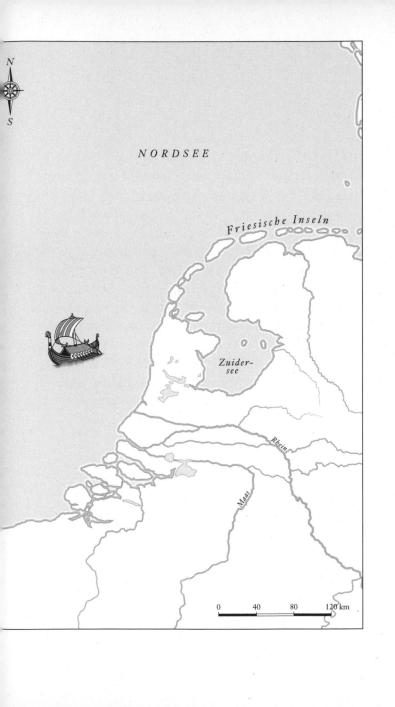

ORTSNAMEN

Die Schreibung der Ortsnamen im angelsächsischen England war eine unsichere und regellose Angelegenheit, in der nicht einmal über die Namen selbst Übereinstimmung herrschte. London etwa wurde abwechselnd als Lundonia, Lundenberg, Lundenne, Lundene, Lundenwic, Lundenceaster und Lundres bezeichnet. Zweifellos hätten manche Leser andere Varianten der Namen, die unten aufgelistet sind, vorgezogen, doch ich habe mich in den meisten Fällen nach den Schreibungen gerichtet, die entweder im *Oxford Dictionary of English Place-Names* oder im *Cambridge Dictionary of English Place-Names* für die Jahre um 900 zu finden sind. Aber selbst diese Lösung ist nicht narrensicher. So wird die Insel Hayling dort für das Jahr 956 sowohl Heilincigae als auch Hæglingaiggæ geschrieben. Auch bin ich selbst nicht immer konsequent geblieben; ich habe die moderne Bezeichnung England dem älteren Englaland vorgezogen, und anstelle von Norðhymbraland habe ich Northumbrien geschrieben, weil ich den Eindruck vermeiden wollte, dass die Grenzen des alten Königreiches mit denjenigen des modernen Countys identisch sind. Aus all diesen Gründen folgt die untenstehende Liste ebenso unberechenbaren Regeln wie die Schreibung der Ortsnamen selbst.

Baddan Byrig	Badbury Rings, Dorset
Beamfleot	Benfleet, Essex
Bebbanburg	Bamburgh Castle, Northumberland
Bedanford	Bedford, Bedfordshire

Blaneford	Blandford Forum, Dorset
Buccingahamm	Buckingham, Buckinghamshire
Buchestanes	Buxton, Derbyshire
Ceaster	Chester, Cheshire
Cent	Grafschaft Kent
Cippanhamm	Chippenham, Wiltshire
Cirrenceastre	Cirencester, Gloucestershire
Contwaraburg	Canterbury, Kent
Cracgelad	Cricklade, Wiltshire
Cumbraland	Cumberland
Cyninges Tun	Kingston upon Thames, Groß-London
Cytringan	Kettering, Northamptonshire
Dumnoc	Dunwich, Suffolk (heute größtenteils im Meer versunken)
Dunholm	Durham, Grafschaft Durham
Eanulfsbirig	St. Neots, Cambridgeshire
Eleg	Ely, Cambridgeshire
Eoferwic	York, Yorkshire (von den Dänen Jorvik genannt)
Exanceaster	Exeter, Devon
Fagranforda	Fairford, Gloucestershire
Fearnhamme	Farnham, Surrey
Fifhaden	Fyfield, Wiltshire
Fughelness	Insel Foulness, Essex
Gegnesburh	Gainsborough, Lincolnshire
Gleawecestre	Gloucester, Gloucestershire
Grantaceaster	Cambridge, Cambridgeshire
Hothlege	Fluss Hadleigh Ray, Essex
Hrofeceastre	Rochester, Kent
Humbre	Fluss Humber
Huntandon	Huntingdon, Cambridgeshire

11

Liccelfeld	Lichfield, Staffordshire
Lindisfarena	Lindisfarne (Heilige Insel), Northumberland
Lundene	London
Medwæg	Fluss Medway, Kent
Natangrafum	Notgrove, Gloucestershire
Oxnaforda	Oxford, Oxfordshire
Ratumacos	Rouen, Normandie, Frankreich
Rochecestre	Wroxeter, Shropshire
Sæfern	Fluss Severn
Sarisberie	Salisbury, Wiltshire
Sceaftesburi	Shaftesbury, Dorset
Sceobyrig	Shoebury, Essex
Scrobbesburh	Shrewsbury, Shropshire
Snotengaham	Nottingham, Nottinghamshire
Sumorsæte	Somerset
Temes	Fluss Thames
Thornsæta	Dorset
Tofeceaster	Towcester, Northamptonshire
Trente	Fluss Trent
Turcandene	Turkdean, Gloucestershire
Tweoxnam	Christchurch, Dorset
Westune	Whitchurch, Shropshire
Wiltunscir	Wiltshire
Wimburnan	Wimborne, Dorset
Wintanceaster	Winchester, Hampshire
Wygraceaster	Worcester, Worcestershire

DIE KÖNIGSFAMILIE VON WESSEX

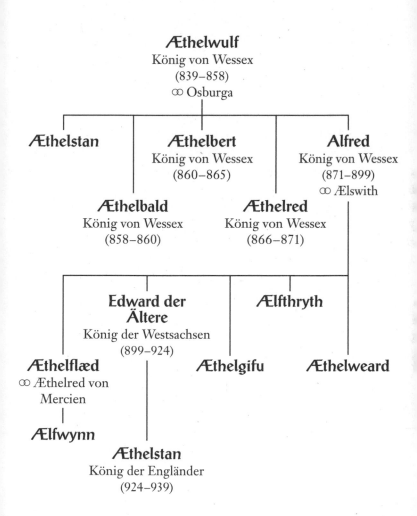

ERSTER TEIL

Die Zauberin

EINS

«Jeder Tag ist ein gewöhnlicher Tag», sagte Pater Willibald, «bis er es nicht mehr ist.» Er lächelte freudig, als hätte er gerade eine Äußerung getan, die ich höchst bedeutend finden müsste, und dann sah er mich enttäuscht an, weil ich nichts sagte. «Jeder Tag …», begann er erneut.

«Ich habe Euer Geschwätz gehört», knurrte ich.

«Bis er es nicht mehr ist», endete er mit schwacher Stimme. Ich mochte Willibald, wenn er auch ein Priester war. Er war in meiner Kindheit einer meiner Lehrer gewesen, und jetzt sah ich ihn als Freund an. Er war gutherzig, ernst, und wenn die Sanftmütigen jemals das Erdreich besitzen werden, dann wird Willibald dereinst unermesslich reich sein.

Und jeder Tag ist ein gewöhnlicher Tag, bis sich etwas ändert, und dieser kalte Sonntagmorgen hatte so gewöhnlich angefangen wie jeder andere, bis diese Narren versuchten, mich zu töten. Es war so kalt. Unter der Woche hatte es geregnet, doch an diesem Morgen froren die Pfützen zu, und eine dicke Reifschicht lag weiß auf dem Gras. Pater Willibald war kurz nach Sonnenaufgang angekommen und hatte mich auf der Weide entdeckt. «Wir haben Euer Anwesen gestern Abend nicht mehr gefunden», erklärte er vor Kälte zitternd seine frühe Ankunft, «also haben wir im Kloster von Sankt Rumwold übernachtet.» Er deutete vage in Richtung Süden. «Dort war es sehr kalt», fügte er hinzu.

«Diese Mönche sind geizige Hunde», sagte ich. Normalerweise hatte ich wöchentlich eine Karrenladung Feuerholz nach Sankt Rumwold zu liefern, aber diese Abgabe entrichtete ich nicht. Die Mönche konnten sich ihr eigenes Holz hacken. «Wer war Rumwold?», fragte ich Willibald. Ich kannte die Antwort, aber ich wollte Willibald ein wenig necken.

«Er war ein sehr frommes Kind, Herr», sagte er.

«Ein Kind?»

«Ein Säugling», sagte er seufzend, als ihm klarwurde, wohin unser Gespräch führen würde. «Er war kaum drei Tage alt, als er starb.»

«Ein drei Tage alter Säugling ist ein Heiliger?»

Willibald wedelte mit den Händen. «Es gibt Wunder, Herr», sagte er, «sie geschehen wirklich. Es heißt, dass der kleine Rumwold jedes Mal Gottes Lob sang, wenn er an der Brust lag.»

«Das würde ich auch jedes Mal am liebsten tun, wenn ich an eine Brust herankomme», sagte ich. «Bin ich also auch ein Heiliger?»

Willibald erschauerte und wechselte dann klugerweise das Thema. «Ich bringe Euch eine Botschaft von dem Ætheling», sagte er und meinte damit König Alfreds ältesten Sohn Edward.

«Dann heraus damit.»

«Er ist jetzt König von Cent», sagte Willibald fröhlich.

«Er hat Euch den ganzen Weg zu mir geschickt, um mir das zu sagen?»

«Nein, nein. Ich dachte, Ihr habt es vielleicht noch nicht gehört.»

«Gewiss habe ich es gehört», sagte ich. Alfred, der König von Wessex, hatte seinen ältesten Sohn zum König von Cent gemacht, was bedeutete, dass Edward Gelegenheit hatte, sich im Königsamt zu üben, ohne allzu großen Schaden anrichten zu können, denn Cent gehörte immer noch zu Wessex. «Hat er Cent schon zugrunde gerichtet?»

«Selbstverständlich nicht», sagte Willibald, «allerdings ...», er unterbrach sich unvermittelt.

«Allerdings was?»

«Oh, es ist nichts», sagte er leichthin und gab mit einem Mal überaus großes Interesse an meinen Schafen vor. «Wie viele schwarze Schafe habt Ihr?», fragte er.

«Ich könnte Euch auch an den Knöcheln hochhalten und Euch schütteln, bis die Neuigkeiten herausfallen», schlug ich vor.

«Es ist nur, dass Edward ... also», er zögerte, dann beschloss er, mir doch lieber alles zu erzählen, damit ich ihn nicht tatsächlich an den Knöcheln hochhob. «Es ist nur, dass er ein Mädchen aus Cent heiraten wollte und sein Vater die Zustimmung verweigert hat. Aber das ist vollkommen unwichtig.»

Ich lachte. Also war der junge Edward doch nicht der vollendete Thronfolger. «Und Edward platzt vor Wut, oder?»

«Nein, nein! Das war nur eine jugendliche Schwärmerei und ist inzwischen längst vergessen. Sein Vater hat ihm verziehen.»

Ich fragte nichts mehr, obwohl ich dieser Tratschgeschichte viel mehr Aufmerksamkeit hätte widmen müssen. «Und wie lautet nun die Nachricht von Edward?», fragte ich. Wir standen auf der unteren Weide meines Besitzes in Buccingahamm, das im östlichen Mercien lag. Eigentlich gehörte dieser Grund und Boden Æthelflæd, aber sie hatte mir die Abgaben der Bauern überlassen, und das Anwesen war groß genug, um dreißig Hausmacht-Krieger zu ernähren, von denen die meisten an diesem Morgen in der Kirche waren. «Und warum seid Ihr nicht in der Messe?», fragte ich Willibald, noch bevor er meine erste Frage beantworten konnte. «Es ist doch Feiertag, oder?»

«Sankt-Alnoths-Tag», sagte er, als wäre das ein ganz besonders wunderbares Ereignis. «Aber ich wollte Euch finden!» Er klang aufgeregt. «Ich habe eine Nachricht von König Edward für Euch. Jeder Tag ist ein gewöhnlicher …»

«Bis er es nicht mehr ist», unterbrach ich ihn schroff.

«Ja, Herr», kam es lahm von ihm. Dann runzelte er die Stirn. «Was tut Ihr eigentlich hier?»

«Ich sehe mir die Schafe an.» Und das stimmte. Ich hatte zweihundert oder mehr Schafe vor mir, die zu mir zurückstarrten und erbärmlich blökten.

Willibald drehte sich zu der Herde um. «Schöne Tiere», sagte er, als ob er wüsste, wovon er redete.

«Einfach nur Fleisch und Wolle», sagte ich, «und ich lege fest, welche leben und welche sterben sollen.» Es war die Jahreszeit zum Töten, die grauen Tage, während der unsere Tiere geschlachtet werden. Wir lassen ein paar am Leben, damit sie sich im Frühling vermehren, aber die meisten müssen sterben, weil wir nicht genügend Futter haben, um ganze Herden über den Winter zu bringen. «Man muss auf ihre Rücken achten», erklärte ich Willibald, «der Reif schmilzt nämlich zuerst auf der Wolle der gesündesten Tiere. Das sind diejenigen, die man am Leben lässt.» Ich zog ihm den Wollhut vom Kopf und zerzauste ihm das Haar, das langsam grau wurde. «Kein Reif auf Eurem Kopf», sagte ich fröhlich, «andernfalls hätte ich Euch die Kehle durchschneiden müssen.» Ich deutete auf ein Mutterschaf mit einem abgebrochenem Horn. «Behalt das da!»

«Gemacht, Herr», antwortete der Schäfer. Er war ein

sehniger kleiner Mann mit einem Bart, der die Hälfte seines Gesichts verdeckte. Er knurrte seinen beiden Hunden zu, dass sie bleiben sollten, wo sie waren, dann tauchte er in die Herde ein und benutzte seinen Hirtenstab, um das Mutterschaf herauszuholen, das er anschließend zu der kleineren Herde am Rand der Weide trieb. Einer seiner Hunde, ein zottiges Tier mit vernarbtem Fell, schnappte nach den Knöcheln des Mutterschafs, bis ihn der Schäfer wegrief. Der Schäfer benötigte keineswegs meine Hilfe bei der Auswahl der Tiere, die leben oder sterben sollten. Er sonderte seit seiner Kinderzeit aus den Herden die Schafe aus, die ungeeignet für die Zucht waren, aber ein Herr, der die Schlachtung seiner Tiere befiehlt, schuldet es ihnen, ein wenig Zeit mit ihnen zu verbringen.

«Der Gerichtstag», sagte Willibald und zog sich seinen Hut bis über die Ohren.

«Wie viele sind es jetzt?», fragte ich den Schäfer.

«Jiggit und mumph, Herr», sagte er.

«Reicht das?»

«Das reicht, Herr.»

«Dann töte den Rest», sagte ich.

«Jiggit und mumph?», kam es fragend von Willibald, der immer noch vor Kälte zitterte.

«Zwanzig und fünf», sagte ich. «Yain, tain, tether, mether, mumph. So zählen die Schäfer. Ich weiß nicht, warum. Die Welt ist eben voller Rätsel. Man hat mir sogar erzählt, dass es Leute gibt, die einen drei Tage alten Säugling als Heiligen verehren.»

«Man spottet nicht über Gott, Herr», sagte Pater Willibald in einem Versuch, mich zu rügen.

«Ich schon», sagte ich. «Also, was will der junge Edward?»

«Oh, es ist überaus aufregend», setzte Willibald an und unterbrach sich gleich wieder, weil ich eine Hand gehoben hatte.

Die zwei Schäferhunde knurrten. Beide drückten sich flach auf den Boden und hatten den Blick südwärts auf ein Wäldchen gerichtet. Inzwischen fiel Eisregen. Ich starrte zu den Bäumen hinüber, konnte aber zwischen den schwarzen Winterästen und dem Stechpalmengebüsch nichts Bedrohliches entdecken. «Wölfe?», fragte ich den Schäfer.

«Hab seit dem Jahr, in dem die alte Brücke eingestürzt ist, keinen Wolf mehr gesehen, Herr», sagte er.

Die Hunde sträubten das Nackenfell. Der Schäfer schnalzte mit der Zunge, damit sie ruhig blieben, dann pfiff er einmal kurz, und einer der Hunde raste auf das Wäldchen zu. Der andere winselte, weil auch er losjagen wollte, aber der Schäfer machte ein leises Geräusch, und der Hund wurde wieder still.

Der andere Hund rannte in einem Bogen auf die Bäume zu. Es war eine Hündin, und sie verstand ihr Geschäft. Sie setzte über einen eisüberzogenen Graben hinweg und verschwand zwischen den Stechpalmenbüschen, bellte unvermittelt, tauchte wieder auf und sprang erneut über den Graben. Einen Moment lang verharrte sie, den Blick auf die Bäume gerichtet, dann rannte sie wieder los, und in demselben Augenblick zischte ein Pfeil aus dem Dunkel des Wäldchens. Der Schäfer pfiff schrill, die Hündin jagte zu uns zurück, und der Pfeil ging hinter ihr zu Boden, ohne Schaden anzurichten.

«Geächtete», sagte ich.

«Oder Männer, die auf Wild aus sind», sagte der Schäfer.

«Mein Wild», sagte ich. Noch immer ruhte mein Blick

auf den Bäumen. Warum sollten Wilderer einen Pfeil auf einen Schäferhund abschießen? Sie hätten sich besser aus dem Staub gemacht. Handelte es sich also um besonders törichte Wilderer?

Der Eisregen hatte mittlerweile noch zugenommen und wurde von einem kalten Ostwind übers Land getrieben. Ich trug einen dicken Pelzumhang, hohe Stiefel und eine Fuchsfellmütze, also spürte ich die Kälte nicht, Willibald aber, in seinem priesterlichen Schwarz, zitterte trotz seines Wollumhangs und seines Hutes. «Ich muss Euch in den Palas bringen», sagte ich. «In Eurem Alter solltet Ihr im Winter nicht draußen sein.»

«Ich habe nicht damit gerechnet, dass es regnet», sagte Willibald. Er klang elend.

«Bis heute Mittag wird Schnee draus», sagte der Schäfer.

«Hast du hier in der Nähe eine Hütte?», fragte ich ihn.

Er deutete Richtung Norden. «Gleich hinter dem kleinen Wald», sagte er. Er zeigte auf dichtstehende Bäume, zwischen denen ein Pfad hindurchführte.

«Gibt es dort Feuer?»

«Ja, Herr.»

«Bring uns hin», sagte ich zu ihm. Ich würde Willibald dort ans Feuer setzen und ihm einen ordentlichen Umhang und ein gutmütiges Pferd holen, um ihn in den Palas zu bringen.

Als wir nordwärts gingen, knurrten die Hunde wieder. Ich drehte mich nach Süden um, und da waren Männer am Rand des Wäldchens. Eine auseinandergezogene Reihe von Männern, die uns nachstarrten. «Kennst du die?», fragte ich den Schäfer.

«Sie sind nicht aus der Gegend, Herr, und es sind eddera-a-dix», sagte er und meinte damit, dass es dreizehn waren. «Das bringt Unglück, Herr.» Er bekreuzigte sich.

«Was …», fing Pater Willibald an.

«Still», sagte ich. Die beiden Hunde des Schäfers fletschten nun die Zähne. «Geächtete», äußerte ich noch einmal meine Vermutung, ohne den Blick von den Männern abzuwenden.

«Sankt Alnoth wurde von Geächteten ermordet», sagte Willibald sorgenvoll.

«Also ist nicht alles schlecht, was die Geächteten tun», sagte ich, «aber die hier sind Holzköpfe.»

«Holzköpfe?»

«Weil sie uns angreifen», sagte ich. «Dafür werden sie gejagt und geviertteilt werden.»

«Wenn wir nicht als Erste sterben», sagte Willibald.

«Geht weiter!» Ich schob ihn auf den Wald im Norden zu, und berührte meinen Schwertknauf, bevor ich ihm folgte. Ich trug nicht Schlangenhauch, mein großes Kampfschwert, sondern eine kleinere, leichtere Klinge, die ich früher im Jahr einem Dänen in Beamfleot abgenommen hatte, nachdem er im Kampf mit mir umgekommen war. Es war ein gutes Schwert, aber in diesem Moment wünschte ich mir dennoch, ich hätte Schlangenhauch an meiner Hüfte. Ich warf einen Blick über die Schulter. Die dreizehn Männer überquerten den Graben, um uns nachzugehen. Zwei hatten Bögen. Die übrigen schienen mit Äxten, Messern oder Speeren bewaffnet zu sein. Willibald war langsam und keuchte schon vor Anstrengung. «Was hat das zu bedeuten?», stieß er hervor.

«Räuber?», stellte ich eine Vermutung an. «Vagabunden? Ich weiß nicht. Lauft schneller!» Ich schob ihn zwischen die Bäume, dann zog ich das Schwert aus der Scheide und drehte mich zu meinen Verfolgern um, von denen einer gerade einen Pfeil aus dem Köcher an seinem Gürtel zog. Dieser Anblick überzeugte mich davon, Willibald in das Wäldchen zu folgen. Der Pfeil raste an mir vorbei und fuhr peitschend ins Unterholz. Ich trug kein Kettenhemd, nur den dicken Pelzumhang, der keinen Schutz vor einem Jagdpfeil bot. «Weitergehen!», schrie ich Willibald nach, dann hinkte ich den Pfad hinauf. Ich war in der Schlacht von Ethandun am rechten Oberschenkel verletzt worden, und obwohl ich gehen und sogar langsam rennen konnte, wusste ich, dass ich nicht imstande war, die Männer abzuhängen, die sich nun in bequemer Reichweite eines Pfeilschusses hinter mir befanden. Ich hastete den Pfad entlang, als ein zweiter Pfeil von einem Ast abgelenkt wurde und im Gezweig klappernd zu Boden fiel. Jeder Tag ist ein gewöhnlicher Tag, dachte ich, bis er interessant wird. Meine Verfolger konnten mich zwischen den dunklen Stämmen und dem dichten Stechpalmengebüsch nicht sehen, aber sie gingen davon aus, dass ich Willibald gefolgt war und hielten sich auf dem Pfad, während ich mich ins Unterholz duckte. Die glänzenden Blätter eines Stechpalmenbusches, mein Pelzumhang und die Fuchsfellmütze, die ich mir über mein blondes Haar tief ins Gesicht gezogen hatte, verbargen mich gut. Die Verfolger liefen an meinem Versteck vorbei, ohne auch nur den Blick zu wenden. Die beiden Bogenschützen bildeten die Spitze.

Ich ließ ihnen ein gutes Stück Vorsprung, dann folgte ich ihnen. Ich hatte sie reden hören, als sie an mir vorbeikamen, und so wusste ich, dass es Sachsen waren, und, ihrer Aussprache zufolge, vermutlich aus Mercien. Räuber, dachte ich. Eine Römerstraße führte in der Nähe durch tiefe Wälder, und dort trieben Männer ohne Herren ihr

Unwesen, indem sie Reisende überfielen, weshalb diese, um sich zu schützen, meist in großen Gruppen unterwegs waren. Ich hatte mit meinen Kriegern zweimal Jagd auf solche Gesetzlose gemacht und geglaubt, ich hätte sie dazu gebracht, sich ihren Lebensunterhalt weit weg von meinem Besitz zu suchen. Doch ich konnte mir nicht vorstellen, wer sonst diese Männer sein sollten. Trotzdem sah es solchen Vagabunden nicht ähnlich, auf ein Anwesen einzudringen. Meine Nackenhaare prickelten.

Ich bewegte mich vorsichtig, als ich zum Saum des Waldes kam, dann sah ich die Männer neben der Schäferhütte, die einem Grashügel glich. Der Schäfer hatte den Unterschlupf aus Zweigen gebaut, mit Torfsoden bedeckt und in der Mitte ein Loch als Rauchabzug gelassen. Von dem Schäfer selbst war nichts zu sehen, doch Willibald war gefangen genommen worden, immerhin war er bislang unverletzt; vielleicht schützte ihn sein Stand als Priester. Einer der Männer hielt ihn fest. Den anderen musste klargeworden sein, dass ich immer noch in dem Wäldchen war, denn sie starrten zu den Bäumen herüber, die mich verbargen.

Dann tauchten unvermittelt links von mir die beiden Hunde des Schäfers auf und rannten mit lautem Kläffen auf die dreizehn Männer zu. Sie rannten schnell und leichtfüßig, kreisten die Gruppe ein und sprangen ab und zu mit schnappenden Zähnen auf die Männer zu, um ihnen dann wieder auszuweichen. Nur einer der Männer hatte ein Schwert, doch er war ungeschickt im Umgang damit. Als er es gegen die Hündin schwang, verfehlte er sie um Armeslänge. Einer der Bogenschützen spannte die Sehne. Er zog den Pfeil zurück, und dann fiel er plötzlich rücklings um, wie von einem unsichtbaren Hammer getroffen. Alle viere von sich gestreckt landete er auf dem Boden, sein Pfeil flitzte hoch in den Himmel und kam weit hinter mir zwischen den Bäumen wieder herunter. Die Hunde, inzwischen auf ihre Vorderpfoten geduckt, fletschten knurrend die Zähne. Der umgefallene Bogenschütze rührte sich, konnte aber offensichtlich nicht aufstehen. Die anderen Männer waren verängstigt.

Der zweite Bogenschütze hob seine Waffe, dann zuckte er zurück, ließ den Bogen fallen und schlug sich die Hände vors Gesicht. Ich sah Blut spritzen, Blut, so hellrot wie die Beeren der Stechpalmen. Ein Farbspritzer jagte in den grauen Wintermorgen, und der Mann hielt sich das Gesicht und krümmte sich vor Schmerzen. Die Hunde bellten, dann sprangen sie zurück zwischen die Bäume. Der Eisregen wurde noch dichter und trommelte laut auf die kahlen Zweige. Zwei der Männer gingen näher zu der Schäferhütte, wurden aber von ihrem Anführer zurückgerufen. Er war jünger als die anderen und sah wohlhabender oder wenigstens nicht ganz so ärmlich aus, hatte ein schmales Gesicht, einen durchdringenden Blick und einen kurzen hellen Bart. Er trug ein verschrammtes Lederwams, doch darunter erkannte ich ein Kettenhemd. Also musste er entweder ein Krieger sein, oder er hatte die Rüstung gestohlen. «Herr Uhtred!», rief er.

Ich antwortete nicht. Ich war gut versteckt, jedenfalls für den Moment, wusste aber, dass ich meinen Platz verlassen musste, falls sie das Wäldchen durchkämmten. Doch was auch immer zu dem Blutvergießen geführt hatte, machte sie unruhig. Was war es? Es mussten die Götter gewesen sein, dachte ich, oder vielleicht der christliche Heilige. Alnoth, der Geächtete hassen musste, wenn er von ihnen umgebracht worden war, und ich bezweifelte nicht, dass diese

Männer Geächtete waren, die jemand geschickt hatte, um mich zu töten. Das war nicht überraschend, denn in diesen Tagen hatte ich eine Menge Feinde. Ich habe auch heute noch Feinde, allerdings lebe ich jetzt hinter den stärksten Palisaden Nordenglands. Damals aber, in dieser lange versunkenen Zeit des Winters 898, gab es kein England. Es gab Northumbrien und Ostanglien, Mercien und Wessex, und die ersten beiden wurden von den Dänen regiert, Wessex war sächsisch und Mercien war ein Durcheinander, zum Teil dänisch und zum Teil sächsisch. Und ich war wie Mercien, denn ich war als Sachse geboren, doch als Däne aufgewachsen. Ich huldigte immer noch den dänischen Göttern, aber das Schicksal hatte mich dazu verdammt, ein Schild der christlichen Sachsen gegen die allgegenwärtige Bedrohung durch die heidnischen Dänen zu sein. Und deshalb wollten ungezählte Dänen meinen Tod, und dennoch konnte ich mir nicht vorstellen, dass ein dänischer Gegner mercische Geächtete anheuern würde, um mich in einen Hinterhalt zu locken. Es gab auch Sachsen, die liebend gern mitangesehen hätten, wie meine Leiche in einen langen Kasten gelegt wird. Mein Cousin Æthelred, der Herr über Mercien, hätte die Männer gut bezahlt, die mein Grab zuschaufeln, aber er hätte doch sicherlich Krieger geschickt und keine Vogelfreien? Dennoch schien er mir am ehesten in Frage zu kommen. Er war mit Æthelflæd verheiratet, Alfred von Wessex' Tochter, aber ich hatte ihm Hörner aufgesetzt, und nun vermutete ich, dass er mir diesen Gefallen erwiderte, indem er dreizehn Geächtete zu mir schickte.

«Herr Uhtred!», rief der junge Mann erneut, doch die einzige Antwort war ein jähes, panisches Blöken.

Die Schafe strömten den Pfad durch den Wald herunter,

gehetzt von den beiden Hunden, die nach ihren Knöcheln schnappten, um sie noch schneller auf die dreizehn Männer zuzutreiben, und nachdem die Schafe bei den Männern waren, rasten die Hunde um sie herum, schnappten weiter nach ihren Knöcheln und trieben die Tiere damit in einem engen Kreis zusammen, der die Geächteten einschloss. Ich lachte. Ich war Uhtred von Bebbanburg, der Mann, der Ubba am Meeresstrand getötet und Haestens Armee bei Beamfleot niedergeworfen hatte, doch an diesem kalten Sonntagmorgen war es der Schäfer, der sich als fähigerer Kriegsherr erwies. Die verstörte Herde war dicht um die Geächteten zusammengedrängt, sodass sie sich kaum noch rühren konnten. Die Hunde jaulten, die Schafe blökten, und die dreizehn Männer verzweifelten.

Ich trat zwischen den Bäumen hervor. «Ihr sucht mich?», rief ich.

Zur Antwort wollte der junge Mann auf mich zugehen, aber die dicht aneinandergepressten Schafe behinderten ihn. Er trat nach ihnen, dann hieb er mit seinem Schwert auf sie ein, doch je mehr er kämpfte, desto verängstigter wurden die Tiere, und die ganze Zeit trieben sie die Hunde weiter zusammen. Der junge Mann fluchte, dann griff er sich Willibald. «Lasst uns gehen oder wir töten ihn», sagte er.

«Das ist ein Christ», sagte ich und hob den Thorshammer, der um meinen Hals hing, «warum sollte es mich stören, wenn du ihn umbringst?»

Willibald starrte mich fassungslos an, und dann drehte er sich um, weil einer der Männer vor Schmerz aufschrie. Erneut war in dem Eisregen ein leuchtend roter Strahl Blut aufgeblitzt, und dieses Mal entdeckte ich seine Ursache. Es waren weder die Götter noch der ermordete Heilige, sondern der Schäfer, der mit einer Schleuder in der Hand aus dem Wald trat. Er nahm einen Stein aus einem Beutel, legte ihn in die lederne Ausbuchtung der Waffe und ließ die Schleuder über seinem Kopf kreisen. Sie machte ein sirrendes Geräusch, dann ließ er ein Ende der Kordel los, und wieder wurde einer der Männer von einem herabzischenden Stein getroffen.

In Panik wandten sie sich zur Flucht, und ich gab dem Schäfer ein Zeichen, damit er sie laufenließ. Er pfiff die Hunde zurück, und Männer und Schafe stoben auseinander. Die Männer rannten davon, bis auf den ersten Bogenschützen, der betäubt am Boden lag, seitdem der Stein ihn am Kopf getroffen hatte. Der jüngere Mann war tapferer als die anderen und kam auf mich zu. Vielleicht dachte er, seine Begleiter würden zu seiner Unterstützung kommen, dann aber stellte er fest, dass er allein war. Angst kroch über sein Gesicht. Er drehte sich um, und in demselben Augenblick sprang ihn die Hündin an und grub ihre Zähne in seinen Schwertarm. Er schrie auf, versuchte das Tier abzuschütteln, doch schon kam der zweite Hund, um ihn ebenfalls anzufallen. Der Mann schrie immer noch, als ich ihm die flache Seite meines Schwertes auf den Hinterkopf schlug. «Du kannst die Hunde jetzt wegrufen», erklärte ich dem Schäfer.

Der erste Bogenschütze lebte noch, allerdings war das Haar oberhalb seines rechten Ohrs blutverklebt. Ich versetzte ihm einen kräftigen Tritt in die Rippen, und er stöhnte, war jedoch bewusstlos. Ich nahm seinen Bogen und seinen Köcher und gab sie dem Schäfer. «Wie heißt du?»

«Egbert, Herr.»

«Jetzt bist du ein reicher Mann, Egbert», sagte ich zu ihm. Ich wünschte, das wäre wahr. Ich würde Egbert für seinen Einsatz an diesem Morgen gut belohnen, aber ich war nicht mehr reich. Ich hatte mein Geld für Männer, Rüstungen und Waffen ausgegeben, die ich gebraucht hatte, um Haesten zu besiegen, und in diesem Winter war ich bitterarm.

Die Geächteten waren Richtung Norden verschwunden. Willibald zitterte. «Sie waren auf der Suche nach Euch, Herr», sagte er mit klappernden Zähnen, «sie sind bezahlt worden, um Euch zu töten.»

Ich beugte mich über den Bogenschützen. Der Stein des Schäfers hatte seinen Schädel durchschlagen, und ich konnte ein gesplittertes Stück Knochen zwischen den blutigen Haarsträhnen erkennen. Einer der Hunde kam, um an dem verwundeten Mann zu schnuppern, und ich tätschelte sein dichtes, drahtiges Fell. «Das sind gute Hunde», stellte ich an Egbert gewandt fest.

«Wolfstöter, Herr», sagte er, dann hob er abwägend die Schleuder hoch. «Aber das hier ist noch besser.»

«Du bist gut darin», sagte ich. Das war noch schwach ausgedrückt, denn der Mann war tödlich.

«Hab fünfundzwanzig Jahre Übung, Herr. Gibt nichts Besseres als einen Stein, um einen Wolf zu vertreiben.»

«Sie wurden also bezahlt, um mich zu töten?», fragte ich Willibald.

«Das haben sie gesagt. Dass sie bezahlt worden sind, um Euch zu töten.»

«Geht in die Hütte», sagte ich. «Wärmt Euch auf.» Dann drehte ich mich zu dem jüngeren Mann um, der von dem größeren Hund bewacht wurde. «Wie heißt du?»

Er zögerte, dann sagte er unwillig: «Wærfurth, Herr.»

«Und wer hat dich bezahlt, um mich zu töten?»

«Das weiß ich nicht, Herr.»

Und er wusste es wirklich nicht, so wie es aussah. Wærfurth und seine Männer stammten aus der Nähe von Tofeceaster, einer Siedlung nicht weit nördlich, und Wærfurth erzählte mir, wie ihm ein Mann versprochen hatte, ihm mein Gewicht in Silber aufzuwiegen, wenn er mich tötete. Dieser Mann hatte einen Sonntagmorgen vorgeschlagen, weil er wusste, dass die meisten Mitglieder meines Hausstandes dann in der Kirche wären, und Wærfurth hatte zur Erledigung des Auftrags ein Dutzend Vagabunden angeheuert. Er musste gewusst haben, dass er sich auf ein gewagtes Spiel einließ, denn ich genoss einen gewissen Ruf, aber die Belohnung war gewaltig. «War der Mann Däne oder Sachse?», fragte ich.

«Ein Sachse, Herr.»

«Und du kennst ihn nicht?»

«Nein, Herr.»

Ich nahm ihn weiter ins Verhör, doch er konnte mir nichts anderes sagen, als dass der Mann mager, kahlköpfig und einäugig gewesen war. Diese Beschreibung sagte mir nichts. Ein einäugiger Kahlkopf? Das konnte beinahe jeder sein. So sehr ich Wærfurth auch ausquetschte, es kamen nur noch unnütze Antworten, also knüpfte ich ihn und den Bogenschützen auf.

Und Willibald zeigte mir den magischen Fisch.

Eine Abordnung erwartete mich in meinem Palas. Sechzehn Männer waren von Alfreds Hauptstadt Wintanceaster gekommen, und unter ihnen befanden sich nicht weniger als fünf Priester. Zunächst Willibald, dann zwei, die wie er aus Wessex kamen und schließlich zwei Mercier, die sich offenkundig in Ostanglien niedergelassen hatten. Ich hatte die beiden schon früher kennengelernt, wenn ich sie auch nicht auf den ersten Blick wiedererkannte. Es waren Zwillinge, Ceolnoth und Ceolberht, und man hatte sie etwa dreißig Jahre zuvor zusammen mit mir als Geiseln in Mercien festgehalten. Wir waren als Kinder von den Dänen gefangen worden, ein Schicksal, das ich begrüßt und die Zwillinge gehasst hatten. Sie waren nun beinahe vierzig Jahre alt, zwei Priester, die sich glichen wie ein Ei dem anderen, mit gedrungenem Körperbau, runden Gesichtern und ergrauenden Bärten. «Wir haben Eure Fortschritte aufmerksam verfolgt», sagte einer von ihnen.

«Und sie bewundert», endete der andere. Ich hatte sie als Kind nicht auseinanderhalten können, und es gelang mir immer noch nicht. Sie beendeten gegenseitig ihre Sätze.

«Widerwillig», sagte einer.

«Bewundert», sagte sein Zwilling.

«Widerwillig?», fragte ich unfreundlich.

«Es ist allseits bekannt, dass Alfred enttäuscht ist.»

«Weil Ihr den wahren Glauben nicht anerkennen wollt, aber ...»

«Wir beten jeden Tag für Euch!»

Die zwei anderen Priester, beide Westsachsen, waren Alfreds Männer. Sie hatten ihm bei der Zusammenstellung der Texte für seinen Gesetzeskodex geholfen, und nun sollten sie mir anscheinend gute Ratschläge erteilen. Die übrigen elf Männer waren Krieger, fünf aus Ostanglien und sechs aus Wessex, und waren zum Schutz der Priester auf der Reise abgestellt worden.

Und sie hatten den magischen Fisch mitgebracht.

«König Eohric», sagte Ceolnoth oder Ceolberht.

«Wünscht ein Bündnis mit Wessex», endete der andere Zwilling.

«Und mit Mercien!»

«Die christlichen Königreiche, versteht Ihr?»

«Und König Alfred und König Edward», nahm Willibald den Faden auf, «haben für König Eohric ein Geschenk mitgesandt.»

«Lebt Alfred noch?», fragte ich.

«Ja, durch Gottes Gnade», sagte Willibald, «allerdings ist er krank.»

«Und zwar todkrank», warf einer der westsächsischen Priester ein.

«Er ist schon todkrank geboren worden», sagte ich, «und er liegt im Sterben, seit ich ihn kenne. Er wird noch zehn Jahre leben.»

«Bitten wir Gott, dass es ihm vergönnt ist», sagte Willibald und bekreuzigte sich. «Allerdings ist er schon fünfzig Jahre alt und wird zusehends schwächer. Diesmal liegt er wohl tatsächlich im Sterben.»

«Und eben deshalb will er dieses Bündnis», fuhr der westsächsische Priester fort, «und aus demselben Grund bittet der Herr Edward um Eure Unterstützung.»

«König Edward», berichtigte Willibald seinen Priesterkollegen.

«Und wer bittet in Wahrheit um meine Unterstützung?», fragte ich. «Ist es Alfred von Wessex oder Edward von Cent?»

«Edward», sagte Willibald.

«Eohric», kam es von Ceolnoth und Ceolberht im Chor.

«Alfred», sagte der westsächsische Priester.

«Sie alle», ergänzte Willibald. «Es ist für sie alle von Bedeutung, Herr!»

Edward oder Alfred oder beide wollten, dass ich zu König Eohric von Ostanglien ging. Eohric war Däne, aber er war zum Christentum übergetreten, und er hatte die Zwillinge zu Alfred geschickt und ein großes Bündnis zwischen den christlichen Teilen Britanniens vorgeschlagen. «König Eohric hat angeregt, dass Ihr den Friedensvertrag aushandeln sollt», sagte Ceolnoth oder Ceolberht.

«Mit uns als Ratgebern», warf einer der westsächsischen Priester hastig ein.

«Warum ich?», fragte ich die Zwillinge.

Willibald antwortete für sie. «Wer kennt Mercien und Wessex so gut wie Ihr?»

«Da gibt es viele», antwortete ich.

«Und wenn Ihr die Führung übernehmt», sagte Willibald, «werden Euch diese Vielen Gefolgschaft leisten.»

Wir saßen an einem Tisch mit Ale, Brot, Käse, Gemüsesuppe und Äpfeln. In der großen Feuerstelle in der Mitte des Raumes loderten die Flammen und ließen Schatten und Licht über die rauchgeschwärzten Balken zucken. Der Schäfer hatte recht behalten, und der Eisregen hatte sich in Schnee verwandelt, und nun rieselten ein paar Flocken durch die Rauchabzugsöffnung im Dach herein. Draußen, jenseits der Palisade, baumelten Wærfurth und der Bogenschütze am kahlen Ast einer Ulme, ihre Leichen dienten den hungrigen Vögeln als Futter. Die meisten meiner Männer waren im Palas und hörten unserem Gespräch zu. «Es ist eine merkwürdige Jahreszeit, um Verträge auszuhandeln», sagte ich.

«Alfred bleibt nicht mehr viel Zeit», sagte Willibald, «und er will dieses Bündnis, Herr. Wenn alle Christen Britanniens vereint sind, wird der Thron Edwards geschützt sein, wenn er die Krone erbt.»

Das ergab Sinn, aber warum sollte Eohric dieses Bündnis anstreben? Eohric von Ostanglien hatte, solange ich mich erinnern konnte, gezaudert, sich zwischen den Seiten der Christen und Heiden, der Dänen und Sachsen zu entscheiden, und nun wollte er mit einem Mal in aller Öffentlichkeit seine Zugehörigkeit zu den christlichen Sachsen verkünden?

«Es ist wegen Cnut Ranulfson», erklärte einer der Zwillinge, als ich die Frage stellte.

«Er hat Männer in den Süden gebracht», sagte der andere Zwilling.

«Auf die Besitzungen Sigurd Thorssons», sagte ich. «Das weiß ich, darüber habe ich Alfred ja selbst benachrichtigen lassen. Und Eohric fürchtet Cnut und Sigurd?»

«Das tut er», sagte Ceolnoth oder Ceolberht.

«Cnut und Sigurd werden jetzt nicht angreifen», sagte ich, «aber möglicherweise im Frühling.» Cnut und Sigurd waren Dänen aus Northumbrien, und ihr immerwährender Traum, den sie mit allen Dänen teilten, war es, alle Gebiete zu erobern, in denen Englisch gesprochen wurde. Die Eindringlinge hatten es wieder und wieder versucht, und wieder und wieder waren sie gescheitert, doch der nächste Anlauf war unvermeidlich, denn das Herz von Wessex, dem stärksten Bollwerk des sächsischen Christentums, schlug immer schwächer. Alfred starb, und sein Tod würde mit Sicherheit die Schwerter und Feuersbrünste der Heiden nach Mercien bringen. «Aber warum sollten Cnut oder Sigurd Eohric angreifen?», fragte ich. «Sie wollen Ostanglien nicht, sie wollen Wessex.»

«Sie wollen alles», gab Ceolnoth oder Ceolberht zurück.

«Und der wahre Glaube wird mit Geißeln aus Britannien vertrieben werden, wenn wir ihn nicht verteidigen», sagte einer der westsächsischen Priester.

«Was der Grund ist, aus dem wir Euch beknien, das Bündnis zu schmieden», sagte Willibald.

«Beim Weihnachtsfest», fügte einer der Zwillinge hinzu.

«Und Alfred hat ein Geschenk für Eohric mitgesandt», fuhr Willibald begeistert fort. «Alfred und Edward! Sie haben sich überaus großzügig gezeigt, Herr!»

Das Geschenk lag in einem Silberkästchen, das mit wertvollen Edelsteinen besetzt war. Auf dem Deckel sah man eine Christusgestalt mit erhobenen Armen, um die geschrieben stand ‹Edward *mec heht Gewyrcan*›, was bedeutete, dass Edward dieses Reliquiar in Auftrag gegeben hatte, oder noch eher hatte sein Vater das Geschenk bestellt und die Freigiebigkeit dann seinem Sohn zugeschrieben. Willibald hob ehrfürchtig den Deckel, und das mit rotgefärbtem Tuch ausgeschlagene Innere des Kästleins wurde sichtbar. Ein kleines Kissen von der Länge und Breite einer Männerhand füllte es aus, und auf dem Kissen lag ein Fischskelett. Es war ein vollständiges Fischskelett, bis auf den Kopf, nur ein langes weißes Rückgrat mit einem Rippenkamm auf jeder Seite. «Seht nur», hauchte Willibald kaum hörbar, als könnte zu lautes Sprechen die Gräten stören.

«Ein toter Hering?», fragte ich ungläubig. «Das soll Alfreds Geschenk sein?»

Die Priester bekreuzigten sich allesamt.

«Braucht Ihr noch mehr Gräten?», fragte ich. Dann sah ich zu Finan hinüber, meinem engsten Freund und dem Befehlshaber meiner Hauskrieger. «Toten Fisch können wir zur Verfügung stellen, was?»

«Fässerweise», sagte er.

«Herr Uhtred!» Willibald brauste wie immer bei meinen Neckereien auf. «Dieser Fisch», er deutete mit bebendem Finger auf die Gräten, «war einer der beiden Fische, die Unser Heiland zur Speisung der fünftausend verwendet hat!»

«Dann muss der andere ja ein verflucht großer Fisch gewesen sein», sagte ich. «Was für einer war's denn? Ein Wal?»

Der ältere der westsächsischen Priester blickte mich finster an. «Ich habe König Edward davon abgeraten, Euch diese Aufgabe zu übertragen», sagte er. «Ich habe ihm gesagt, er soll einen Christen entsenden.»

«Dann sucht Euch jemand anderen», gab ich zurück. «Ich verbringe das Julfest ohnehin lieber in meinem eigenen Palas.»

«Er wünscht, dass Ihr hingeht», sagte der Priester scharf.

«Alfred wünscht es auch», warf Willibald ein. Dann fügte er mit einem Lächeln hinzu: «Er glaubt, dass Ihr Eohric Angst einflößen werdet.»

«Warum will er Eohric Angst einflößen?», fragte ich. «Ich dachte, es geht um ein Bündnis.»

«König Eohric erlaubt seinen Schiffsführern, Jagd auf unsere Handelsfahrer zu machen», sagte der Priester, «und er muss Entschädigungen zahlen, bevor wir ihm Schutz zusagen. Der König meint, Ihr werdet sehr überzeugend auf ihn wirken.»

«Wir müssen frühestens in zehn Tagen los», sagte ich und sah die Priester missmutig an, «wird von mir erwartet, dass ich Euch alle bis dahin durchfüttere?»

«Ja, Herr», sagte Willibald fröhlich.

Das Schicksal ist unerforschlich. Ich hatte das Christentum abgelehnt und die Götter der Dänen vorgezogen, doch ich liebte Æthelflæd, Alfreds Tochter, und sie war Christin, und das bedeutete, dass ich mein Schwert nun für das Kreuz in den Kampf führte.

Und deshalb sah es danach aus, dass ich das Julfest in Ostanglien verbringen würde.

Osferth kam mit zwanzig weiteren Männern aus meiner Hausmacht nach Buccingahamm. Ich hatte sie gerufen, weil ich von einer starken Truppe nach Ostanglien begleitet werden wollte. König Eohric mochte ein Bündnis vorgeschlagen haben, und er mochte sich sämtlichen Forderungen Alfreds beugen, aber Verträge werden am besten von einer Warte der Stärke ausgehandelt, und ich war entschlossen, mit einer beeindruckenden Begleitmannschaft in Ostanglien zu erscheinen. Osferth und seine Männer hatten Ceaster beobachtet, ein altes Römerlager an der Nordwestgrenze Merciens, in das sich Haesten geflüchtet hatte, nachdem seine Truppen bei Beamfleot geschlagen worden waren. Osferth grüßte mich ernst, wie es seine Art war. Er lächelte nur selten, und sein üblicher Gesichtsausdruck drückte Missbilligung über alles aus, was ihm vor die Augen kam, aber ich glaube, er freute sich, wieder mit uns allen zusammen zu sein. Er war Alfreds Sohn, gezeugt mit einer Dienerin, bevor Alfred die zweifelhaften Freuden christlichen Gehorsams entdeckt hatte. Alfred hatte seinen Bastardsohn zum Priester ausbilden lassen wollen, doch Osferth zog ein Dasein als Krieger vor. Das war eine seltsame Wahl, denn er empfand kaum Freude am Kampf und sehnte sich nicht nach dem wilden Rausch, in dem der Grimm und eine Klinge alles andere trist erscheinen lassen. Allerdings brachte Osferth die Fähigkeiten seines Vaters mit in den Kampf. Er war ernsthaft, nachdenklich und methodisch. Wo Finan und ich unüberlegt und eigensinnig sein konnten, setzte Osferth Klugheit ein, und das war kein Nachteil für einen Krieger.

«Haesten leckt immer noch seine Wunden», berichtete er mir.

«Wir hätten ihn töten sollen», murrte ich. Haesten hatte sich nach Ceaster zurückgezogen, nachdem ich seine Flotte und seine Armee bei Beamfleot zerstört hatte. Mein Gefühl hatte mir geraten, ihn nach Ceaster zu verfolgen und seinen Narreteien ein für allemal ein Ende zu bereiten. Doch Alfred hatte seine Haustruppen zurück in Wessex haben wollen, und ich hatte nicht genügend Männer, um die Römerfestung bei Ceaster zu belagern, und deshalb lebte Haesten noch. Wir beobachteten ihn und suchten nach Hinweisen, dass er wieder Männer anwarb, doch Osferth war eher der Ansicht, Haesten würde immer schwächer und nicht stärker werden.

«Bald ist er gezwungen, seinen Stolz hinunterzuschlucken und jemandem den Treueid zu schwören», lautete Osferths Meinung.

«Und zwar Sigurd oder Cnut», sagte ich. Sigurd und Cnut waren zu dieser Zeit die mächtigsten Dänen in Britannien, auch wenn keiner von ihnen ein König war. Sie hatten Land, Vermögen, Schafe, Rinderherden, Silber, Schiffe, Männer und Ehrgeiz. «Warum sollten sie Ostanglien wollen?», überlegte ich laut.

«Warum nicht?», fragte Finan.

«Weil sie Wessex wollen», sagte ich.

«Sie wollen ganz Britannien», sagte Finan.

«Sie warten», sagte Osferth.

«Auf was?»

«Auf Alfreds Tod», sagte er. Er bezeichnete Alfred nur

selten mit «mein Vater», als ob er sich, ebenso wie der König, seiner Geburt schämte.

«Oh, was es danach für ein Durcheinander geben wird», bemerkte Finan genüsslich.

«Edward wird ein guter König sein», sagte Osferth vorwurfsvoll.

«Er wird darum kämpfen müssen», sagte ich. «Die Dänen werden ihn auf die Probe stellen.»

«Und werdet Ihr für ihn kämpfen?», fragte Osferth.

«Ich mag Edward», sagte ich unverbindlich. Ich mochte ihn tatsächlich. Als Kind hatte er mir leidgetan, weil ihn sein Vater unter die Aufsicht glühend frommer Priester gestellt hatte, deren Aufgabe es war, aus Edward einen fehlerlosen Erben für Alfreds christliches Königreich zu machen. Als ich ihm später wieder begegnete, kurz vor der Schlacht bei Beamfleot, hatte er überheblich und engstirnig auf mich gewirkt, doch dann hatte er das Zusammensein mit den Kriegern genossen, und seine Überheblichkeit war verschwunden. Bei Beamfleot hatte er gut gekämpft, und nun, wenn man Willibalds Klatschgeschichten glauben durfte, hatte er auch mit der Sünde seine ersten Erfahrungen gemacht.

«Seine Schwester würde wollen, dass Ihr ihn unterstützt», sagte Osferth spitz und brachte Finan damit zum Lachen. Jedermann wusste, dass Æthelflæd meine Geliebte war, genauso wie jeder wusste, dass Æthelflæds Vater auch Osferths Vater war, doch die meisten Menschen gaben aus Höflichkeit vor, es nicht zu wissen, und Osferths spitze Bemerkung war das Äußerste, was er wagte, um auf meine Beziehung zu seiner Halbschwester hinzuweisen. Ich hätte das Weihnachtsfest am liebsten mit Æthelflæd verbracht, doch Osferth erklärte mir, sie sei nach Wintanceaster gerufen worden, und ich wusste, dass ich an Alfreds Tisch nicht willkommen war. Davon abgesehen hatte ich nun die Pflicht, den magischen Fisch zu Eohric zu bringen, und ich machte mir Sorgen darüber, dass Sigurd und Cnut einen Beutezug durch meine Ländereien unternehmen könnten, während ich in Ostanglien war.

Sigurd und Cnut waren im Sommer zuvor südwärts gesegelt, um ihre Schiffe an die Südküste von Wessex zu bringen, während Haestens Armee in Mercien plünderte. Die beiden northumbrischen Dänen hatten Alfreds Truppen ablenken wollen, während Haesten an der Nordgrenze von Wessex wütete. Doch Alfred hatte mir seine Armee trotzdem geschickt, Haesten hatte seine Machtstellung verloren, und Sigurd und Cnut hatten festgestellt, dass sie außerstande waren, auch nur eine von Alfreds Wehrstädten zu erobern, die mit Festungsanlagen gesicherten Städte, die überall auf sächsischem Gebiet verteilt lagen. Und so waren sie auf ihre Schiffe zurückgekehrt. Ich wusste, dass sie keine Ruhe geben würden. Sie waren Dänen, was bedeutete, dass sie Böses im Schilde führten.

Also nahm ich am nächsten Tag bei tauendem Schnee Finan, Osferth und dreißig Männer mit Richtung Norden zu Aldermann Beornnoth. Ich mochte Beornnoth. Er war alt, grau, lahm und hitzköpfig. Seine Besitzungen lagen genau an der Grenze des sächsischen Merciens, und alles nördlich von ihm gehörte den Dänen, weshalb er in den Jahren zuvor gezwungen gewesen war, seine Felder und Dörfer gegen die Angriffe von Sigurd Thorrsons Männern zu verteidigen. «Gott der Allmächtige», begrüßte er mich, «sagt nur nicht, dass Ihr auf eine Weihnachtsfeier in meinem Palas hofft.»

«Ich ziehe gutes Essen vor», sagte ich.

«Und ich ziehe gutaussehende Gäste vor», gab er zurück. Dann rief er nach seinen Dienern, damit sie unsere Pferde wegbrachten. Er wohnte etwas nordöstlich von Tofeceaster in einem großen Palas, um den sich Scheunen und Stallungen verteilten, die von einer starken Palisade geschützt wurden. Der Platz zwischen dem Palas und der größten Scheune war blutgetränkt vom Schlachten. Männer schnitten den verängstigten Tieren die Fersensehnen durch, damit sie auf dem Boden zusammenbrachen und nicht flüchten konnten, bevor sie von anderen Männern mit einem Axthieb auf die Stirn getötet wurden. Die zuckenden Tierkörper wurden zur Seite des Platzes geschafft. Dort zogen Frauen und Kinder den toten Tieren mit langen Messern die Haut ab und zerteilten das Fleisch. Hunde saßen mit aufmerksamen Blick dabei oder kämpften um die Schlachtabfälle, die ihnen hingeworfen wurden. Es stank nach Blut und Exkrementen. «Es war ein gutes Jahr», erklärte mir Beornnoth, «zweimal so viele Tiere wie letztes Jahr. Die Dänen haben mich in Ruhe gelassen.»

«Keine Viehdiebstähle?»

«Nur ein- oder zweimal», sagte er schulterzuckend. Seit unserer letzten Begegnung hatte er den Gebrauch seiner Beine verloren und musste sich überallhin auf einem Stuhl tragen lassen. «Das ist das Alter», sagte er. «Ich sterbe von unten nach oben. Vermutlich wollt Ihr ein Ale, oder?»

Im Palas tauschten wir Neuigkeiten aus. Er brüllte vor Lachen, als ich ihm von dem Anschlag auf mein Leben erzählte. «Setzt Ihr neuerdings Schafe ein, um Euch zu verteidigen?» Dann sah er seinen Sohn in den Palas kommen und rief ihn zu sich. «Komm her und hör dir an, wie der Herr Uhtred die Schafsschlacht gewonnen hat!»

Der Sohn hieß Beortsig und war, ebenso wie sein Vater, breitschultrig und bärtig. Er lachte über die Geschichte, doch sein Lachen wirkte gezwungen. «Ihr sagt, die Gauner stammten aus Tofeceaster?», fragte er nach.

«Das hat der Bastard jedenfalls behauptet.»

«Das ist unser Land», sagte Beortsig.

«Geächtete», sagte Beornnoth abweisend.

«Und Narren», fügte Beortsig hinzu.

«Ein magerer, kahler Einäugiger hat sie dafür angeworben», sagte ich. «Kennt Ihr irgendwen, der so aussieht?»

«Klingt nach unserem Priester», sagte Beornnoth belustigt. Beortsig sagte nichts. «Also, was bringt Euch her?», fragte Beornnoth, «davon abgesehen, dass Ihr meine Alefässer leersaufen wollt?»

Ich berichtete ihm von Alfreds Anliegen, dass ich einen Bündnisvertrag mit Eohric besiegeln sollte, und dass Eohrics Abgesandte den Wunsch ihres Königs mit seiner Angst vor Sigurd und Cnut erklärt hatten. Beornnoth sah mich zweifelnd an. «Sigurd und Cnut haben kein Interesse an Ostanglien», sagte er.

«Eohric glaubt es aber.»

«Der Mann ist ein Holzkopf», sagte Beornnoth, «und das war er schon immer. Sigurd und Cnut wollen Mercien und Wessex.»

«Und wenn sie diese Königreiche besitzen, Herr», sagte Osferth zurückhaltend zu unserem Gastgeber, «dann wollen sie auch Ostanglien.»

«Das stimmt, nehme ich an», räumte Beornnoth ein.

«Warum also nicht Ostanglien zuerst erobern», mutmaßte Osferth, «und seine Männer der eigenen Streitmacht angliedern?»

«Bis zu Alfreds Tod wird überhaupt nichts geschehen»,

sagte Beornnoth mit Überzeugung, «und ich bete, dass er noch lebt.»

«Amen», sagte Osferth.

«Ihr wollt also Sigurds Frieden stören?», fragte mich Beornnoth.

«Ich will wissen, was er treibt», sagte ich.

«Er bereitet sich aufs Julfest vor», sagte Beortsig gleichgültig.

«Und das heißt, dass er den gesamten nächsten Monat betrunken ist», ergänzte sein Vater.

«Er hat uns das ganze Jahr in Frieden gelassen», sagte der Sohn.

«Und ich will nicht, dass Ihr ins Wespennest stecht», sagte Beornnoth. Er sprach leichthin, aber die Bedeutung seiner Worte war schwerwiegend. Wenn ich nach Norden ritt, würde ich Sigurd möglicherweise aufstacheln, und dann würde Beornnoths Land unter den Hufen dänischer Pferde erbeben, und Blut würde von dänischen Klingen tropfen.

«Ich muss nach Ostanglien», erklärte ich, «und Sigurd wird die Vorstellung von einem Bündnis zwischen Eohric und Alfred nicht gefallen. Er könnte Männer nach Süden schicken, um sein Missfallen auszudrücken.»

Beornnoth runzelte die Stirn. «Oder er könnte es sein lassen.»

«Und genau das will ich herausfinden», sagte ich.

Darauf reagierte Beornnoth mit einem Knurren. «Habt Ihr Langeweile, Herr Uhtred?», fragte er. «Wollt Ihr ein paar Dänen töten?»

«Ich will sie nur beschnuppern», sagte ich.

«Beschnuppern?»

«Halb Britannien weiß schon von diesem Bündnis mit

Eohric», sagte ich, «und wer hat das größte Interesse, es zu verhindern?»

«Sigurd», gab Beornnoth nach kurzem Innehalten zu.

Ich stellte mir Britannien manchmal wie eine Mühle vor. Ganz unten, schwer und verlässlich, war der Mühlstein Wessex, während sich oben, ebenso schwer, der Mahlstein der Dänen drehte, und Mercien wurde zwischen den beiden zerquetscht. In Mercien kämpften die Sachsen und Dänen am häufigsten gegeneinander. Alfred hatte es mit Geschick verstanden, seinen Einfluss weit über den Süden des Königreichs Mercien auszudehnen, doch die Dänen waren im Norden die Herren, und bisher war der Kampf recht ausgeglichen verlaufen, was bedeutete, dass beide Seiten Verbündete suchten. Die Dänen hatten den walisischen Königen verlockende Angebote gemacht, aber obwohl die Waliser ewigen Hass gegen alle Sachsen hegten, fürchteten sie doch den Zorn ihres christlichen Gottes mehr als die Dänen, und deshalb hielten die meisten Waliser einen unsicheren Frieden mit Wessex. Im Osten dagegen lag das unberechenbare Königreich Ostanglien, das von den Dänen regiert wurde, jedoch eher christlich geprägt war. Ostanglien konnte zum Zünglein an der Waage werden. Wenn Eohric Männer schickte, um gegen Wessex zu kämpfen, dann würden die Dänen gewinnen, wenn er sich aber mit den Christen verbündete, würden die Dänen einer Niederlage entgegensehen.

Sigurd, dachte ich, würde verhindern wollen, dass dieses Bündnis jemals zustande kam, und um das zu erreichen, blieben ihm noch zwei Wochen. Hatte er die dreizehn Männer geschickt, die mich töten sollten? Als ich an Beornnoths Feuer saß, schien mir das die beste Erklärung. Und wenn er es getan hatte, was würde er als Nächstes machen?

«Ihr wollt ihn also nur beschnuppern, was?», fragte Beornnoth.

«Und ihn nicht reizen», versprach ich.

«Keine Toten? Keine Räubereien?»

«Ich fange keinen Streit an», versicherte ich.

«Gott weiß, was Ihr herausfinden könnt, ohne ein paar von den Bastarden niederzumachen», sagte Beornnoth, «aber gut. Geht und beschnuppert sie. Beortsig wird Euch begleiten.» Er wollte seinen Sohn und ein Dutzend Krieger aus seiner Haustruppe mitschicken, um sicher zu sein, dass wir unser Wort hielten. Beornnoth fürchtete, dass wir vorhatten, ein paar dänische Gehöfte zu verwüsten und Vieh, Silber und Sklaven zu rauben, und seine Männer würden das verhindern, aber ich wollte mich dort tatsächlich nur ein bisschen umsehen.

Ich traute Sigurd nicht und seinem Verbündeten Cnut ebenso wenig. Ich mochte sie alle beide, aber ich wusste, dass sie mich nötigenfalls genauso beiläufig töten würden, wie wir es bei der Winterschlachtung mit unserem Vieh tun. Sigurd war der Reichere der beiden, während Cnut gefährlicher war. Er war noch jung und hatte dennoch schon einen großen Ruf als Schwert-Däne, ein Mann, dessen Klinge respektiert und gefürchtet werden musste. Solch ein Mann zieht andere an. Sie kamen übers Meer, ruderten nach Britannien, um sich einem Führer anzuschließen, der ihnen Reichtum versprach. Und im Frühling, so dachte ich, würden die Dänen gewiss wiederkommen, oder vielleicht würden sie auch warten, bis Alfred starb, weil sie wussten, dass der Tod eines Königs Unsicherheit bringt, und Unsicherheit birgt günstige Gelegenheiten.

Beortsig dachte das Gleiche. «Liegt Alfred wirklich im Sterben?», fragte er, als wir nordwärts ritten.

«Das sagen jedenfalls alle.»

«Das haben sie auch schon früher gesagt.»

«Und sehr oft», stimmte ich ihm zu.

«Glaubt Ihr es jetzt?»

«Ich habe ihn nicht selbst gesehen», sagte ich, und ich wusste, dass ich in seinem Palas nicht willkommen wäre, selbst wenn ich ihn sehen wollte. Man hatte mir erklärt, Æthelflæd sei zum Weihnachtsfest nach Wintanceaster gegangen, doch sie war wohl eher zur Totenwache bestellt worden als zu den fragwürdigen Genüssen an der Tafel ihres Vaters.

«Und Edward wird sein Erbe antreten?», fragte Beortsig.

«Das ist Alfreds Wunsch.»

«Und wer wird König in Mercien?»

«Es gibt keinen König in Mercien», sagte ich.

«Es sollte aber einen geben», sagte er verbittert, «und zwar keinen Westsachsen! Wir sind Mercier, keine Westsachsen.» Ich sagte nichts dazu. Einst hatte es Könige in Mercien gegeben, aber jetzt unterstand es Wessex. Das hatte Alfred so eingerichtet. Seine Tochter war mit dem mächtigsten der mercischen Aldermänner verheiratet, und die meisten Sachsen in Mercien schienen sehr zufrieden damit, unter Alfreds Schutz zu stehen, doch nicht allen gefiel diese westsächsische Dominanz. Wenn Alfred starb, würden einflussreiche Mercier anfangen, auf ihren unbesetzten Thron zu schielen, und Beortsig, so vermutete ich, war solch ein Mann. «Unsere Vorfahren waren hier Könige», erklärte er mir.

«Und meine Vorfahren waren Könige in Northumbrien», gab ich zurück, «aber ich will den Thron nicht.»

«Mercien sollte von einem Mercier regiert werden»,

sagte er. Er schien sich in meiner Gesellschaft unwohl zu fühlen, oder vielleicht fühlte er sich auch unwohl, weil wir tief in das Gebiet ritten, das Sigurd für sich beanspruchte.

Wir ritten geradewegs nach Norden, die niedrig stehende Wintersonne warf unsere Schatten langgezogen vor uns. Die ersten Gehöfte, an denen wir vorbeikamen, waren nur noch ausgebrannte Ruinen, dann, als die Mittagszeit schon vorüber war, kamen wir zu einem Dorf. Die Leute hatten uns kommen sehen, also führte ich meine Reiter durch den nahegelegenen Wald, bis wir ein Paar aus seinem Versteck aufgescheucht hatten. Sie waren Sachsen, ein Sklave und seine Frau, und sie sagten, ihr Herr sei ein Däne. «Ist er in seinem Palas?», fragte ich.

«Nein, Herr.» Der Mann kniete vor mir, zitterte vor Angst und war unfähig den Kopf zu heben, um meinem Blick zu begegnen.

«Wie heißt er?»

«Jarl Joven, Herr.»

Ich sah Beortsig an, der mit den Schultern zuckte. «Jorven ist einer von Sigurds Männern», sagte er, «und in Wahrheit kein Jarl. Er hat kaum mehr als dreißig oder vierzig Krieger.»

«Ist seine Frau im Palas?», fragte ich den knienden Mann.

«Sie ist dort, Herr, und einige Krieger, aber nicht viele. Die übrigen sind weggeritten, Herr.»

«Und wohin?»

«Ich weiß nicht, Herr.»

Ich warf ihm eine Silbermünze hin. Das konnte ich mir keineswegs leisten, aber ein Herr ist ein Herr.

«Das Julfest steht vor der Tür», tat Beortsig diesen Hinweis ab. «Jorven ist vermutlich nach Cytringan gegangen.»

«Cytringan?»

«Wie wir gehört haben, feiern Sigurd und Cnut dort das Julfest», sagte er.

Wir ritten aus dem Wald, zurück auf feuchtes Weideland. Wolken waren vor die Sonne gezogen, und ich dachte, es würde wohl bald anfangen zu regnen. «Erzählt mir von Jorven», sagte ich zu Beortsig.

Er zog die Schultern hoch. «Ein Däne, das versteht sich. Er kam vor zwei Sommern an, und Sigurd hat ihm diese Ländereien gegeben.»

«Ist er mit Sigurd verwandt?»

«Das weiß ich nicht.»

«Und wie alt?»

Wieder ein Schulterzucken. «Jung.»

Und warum sollte ein Mann ohne seine Frau zum Julfest gehen? Beinahe hätte ich diese Frage laut gestellt, dann aber dachte ich, Beortsigs Antwort wäre ohnehin nutzlos, und deshalb schwieg ich. Statt weiterzureden trieb ich mein Pferd an, bis ich eine Stelle erreichte, von der aus ich Jorvens Palas sehen konnte. Es war ein recht stattliches Gebäude mit steilem Dach und einem Bullenschädel am hohen Giebelfeld. Das Strohdach war so neu, dass es noch kein Moos angesetzt hatte. Eine Palisade zog sich um den Palas, und ich sah zwei Männer, die uns beobachteten. «Das wäre ein guter Augenblick, um Jorven anzugreifen», sagte ich leichthin.

«Sie haben uns in Frieden gelassen», sagte Beortsig.

«Und Ihr glaubt, das wird so bleiben?»

«Ich glaube, wir sollten umdrehen», sagte er, und dann, als ich nichts sagte, fügte er hinzu, «wenn wir es bis zum Dunkelwerden zurück nach Hause schaffen wollen.»

Stattdessen ritt ich weiter nordwärts und beachtete Beortsigs Einwände nicht. Wir ließen Jorvens Palas unbehelligt und kamen auf einen niedrigen Hügelkamm, von dem aus wir in ein weites Tal hinabblickten. Feine Rauchfäden zeigten, wo Dörfer oder Gehöfte standen, und mattes Schimmern verriet einen Fluss. Ein schöner Fleck, dachte ich, fruchtbar und gut bewässert, ganz genau die Art Grund und Boden, nach der es die Dänen verlangte. «Ihr sagt, Jorven hat dreißig oder vierzig Krieger?», fragte ich Beortsig.

«Mehr sind es nicht.»

«Also eine Schiffsbesatzung», sagte ich. Daraus schloss ich, dass Jorven und seine Gefolgsleute das Meer in einem einzigen Schiff überquert und Sigurd den Treueid geleistet hatten. Als Gegenleistung hatte Jorven Landbesitz an der Grenze erhalten. Wenn die Sachsen angriffen, würde Jorven wahrscheinlich umkommen, aber das war das Risiko, das er einging, denn andererseits konnte seine Belohnung noch viel größer werden, wenn sich Sigurd zu einem Angriff im Süden entschloss. «Als Haesten letzten Sommer hier war», sagte ich zu Beortsig und trieb mein Pferd weiter, «hat er Euch da Ärger gemacht?»

«Er hat uns in Ruhe gelassen», sagte er. «Er hat seine Verwüstungen weiter im Westen angerichtet.»

Ich nickte. Beortsigs Vater, dachte ich, hatte es wohl satt gehabt, gegen die Dänen zu kämpfen und zahlte Sigurd nun Tribut. Es konnte keinen anderen Grund für diesen Frieden geben, der auf Beornnoths Ländereien herrschte, und Haesten, spann ich meine Vermutungen weiter, hatte Beornnoth auf Sigurds Befehl ungeschoren gelassen. Haesten hätte es niemals gewagt, Sigurd zu verärgern, und zweifellos hatte er deshalb einen Bogen um die Besitzungen derjenigen Sachsen gemacht, die für den Frieden zahlten. Haesten war noch der größte Teil Südmerciens für seine Heimsuchungen geblieben, und er war sengend und brennend, vergewaltigend und plündernd umhergezogen, bis ich den größten Teil seiner Kampfkraft bei Beamfleot niedermachte. Darauf war er vor Angst nach Ceaster geflüchtet.

«Macht dir etwas Sorgen?», fragte mich Finan. Wir ritten in das Tal hinunter und auf den Fluss zu. Der Wind trieb uns Nieselregen in den Rücken. Finan und ich waren etwas vorausgaloppiert, um außer Hörweite von Beortsig und seinen Männern zu sein.

«Warum sollte ein Mann ohne seine Frau zum Julfest gehen?», fragte ich Finan.

Er hob die Augenbrauen. «Vielleicht ist sie hässlich. Vielleicht hält er sich für die Festtage etwas Jüngeres, Hübscheres.»

«Kann sein», knurrte ich.

«Oder vielleicht ist er dorthin beordert worden», sagte Finan.

«Und warum sollte Sigurd zur Wintersonnenwende Krieger einberufen?»

«Weil er über Eohric Bescheid weiß?»

«Und genau das macht mir Sorgen», sagte ich.

Der Regen wurde stärker, heftige Windböen jagten ihn vor sich her. Der Tag ging zur Neige, es war düster und nass und kalt. Schneereste lagen weiß in zugefrorenen Gräben. Beortsig wollte darauf bestehen, dass wir umkehrten, aber ich ritt weiter nach Norden und hielt auf zwei große Palas-Gebäude zu. Wer auch immer diese Gebäude schützte, er musste uns gesehen haben, doch niemand ritt uns entgegen. Mehr als vierzig bewaffnete Männer mit Schilden und Speeren und Schwertern ritten durch ihr Land, und sie machten sich nicht einmal die Mühe herauszufinden, wer wir waren oder was wir wollten? Das sagte mir, dass die Gebäude nur mangelhaft bewacht waren. Wer uns sah, ließ uns lieber zufrieden und hoffte, dass wir weiterritten, ohne sie zu beachten.

Und dann zog sich, gerade vor uns, eine Narbe über das Land. Ich ließ mein Pferd an ihrem Rand anhalten. Die Narbe verlief quer über unseren Weg, hatte sich tief in die Feuchtwiesen am südlichen Ufer des Flusses gegraben, dessen Oberfläche nun von unzähligen Regentropfen aufgewühlt wurde. Ich ließ mein Pferd umdrehen und gab vor, dass mich dieser zertrampelte Boden und die tiefen Hufabdrücke nicht interessierten. «Wir reiten zurück», erklärte ich Beortsig.

Die Narbe war von Pferden verursacht worden. Finan lenkte seinen Hengst unter dem kalten Regen dicht neben meinen. «Achtzig Männer», sagte er.

Ich nickte. Ich vertraute seinem Urteil. Zwei Schiffsbesatzungen waren von Westen nach Osten geritten, und die Hufe ihrer Pferde hatten die Narbe in den feuchten Grund gerissen. Zwei Schiffsmannschaften, die dem Fluss folgten. Wohin? Ich ritt langsamer, damit Beortsig zu uns aufschloss. «Wo, habt Ihr gesagt, feiert Sigurd das Julfest?», fragte ich.

«Cytringan.»

«Und wo ist Cytringan?»

Er deutete nach Norden. «Eine gute Tagesreise, vielleicht zwei. Er hat dort eine Festhalle.»

Cytringan lag im Norden, doch die Hufspuren führten nach Osten.

Irgendwer log.

ZWEI

Wie wichtig das geplante Bündnis für Alfred war, wurde mir erst so recht bewusst, als ich nach Buccingahamm zurückkehrte und sechzehn Mönche dabei vorfand, wie sie mein Essen verschlangen und mein Ale tranken. Die Jüngsten unter ihnen waren noch bartlose Knäblein, und der Älteste, ihr Anführer, war ein korpulenter Mann in meinem Alter. Er hieß Bruder John und war so fett, dass es ihm Schwierigkeiten bereitete, sich vor mir zu verbeugen. «Er stammt aus dem Frankenreich», sagte Willibald stolz.

«Und was hat er hier verloren?»

«Er ist der Gesangsmeister des Königs! Er leitet den Chor.»

«Einen Chor?», fragte ich.

«Wir singen», sagte Bruder John mit einer Stimme, die wie Donnergrollen irgendwoher aus seinem umfangreichen Bauch aufzusteigen schien. Er winkte gebieterisch zu seinen Mönchen hinüber und rief: «Das *Soli Deo Gloria*. Steht auf! Tief einatmen! Auf mein Wort! Eins! Zwei!» Sie begannen einen feierlichen Gesang. «Münder auf!», brüllte Bruder John. «Den Mund aufsperren! Den Mund aufsperren wie die kleinen Vögelein im Nest! Aus dem Bauch singen! Ich höre euch nicht!»

«Genug!», rief ich, noch bevor sie mit dem ersten Satz fertig waren. Ich warf Oswi, meinem Diener, meinen Schwertgurt zu, dann ging ich zum Feuer in der Mitte, um mich aufzuwärmen. «Warum», fragte ich Willibald, «muss ich singende Mönche durchfüttern?»

«Es ist wichtig, dass wir mit unserem Erscheinen be-eindrucken», antwortete er und beäugte misstrauisch mein schlammverspritztes Kettenhemd. «Wir sind dort die Stell-vertreter von Wessex, Herr, und wir müssen den Glanz von Alfreds Hof veranschaulichen.»

Alfred hatte mit den Mönchen auch Banner geschickt. Eines zeigte den Drachen von Wessex, während andere mit Heiligenbildern oder christlichen Symbolen bestickt waren. «Nehmen wir diese Lumpen auch mit?», fragte ich.

«Gewiss», sagte Willibald.

«Kann ich dann vielleicht ein Banner mitnehmen, das Thor zeigt? Oder Wotan?»

Willibald seufzte. «Ich bitte Euch, Herr, nein.»

«Und warum können wir kein Banner haben, auf dem eine von den weiblichen Heiligen ist?», fragte ich.

«Das können wir ganz bestimmt», sagte Willibald, er-freut über meinen Vorschlag, «wenn Euch das gefallen würde.»

«Eine von diesen Frauen, die nackt ausgezogen worden sind, bevor sie umgebracht wurden», fügte ich hinzu, und Pater Willibald seufzte erneut.

Sigunn brachte mir ein Horn angewärmtes Ale, und ich gab ihr einen Kuss. «Alles in Ordnung hier?», fragte ich sie.

Sie sah zu den Mönchen hinüber und zuckte mit den Achseln. Ich bemerkte Willibalds Neugierde, was sie an-ging, ganz besonders, als ich den Arm um sie legte und sie an mich zog. «Das ist meine Frau», erklärte ich.

«Aber …», setzte er an und unterbrach sich augenblick-lich. Er dachte an Æthelflæd, hatte aber nicht den Mut, ih-ren Namen auszusprechen.

Ich lächelte ihn an. «Habt Ihr eine Frage, Pater?»

«Nein, nein», antwortete er hastig.

Ich betrachtete das größte Banner, ein reichverziertes Leinenquadrat, mit einer gestickten Kreuzigungsszene geschmückt. Es war so riesig, dass man zwei Männer brauchen würde, um damit zu paradieren, und noch mehr, falls die Windstärke eine sanfte Brise überstieg. «Weiß Eohric, dass wir mit einer ganzen Armee anrücken?», fragte ich Willibald.

«Es wurde ihm mitgeteilt, dass er bis zu hundert Personen zu erwarten hat.»

«Und erwartet er auch Sigurd und Cnut?», hakte ich in ätzendem Ton nach, und Willibald starrte mich einfach nur ausdruckslos an. «Die Dänen wissen über diesen Bündnisplan Bescheid», erklärte ich ihm, «und sie werden versuchen, den Vertragsabschluss zu verhindern.»

«Verhindern? Und wie?»

«Was glaubt Ihr wohl?», fragte ich zurück.

Willibald wurde blasser denn je. «König Eohric schickt Männer als Begleitschutz», sagte er.

«Schickt er sie hierher?» Ich war wütend, weil ich dachte, es würde von mir erwartet, noch mehr Männer abzufüttern.

«Nach Huntandon», sagte Willibald, «und von dort aus bringen sie uns nach Eleg.»

«Warum gehen wir überhaupt nach Ostanglien?», fragte ich.

«Um den Vertrag auszuhandeln natürlich», sagte Willibald, verwirrt von meiner Frage.

«Und warum schickt Eohric seine Männer dann nicht nach Wessex?», wollte ich wissen.

«Eohric hat doch Männer geschickt, Herr! Er hat Ceolberht und Ceolnoth geschickt. Das Bündnis war König Eohrics Vorschlag.»

«Aber warum wird es dann nicht in Wessex unterzeichnet und besiegelt?», beharrte ich.

Willibald breitete die Hände aus. «Spielt das eine Rolle, Herr?», fragte er eine Spur ungeduldig. «Und wir sollen uns in drei Tagen in Huntandon treffen», fuhr er fort. «Und falls das Wetter schlecht wird …» Er beendete den Satz nicht.

Ich hatte schon von Huntandon gehört, war allerdings niemals dort gewesen, und alles, was ich wusste, war, dass es irgendwo jenseits der unklaren Grenze zwischen Mercien und Ostanglien lag. Ich gab den Zwillingen, Ceolberht und Ceolnoth, ein Zeichen, und sie kamen eilig von dem Tisch herangelaufen, an dem sie mit den beiden Priestern aus Wessex gesessen hatten. «Wenn wir von hier aus auf dem kürzesten Weg nach Eleg reiten wollten», sagte ich zu den Zwillingen, «welchen Weg müssten wir dann nehmen?»

Sie berieten sich kurz mit gesenkten Stimmen, dann meinte der eine, am schnellsten käme man über Grantaceaster hin. «Von dort aus», nahm der andere den Faden auf, «gibt es eine Römerstraße, die geradewegs zu der Insel führt.»

«Insel?»

«Eleg ist eine Insel», sagte ein Zwilling.

«In einem Sumpf», fügte der andere hinzu.

«Mit einem Kloster!»

«Das von den Heiden niedergebrannt wurde.»

«Aber inzwischen ist die Kirche wieder aufgebaut.»

«Dank sei dem Herrn.»

«Die heilige Æthelreda hat das Kloster errichtet.»

«Und sie war mit einem Northumbrier verheiratet»,

sagte Ceolnoth oder Ceolberht, um mir zu gefallen, denn ich bin selbst Northumbrier. Ich bin der Herr von Bebbanburg, wenn auch in jenen Tagen mein verderbter Onkel in der großen Festung am Meer wohnte. Er hatte sie mir gestohlen, und ich hatte vor, sie mir zurückzuholen.

«Und Huntandon liegt an der Straße nach Grantaceaster?», erkundigte ich mich.

Die Zwillinge wirkten erstaunt über meine Unwissenheit. «O nein, Herr», sagte einer von ihnen. «Huntandon liegt weiter nördlich.»

«Warum gehen wir dann dorthin?»

«König Eohric», begann der eine Zwilling, dann erstarb seine Stimme. Es war offenkundig, dass weder er noch sein Bruder über diese Frage nachgedacht hatten.

«Dieser Weg ist so gut wie jeder andere», sagte sein Bruder beherzt.

«Besser als der über Grantaceaster?», fragte ich nach.

«Beinahe ebenso gut, Herr», sagte einer der Zwillinge.

Es gibt Momente, in denen sich ein Mann fühlt wie ein wilder Keiler, der in einem Wald in die Enge getrieben wird. Er hört die Jäger, lauscht auf das Gebell der Jagdhunde, spürt, wie sein Herz immer schneller schlägt, überlegt, in welche Richtung er fliehen soll, und weiß es nicht, weil die Geräusche der Verfolger von überall und nirgends kommen. Nichts davon passte zusammen. Nichts. Ich ließ Sihtric rufen, der früher mein Diener, nun aber ein Krieger in meiner Haustruppe war. «Such jemanden», erklärte ich ihm, «irgendwen, der Huntandon kennt. Bring ihn her. Ich will ihn spätestens morgen hierhaben.»

«Und wo soll ich ihn suchen?», fragte Sihtric.

«Woher soll ich das wissen? Geh in die Stadt. Rede mit den Leuten in den Schänken.»

Sihtric, mager und mit scharfen Gesichtszügen, sah mich gereizt an. «Ich soll also jemanden in einer Schänke finden», sagte er, als sei das eine unerfüllbare Aufgabe.

«Einen Händler», schrie ich ihn an. «Such mir jemanden, der im Land umherzieht! Und betrink dich nicht. Such jemanden, und dann bringst du ihn zu mir.» Sihtric war immer noch mürrisch, vielleicht wollte er nicht wieder hinaus in die Kälte. Einen Augenblick lang sah er aus wie sein Vater, Kjartan der Grausame, der eine sächsische Sklavin mit Sihtric geschwängert hatte, dann aber gelang es ihm, seinen Ärger zu beherrschen, und er drehte sich um und ging weg. Finan, der Sihtrics Aufsässigkeit bemerkt hatte, entspannte sich. «Such mir jemanden, der weiß, wie man nach Huntandon und Grantaceaster und Eleg kommt», rief ich Sihtric nach, doch er antwortete nicht und verließ wortlos den Palas.

Ich kannte Wessex recht gut, und ich lernte Teile von Mercien kennen. Ich kannte das Gebiet um Bebbanburg und um Lundene, aber vieles vom übrigen Britannien war mir ein Rätsel. Ich brauchte jemanden, dem Ostanglien so vertraut war wie mir Wessex. «Wir kennen all diese Orte, Herr», sagte einer der Zwillinge.

Ich ging nicht auf diese Bemerkung ein, weil die Zwillinge meine Bedenken niemals verstanden hätten. Ceolberht und Ceolnoth hatten ihr Leben der Bekehrung der Dänen gewidmet, und sie sahen den Bündnisplan mit Eohric als Beweis dafür an, dass ihr Gott den Kampf gegen die heidnischen Götzen gewann, und zudem wären sie wohl höchst unzuverlässige Verbündete bei dem Vorhaben gewesen, das mir gerade in den Sinn kam. «Und Eohric», sagte ich zu den Zwillingen, «schickt also Männer, mit denen wir uns bei Huntandon treffen sollen.»

«Eine Begleitmannschaft, Herr, ganz recht. Sie wird vermutlich von Jarl Oscytel angeführt.»

Von Oscytel hatte ich schon gehört. Er war der Befehlshaber über Eohrics Hauskerle und damit der oberste Heerführer Ostangliens. «Und wie viele Männer wird er mitbringen?», fragte ich.

Die Zwillinge zuckten mit den Schultern. «Vielleicht einhundert?», sagte einer.

«Oder zweihundert?», sagte der andere.

«Und dann werden wir alle zusammen nach Eleg gehen», sagte der erste Zwilling heiter.

«Mit frohen Gesängen», warf Bruder John ein, «wie die kleinen Vögelein.»

Also wurde von mir erwartet, dass ich mit einem halben Dutzend Prunkbannern und einem Trupp singender Mönche nach Ostanglien marschierte? Das würde Sigurd gefallen, dachte ich. Es lag unbedingt in seinem Interesse, den Vertragsschluss zu verhindern, und es gab für ihn kaum eine bessere Art, um sein Ziel zu erreichen, als mich in einen Hinterhalt zu locken, noch bevor wir überhaupt in Huntandon ankamen. Ich war nicht sicher, ob er das tatsächlich plante, es war nur eine Vermutung. Nach allem, was ich wusste, war Sigurd wirklich dabei, das Julfest zu begehen, und hatte nicht die Absicht, einen schnellen winterlichen Feldzug zu unternehmen, um das Bündnis zwischen Wessex, Mercien und Ostanglien zu verhindern. Doch niemand, der annimmt, seine Feinde würden schlafen, bleibt lange am Leben. Ich gab Sigunn einen Klaps aufs Hinterteil. «Würdest du das Julfest gern in Eleg verbringen?», fragte ich sie.

«Weihnachten», konnte sich einer der Zwillinge die Richtigstellung nicht verkneifen, doch dann erbleichte er unter dem Blick, den ich ihm zuwarf.

«Ich würde zu Jul lieber hier sein», sagte Sigunn.

«Wir gehen nach Eleg», erklärte ich ihr, «und du trägst die Goldketten, die ich dir gegeben habe. Es ist wichtig, dass wir mit unserem Erscheinen beeindrucken», fügte ich hinzu. Dann sah ich Willibald an. «So ist es doch, Pater, nicht wahr?»

«Ihr könnt sie nicht mitnehmen!», zischte Willibald.

«Ich kann es nicht?»

Er ließ seine Hände flattern. Er wollte sagen, dass die Pracht von Alfreds Hof von der Anwesenheit einer dänischen Schönheit verseucht werden würde, aber er wagte es nicht, diese Worte laut auszusprechen. Er starrte einfach nur Sigunn an, die Witwe eines dänischen Kriegers, den wir bei Beamfleot getötet hatten. Sie war etwa siebzehn Jahre alt, ein schlankes Mädchen mit heller Haut, blauen Augen und Haar wie schimmerndes Gold. Sie trug ein prächtiges Gewand, ihr Kleid aus hellgelbem Leinen schmückte eine verzwickte blaue Randstickerei aus Drachenleibern, die sich um den Saum, den Halsausschnitt und die Ärmelkanten wanden. Gold hing um ihren Hals und blitzte an ihren Handgelenken, ein Zeichen dafür, dass sie eine bevorzugte Stellung genoss, der Besitz eines Herrn war. Sie gehörte mir, aber den größten Teil ihres Lebens hatte sie nur die Gesellschaft von Haestens Männern gekannt, und Haesten war auf der anderen Seite Britanniens, in Ceaster.

Und das war der Grund, aus dem ich Sigunn Richtung Eleg mitnehmen würde.

Es war die Zeit des Julfestes 898, und irgendwer versuchte mich zu töten.

Doch stattdessen würde ich ihn töten.

Sihtric hatte meine Befehle zwar merkwürdig widerstrebend erfüllt, aber der Mann, den er mir brachte, war eine gute Wahl. Er war noch jung, kaum älter als zwanzig, und er behauptete, Magier zu sein, was hieß, dass er ein Galgenstrick war, der von Stadt zu Stadt zog, um Talismane und Zaubermittel zu verkaufen. Er nannte sich Ludda, allerdings bezweifelte ich, dass das sein echter Name war, und er wurde von einem kleinen, dunkelhaarigen Mädchen namens Teg begleitet, das unter dichten schwarzen Augenbrauen und einem vogelnestartigen Wust von wirrem Haar finster zu mir emporblickte. Sie schien vor sich hinzumurmeln, während sie mich ansah. «Belegt sie da jemanden mit Zaubersprüchen?», fragte ich.

«Das kann sie, Herr», gab Ludda zurück.

«Und tut sie es?»

«Oh, nein, Herr», versicherte mir Ludda eilig. Ebenso wie das Mädchen kniete er vor mir. Er hatte ein täuschend offenes Gesicht mit großen blauen Augen, einen breiten Mund, und er lächelte viel. Außerdem hatte er sich einen Sack auf den Rücken gehängt, und es erwies sich, dass er darin seine Zaubermittel aufbewahrte, meistens Elfensteine und schimmernde Kiesel, dazu ein Bündel kleiner Ledertäschchen, von denen jedes ein oder zwei rostige Eisenstückchen enthielt.

«Was ist das?», fragte ich und schubste die Täschchen mit dem Fuß an.

«Ah», sagte er und grinste verlegen.

«Wer die Menschen, die auf meinem Land leben, betrügt, der wird bestraft», sagte ich.

«Betrügt, Herr?» Unschuldig sah er zu mir auf.

«Ich ertränke diejenigen», sagte ich, «oder ich knüpfe sie auf. Hast du die beiden Toten draußen bemerkt?» Die

Leichen der beiden Männer, die versucht hatten, mich zu töten, hingen immer noch an der Ulme.

«Sie sind schwer zu übersehen, Herr», sagte Ludda.

Ich nahm eines der kleinen Ledertäschchen und schüttelte zwei verrostete Nägel auf meine Handfläche. «Du erzählst den Leuten, wenn sie mit diesem Beutel unterm Kopfkissen schlafen und ein Gebet aufsagen, verwandelt sich das Eisen in Silber.»

Die großen blauen Augen wurden noch größer. «Aber warum sollte ich so etwas erzählen, Herr?»

«Damit du reich wirst, indem du Eisenstückchen für den hundertfachen Preis ihres tatsächlichen Wertes verkaufst.»

«Aber wenn sie nur inbrünstig genug beten, Herr, dann könnte der Allmächtige ihre Gebete doch erhören, oder nicht? Und es wäre unchristlich von mir, einfachen Leuten die Gelegenheit für ein Wunder zu verweigern, Herr.»

«Ich sollte dich hängen», sagte ich.

«Hängt lieber sie stattdessen, Herr», sagte Ludda hastig und nickte in Richtung seines Mädchens. «Sie ist Waliserin.»

Ich musste lachen. Das Mädchen sah böse vor sich hin, und ich versetzte Ludda einen gutmütigen Klaps hinter die Ohren. Ich hatte Jahre zuvor eines von diesen Wundertäschchen gekauft, weil ich irgendwie geglaubt hatte, dass Gebete rostiges Metall in Gold verwandeln würden, und ich hatte es von genau so einem Gauner wie Ludda gekauft. Ich hieß ihn aufstehen und ließ die Diener für ihn und das Mädchen etwas zu essen und Ale bringen. «Wenn wir von hier aus nach Huntandon reisen», sagte ich zu ihm, «welche Strecke würden wir da nehmen?»

Er dachte ein paar Augenblicke nach, um festzustellen, ob sich hinter dieser Frage ein Falle verbarg, dann sagte er achselzuckend: «Das ist keine schwierige Reise, Herr. Ihr geht ostwärts nach Bedanford, und von dort aus gibt es eine gute Straße an einen Ort namens Eanulfsbirig. Dort überquert Ihr den Fluss, Herr, und haltet Euch nordostwärts bis Huntandon.»

«Welcher Fluss?»

«Die Ouse, Herr.» Er zögerte. «Von den Heiden weiß man, dass sie ihre Schiffe die Ouse hinaufgerudert haben, Herr, und zwar weit, bis nach Eanulfsbirig. Dort gibt es eine Brücke. Außerdem noch eine bei Huntandon, die überquert Ihr, um in die Siedlung zu kommen.»

«Also überquere ich den Fluss zweimal?»

«Dreimal, Herr. In Bedanford auch noch, allerdings ist dort nur eine Furt.»

«Also muss ich hin und her über den Fluss wechseln?», fragte ich.

«Ihr könnt auch dem Nordufer folgen, wenn Ihr es wünscht, Herr, dann müsst Ihr die anderen Brücken nicht benutzen, aber die Reise dauert viel länger, und es gibt auf dieser Uferseite keine gute Straße.»

«Gibt es noch eine andere Stelle, an der man durch den Fluss waten kann?»

«Nicht flussabwärts von Bedanford, Herr, jedenfalls wäre es nicht leicht, nicht nach all diesem Regen. Er ist bestimmt über die Ufer getreten.»

Ich nickte. Ich spielte mit ein paar Silbermünzen, und weder Ludda noch Teg konnten ihren Blick von dem Geld abwenden. «Erklär mir», sagte ich, «wenn du die Leute von Eleg hereinlegen wolltest, wie würdest du dann dorthin reisen?»

«Oh, durch Grantaceaster», sagte er ohne zu überlegen. «Das ist bei weitem die schnellste Strecke, und es

gibt überaus leichtgläubiges Volk in Grantaceaster, Herr.»
Er grinste.

«Und wie weit ist Eanulfsbirig von Huntandon?»

«Einen Vormittagsspaziergang, Herr. Das ist gar keine Entfernung.»

Ich ließ die Münzen auf meine Handfläche fallen. «Und die Brücken?», fragte ich. «Sind sie aus Holz oder aus Stein?»

«Beides Holzbrücken, Herr», sagte er. «Früher waren sie aus Stein, aber die römischen Bögen sind eingestürzt.» Er erzählte mir von den anderen Siedlungen am Ufer der Ouse, und dass das Tal immer noch eher sächsisch als dänisch war, selbst wenn alle Bauern dort Abgaben an die dänischen Herren entrichteten. Ich ließ ihn reden, doch ich dachte über den Fluss nach, den wir überqueren mussten. Wenn Sigurd einen Hinterhalt plante, dann würde er sich Eanulfsbirig aussuchen, weil er wusste, dass wir dort über die Brücke mussten. Ganz bestimmt würde er nicht Huntandon nehmen, wo uns die ostanglische Begleitmannschaft auf dem höhergelegenen Nordufer des Flusses erwartete.

Aber vielleicht plante er auch überhaupt nichts.

Vielleicht sah ich Gefahren, wo es keine gab.

«Warst du schon einmal in Cytringan?», fragte ich Ludda.

Er sah mich überrascht an, vielleicht, weil Cytringan weit von den anderen Orten entfernt war, nach denen ich ihn gefragt hatte. «Ja, Herr», sagte er.

«Was gibt es dort?»

«Jarl Sigurd hat in Cytringan eine Festhalle. Er benutzt sie, wenn er dort in den Wäldern auf Jagd geht.»

«Hat sie eine Palisade?»

«Nein, Herr. Es ist ein großer Palas, aber er steht meistens leer.»

«Ich habe gehört, dass Sigurd dort das Julfest verbringt.»

«Das könnte sein, Herr.»

Ich nickte, dann steckte ich die Münzen wieder in meinen Beutel und sah die Enttäuschung in Luddas Blick. «Ich bezahle dich», versprach ich, «wenn wir zurück sind.»

«Wir?», fragte er beklommen.

«Du kommst mit mir, Ludda», sagte ich. «Jeder Krieger würde sich glücklich schätzen, von einem Magier begleitet zu werden, und ein Magier sollte sich sogar äußerst glücklich schätzen, wenn er ein paar Krieger als Begleitschutz hat.»

«Ja, Herr», sagte er, bemüht, freudig zu klingen.

Am nächsten Morgen brachen wir auf. Die Mönche gingen alle zu Fuß, sodass wir recht langsam vorankamen, aber ich hatte keine besondere Eile. Ich nahm beinahe alle meine Männer mit und ließ nur eine Handvoll zur Bewachung des Palas zurück. Wir waren über einhundert, darunter jedoch nur fünfzig Kämpfer, die übrigen waren Geistliche und Diener, und Sigunn war die einzige Frau. Meine Männer trugen ihre besten Rüstungen. Zwanzig von ihnen ritten voran, und alle anderen bildeten die Nachhut, während die Mönche, Priester und Diener in der Mitte gingen oder ritten. Sechs von meinen Männern bewachten die Flanken und ritten als Späher voraus. Ich erwartete keine Schwierigkeiten zwischen Buccingahamm und Bedanford, und es gab auch keine. Ich war zuvor noch nie in Bedanford gewesen und lernte eine trübselige, halb aufgegebene Stadt kennen, die zu einem Dorf geschrumpft war, in dem jetzt die Angst herrschte. Früher hatte dort nördlich des Flusses eine große Kirche gestanden, und König Offa, der Tyrann von Mercien, war angeblich darin begraben worden. Dann aber hatten die Dänen die Kirche niedergebrannt und das Königsgrab aufgebrochen, um nach den Schätzen zu suchen, die mit der Leiche vergraben worden sein mochten. Wir verbrachten eine kalte, unbequeme Nacht in einer Scheune, wenn ich auch einen Teil der Zeit bei den Wachen verbrachte, die unter ihren Pelzumhängen zitterten. Mit der Dämmerung zog Nebel über das feuchte, eintönige, flache Land, durch das sich der Fluss in großen, trägen Schleifen wand.

Wir überquerten den Fluss im Dunst des Morgens. Zuerst schickte ich Finan und zwanzig meiner Männer vor, und er kundschaftete die Straße aus und kam mit der Nachricht zurück, dass kein Feind in Sicht war. «Feind?», fragte mich Willibald. «Warum rechnet Ihr mit Feinden?»

«Wir sind Krieger», erklärte ich ihm, «und wir rechnen immer mit Feinden.»

Er schüttelte den Kopf. «Das hier ist Eohrics Land. Er ist uns freundlich gesinnt.»

Das Wasser in der Furt war hoch und eiskalt, und ich ließ die Mönche ein Floß benutzen, das offenkundig zu genau diesem Zweck am südlichen Ufer vertäut lag. Einmal über den Fluss, folgten wir den Überresten einer Römerstraße durch weite Auen, auf denen das Wasser stand. Der Nebel löste sich auf, und mit der Sonne zog ein kalter, klarer Tag herauf. Ich war angespannt. Manchmal, wenn sich ein Wolfsrudel bedrohlich in der Nähe herumtreibt und immer wieder entwischt, stellen wir den Tieren eine Falle. Ein paar Schafe werden auf einer Lichtung eingepfercht, und wir geben Wolfshunden Befehl, sich auf der windabwärts gelegenen Seite hinter die Büsche zu legen. Und dann warten wir und hoffen, dass die Wölfe kommen. Und wenn sie kommen, werden Reiter und Jagdhunde losgelassen, und das Wolfsrudel wird über Land gehetzt, bis nichts mehr von ihm übrig ist außer blutigen Fellen und zerfetztem Fleisch. Aber jetzt waren wir die Schafe. Wir zogen nordwärts, hielten die Banner empor, taten unsere Anwesenheit kund, und die Wölfe beobachteten uns. Davon war ich überzeugt.

Ich nahm Finan, Sigunn, Ludda, Sihtric und vier andere Männer und verließ die Straße, während Osferth den Befehl erhielt, mit den übrigen bis nach Eanulfsbirig weiterzuziehen, dort aber nicht den Fluss zu überqueren.

Inzwischen kundschafteten wir die Gegend aus. Das ist eine Kunst. Üblicherweise hätte ich zwei Reiterpaare auf jeder Seite der Straße eingesetzt. In solchen Fällen ritt ein Paar voraus, um Hügel oder Wälder zu erkunden, während es von dem anderen im Blick behalten wurde, und erst, wenn die beiden sicher waren, dass kein Feind in Sicht war, gaben sie ihren Gefährten ein Zeichen, damit diese ihrerseits begannen, den nächsten Gebietsabschnitt auszuforschen. Doch jetzt hatte ich keine Zeit für solche Vorsichtsmaßnahmen. Ich hatte Ludda ein Kettenhemd gegeben, einen Helm und ein Schwert, während Sigunn, die so gut ritt wie nur irgendein Mann, einen dicken Umhang aus Otternfell trug.

Am späten Vormittag kamen wir an Eanulfsbirig vorbei. Wir waren noch ein gutes Stück westlich von der kleinen Siedlung, und ich hielt zwischen winterlich dunklen Bäumen an, um aufmerksam zu dem schimmernden Fluss hinüberzuschauen, zu der Brücke und den winzigen, strohgedeckten Hütten, von deren Dächern Rauchfäden in den klaren Himmel hinaufzogen. «Dort ist keiner», sagte Finan nach einer Weile. Ich vertraute mehr auf seine Augen als auf meine. «Jedenfalls niemand, über den wir uns Gedanken machen müssten.»

«Es sei denn, sie sind in den Häusern», überlegte ich laut.

«Sie hätten bestimmt ihre Pferde nicht mit in die Häuser genommen», sagte Finan, «aber willst du, dass ich es überprüfe?» Ich schüttelte den Kopf. Im Grunde glaubte ich nicht, dass die Dänen dort waren. Und vielleicht waren sie überhaupt nirgends. Allerdings vermutete ich, dass sie Eanulfsbirig beobachteten, möglicherweise vom jenseitigen Flussufer aus. Dort standen Bäume auf den Uferwiesen und eine ganze Armee hätte sich im Unterholz verbergen können. Ich glaubte, Sigurd würde mit seinem Angriff abwarten, bis wir über den Fluss waren, sodass wir mit dem Rücken zum Wasser stünden, und zugleich müsste er die Brücke sichern, damit wir keinen Fluchtweg hätten. Oder Sigurd saß mit einem Becher Honigwein in seiner Festhalle, und ich bildete mir die Gefahr nur ein. «Reiten wir noch weiter nordwärts», sagte ich, und wir trieben die Pferde über die gepflügten Furchen eines Feldes, auf dem Winterweizen gesät worden war.

«Was erwartet Ihr, Herr?», fragte Ludda.

«Was dich angeht, dass du den Mund hältst, falls wir irgendeinem Dänen begegnen», sagte ich.

«Das werde ich ganz bestimmt tun», sagte er inbrünstig.

«Und bete, dass wir an den Bastarden nicht schon vorbei sind», setzte ich hinzu. Ich war unruhig, weil Osferth möglicherweise gerade in eine Falle lief, doch mein Gefühl sagte mir, dass wir den Feind noch nicht erreicht hatten. Wenn es hier überhaupt einen Feind gab. Auf mich wirkte es, als sei die Brücke bei Eanulfsbirig die beste Stelle für Sigurd, um uns in den Hinterhalt zu locken, doch soweit ich sehen konnte, waren auf dieser Seite der Ouse keine Männer, und er hätte sie gewiss auf beiden Ufern aufgestellt.

Wir ritten nun mit größerer Vorsicht weiter und hielten uns auf unserer Erkundung Richtung Norden zwischen den Bäumen. Unsere Gruppe war jenseits der Straße, auf der uns Sigurd erwarten musste, und wenn er Männer aufgestellt hatte, um uns den Fluchtweg abzuschneiden, hoffte ich sie zu entdecken. Doch die Winterlandschaft war kalt und still und verlassen. Ich begann gerade zu glauben, dass meine Befürchtungen unbegründet waren und uns in Wahrheit keine Gefahr drohte, als da, ganz unvermittelt, etwas Seltsames war.

Wir hatten Eanulfsbirig mittlerweile etwa drei Meilen hinter uns gelassen und befanden uns eine halbe Meile vom Fluss entfernt zwischen wassergetränkten Feldern und Niederwaldstreifen. Rauch stieg von einem Gehölz auf der anderen Uferseite auf, und ich verschwendete keinen weiteren Gedanken daran, weil ich an eine Hütte dachte, die von den Bäumen verborgen wurde, doch Finan sah noch etwas anderes. «Dort», sagte er, und ich zügelte mein Pferd und sah in die Richtung, in die er deutete. Der Fluss beschrieb an dieser Stelle eine weite Kehre ostwärts, und am äußersten Punkt der Flussschleife, zwischen kahlen Weidenzweigen, ragten die unverkennbaren Umrisse zweier Schiffsrümpfe hervor. Geschnitzte Tierköpfe. Ich hatte sie nicht entdeckt, bis Finan mich auf sie hingewiesen hatte, und der Ire hatte die schärfsten Augen von allen Menschen, die mir jemals begegnet sind. «Zwei Schiffe», sagte er.

Die beiden Schiffe hatten keine Masten, wahrscheinlich, weil sie unter der Brücke bei Huntandon hindurchgerudert worden waren. Waren sie ostanglisch? Ich sah aufmerksam zu ihnen hinüber. Ich konnte keine Besatzung entdecken, allerdings lagen die Schiffsrümpfe zwischen dem dichten Bewuchs der Uferböschung gut versteckt. Zwei Schiffe an einer Stelle, an der ich keine erwartet hatte. Hinter mir wiederholte Ludda, dass dänische Plünderer einmal bis nach Eanulfsbirig hinaufgerudert waren. «Sei still», sagte ich zu ihm.

«Ja, Herr.»

«Vielleicht haben sie die Schiffe über den Winter hierhergebracht», sagte Finan.

Ich schüttelte den Kopf. «Zum Überwintern werden sie aus dem Wasser gezogen. Und warum haben sie die Tierköpfe am Bug?» Wir setzen die geschnitzten Drachen- oder Wolfsköpfe nur in feindlichen Gewässern auf den Bug, und das bedeutete wohl, dass diese beiden Schiffe nicht ostanglisch waren. Ich drehte mich im Sattel nach Ludda um. «Denk dran, dass du den Mund halten sollst.»

«Ja, Herr», sagte er, doch seine Augen leuchteten. Unser Magier genoss es, ein Krieger zu sein.

«Und ihr übrigen», sagte ich, «sorgt dafür, dass eure Kreuze nicht zu sehen sind.» Die meisten meiner Männer waren Christen und trugen Kreuze um den Hals, so wie ich meinen Thorshammer. Ich betrachtete sie, als sie ihre Talismane unter die Kleidung schoben. Meinen Hammer dagegen verbarg ich nicht.

Wir trieben die Pferde aus dem Wald und über die Uferwiese. Wir hatten sie noch nicht einmal zur Hälfte überquert, als sich einer der Tierköpfe bewegte. Die beiden Schiffe waren am gegenüberliegenden Ufer vertäut, doch nun kam eines von ihnen über den Fluss, und drei Männer drängten sich in seinem Bug. Sie trugen Rüstung. Ich hob meine Hände hoch, um ihnen zu zeigen, dass ich keine Waffe führte, und ließ mein erschöpftes Pferd langsam auf sie zugehen. «Wer seid ihr?», rief mich einer von ihnen an. Er sprach Dänisch, hatte aber zu meinem Erstaunen ein Kreuz über seinem Kettenhemd hängen. Es war ein Holzkreuz mit einer kleinen silbernen Christusgestalt, die am Querbalken festgemacht war. Hatte er das von einem Raubzug? Ich konnte mir nicht vorstellen, dass auch nur einer von Sigurds Männern Christ war, doch die Schiffe waren eindeutig dänisch. Hinter dem Mann sah ich jetzt weitere, vielleicht waren insgesamt vierzig Männer auf den beiden Schiffen.

Ich hielt an, damit mich der Mann ansehen konnte. Er sah einen Herrn in kostspieliger Kriegsausrüstung, mit Silberschnallen am Harnisch, im Sonnenlicht glitzernden Armringen und einem Thorshammer, der auffällig um meinen Hals hing. «Wer seid Ihr, Herr?», fragte er respektvoll.

«Ich bin Haakon Haakonson», diesen Namen hatte ich erfunden, «und ich stehe in Jarl Haestens Diensten.» Das sollte meine Geschichte sein; dass ich einer von Haestens Männern war. Ich verließ mich darauf, dass keiner von Sigurds Gefolgsleuten Haestens Truppen kannte und sie mich daher nicht zu eingehend befragen würden, und wenn doch, könnte Sigunn, die einmal zu Haestens Gefolgschaft gehört hatte, für die Antworten sorgen. Das war der Grund, aus dem ich sie mitgenommen hatte.

«Ivann Ivarrson», stellte sich der Mann nun selbst vor. Er war beruhigt, weil ich Dänisch gesprochen hatte, aber auf der Hut war er trotzdem noch. «Und in welcher Sache seid Ihr unterwegs?», fragte er, wenn auch weiterhin respektvoll.

«Wir suchen Jarl Jorven», sagte ich und benutzte den

Namen des Mannes, an dessen Gehöft wir mit Beortsig vorbeigeritten waren.

«Jorven?»

«Er steht im Dienst von Jarl Sigurd», sagte ich.

«Und ist er bei ihm?», fragte Ivann und wirkte nicht im mindesten überrascht davon, dass ich einen von Sigurds Männern so weit von Sigurds Herrschaftsgebiet entfernt suchte, und das war meine erste Bestätigung dafür, dass Sigurd tatsächlich in der Nähe war. Er hatte seine Besitzungen verlassen und war auf Eohrics Gebiet, wo er nichts zu tun hatte, außer die Unterzeichnung des Vertrages zu verhindern.

«Das hat man mir jedenfalls gesagt», erklärte ich leichthin.

«Dann ist er auf der anderen Seite des Flusses», sagte Ivann und zögerte. «Herr?» In seiner Stimme lag nun größte Vorsicht. «Darf ich Euch eine Frage stellen?»

«Ihr dürft», sagte ich großartig.

«Wollt Ihr Jorven etwas Böses, Herr?»

Darüber lachte ich bloß. «Ich tue ihm einen Gefallen», sagte ich, drehte mich im Sattel um und zog Sigunn die Kapuze ihres Umhangs vom Kopf. «Sie ist ihm weggelaufen», erklärte ich, «und Jarl Haesten glaubt, er hätte sie gern zurück.»

Ivann riss die Augen auf. Sigunn war eine Schönheit, blass und zart, und sie war so klug, eine verängstigte Miene aufzusetzen, als sie von Ivann und seinen Männern gemustert wurde. «Jeder Mann würde sie wiederhaben wollen», sagte Ivann.

«Jorven wird das durchtriebene Stück zweifellos bestrafen», sagte ich unbekümmert, «aber vielleicht überlässt er sie vorher Euch, damit Ihr Euch mit ihr vergnügen könnt.» Ich zog Sigunn die Kapuze wieder über den Kopf, sodass ihr Gesicht im Schatten lag. «Ihr seid in Jarl Sigurds Diensten?», fragte ich Ivann.

«Wir stehen bei König Eohric im Dienst», sagte er.

Es gibt da so eine Geschichte in der Heiligen Schrift der Christen, wenn ich auch vergessen habe, um wen es geht, und bestimmt keinen der Priester meiner Frau rufen werde, um es mir zu erklären, weil der Priester es als seine Pflicht ansehen würde mir beizubringen, dass ich in die Hölle fahren werde, wenn ich nicht vor seinem angenagelten Gott katzbuckle, aber in der Geschichte geht es um einen Mann, der irgendwo auf Reisen war, als ihn mit einem Mal ein unglaublich helles Licht blendete und ihm blitzartig alles klar wurde. Und so fühlte ich mich in diesem Moment.

Eohric hatte Anlass, mich zu hassen. Ich hatte Dumnoc niedergebrannt, eine Stadt an der Küste Ostangliens, und auch wenn ich Grund genug gehabt hatte, diesen prächtigen Hafen in eine verkohlte Ruinenstätte zu verwandeln, hatte Eohric den Brand wohl kaum vergessen. Ich hatte gedacht, er hätte mir diese Kränkung in seinem dringenden Verlangen nach einem Bündnis mit Mercien und Wessex verziehen, doch nun erkannte ich seine Heimtücke. Er wollte meinen Tod. Und Sigurd ebenso, auch wenn Sigurd eher sachliche Gründe dafür hatte. Er wollte die Dänen zum Angriff auf Mercien und Wessex nach Süden führen, und er wusste, wer an der Spitze der Armee stünde, die sich ihm entgegenstellen würde. Uhtred von Bebbanburg. Das ist keine Unbescheidenheit. Ich hatte einen Ruf. Man fürchtete mich. Wenn ich tot gewesen wäre, hätte es Sigurd mit der Eroberung von Mercien und Wessex leichter gehabt.

Und in diesem Moment, auf dieser feuchten Uferwiese,

erkannte ich, wie die Falle gestellt worden war. Eohric hatte den guten Christen gespielt und vorgeschlagen, dass ich die Vertragsverhandlungen für Alfred übernahm, um mich an eine Stelle zu locken, an der mir Sigurd auflauern konnte. Sigurd, daran hatte ich keinen Zweifel, würde das Töten übernehmen, und auf diese Art würde Eohric von aller Schuld freigesprochen.

«Herr?», fragte Ivann, den mein Schweigen befremdete, und mir wurde bewusst, dass ich ihn die ganze Zeit angestarrt hatte.

«Ist Sigurd in Eohrics Gebiet einmarschiert?», fragte ich, als wäre ich dumm.

«Das ist kein Einmarsch, Herr», sagte Ivann, und sah mich über den Fluss blicken, doch auf dem gegenüberliegenden Ufer war nichts weiter zu sehen als noch mehr Felder und Bäume. «Der Jarl Sigurd ist auf die Jagd gegangen», sagte Ivann, wenn auch misstrauisch.

«Habt Ihr deshalb Eure Drachenköpfe auf den Schiffen gelassen?», fragte ich. Die Tierschnitzereien werden auf den Bug unserer Schiffe gesetzt, um feindliche Geister abzuschrecken, und wir nehmen sie üblicherweise ab, wenn die Schiffe durch die Gewässer befreundeter Herrscher fahren.

«Das sind keine Drachen», sagte Ivann. «Das sind christliche Löwen. König Eohric besteht darauf, dass wir sie auf dem Bug lassen.»

«Was sind Löwen?»

Er zuckte mit den Schultern. «Der König sagt, es sind Löwen, Herr», sagte er bloß, weil er offenkundig die Antwort auf meine Frage nicht wusste.

«Nun, es ist ein guter Tag zum Jagen», sagte ich. «Warum beteiligt Ihr Euch nicht daran?»

«Wir sind hier, um die Jäger über den Fluss zu bringen», sagte er, «für den Fall, dass die Beute aufs andere Ufer wechselt.»

Ich tat, als wäre ich erfreut. «Also könnt Ihr uns auch hinüberbringen?»

«Können die Pferde schwimmen?»

«Das werden sie müssen», sagte ich. Es war einfacher, Pferde zum Schwimmen zu bringen, als sie dazu zu bringen, ein Schiff zu betreten. «Wir holen die anderen», sagte ich und ließ mein Pferd umdrehen.

«Die anderen?» Augenblicklich war Ivann wieder argwöhnisch.

«Ihre Dienerinnen», sagte ich und zeigte mit dem Daumen auf Sigunn, «außerdem zwei von meinen Bediensteten und einige Packpferde. Wir haben sie bei einem Gehöft warten lassen.» Ich wedelte mit der Hand vage Richtung Westen und gab meinen Gefährten ein Zeichen, mir zu folgen.

«Ihr könntet das Mädchen hierlassen!», schlug Ivann hoffnungsvoll vor, aber ich überhörte ihn absichtlich und ritt zwischen die Bäume zurück.

«Die Bastarde», sagte ich zu Finan, als wir wieder außer Sicht waren.

«Bastarde?»

«Eohric hat uns hierhergelockt, damit uns Sigurd abschlachten kann», erklärte ich. «Aber Sigurd weiß nicht, auf welcher Uferseite wir unterwegs sind, und deshalb liegen die Schiffe hier, um seine Männer herüberzubringen, falls wir auf dieser Seite bleiben.» Ich dachte angestrengt nach. Möglicherweise war die Falle gar nicht bei Eanulfsbirig, sondern weiter östlich, bei Huntandon. Sigurd würde mich den Fluss überqueren lassen und nicht angreifen, bis ich bei der nächsten Brücke war, wo Eohrics Truppen den Amboss für seinen Hammer spielen würden. «Du», ich zeigte auf Sihtric, der mit einem säuerlichen Nicken reagierte. «Nimm Ludda mit», sagte ich, «und reite zu Osferth. Sag ihm, er soll mit jedem Krieger hierherkommen, den er hat. Die Mönche und Priester sollen auf der Straße abwarten. Sie sollen keinen einzigen Schritt weitergehen, verstanden? Und wenn du zurückkommst, musst du todsicher sein, dass die Männer auf den Schiffen dich nicht sehen. Und jetzt geh!»

«Was sage ich Pater Willibald?», fragte Sihtric.

«Dass er ein verdammter Narr ist und ich ihm sein unnützes Leben rette. Jetzt geh! Beeil dich!»

Finan und ich waren abgestiegen und gaben Sigunn die Zügel unserer Pferde. «Bring sie auf die andere Seite des Waldes», sagte ich. «Und dort wartest du.» Finan und ich schlichen zum Waldrand zurück und legten uns zur Beobachtung auf den Boden. Ivann war eindeutig besorgt, was uns anging, denn er starrte minutenlang in die Richtung unseres Verstecks, bevor er sich endlich umdrehte und zu dem vertäuten Schiff zurückging.

«Und was machen wir jetzt?», fragte Finan.

«Die Schiffe zerstören», sagte ich. Und am liebsten hätte ich viel mehr getan. Am liebsten hätte ich König Eohric Schlangenhauch in die fette Kehle gerammt, aber wir waren hier die Beute, und ich zweifelte nicht daran, dass Sigurd und Eohric mehr als genug Männer hatten, um uns mit Leichtigkeit niederzumachen. Inzwischen mussten sie ganz genau wissen, wie viele Männer ich hatte. Bestimmt hatte Sigurd in der Nähe von Bedanford Späher aufgestellt, und diese Männer hatten ihm genau mitgeteilt, wie viele Reiter auf seine Falle zuritten. Allerdings wollte er nicht, dass wir diese Späher entdeckten. Er wollte, dass wir die Brücke bei Eanulfsbirig überquerten, und dann wollte er hinter uns aufrücken, sodass wir zwischen seinen Truppen und König Eohrics Männern eingeschlossen wären. Dann hätte es an diesem Wintertag ein rohes Gemetzel gegeben. Und wenn wir durch Zufall die nördliche Uferseite des Flusses genommen hätten, dann hätten Sigurds Männer auf Ivanns Schiffe übergesetzt, um uns in den Rücken zu fallen, sobald wir vorbeigezogen waren. Er hatte keine Anstrengung unternommen, um die Schiffe zu verstecken. Warum sollte er auch? Er ging davon aus, dass ich nichts Bedrohliches an zwei ostanglischen Schiffen auf einem ostanglischen Fluss finden würde. Ich wäre auf beiden Ufern in seine Falle getappt, und in ein paar Tagen hätte die Nachricht von der Schlacht Wessex erreicht, aber Eohric hätte geschworen, nichts von dem Massaker gewusst zu haben. Er hätte alle Schuld auf den Heiden Sigurd geschoben.

Doch stattdessen würde ich Eohric da treffen, wo es weh tat, und mit Sigurd meinen Spott treiben, und anschließend würde ich das Julfest in Buccingahamm verbringen.

Bis meine Männer kamen, war der Nachmittag schon fortgeschritten. Die Sonne stand weit im Westen, von wo aus sie Ivanns Männer blenden würde. Ich sprach eine Weile mit Osferth und erklärte ihm, was er zu tun hatte, dann schickte ich ihn mit sechs Männern zu den Mönchen und Priestern zurück. Ich gab ihnen genügend Zeit, und dann, während die Sonne am Winterhimmel tiefer sank, stellte ich meine eigene Falle auf.

Ich nahm Finan, Sigunn und sieben Männer. Sigunn ritt, während wir übrigen unsere Pferde am Zügel führten. Ivann erwartete eine kleine Gruppe, also zeigte ich ihm eine. Er hatte sein Schiff über den Fluss zurückgebracht, doch nun legten sich seine Ruderer in die Riemen, um den langgezogenen Rumpf wieder auf unsere Seite zu bringen. «Er hatte zwanzig Männer auf dem Schiff», sagte ich zu Finan, und überlegte, wie viele wir wohl töten müssten.

«Zwanzig auf jedem Schiff», sagte er, «aber dort aus dem Niederwald steigt Rauch auf, also könnte er möglicherweise noch mehr haben, die sich gerade ein bisschen aufwärmen.»

«Sie werden nicht über den Fluss kommen, um sich umbringen zu lassen», sagte ich. Der Grund unter unseren Füßen war feucht und weich, bei jedem Schritt schmatzte der Morast. Es herrschte kein Wind. Jenseits des Flusses hingen immer noch blassgelbe Blätter an ein paar Ulmen. Wacholderdrosseln flogen von der Uferwiese zu den Bäumen. «Wenn wir mit dem Töten anfangen», erklärte ich Sigunn, «dann nimmst du unsere Pferde am Zügel und reitest zurück in den Wald.»

Sie nickte. Ich hatte sie mitgebracht, weil Ivann sie mit uns zusammen erwartete und weil sie schön war, und das bedeutete, dass er vor allem sie ansehen würde, statt auf den Wald zu achten, in dem meine Reiter warteten. Ich hoffte, dass sie sich gut versteckt hielten, aber ich wagte keinen Blick über die Schulter.

Ivann war die Uferböschung heraufgestiegen und vertäute den Schiffsbug am Stamm einer Pappel. Die Strömung schwenkte den Schiffsrumpf flussabwärts herum, was hieß, dass die Männer an Bord problemlos ans Ufer springen konnten. Sie waren zwanzig, und wir waren nur acht, und Ivann beobachtete uns, und ich hatte ihm erzählt, wir würden Dienerinnen mitbringen, und es waren keine da, aber Männer sehen, was sie sehen wollen, und er hatte nur Augen für Sigunn. Er wartete nichtsahnend ab, während wir herankamen. Ich lächelte ihn an. «Stehst du in Eohrics Diensten?», rief ich ihm zu.

«Ja, Herr, wie ich Euch schon gesagt habe.»

«Und will er Uhtred töten?», fragte ich.

Ein erster Zweifel flackerte über sein Gesicht, aber ich lächelte immer noch. «Ihr wisst von ...», begann er eine Frage, die er nicht beendete, weil ich Schlangenhauch gezogen hatte, und das war das Zeichen für meine übrigen Männer, im Galopp aus dem Wald zu kommen. Eine Reihe Pferde, Hufe, die Wassertropfen und Erdklumpen emporschleuderten, Reiter, die Speere und Äxte und Schilde schwangen, der drohende Tod an einem Winternachmittag, und ich hob meine Klinge gegen Ivann, wollte ihn von der Festmacherleine wegtreiben, doch da stolperte er und stürzte zwischen das Schiff und das Ufer.

Und damit war es vorbei.

Unversehens wimmelte es auf dem Ufer von Reitern, ihr Atem weiß wie Rauch in dem kalten, grellen Licht, und Ivann flehte schreiend um Gnade, während seine Männer vor Überraschung nicht einmal den Versuch machten, die Waffen zu ziehen. Sie hatten gefroren, sich gelangweilt, und waren vollkommen unvorbereitet, und das Auftauchen meiner Männer mit ihren Helmen und Schilden und Klingen, die ebenso blitzten wie der Frost unter der Sonne, hatte sie in Angst und Schrecken versetzt.

Die Mannschaft des zweiten Schiffs sah, wie sich die erste ergab, und auch sie kämpfte nicht. Sie waren Eohrics Männer, die meisten davon Christen, einige Sachsen und andere Dänen, und sie waren nicht von dem gleichen Ehrgeiz getrieben wie Sigurds gierige Krieger. Diese dänischen Krieger, das wusste ich, warteten weiter östlich darauf, dass Mönche und Reiter über den Fluss kamen, aber die Männer auf den Schiffen hatten nur widerstrebend an der Ausführung dieses Planes teilgenommen. Ihre Aufgabe war es gewesen, sich für den Fall bereitzuhalten, dass sie gebraucht würden, und sie alle hätten lieber im Palas am Feuer gesessen. Als ich ihnen ihr Leben im Tausch dafür anbot, dass sie sich ergaben, waren sie mitleiderregend dankbar, und die Männer des anderen Schiffes ließen einen Sprecher herüberrufen, dass sie nicht kämpfen würden. Wir ruderten Ivanns Schiff hinüber, und so bekamen wir beide Schiffe in die Hand, ohne eine Menschenseele zu töten. Wir nahmen Eohrics Männern Rüstungen, Waffen und Helme ab, und ich brachte die Beute zurück über den Fluss. Die zitternden Männer ließen wir am anderen Ufer zurück, alle bis auf Ivann, den ich als Gefangenen nahm, und dann verbrannten wir die beiden Schiffe. Die Mannschaften hatten im Wald ein Lagerfeuer gemacht, um sich aufzuwärmen, und wir benutzten die flackernden Holzscheite, um Eohrics Schiffe zu vernichten. Ich wartete gerade lange genug, um zu sehen, dass sich das Feuer auf den Schiffen ausbreitete, sah zu, wie die Flammen über die Ruderbänke leckten und dichter Rauch in der windstillen Luft aufzuquellen begann, und dann ritten wir eilig nach Süden.

Der Rauch war ein Zeichen, ein unmissverständlicher Hinweis für Sigurd, dass seine so sorgfältig aufgestellte Falle nicht zugeschnappt war. Das würde er bald auch von Eohrics Schiffsmannschaften hören, aber inzwischen würden seine Späher die Mönche und Priester bei Eanulfsbirig entdeckt haben. Ich hatte Osferth befohlen, mit ihnen auf unserer Uferseite zu bleiben und dafür zu sorgen, dass sie Aufmerksamkeit auf sich zogen. Dabei bestand freilich die Gefahr, dass Sigurds Dänen die beinahe vollkommen schutzlosen Kirchenmänner angreifen würden, aber ich dachte, er würde warten, bis er sicher sein konnte, dass auch ich dort war. Und genau das tat er.

Als wir bei Eanulfsbirig ankamen, sang der Chor. Osferth hatte ihnen das Singen befohlen, und da standen sie, jämmerlich und singend, unter ihren großen Bannern. «Singt lauter, ihr Bastarde!», schrie ich, als wir in leichtem Galopp auf die Brücke zu ritten. «Singt laut, ihr kleinen Vögelein!»

«Herr Uhtred!» Pater Willibald hastete auf mich zu. «Was geht denn vor? Was geht bloß vor?»

«Ich habe beschlossen, einen Krieg anzufangen, Pater», sagte ich heiter, «das ist so viel kurzweiliger als der Frieden.»

Er starrte mich entsetzt an. Ich glitt aus dem Sattel und sah, dass Osferth meinen Befehl ausgeführt und auf dem hölzernen Balkengang der Brücke einen Haufen Brennbares zum Feuermachen vorbereitet hatte. «Es ist Stroh», erklärte er mir, «und es ist feucht.»

«Solange es nur brennt», sagte ich. Das Stroh war über die gesamte Breite der Brücke aufgehäuft und verbarg Balken, die als niedrige Barrikade darunter lagen. Flussabwärts hatte sich der Rauch der brennenden Schiffe zu einer Säule verdichtet, die bis hoch in den Himmel ragte. Die Sonne stand nun sehr niedrig, warf lange Schatten nach Osten, wo Sigurd von den beiden Schiffsmannschaften erfahren haben musste, dass ich ganz in der Nähe war.

«Ihr habt einen Krieg angefangen?» Willibald holte zu mir auf.

«Schildwall!», rief ich. «Genau hier!» Ich würde auf der Brücke einen Schildwall aufstellen. Es spielte keine Rolle, mit wie vielen Männern Sigurd kam, weil nur wenige Platz hätten, um uns auf dem engen Raum zwischen den Brückengeländern aus schweren Holzbalken entgegenzutreten.

«Wir sind in Frieden gekommen!», beschwerte sich Willibald bei mir. Die Zwillinge, Ceolberht und Ceolnoth, kamen mit ähnlichen Einwänden, als Finan unsere Krieger aufstellte. Die Brücke bot sechs Männern mit überlappenden Kampfschilden nebeneinander Platz. Vier Reihen meiner Männer standen dort nun hintereinander, Männer mit Äxten und Schwertern und großen, runden Schilden.

«Wir sind gekommen», ich drehte mich zu Willibald um, «weil Eohric Euch hintergangen hat. Es ist ihm niemals um Frieden gegangen. Es ging darum, ihm den Krieg einfacher zu machen. Fragt ihn», ich deutete auf Ivann. «Los, redet mit ihm, und lasst mir meine Ruhe! Und sagt diesen Mönchen, sie sollen mit ihrem verdammten Katzengeschrei aufhören.»

Und da tauchten, aus dem Wald auf der anderen Seite des Flusses und über die feuchten Uferwiesen, die Dänen auf. Eine ganze Heerschar Dänen, vielleicht waren es zweihundert, und sie kamen auf Pferden, angeführt von Sigurd, der unter seinem Banner mit dem fliegenden Raben auf einem großen weißen Hengst saß. Er sah, dass ich ihn erwartete, und dass er seine Männer über die enge Brücke schicken musste, wenn er angreifen wollte, und deshalb ließ er sein Pferd in etwa fünfzig Schritt Entfernung anhalten, stieg ab und ging zu Fuß weiter auf uns zu. Ein junger Mann begleitete ihn, doch es war Sigurd, der die Aufmerksamkeit auf sich zog. Er war ein hochgewachsener Mann, breitschultrig und mit einem vernarbten Gesicht, das halb hinter einem Bart von solcher Länge versteckt war, dass er ihn zu zwei dicken Zöpfen geflochten trug und sich diese um den Hals gewunden hatte. Sein Helm spiegelte das langsam roter werdenden Sonnenlicht. Er machte sich nicht die Mühe, einen Schild zu tragen oder ein Schwert zu ziehen, und dennoch war er ein dänischer Herr in all seiner Kriegerpracht. Sein Helm war mit Gold besetzt, eine Goldkette funkelte zwischen seinen Bartzöpfen, er trug dicht an dicht goldene Armringe, und an der Mündung seiner Schwertscheide glitzerte, ebenso wie am Heft der Waffe, noch mehr Gold. Der jüngere Mann trug eine Silberkette, und ein Silberreif lief um seinen Helm. Er hatte einen überheblichen Gesichtsausdruck, wirkte launisch und feindselig.

Ich trat über das aufgehäufte Stroh hinweg und ging den beiden Männern entgegen. «Herr Uhtred», grüßte mich Sigurd spöttisch.

«Jarl Sigurd», gab ich im gleichen Tonfall zurück.

«Ich habe ihnen gesagt, dass Ihr kein Narr seid», sagte er. Die Sonne stand nun so niedrig am südwestlichen Horizont, dass er gezwungen war, die Augen halb zuzukneifen, um mich richtig sehen zu können. Er spuckte ins Gras. «Zehn von Euren Männern gegen acht von meinen», schlug er vor, «und zwar hier und jetzt.» Er stampfte auf das feuchte Gras. Er wollte meine Männer von der Brücke wegbringen, und er wusste, dass ich den Vorschlag nicht annehmen würde.

«Lass mich mit ihm kämpfen», sagte der junge Mann.

Ich warf dem Jüngling einen abschätzigen Blick zu. «Ich habe es gern, wenn meine Gegner alt genug sind, um sich zu rasieren, bevor ich sie umbringe», sagte ich und wandte mich wieder an Sigurd. «Ihr gegen mich», erklärte ich ihm, «hier und jetzt.» Ich stampfte auf den gefrorenen Schlamm der Straße.

Er lächelte schief und entblößte dabei gelbliche Zähne. «Ich würde Euch töten, Uhtred», sagte er milde, «und damit die Welt von einem nutzlosen Rattenschiss befreien, aber dieses Vergnügen muss warten.» Er zog seinen rechten Ärmel hoch, sodass eine Schiene an seinem Unterarm sichtbar wurde. Die Schiene bestand aus zwei schmalen, länglichen Holzstücken, die mit Leinenbändern umwickelt waren. Außerdem entdeckte ich eine merkwürdige Narbe auf seiner Handfläche, zwei Schnitte, die ein Kreuz bildeten. Sigurd war kein Feigling, aber er war auch nicht so töricht, gegen mich zu kämpfen, wenn gerade die gebrochenen Knochen seines Schwertarms zusammenheilten.

«Habt Ihr wieder gegen Frauen gekämpft?», fragte ich und nickte in Richtung der seltsamen Narbe.

Er starrte mich an. Ich dachte, meine Beleidigung hätte ihn tief getroffen, aber er dachte offenkundig nach.

«Lass mich mit ihm kämpfen!», wiederholte der junge Mann.

«Sei still», knurrte Sigurd.

Ich sah den Jüngling an. Er war etwa achtzehn oder neunzehn Jahre alt, würde bald seine volle Manneskraft erreichen und besaß das großtuerische Gehabe eines selbstbewussten jungen Mannes. Sein Kettenhemd war von guter Machart, vermutlich aus dem Frankenreich, und er trug mehrere Armringe, wie sie die Dänen so lieben, trotzdem hatte ich den Verdacht, dass ihm dieser Reichtum geschenkt worden war und er ihn nicht auf dem Schlachtfeld erworben hatte. «Mein Sohn», stellte ihn Sigurd vor. «Sigurd Sigurdson.» Ich nickte ihm zu, während Sigurd der Jüngere mich einfach nur feindselig anstarrte. Er wollte sich unbedingt beweisen, aber sein Vater ließ es nicht zu. «Mein einziger Sohn», sagte er.

«Er scheint sich den Tod zu wünschen», sagte ich, «und wenn er kämpfen will, werde ich ihm seinen Wunsch erfüllen.»

«Seine Zeit ist noch nicht gekommen», sagte Sigurd, «das weiß ich, weil ich mit Ælfadell gesprochen habe.»

«Ælfadell?»

«Sie kennt die Zukunft, Herr Uhtred», sagte er, und seine Stimme war ernst, ohne die geringste Spur von Spott, «sie sagt die Zukunft voraus.»

Ich hatte schon Gerüchte über Ælfadell gehört, Gerüchte, die so nebelhaft waren wie Rauch, Gerüchte, die durch Britannien zogen und in denen es hieß, es gäbe eine nordische Zauberin, die mit den Göttern sprechen könne. Schon bei der Erwähnung ihres Namens, der sich beinahe genauso anhörte wie unser Wort für Albtraum, bekreuzigten sich die Christen.

Ich zuckte mit den Schultern, als wäre mir Ælfadell gleichgültig. «Und was erzählt das alte Weib?»

Sigurd verzog das Gesicht. «Sie sagt, kein Sohn Alfreds wird jemals in Britannien regieren.»

«Ihr glaubt ihr?», fragte ich, obgleich ich sehen konnte, dass er es glaubte, denn er redete so selbstverständlich darüber, als ginge es um den Preis für einen Ochsen.

«Ihr würdet ihr ebenfalls glauben», sagte er, «nur dass Ihr nicht mehr lange genug lebt, um ihr zu begegnen.»

«Hat sie Euch das gesagt?»

«Wenn Ihr und ich uns treffen, sagt sie, dann wird Euer Anführer sterben.»

«Mein Anführer?» Ich gab vor, belustigt zu sein.

«Ihr», kam es grimmig von Sigurd.

Ich spie ins Gras. «Ich vermute, Eohric bezahlt Euch gut für diese Zeitverschwendung.»

«Er wird zahlen», sagte Sigurd schroff, dann drehte er sich um, nahm seinen Sohn am Ellbogen und ging weg.

Ich hatte mich herausfordernd gegeben, doch in Wahrheit krümmte sich meine Seele vor Angst. Und wenn Ælfadell, die Magierin, nun die Wahrheit gesagt hatte? Die Götter sprechen zu uns, allerdings kaum einmal mit klaren Worten. War ich dazu verdammt, hier zu sterben, an diesem Flussufer? Sigurd glaubte es, und er rief seine Männer zu einem Angriff, den er, wenn sein Ausgang nicht vorausgesagt worden wäre, niemals gewagt hätte. Es gab keine Krieger, ganz gleich, wie schlachtenerprobt sie waren, die hoffen konnten, einen solch starken Schildwall aufzubrechen, wie ich ihn zwischen den kräftigen Brückengeländern aufgestellt hatte. Doch Männer, die von Prophezeiungen beflügelt werden, wagen jede Narrheit in dem Wissen, dass die Nornen ihren Sieg bestimmt haben. Ich berührte das Heft von Schlangenhauch, dann den Thorshammer und ging zurück zur Brücke. «Leg das Feuer», befahl ich Osferth.

Es war an der Zeit, die Brücke zu verbrennen und sich zurückzuziehen, und Sigurd, wenn er klug gewesen wäre, hätte uns gehen lassen. Er hatte seine Gelegenheit vertan, uns in den Hinterhalt zu locken, und unsere Stellung auf der Brücke war abschreckend vorteilhaft, doch durch seinen Kopf hallte die Prophezeiung irgendeiner seltsamen Frau, und deshalb begann er, seinen Männern eine Rede zu halten. Ich hörte, wie sie ihm mit Rufen antworteten, hörte die Klingen auf die Schilde schlagen, und sah zu, wie die Dänen aus den Sätteln stiegen und eine Kampflinie bildeten. Osferth brachte eine brennende Fackel und rammte sie tief in das aufgeschichtete Stroh, und augenblicklich quoll dicker Rauch empor. Die Dänen johlten, als ich mich mit den Ellbogen zur Mitte unseres Schildwalls durcharbeitete.

«Er muss sich deinen Tod wirklich dringend herbeiwünschen», sagte Finan heiter.

«Er ist ein Narr», sagte ich. Ich erzählte Finan nicht, dass die Zauberin meinen Tod vorausgesagt hatte. Finan mochte Christ sein, doch er glaubte trotzdem an jeden Geist und jeden Spuk, er glaubte, dass Elfen durchs Unterholz trippeln und dass sich Geister zwischen den Nachtwolken hindurchschlängeln, und wenn ich ihm von Ælfadell der Zauberin erzählt hätte, wäre er von derselben Furcht ergriffen worden, die mein Herz gepackt hielt. Wenn Sigurd angriff, musste ich kämpfen, denn ich musste die Brücke halten, bis die Balken Feuer gefangen hatten, und Osferth hatte recht, was das Stroh betraf. Es war Schilf, kein Weizenstroh, und es war feucht, und das Feuer brannte nur unwillig. Es rauchte, doch es entwickelte sich kein züngelndes Flammenmeer, das sich in die dicken Balken fressen konnte, die Osferth mit splitternden Hieben seiner Kriegsaxt geschwächt hatte.

Sigurds Männer dagegen waren alles andere als unwillig. Sie schlugen Schwerter und Äxte gegen ihre schweren Schilde und rangelten um das Vorrecht, den Angriff anzuführen. Sie würden unter der blendenden Sonne halb blind kämpfen, und der Feuerrauch würde ihnen den Atem nehmen, und doch waren sie gierig auf die Schlacht. Das Ansehen ist alles, und es ist das Einzige, was unsere Reise nach Walhall überlebt, und der Mann, der mich niedermachte, würde Ansehen gewinnen. Und deshalb wappneten sie sich im späten Tageslicht für den Angriff.

«Pater Willibald!», rief ich.

«Herr?», kam eine ängstliche Stimme vom Ufer des Flusses.

«Bringt dieses große Banner! Zwei von Euren Mönchen sollen es über uns halten!»

«Ja, Herr», sagte er, und klang dabei zugleich überrascht und erfreut. Zwei Mönche brachten das enorme Leinenbanner mit dem aufgestickten Christus am Kreuz. Ich befahl ihnen, dicht hinter meiner letzten Reihe Krieger zu bleiben, und stellte ihnen zwei meiner Männer zur Seite. Wenn es auch nur den geringsten Windhauch gegeben hätte, wäre das große Leinenviereck nicht mehr zu halten gewesen, doch für den Moment schwebte es wie ein Wappen über uns, ganz Grün und Gold und Braun und Blau, mit einem dunkelroten Streifen dort, wo sich die Lanze des Soldaten in den Körper Christi gebohrt hatte. Willibald dachte, ich würde die magischen Kräfte seiner Religion benutzen, um die Schwerter und Äxte meiner Männer zu unterstützen, und ich ließ ihm seinen Glauben.

«Das wirft einen Schatten auf ihre Gesichter», gab Finan zu bedenken und meinte damit, dass wir den Vorteil der Blendung durch den niedrigen Sonnenstand verloren, wenn die Dänen erst einmal in den großen Schatten vordrangen, den das Banner warf.

«Aber nicht lange», sagte ich. «Steht gerade!», rief ich den beiden Mönchen an den dicken Stangen zu, zwischen denen das große Leinenviereck aufgespannt war. Und genau in diesem Moment, vielleicht angetrieben von dem prunkhaften Banner, griffen die Dänen brüllend an.

Und als sie näher kamen, fiel mir mein erster Schildwall ein. Ich war so jung damals, so ängstlich, als ich mit Tatwine und seinen Merciern auf einer Brücke gestanden hatte, die nicht breiter gewesen war als diese, und wir von einer

Gruppe walisischer Viehdiebe angegriffen worden waren. Zuerst hatten sie einen Pfeilhagel auf uns niedergehen lassen, dann hatten sie angegriffen, und auf dieser fernen Brücke hatte ich die brodelnd aufsteigende Kampfeslust kennengelernt.

Und nun, auf einer anderen Brücke, zog ich Wespenstachel. Mein großes Schwert hieß Schlangenhauch, und seine kleine Schwester war Wespenstachel, eine kurze und schreckliche Klinge, die in der engen Umarmung des Schildwalls tödlich sein konnte. Wenn sich Männer aneinanderdrängen wie Liebende, wenn ihre Schilde gegeneinanderdrücken, wenn man ihren Atem riecht, ihre fauligen Zähne sieht und die Flöhe in ihren Bärten, und wenn kein Platz da ist, um mit einer Kriegsaxt oder einem Langschwert auszuholen, dann konnte Wespenstachel von unten nach oben zustechen. Ein Kurzschwert, das sich in die Gedärme bohrte, das Grauen.

Und es wurde auch an diesem Wintertag eine grauenvolle Schlachterei. Die Dänen hatten das Stroh gesehen und angenommen, dass auf der Brücke nichts weiter als feuchtes Schilfrohr vor sich hin rauchte, doch unter dem Schilfstroh hatte Osferth Dachbalken versteckt, und als die ersten Dänen versuchten, das Schilf mit Fußtritten von der Brücke zu befördern, trafen sie stattdessen auf die schweren Balken und strauchelten.

Einige hatten zuerst Speere geschleudert. Diese Speere fuhren in unsere Schilde, sodass ihre Handhabung schwierig wurde, doch das spielte kaum eine Rolle. Die ersten Dänen stolperten über die versteckten Balken, und die Männer dahinter schoben die Fallenden noch weiter. Ich trat einem ins Gesicht und spürte unter meinem eisenbeschlagenen Stiefel Knochen brechen. Dänen lagen vor unseren Füßen, während andere versuchten, an ihren gestürzten Gefährten vorbei bis zu unserer Linie zu kommen. Und wir töteten. Zwei Männern gelang es, uns trotz der qualmenden Barrikade zu erreichen, und einer von diesen beiden fiel unter Wespenstachel, als ich das Schwert unter dem Rand seines Schildes aufwärts rammte. Der Mann hatte eine Axt geschwungen, die der Kämpfer hinter mir mit seinem Schild abfing, und der Däne hielt immer noch den Schaft der Axt umklammert, als ich sah, wie er die Augen aufriss, sah, wie sich sein zum Kampfgebrüll geöffneter Mund im Todeskrampf verzerrte, als ich die Klinge drehte, sie noch weiter nach oben riss, und als Cerdic neben mir seine eigene Axt niederfahren ließ. Der Mann mit dem eingetretenen Gesicht klammerte sich an meinen Fußknöchel, und ich stach auf ihn ein, als mir das Blut, das von Cerdics Axt wegspritzte, die Sicht raubte. Der wimmernde Mann zu meinen Füßen versuchte wegzukriechen, aber Finan stach ihm sein Schwert in den Oberschenkel, und dann stach er wieder zu. Ein Däne hatte seine Axt über der Oberkante meines Schildes eingehakt und zerrte es abwärts, damit er mir einen Speer in Brust jagen konnte, doch die Axt glitt an dem runden Schild ab, und der Speer wurde aufwärts abgelenkt, und ich rammte Wespenstachel erneut nach vorn, spürte, wie sich die Klinge in den Körper fraß, drehte sie, und Finan sang sein wahnsinniges irisches Totenlied, während er seine Klinge in dem Gemetzel wüten ließ.

Genau darin übten wir uns jeden Tag. Wenn der Schildwall bricht, hält der Tod Einzug, aber wenn der Schildwall hält, dann stirbt der Gegner, und diese ersten Dänen kamen in wildem Lauf auf uns zu, angefeuert von der Prophezeiung einer Zauberin, und ihr Angriff war durch die Barrikade zunichtegemacht worden, die sie hatte stolpern und so zur leichten Beute unserer Klingen werden lassen. Sie hatten keinerlei Möglichkeit gehabt, unseren Schildwall aufzubrechen, sie waren zu ungeordnet vorgerückt, zu verwirrt, und jetzt lagen drei von ihnen tot zwischen dem verstreuten Schilfstroh, das immer noch schwelte, während die rauchenden Balken immer noch eine Stolperfalle bildeten. Die Überlebenden unter den ersten Angreifern blieben nicht, um sich töten zu lassen, sondern rannten zurück auf Sigurds Ufer, wo sich eine zweite Gruppe bereit machte, um unseren Schildwall aufzubrechen. Es waren wohl zwanzig von ihnen, großgewachsene Männer, Speer-Dänen, die zum Töten gekommen waren, und sie rückten nicht ungeordnet vor wie die erste Gruppe, sondern wohlüberlegt. Dies waren Männer, die im Schildwall getötet hatten, die ihr Handwerk verstanden, deren Schilde sich überlappten und deren Waffen im Licht der niedrig stehenden Sonne glitzerten. Sie würden nicht losstürmen und stolpern. Sie würden langsam anrücken und ihre langen Speere benutzen, um unseren Wall aufzubrechen und so ihren Schwertmännern und Axtmännern den Weg in unsere Reihen freizumachen.

«Gott, kämpfe für uns!», rief Willibald, als die Dänen die Brücke erreichten. Sie betraten sie vorsichtig, ohne Hast, und behielten uns genau im Blick. Einige brüllten Beleidigungen, doch ich hörte sie kaum. Ich beobachtete sie. Mein Gesicht war mit Blut verschmiert, Blut klebte zwischen den Gliedern meines Kettenhemdes. Mein Schild wurde von einem dänischen Schwert beschwert, und Wespenstachels Klinge war gerötet. «Schlachte sie ab, o Herr!», betete Willibald. «Metzle die Heiden nieder! Erschlage sie, Herr, in Deiner großen Gnade!» Die Mönche hatten wieder mit ihren Gesängen angefangen. Die Dänen zogen die toten oder sterbenden Männer zurück, um Platz für ihren Angriff zu schaffen. Sie waren inzwischen nahe, sehr nahe, aber noch nicht in Reichweite unserer Klingen. Ich beobachtete, wie sich ihre Schilde wieder übereinanderlegten, sah, wie sich ihre Speerspitzen aufrichteten, und hörte den Angriffsbefehl.

Und ich hörte Willibalds schrille Stimme über all dem Durcheinander. «Christus ist unser Anführer, ihr kämpft für Christus, wir können nicht scheitern.»

Und ich lachte, als die Dänen kamen. «Jetzt!», rief ich den beiden Männern zu, die bei den Mönchen standen. «Jetzt!»

Das große Banner fiel nach vorn. Es hatte die Frauen an Alfreds Hof Monate der Arbeit gekostet, Monate, in denen sie winzige Stiche mit kostspieliger gefärbter Wolle ausführten, Monate der Hingabe und des Gebets und der Liebe und der Kunstfertigkeit, und nun fiel die Christusgestalt nach vorn auf die Dänen. Die riesige Stoffbahn aus Leinen und Wolle fiel wie ein Fischernetz über ihre erste Reihe, sodass die Männer nichts mehr sahen, und als es sich ganz gesenkt hatte, gab ich den Befehl, und wir griffen an.

Es ist leicht, einer Speerklinge auszuweichen, wenn der Mann, der sie hält, seinen Gegner nicht sehen kann. Ich rief den Männern in unserem zweiten Rang zu, dass sie die Waffen packen und zur Seite ziehen sollten, während wir die Speerkämpfer töteten. Cerdics Axt fuhr durch Leinen, Wolle, Eisen, Knochen und Hirnmasse hinab. Wir brüllten, wüteten, und wir schufen eine neue Barrikade aus Dänenkörpern. Einige schlitzten das Banner auf, das sie einhüllte und blind werden ließ. Finan schmetterte seine scharfe Klinge auf die Handgelenke der Speerträger. Die Dänen versuchten verzweifelt, der behindernden

Stoffbahn zu entkommen, und wir hackten, schnitten und hieben, während um uns herum der Rauch des zerstreuten Schilfs dichter wurde. Ich spürte Wärme an den Füßen. Endlich fingen die Balken Feuer. Sihtric, das Gesicht zur zähnefletschenden Grimasse verzerrt, ließ eine langstielige Axt wieder und wieder auf die unter dem Banner gefangenen Dänen herabfahren.

Ich schleuderte Wespenstachel auf unser Ufer und griff mir eine am Boden liegende Axt. Ich habe noch nie gern mit einer Axt gekämpft. Es ist eine schwerfällige Waffe. Wenn der erste Hieb fehlgeht, braucht man lange, um neu auszuholen, und ein Gegner kann diese Momente nutzen, um selbst zuzuschlagen, doch dieser Feind war schon besiegt. Das zerfetzte Banner war nun rot von echtem Blut, ganz durchtränkt damit, und ich schlug wieder und wieder mit der Axt zu, und der Rauch raubte mir die Atemluft, und ein Däne schrie, und meine Männer brüllten, und die Sonne war ein Feuerball im Westen, und das ganze flache, feuchte Land schimmerte rot.

Wir zogen uns von dem Gemetzel zurück. Ich sah, wie das überraschend heitere Gesicht Christi von den Flammen aufgezehrt wurde, als das Leinen Feuer fing. Leinen brennt leicht, und immer größer breitete sich die erste schwarz verkohlte Stelle über die Stofflagen aus. Osferth hatte noch mehr Schilf und Balken von der Hütte gebracht, die er eingerissen hatte, und wir warfen das Holz auf die niedrigen Flammen und sahen zu, wie das Feuer immer mehr Kraft gewann. Sigurds Männer hatten genug. Auch sie zogen sich zurück zum anderen Flussufer und sahen zu, wie sich das Feuer auf der Brücke ausbreitete. Wir zogen vier tote Gegner auf unsere Seite der Brücke und nahmen ihnen Silberketten, Armringe und emaillierte Gürtel ab.

Sigurd war auf sein weißes Pferd gestiegen und starrte einfach nur zu mir herüber. Sein verdrießlicher Sohn, der aus dem Kampfgeschehen herausgehalten worden war, spuckte in unsere Richtung aus. Sigurd sagte nichts.

«Ælfadell hat sich geirrt», rief ich, aber sie hatte sich nicht geirrt. Unser Anführer war gestorben, vielleicht einen zweiten Tod, und das verkohlte Leinen zeigte, wo er gewesen war und wo ihn die Flammen verschlungen hatten.

Ich wartete. Es wurde dunkel, bis der Balkengang der Brücke endlich in den Fluss stürzte und dabei einen zischend heißen Dampfstrahl in die feuerhelle Luft schickte. Die Steinpfeiler der Römer waren schwarz vor Ruß und noch benutzbar, doch es würde Stunden dauern, um einen neuen Laufgang darüber zu bauen, und als die verkohlten Balken flussabwärts trieben, zogen wir ab.

Was für eine bitterkalte Nacht.

Wir gingen zu Fuß. Ich ließ die Mönche und Priester reiten, weil sie zitterten und erschöpft und schwach waren, und wir anderen führten die Pferde am Zügel. Alle wollten Rast machen, doch ich ließ sie weiter durch die Dunkelheit gehen, weil ich wusste, dass uns Sigurd folgen würde, sobald er eine Gelegenheit fand, seine Männer über den Fluss zu bringen. Wir gingen unter glitzernd kaltem Sternenlicht, gingen den ganzen Weg zurück, vorbei an Bedanford, und erst als ich einen bewaldeten Hügel entdeckte, der sich verteidigen ließ, erlaubte ich meinen Leuten anzuhalten. In dieser Nacht gab es keine Lagerfeuer. Ich spähte über das Land, wartete auf die Dänen, aber sie kamen nicht.

Und am nächsten Tag waren wir zu Hause.

DREI

Jul kam, Jul ging, und Stürme folgten, jagten von der Nordsee herein und trieben Schnee über das wintertote Land. Pater Willibald, die westsächsischen Priester, die mercischen Zwillinge und die singenden Mönche waren gezwungen, in Buccingahamm zu bleiben, bis sich das Wetter besserte. Dann gab ich ihnen Cerdic und zwanzig Speermänner als Begleitmannschaft für den sicheren Nachhauseweg. Sie nahmen den magischen Fisch mit und auch Ivann, den Gefangenen. Alfred, sofern er noch lebte, würde wollen, dass man ihm ausführlich von Eohrics Verrat berichtete. Ich gab Cerdic einen Brief für Æthelflæd, und bei seiner Rückkehr versicherte er mir, ihn einer ihrer vertrauenswürdigen Dienerinnen gegeben zu haben, doch er brachte keine Antwort mit. «Ich wurde nicht zur Herrin Æthelflæd vorgelassen», erklärte er mir, «sie haben sie eingesperrt.»

«Eingesperrt?»

«Im Palast, Herr. Dort herrscht ein einziges Jammern und Wehklagen.»

«Alfred hat doch noch gelebt, als du wieder abgereist bist, oder?»

«Er hat noch gelebt, Herr, aber die Priester haben gesagt, er würde einzig von den Gebeten am Leben gehalten.»

«Das passt zu ihnen.»

«Und der Herr Edward ist verlobt.»

«Verlobt?»

96

«Ich war bei der Zeremonie, Herr. Er wird die Herrin Ælflæd heiraten.»

«Die Tochter des Aldermanns?»

«Ja, Herr. Der König hat sie ausgewählt.»

«Armer Edward», sagte ich und dachte an Pater Willibalds Tratsch, dass Alfreds Thronerbe ein Mädchen aus Cent hatte heiraten wollen. Ælflæd war die Tochter Æthelhelms, des Aldermanns von Sumorsæte, und vermutlich hatte Alfred diese Ehe gewollt, um Edward an die mächtigste Adelssippe von Wessex zu binden. Ich fragte mich, was wohl aus dem Mädchen aus Cent geworden war.

Sigurd war auf seine Besitzungen zurückgekehrt, von wo aus er in seiner Wut Plünderer ins sächsische Mercien schickte, damit sie Brände legten, töteten, versklavten und stahlen. Es war ein Grenzkrieg, der sich nicht von den ständigen Kämpfen zwischen den Schotten und den Northumbriern unterschied. Keiner seiner Plünderer kam auf mein Gebiet, aber meine Felder lagen südlich von Beornnoths weitläufigen Ländereien, und Sigurd ließ seinen Ärger vor allem Aldermann Ælfwold spüren, den Sohn des Mannes, der an meiner Seite in der Schlacht bei Beamfleot gestorben war, Beornnoths Besitzungen jedoch ließ er unangetastet; und das erschien mir auffällig. Also nahm ich im März, als Sternmieren weiße Tupfen auf die Böschungen malten, fünfzehn Männer mit zu Beornnoths Palas. In einem Beutel brachte ich Käse, Ale und gepökeltes Lammfleisch als Neujahrsgabe mit. Ich traf den alten Mann in einen Pelzumhang gewickelt und auf seinem Stuhl zusammengesunken an. Sein Gesicht war eingefallen, seine Augen wässrig, und seine Unterlippe zitterte unbeherrschbar. Er starb. Beortsig, sein Sohn, betrachtete mich mürrisch.

«Es ist an der Zeit», sagte ich, «Sigurd eine Lektion zu erteilen.»

Beornnoth sah mich finster an. «Hört mit dem Herumgelaufe auf», befahl er mir, «dabei fühle ich mich alt.»

«Ihr seid alt», sagte ich.

Er verzog das Gesicht. «Mir geht es wie Alfred», sagte er, «ich werde vor meinen Schöpfer treten. Ich werde vor dem Richterstuhl stehen und hören, wer das ewige Leben bekommt und wer in der Hölle brennen muss. Alfred lassen sie in den Himmel, oder?»

«Sie werden ihn sogar besonders willkommen heißen», stimmte ich ihm zu. «Und Ihr?»

«Zumindest ist es warm in der Hölle», sagte er, dann wischte er sich mit einer schwachen Bewegung etwas Speichel aus dem Bart. «Ihr wollt also mit Sigurd kämpfen?»

«Ich will den Bastard umbringen.»

«Ihr hattet Eure Gelegenheit vor Weihnachten», sagte Beortsig. Ich ging nicht darauf ein.

«Er wartet», sagte Beornnoth. «Er wartet, dass Alfred stirbt. Davor wird er nicht angreifen.»

«Er greift doch jetzt schon an.»

Beornnoth schüttelte den Kopf. «Das sind nur kleine Beutezüge», sagte er wegwerfend, «und er hat seine Flotte bei Snotengaham aufs Ufer gezogen.»

«Snotengaham?», fragte ich überrascht. Weiter konnte ein seetüchtiges Schiff in Britannien nicht ins Inland kommen.

«Das sagt Euch, dass er außer ein paar Plünderungen nichts im Sinn hat.»

«Es sagt mir, dass er keine Plünderungen auf dem Seeweg plant», sagte ich, «aber was sollte ihn davon abhalten, über Land zu marschieren?»

«Möglicherweise tut er das», räumte Beornnoth ein, «wenn Alfred stirbt. Bis jetzt stiehlt er nur ein bisschen Vieh.»

«Dann will ich ihm auch ein bisschen von seinem Vieh stehlen», sagte ich.

Beortsig sah mich böse an, und sein Vater fragte: «Warum den Teufel am Schwanz ziehen, wenn er gerade schläft?»

«Ælfwold denkt nicht, dass er schläft.»

Beornnoth lachte. «Ælfwold ist jung», sagte er leichthin, «und er ist ehrgeizig, er sucht geradezu nach Schwierigkeiten.»

Man konnte die sächsischen Herren Merciens in zwei Lager einteilen. In diejenigen, die etwas gegen die westsächsische Vorherrschaft in ihrem Land hatten, und diejenige, die sie begrüßten. Ælfwolds Vater hatte Alfred unterstützt, während Beornnoth auf Zeiten zurückblickte, in denen Mercien seinen eigenen König hatte, und er hatte es, ebenso wie andere seiner Gesinnung, abgelehnt, mir Unterstützungstruppen für den Kampf gegen Haesten zu schicken. Er hatte es vorgezogen, seine Männer unter Æthelreds Kommando zu stellen, was bedeutete, dass sie die Garnison in Gleawecestre bemannt hatten, um die Stadt vor einem Angriff zu schützen, der niemals gekommen war. Seither hatte es viel Groll zwischen den beiden Lagern gegeben, aber Beornnoth war ein recht vernünftiger Mann, oder vielleicht war er auch dem Tod so nahe, dass er keine alten Feindschaften fortsetzen wollte. Er lud uns ein, über Nacht zu bleiben. «Erzählt mir Geschichten», sagte er, «ich mag Geschichten. Erzählt mir von Beamfleot.» Es war großzügig, uns einzuladen, und es war ein stillschweigendes Eingeständnis, dass seine Männer im vergangenen Sommer am falschen Ort gewesen waren.

Ich erzählte nicht die ganze Geschichte. Stattdessen erzählte ich dort in seinem Palas, als das große Feuer die Balken beleuchtete und das Ale die Männer ausgelassen werden ließ, wie der ältere Ælfwold gestorben war. Wie er gemeinsam mit mir angegriffen hatte und wie wir das dänische Lager auseinandergetrieben hatten und wie wir am Rande des Hügels unter den entsetzten Männern gewütet hatten und dann, wie die dänischen Unterstützungstruppen ihren Gegenangriff führten und es zu einem erbitterten Kampf gekommen war. Die Männer hörten aufmerksam zu. Nahezu jeder Mann im Palas hatte schon im Schildwall gestanden, und sie kannten die Angst, die dort umgeht. Ich erzählte, wie mein Pferd getötet wurde, und wie wir uns mit unseren Schilden im Kreis aufstellten, um gegen die kreischenden Dänen zu kämpfen, die so unvermittelt in der Überzahl waren, und ich beschrieb einen Tod, wie ihn sich Ælfwold gewünscht haben würde, erzählte, wie er seine Gegner tötete, wie er die heidnischen Widersacher in ihr Grab geschickt hatte und wie er Mann auf Mann besiegte, bis zuletzt ein Axthieb in seinen Helm fuhr und ihn niederwarf. Ich beschrieb nicht, wie vorwurfsvoll er mich zuletzt angesehen hatte, oder den Hass in seinen letzten Worten, weil er fälschlich glaubte, ich hätte ihn verraten. Er starb an meiner Seite, und in jenem Moment war ich zum Sterben bereit, und ich wusste, dass uns die Dänen bis auf den letzten Mann in dieser bluttriefenden Dämmerung töten würden, dann aber war Steapa mit den westsächsischen Truppen gekommen, und die Niederlage hatte sich mit einem Mal in einen unerwarteten Sieg verwandelt. Beornnoths Gefolgsleute hämmerten auf die Tische, um zu zeigen, wie sehr ihnen die Erzählung gefallen hatte. Männer mögen Schlachtenbeschreibungen, und deshalb beschäftigen wir Dichter und Sänger, um uns abends mit Geschichten von Kriegern und Schwertern und Schilden und Äxten zu unterhalten.

«Eine gute Geschichte», sagte Beornnoth.

«Ælfwolds Tod war Eure Schuld», tönte in diesem Augenblick eine Stimme durch den Palas.

Zuerst glaubte ich, nicht recht gehört zu haben, oder dass ich nicht gemeint war. Mit einem Schlag herrschte Stille, und alle fragten sich dasselbe.

«Wir hätten niemals kämpfen sollen!» Es war Sihtric, der da redete. Er stand auf, um mich anzuschreien, und ich sah, dass er betrunken war. «Ihr habt keine Späher in die Wälder geschickt!», knurrte er wütend. «Und wie viele Männer sind in den Tod gegangen, weil Ihr keine Späher in die Wälder geschickt habt?» Ich weiß noch, dass ich ein zu entsetztes Gesicht machte, um sprechen zu können. Sihtric war mein Diener gewesen, ich hatte ihm das Leben gerettet, ich hatte ihn als Jungen bei mir aufgenommen und einen Krieger aus ihm gemacht, ich hatte ihm Gold gegeben, ich hatte ihn belohnt, wie ein Herr seine Gefolgsleute entlohnen soll, und nun starrte er mir mit schierem Hass entgegen. Beortsig, das versteht sich, genoss den Auftritt und ließ seinen Blick zwischen Sihtric und mir hin- und herwandern. Rypere, der mit seinem Freund Sihtric auf derselben Bank gesessen hatte, legte dem stehenden Mann die Hand auf den Arm, aber Sihtric schüttelte sie ab. «Wie viele Männer habt Ihr an diesem Tag durch Eure Leichtfertigkeit getötet?», rief er mir zu.

«Du bist betrunken», sagte ich grob, «und morgen wirst du vor mir um Gnade winseln, und vielleicht werde ich dir verzeihen.»

«Herr Ælfwold würde noch leben, wenn Ihr einen Funken Verstand besessen hättet», brüllte er.

Ein paar von meinen Männern versuchten ihn zu übertönen, aber ich schrie noch lauter. «Komm her! Auf die Knie!»

Stattdessen spuckte er in meine Richtung. Nun herrschte Aufruhr im Palas. Beornnoths Männer feuerten Sihtric an, während ihn meine Männer nur entsetzt anstarrten. «Gebt ihnen Schwerter!», rief jemand.

Sihtric streckte die Hand aus. «Eine Klinge!», forderte er.

Ich wollte mich auf ihn stürzen, aber Beornnoth beugte sich vor und erwischte meinen Ärmel mit schwachem Griff. «Nicht in meinem Palas, Herr Uhtred», sagte er, «nicht in meinem Palas.» Ich trat wieder einen Schritt zurück, und Beornnoth kämpfte sich auf die Füße. Er musste sich mit einer Hand an der Tischkante festhalten, um aufrecht stehen zu können, während er mit der anderen, bebenden Hand auf Sihtric deutete. «Bringt ihn weg!», befahl er.

«Und bei mir lässt du dich nicht mehr blicken!», schrie ich. «Und deine Frau muss auch verschwinden!»

Sihtric versuchte sich von den Männern loszureißen, die ihn festhielten, aber sie hatten ihn im Griff, und er war zu betrunken. Sie schleppten ihn unter dem Gejohle von Beornnoths Gefolgsleuten aus dem Palas. Beortsig hatte es genossen, mich so in Verlegenheit gebracht zu sehen, und er lachte. Sein Vater sah ihn stirnrunzelnd an, dann ließ er sich schwerfällig wieder auf seinem Stuhl nieder. «Ich bedaure dieses Vorkommnis», ächzte er.

«Aber Sihtric wird es noch viel mehr bedauern», sagte ich rachsüchtig.

Am nächsten Morgen war von Sihtric nichts zu sehen, und ich fragte nicht, wo Beornnoth ihn versteckt hatte. Wir machten uns zum Aufbruch bereit, und Beornnoth ließ sich von zwei Männern in den Hof tragen. «Ich fürchte», sagte er, «dass ich noch vor Alfred sterbe.»

«Ich hoffe, Ihr lebt noch viele Jahre», sagte ich pflichtschuldig.

«Britannien wird leiden, wenn Alfred geht», sagte er. «Alle Gewissheiten werden mit ihm sterben.» Seine Stimme versiegte. Der Streit in seinem Palas bereitete ihm weiter Unbehagen. Er hatte zugesehen, wie ich von einem meiner Männer beleidigt wurde, und er hatte mich daran gehindert, diesen Mann zu bestrafen, und der Vorfall lag zwischen uns wie ein Stück glühender Kohle. Dennoch gaben wir beide vor, es wäre nichts Wesentliches geschehen.

«Alfreds Sohn ist ein guter Mann», sagte ich.

«Edward ist jung», erwiderte Beornnoth verächtlich, «und wer weiß, was aus ihm wird?» Er seufzte. «Das Leben ist eine unendliche Geschichte», sagte er, «aber ich würde vor meinen Tod gern noch ein paar Kapitel hören.» Kopfschüttelnd fügte er hinzu: «Edward wird nicht regieren.»

Ich lächelte. «Da hat Edward möglicherweise eine andere Vorstellung.»

«Die Prophezeiung wird sich erfüllen, Herr Uthred», sagte er feierlich.

Einen Augenblick lang war ich sprachlos. «Die Prophezeiung?»

«Es gibt da eine Zauberin», sagte er, «und sie kann die Zukunft lesen.»

«Ælfadell?», fragte ich. «Habt Ihr sie gesehen?»

«Beortsig hat sie gesehen», sagte er und warf einen

Blick auf seinen Sohn, der sich bei Ælfadells Namen bekreuzigte.

«Was hat sie gesagt?», fragte ich den mürrischen Beortsig.

«Nichts Gutes», gab er knapp zurück und weigerte sich, mehr zu sagen.

Ich stieg in den Sattel. Auf der Suche nach Sithric ließ ich meinen Blick über den Hof wandern, doch er wurde immer noch versteckt, also ließ ich ihn dort, und wir ritten nach Hause. Finan konnte sich Sihtrics Verhalten nicht erklären. «Er muss betrunkener gewesen sein, als man es sich nur vorstellen kann», sagte er verständnislos. Ich schwieg. In vieler Hinsicht stimmte das, was Sihtric gesagt hatte. Ælfwold war aufgrund meiner Unvorsichtigkeit gestorben, aber das gab Sihtric nicht das Recht, mich vor aller Welt anzuklagen. «Er war immer ein guter Mann», fuhr Finan fort, «aber in letzter Zeit war er missmutig. Ich verstehe es nicht.»

«Er wird wie sein Vater», sagte ich.

«Kjartan der Grausame?»

«Ich hätte Sihtric niemals das Leben retten sollen.»

Finan nickte. «Willst du, dass ich für seinen Tod sorge?»

«Nein», sagte ich fest, «nur ein Mann tötet ihn, und dieser Mann bin ich. Verstanden? Er gehört mir, und bis ich ihm die Eingeweide herausreiße, will ich seinen Namen nie mehr hören.»

Zu Hause angekommen, verbannte ich Ealhswith, Sihtrics Frau, und ihre zwei Söhne aus meinem Palas. Ihre Freunde flehten und weinten, aber ich ließ mich nicht erweichen. Sie ging.

Und am nächsten Tag ritt ich los, um Sigurd meine Falle zu stellen.

Es herrschte Verunsicherung in jener Zeit. Ganz Britannien wartete auf die Nachricht von Alfreds Tod, in der sicheren Gewissheit, dass sein Sterben die Runenstäbe durcheinanderwirbeln würde. Ein neues Muster würde Britannien ein neues Schicksal voraussagen, doch welches Schicksal dies war, das wusste niemand, es sei denn, die Schreckenszauberin kannte die Antworten. In Wessex würden sie wieder einen starken König wollen, der sie beschützte, und in Mercien würden sich einige das Gleiche wünschen, während sich andere wieder ihren eigenen König herbeisehnten, wogegen im gesamten Norden, wo die Dänen das Land hielten, alle von der Eroberung von Wessex träumten. Doch der Frühling und der Sommer kamen, und Alfred lebte weiter, und die Männer warteten und träumten, und die neue Saat ging auf, und ich ritt mit sechsundvierzig Männern nach Nordwesten, wo Haesten seinen Schlupfwinkel gefunden hatte.

Ich hätte gern dreihundert Mann gehabt. Man hatte mir viele Jahre zuvor gesagt, dass ich eines Tages Armeen durch Britannien führen würde, doch um eine Armee zu haben, muss ein Mann Land besitzen, und das Land, auf dem ich saß, reichte gerade aus, um eine einzige Schiffsmannschaft zu ernähren und zu bewaffnen. Ich sammelte Abgaben, und ich erhob Zollgebühren bei den Händlern, die auf der Römerstraße an Æthelflæds Besitzungen vorbeizogen, aber dieses Einkommen reichte kaum aus, und so konnte ich nur sechsundvierzig Männer nach Ceaster führen.

Wahrhaftig, das war ein trostloser Ort. Im Westen waren die Waliser und im Osten und Norden regierten dänische Herren, die keinen Mann als König anerkannten, es sei denn, es war einer von ihnen. Die Römer hatten in Ceaster ein Kastell gebaut, und es waren die Überreste dieser Festung, in denen Haesten Zuflucht gesucht hatte. Es hatte eine Zeit gegeben, in der Haestens Name jeden Sachsen in Furcht und Schrecken versetzte, doch nun war er nur noch ein Schatten seiner einstigen Stärke, hatte weniger als zweihundert Männer, und selbst deren Gefolgschaftstreue war zweifelhaft. Zu Winteranfang hatte er noch dreihundert Krieger gehabt, doch Männer erwarten von ihren Herren mehr als Essen und Ale. Sie wollen Silber, sie wollen Gold, sie wollen Sklaven, und deshalb war Haestens Gefolgschaft auf der Suche nach anderen Herren immer weiter geschwunden. Sie gingen zu Sigurd oder Cnut, zu den Männern, die Goldgeber waren.

Ceaster lag im wilden Grenzland Merciens, und ich fand Æthelreds Truppen etwa drei Meilen südlich von Haestens Festung. Es waren knapp über einhundertfünfzig Männer, deren Aufgabe darin bestand, Haesten zu beobachten und ihn durch Behinderungen seiner Versorgungstrupps zu schwächen. Angeführt wurden sie von einem jungen Mann namens Merewalh, der sich über meine Ankunft zu freuen schien. «Seid Ihr gekommen, um den erbärmlichen Bastard zu töten, Herr?», fragte er mich.

«Nur, um ihn mir anzusehen», sagte ich.

In Wahrheit war ich dort, um mich selbst sehen zu lassen, allerdings wagte ich es nicht vor jedem, über meine wahren Absichten zu sprechen. Ich wollte den Dänen zeigen, dass ich in Ceaster war, also paradierte ich mit meinen Männern südlich des alten Römerkastells und ließ mein Banner mit dem Wolfskopf flattern. Ich ritt in meiner besten Rüstung, die mein Diener Oswi so lange poliert hatte, bis sie leuchtend schimmerte, und ich ritt nahe genug an das alte Gemäuer heran, dass einer von Haestens Männern sein Glück mit einem Jagdpfeil versuchen konnte. Ich sah die Befiederung durch die Luft zucken und den schmalen Pfeil ein paar Schritt vor den Hufen meines Pferdes in die Erde fahren.

«Er kann nicht die gesamten Wallmauern verteidigen», sagte Merewalh sehnsüchtig.

Er hatte recht. Das Römerkastell bei Ceaster war riesenhaft, beinahe eine eigene Stadt, und Haestens wenige Männer wären niemals imstande gewesen, die gesamte Länge seiner heruntergekommenen Wälle zu besetzen. Merewalh und ich hätten unsere Kräfte zusammenlegen und bei Nacht angreifen können, und vielleicht hätten wir einen unbemannten Wallabschnitt gefunden und uns dann in erbittertem Kampf durch die Straßen vorgearbeitet, doch unsere Truppenstärke und die von Haesten waren zu ausgeglichen, um solch einen Angriff wagen zu können. Wir hätten Männer verloren, um einen Gegner zu besiegen, der schon besiegt war, also begnügte ich mich damit, Haesten wissen zu lassen, dass ich gekommen war, um ihn zu verspotten. Er musste mich hassen. Kaum ein Jahr zuvor war er der größte Machthaber unter den Nordmännern gewesen, und jetzt hockte er wie ein geschundener Fuchs in seinem Bau, und ich wusste, dass er darüber nachdachte, wie er seine Macht wiedergewinnen konnte.

Die alte Festung war in einer weiten Flussschleife des Dee errichtet worden. Knapp vor ihrem Südwall befanden sich die Ruinen eines immensen Steingebäudes, einst eine Arena, in der, so erklärte mir Merewalhs Priester, Christen an wilde Tiere verfüttert wurden. Manches ist einfach zu schön, um wahr zu sein, und deshalb wusste ich nicht so recht, ob ich ihm glauben sollte. Die Überreste der Arena hätten für eine so kleine Truppe wie die von Haesten ein

großartiges Bollwerk abgegeben, doch er hatte sich stattdessen dafür entschieden, seine Männer am nördlichen
Ende der Festung zu sammeln, wo der Fluss am dichtesten an den Wällen vorbeifloss. Dort hatte er zwei kleine
Schiffe liegen, sie waren nichts weiter als alte Handelsboo-
te, die, weil sie offenkundig leckten, halb aufs Ufer gezogen worden waren. Wenn er angegriffen und von der Brücke abgeschnitten wurde, konnte er mit diesen Schiffen
über den Dee und dann durch die Wildnis dahinter entkommen.

Merewalh wunderte sich über mein Verhalten. «Versucht Ihr, ihn zu einem Kampf zu verleiten?», fragte er
mich am dritten Tag, an dem ich bis dicht an die alten Wälle ritt.

«Er wird keinen Kampf wollen», sagte ich, «aber ich
will ihn zu mir herauslocken. Und er wird kommen. Er
wird einfach nicht widerstehen können.» Ich war auf der
alten Römerstraße stehen geblieben, die so gerade wie ein
Speerschaft auf das Doppelbogentor der Festung zuführte.
Das Tor war mit dicken Balken versperrt. «Wisst Ihr, dass
ich ihm einmal das Leben gerettet habe?»

«Das wusste ich nicht.»

«Es gibt Momente», sagte ich, «da halte ich mich für einen ausgemachten Tölpel. Ich hätte ihn töten sollen, als er
mir das erste Mal unter die Augen gekommen ist.»

«Tötet ihn jetzt, Herr», empfahl Merewalh, denn gerade war Haesten vor dem Westtor der Festung aufgetaucht
und ritt nun langsam auf uns zu. Er hatte drei weitere Reiter bei sich. Bei der südwestlichen Ecke der Festung hielten sie zwischen den Wällen und der eingestürzten Arena
an, dann hob Haesten beide Hände, um anzuzeigen, dass
er nur reden wolle. Ich ließ mein Pferd umdrehen, drückte

ihm die Fersen in die Flanken und trabte auf Haesten zu, achtete aber darauf, ein gutes Stück außerhalb der Pfeilschussweite vor den Wällen anzuhalten. Ich nahm nur Merewalh mit, die übrigen Männer unserer Truppen beobachteten uns aus der Entfernung.

Haesten nährte sich grinsend, als wäre dieses Treffen ein seltenes Vergnügen. Er hatte sich kaum verändert, außer dass er jetzt einen grauen Bart hatte, wenn auch sein dichtes Haar immer noch blond war. Seine Miene war irreführend offen, voller Liebenswürdigkeit, mit freundlich blitzenden Augen. Er trug ein Dutzend Armringe und, obwohl es ein warmer Frühlingstag war, einen Umhang aus Robbenfell. Haesten hatte schon immer gern einen wohlhabenden Eindruck hervorgerufen. Männer folgen keinem armen Herrn, und schon gar keinem geizigen, und solange er die Hoffnung hatte, seinen Reichtum wiederzugewinnen, musste er den Anschein von Zuversicht erwecken. Er erweckte außerdem den Anschein, überglücklich über unser Treffen zu sein. «Herr Uhtred!», rief er.

«Jarl Haesten», sagte ich und ließ den Titel so ungenügend klingen, wie ich es nur vermochte, «war es nicht vorgesehen, dass du mittlerweile König von Wessex bist?»

«Das Vergnügen dieses Thronamtes ist aufgeschoben», sagte er, «lasst mich Euch fürs Erste in meinem gegenwärtigen Königreich willkommen heißen.»

Darüber lachte ich, wie er es beabsichtigt hatte. «Dein Königreich?»

Mit einer weiten Handbewegung schloss er die öde Talsenke des Dee ein. «Kein anderer Mann nennt sich hier König, warum sollte ich es also nicht tun?»

«Das ist Herrn Æthelreds Land», sagte ich.

«Und Herr Æthelred ist so großzügig mit seinen Besitzungen», sagte Haesten, «und sogar, wie ich höre, mit den Gefälligkeiten seiner Frau.»

Neben mir zuckte Merewalh zusammen, und ich hob mahnend die Hand. «Der Jarl Haesten scherzt», sagte ich.

«Gewiss scherze ich», sagte Haesten ohne zu lächeln.

«Das ist Merewalh», stellte ich meinen Begleiter vor, «und er dient dem Herrn Æthelred. Er könnte sich das Wohlwollen meines Cousins erwerben, wenn er dich tötet.»

«Er würde sich noch viel größeres Wohlwollen erwerben, wenn er Euch tötet», sagte Haesten hinterlistig.

«Das stimmt», räumte ich ein und sah Merewalh an. «Wollt Ihr mich töten?»

«Herr!», sagte er entsetzt.

«Mein Herr Æthelred», sagte ich zu Haesten, «wünscht, dass du dieses Land verlässt. Er hat hier auch ohne dich schon genügend Misthaufen.»

«Der Herr Æthelred», sagte Haesten, «darf sehr gern kommen und mich vertreiben.»

Das alles war so bedeutungslos, wie es gemeint war. Haesten war nicht aus der Festung gekommen, um sich Drohungen anzuhören, sondern weil er wissen wollte, was meine Anwesenheit zu bedeuten hatte. «Vielleicht», sagte ich, «hat der Herr Æthelred ja mich geschickt, um dich zu vertreiben.»

«Und wann habt Ihr das letzte Mal einen seiner Befehle befolgt?», fragte Haesten.

«Vielleicht will seine Frau, dass du vertrieben wirst», sagte ich.

«Es wäre ihr noch lieber, wenn ich tot wäre, glaube ich.»

«Auch wieder wahr», sagte ich.

Haesten lächelte. «Ihr seid, Herr Uhtred, mit einer

Schiffsmannschaft gekommen. Wir fürchten Euch, gewiss, denn wer würde Uhtred von Bebbanburg nicht fürchten?» Er verbeugte sich in seinem Sattel, als er diese Schmeichelei von sich gab. «Aber eine Mannschaft genügt nicht, um der Herrin Æthelflæd ihren Wunsch zu erfüllen.» Er wartete auf eine Erwiderung, aber ich sagte nichts. «Soll ich Euch sagen, was mich vor ein Rätsel stellt?», fragte er.

«Sag es.»

«Seit Jahren, Herr Uhtred, habt Ihr nun Alfreds Arbeit getan. Ihr habt seine Feinde getötet, seine Armeen angeführt, sein Königreich zu einem sicheren Ort gemacht, doch als Dank für all diese Dienste habt Ihr nur eine einzige Kriegertruppe. Andere Männer haben Land, mehr als einen großen Palas, sie haben in Schatzkammern Kostbarkeiten aufgehäuft, ihren Frauen Gold um die Hälse gehängt, und sie können Hunderte von Schwurmännern in die Schlacht führen, doch der Mann, der für ihre Sicherheit gesorgt hat, geht leer aus. Warum bleibt Ihr solch einem knauserigen Herrn treu?»

«Ich habe dir das Leben gerettet», sagte ich, «und nun stellt dich Undankbarkeit vor ein Rätsel?»

Darüber lachte er entzückt. «Er hungert Euch aus, weil er Euch fürchtet. Haben sie schon einen Christen aus Euch gemacht?»

«Nein.»

«Dann schließt Euch mir an. Ihr und ich, Herr Uhtred. Wir jagen Æthelred aus seinem Palas und teilen Mercien unter uns auf.»

«Ich biete dir Land in Mercien an», sagte ich.

Er lächelte. «Einen Besitz von zwei Schritt Länge und einem Schritt Breite?», fragte er.

«Und zwei Schritt Tiefe», sagte ich.

«Mich bringt man nicht so leicht um», sagte er. «Die Götter lieben mich anscheinend, ebenso wie Euch. Ich habe gehört, dass Euch Sigurd am Julfest verflucht hat.»

«Und was hörst du sonst noch so?»

«Die Sonne geht auf und wieder unter.»

«Sieh es dir gut an», sagte ich, «weil du nämlich möglicherweise nicht mehr viele Sonnenaufgänge und Sonnenuntergänge erlebst.» Dann trieb ich unvermittelt mein Pferd voran, sodass Haestens Hengst zurückweichen musste. «Hör zu», sagte ich schroff, «du hast zwei Wochen, um von hier zu verschwinden. Verstehst du mich, du undankbarer Hundeschiss? Wenn du in vierzehn Tagen noch hier bist, mache ich mit dir dasselbe wie mit deinen Männern bei Beamfleot.» Ich sah seine beiden Begleiter an und richtete meinen Blick dann wieder auf Haesten. «Zwei Wochen», sagte ich, «und dann kommen die westsächsischen Truppen, und ich mache aus deinem Schädel eine Trinkschale.»

Ich log natürlich, jedenfalls, was die Ankunft der westsächsischen Truppen anging, aber Haesten wusste, dass es diese Einheiten gewesen waren, mit deren Verstärkung ich bei Beamfleot hatte siegen können, also war es eine glaubhafte Lüge. Er wollte etwas sagen, doch ich ließ mein Pferd umdrehen, galoppierte los, und winkte Merewalh hinter mir her. «Ich lasse Euch Finan und zwanzig Männer hier», erklärte ich dem Mercier, als wir ein gutes Stück außer Haestens Hörweite waren, «und noch bevor die beiden Wochen um sind, müsst Ihr mit einem Angriff rechnen.»

«Von Haesten?», fragte Merewalh zweifelnd.

«Nein, von Sigurd. Er wird mit mindestens dreihundert Mann kommen. Haesten braucht Unterstützung, und er wird versuchen, sich bei Sigurd einen Gefallen zu sichern, indem er ihm mitteilt, dass ich hier bin, und Sigurd wird kommen, weil er meinen Tod will.» Ich konnte freilich nicht sicher sein, dass irgendetwas davon wirklich geschehen würde, aber ich glaubte nicht, dass Sigurd dem Köder widerstehen konnte, den ich vor seiner Nase baumeln ließ. «Wenn er kommt», fuhr ich fort, «werdet Ihr Euch zurückziehen. Geht in die Wälder, bleibt weit vor ihm, und verlasst Euch auf Finan. Sigurds Männer sollen umsonst in einem verlassenen Gebiet herumziehen. Macht nicht einmal den Versuch, gegen ihn zu kämpfen, bleibt einfach nur vor ihm.»

Merewalh erhob keine Einwände. Stattdessen sah er mich nach einem Moment fragend an. «Herr», sagte er, «warum hat Alfred Euch nicht belohnt?»

«Weil er mir nicht vertraut», sagte ich, und meine Ehrlichkeit entsetzte Merewalh. Er starrte mich mit aufgerissenen Augen an. «Und wenn Ihr auch nur die geringste Pflichttreue gegenüber Eurem Herrn empfindet», fuhr ich fort, «dann berichtet Ihr ihm, dass mir Haesten ein Bündnis angeboten hat.»

«Und ich werde ihm berichten, dass Ihr dieses Bündnis abgelehnt habt.»

«Ihr könnt ihm erzählen, dass ich in Versuchung war», sagte ich und entsetzte ihn damit erneut. Ich galoppierte weiter.

Sigurd und Eohric hatten eine gutdurchdachte Falle für mich aufgestellt, eine, die beinahe zugeschnappt wäre, und nun würde ich für Sigurd eine Falle aufstellen. Ich konnte nicht darauf hoffen, ihn zu töten, noch nicht, aber ich wollte ihn bereuen lassen, dass er dasselbe mit mir versucht hatte. Doch zuerst wollte ich wissen, was die Zukunft bringen würde. Es war Zeit, nach Norden zu gehen.

Ich gab Cerdic meine gute Rüstung, meinen Helm, meinen Umhang und mein Pferd. Cerdic war nicht so groß wie ich, aber groß genug, und, angetan mit meiner prächtigen Kriegsausrüstung und das Gesicht von den Wangenstücken meines Helms verdeckt, würde er mir ähneln. Ich gab ihm auch meinen Schild, auf den ein Wolfskopf gemalt war, und erklärte ihm, er solle sich jeden Tag zeigen. «Reite nicht zu dicht an die Wälle», sagte ich, «lass ihn einfach nur denken, ich würde ihn beobachten.»

Mein Banner mit dem Wolfskopf gab ich Finan, und am nächsten Tag ritt ich mit sechsundzwanzig Männern ostwärts.

Wir ritten noch vor Tagesanbruch, sodass Haestens Späher unseren Aufbruch nicht sahen, und wir ritten in Richtung der aufgehenden Sonne. Beim Hellwerden würden wir uns in Waldstücken weiter in Richtung Osten halten. Noch immer war Ludda bei uns. Er war ein Bauernfänger und ein Halunke, und ich mochte ihn. Und das Beste war, dass er Britannien außerordentlich gut kannte. «Ich ziehe ständig um, Herr», erklärte er mir, «deshalb kenne ich mich aus.»

«Du ziehst ständig um?»

«Wenn man einem Mann zwei rostige Nägel für einen Silberklumpen verkauft, will man ja am nächsten Morgen nicht in seiner Reichweite sein, Herr, nicht wahr? Deshalb zieht man lieber weiter.»

Ich lachte. Ludda war unser Führer und brachte uns auf einer Römerstraße ostwärts, bis wir eine Siedlung vor uns hatten, von der die Rauchfäden der Kochfeuer in den Himmel stiegen, und da schlugen wir einen weiten Bogen nach Süden, damit wir nicht gesehen wurden. Jenseits der Siedlung gab es keine Straße, nur Viehwege, die in die Hügel hinaufführten.

«Wohin bringt er uns?», fragte mich Osferth.

«Buchestanes», sagte ich.

«Was gibt es dort?»

«Das Land gehört Jarl Cnut», sagte ich, «und was es dort gibt, würde dir nicht gefallen, also erzähle ich es dir nicht.» Ich hätte lieber Finan bei mir gehabt, aber ich traute nur dem Iren zu, dass er Cerdic und Merewalh vor Ärger bewahren würde. Ich mochte Osferth recht gern, aber es gab Zeiten, in denen seine Vorsicht eher eine Behinderung als eine Bereicherung war. Wenn ich Osferth in Ceaster gelassen hätte, wäre der Rückzug vor Sigurd zu übereilt erfolgt. Er hätte Merewalh vor Problemen bewahrt, indem er sich tief in die Grenzwälder zwischen Mercien und Wales zurückgezogen hätte, und dann hätte die Gefahr bestanden, dass Sigurd die Verfolgung aufgab. Ich musste darauf zählen, dass Sigurd herausgefordert und geködert wurde, und ich glaubte, Finan würde das sehr gut machen.

Es begann zu regnen. Kein milder Sommerregen, sondern ein stürmischer Wolkenbruch, der von einem beißenden Ostwind herangetragen wurde. Der Regen machte unser Weiterkommen langsamer, mühseliger und sicherer. Sicherer, weil nur wenige Männer bei einem solchen Wetter draußen sein wollen. Wenn wir Fremde trafen, behauptete ich, ein Herr aus Cumbrien zu sein, der unterwegs war, um Jarl Sigurd seine respektvolle Aufwartung zu machen. Cumbrien war eine wilde, einsame Gegend, in der sich unbedeutende Herren herumzankten. Ich hatte einige Zeit dort verbracht und kannte mich gut genug aus, um jede Frage darüber zu beantworten, aber niemand, den wir trafen, stellte solche Fragen.

Also ritten wir in die Hügel hinauf, und nach drei Tagen waren wir in Buchestanes. Es lag in einer Senke zwischen den Hügeln, und die Stadt war um eine Ansammlung von römischen Gebäuden errichtet worden, deren Steinmauern sich erhalten hatten, wenn ihre Ziegeldächer auch schon vor langem durch Stroh ersetzt worden waren. Es gab keine Verteidigungspalisade, aber am Rande der Stadt traten uns aus einer Hütte drei Männer in Rüstungen entgegen. «Ihr müsst bezahlen, wenn Ihr in die Stadt wollt», sagte einer.

«Wer seid Ihr?», fragte ein zweiter.

«Kjartan», sagte ich. Das war der Name, den ich in Buchestanes benutzte, der Name von Sihtrics bösartigem Vater, ein Name aus meiner Vergangenheit.

«Von wo seid Ihr?», fragte derselbe Mann. Er trug einen langen Speer mit einer rostigen Spitze.

«Cumbrien», sagte ich.

Darüber grinsten sie alle höhnisch. «Von Cumbrien, wie?», sagte der erste Mann. «Hier könnt Ihr aber nicht mit Schafsmist zahlen.» Er lachte über seinen eigenen Scherz.

«Wem dient Ihr?», fragte ich.

«Jarl Cnut Ranulfson», antwortete der zweite Mann, «und selbst in Cumbrien müsst Ihr schon von ihm gehört haben.»

«Er ist berühmt», sagte ich und tat beeindruckt, dann bezahlte ich sie mit Silberstückchen eines zerhackten Armrings. Vorher feilschte ich mit ihnen, aber nicht zu sehr, denn ich wollte diese Stadt besuchen, ohne Misstrauen zu erregen, also zahlte ich den Preis, obwohl ich ihn mir kaum leisten konnte, und wir wurden in die morastigen Straßen vorgelassen. Auf der Ostseite der Stadt fanden wir Unterkunft in einem weitläufigen Bauerngehöft. Es gehörte einer Witwe, die schon lange die Schafszucht aufgegeben hatte und nun von den Reisenden lebte, die zu den heißen Quellen wollten, weil ihnen Heilkräfte nachgesagt wurden. Inzwischen allerdings, so erzählte sie uns, wurden die Quellen von Mönchen bewacht, die Silber verlangten, bevor sie jemanden in das alte römische Badehaus ließen. «Mönche?», fragte ich sie. «Ich dachte, das hier ist Cnut Ranulfsons Land.»

«Warum sollte es ihn kümmern?», erwiderte sie. «Solange er sein Silber bekommt, ist es ihm gleichgültig, welchen Gott sie anbeten.» Sie war Sächsin wie die meisten in dem kleinen Städtchen, doch sie sprach von Cnut mit sichtlichem Respekt. Kein Wunder. Er war reich, er war gefährlich, und es hieß, er sei der beste Schwertkämpfer in ganz Britannien. Sein Schwert sollte die längste und tödlichste Klinge im Land sein, weshalb er auch Cnut Langschwert genannt wurde, aber Cnut war auch ein leidenschaftlicher Verbündeter von Sigurd. Wenn Cnut Ranulfson gewusst hätte, dass ich mich auf seinem Gebiet aufhielt, hätte es in Buchestanes nur so gewimmelt von Dänen, die mir nach dem Leben trachteten. «Ihr seid also wegen der heißen Quellen gekommen?», fragte mich die Witwe.

«Ich suche die Zauberin», sagte ich.

Sie bekreuzigte sich. «Gott bewahre uns», sagte sie.

«Und um sie zu sprechen», sagte ich, «was muss ich da tun?»

«Die Mönche bezahlen natürlich.»

Die Christen sind so seltsam. Sie behaupten, die heidnischen Götter besäßen keine Macht und dass die alte Magie genauso betrügerisch ist wie Ludda mit seinen Eisenbeutelchen; wenn sie aber krank sind oder es eine Missernte gibt, oder wenn sie Kinder wollen, dann gehen sie zur *gal-dricge*, der Zauberin, und in jeder Gegend gibt es eine. Ein Priester wird in seiner Predigt gegen diese Frauen hetzen, sie als Gottesleugnerinnen und als böse bezeichnen, doch am nächsten Tag bezahlt er einer *galdricge* Silber, damit sie ihm die Zukunft voraussagt oder er die Warzen in seinem Gesicht loswird. Die Mönche von Buchestanes waren genauso. Sie bewachten das römische Badehaus, sie psalmodierten in ihrer Kapelle, und sie nahmen Silber und Gold, um ein Treffen mit dem *aglæcwif* zu vermitteln. Ein *aglæcwif* ist ein weibliches Ungeheuer, und so stellte ich mir Ælfadell vor. Ich fürchtete mich vor ihr, und ich wollte dennoch hören, was sie zu sagen hatte, und deshalb schickte ich Ludda und Rypere los, um die Vorbereitungen zu treffen, und sie kehrten mit der Botschaft zurück, die Magierin fordere Gold. Kein Silber, sondern Gold.

Ich hatte Geld auf diese Reise mitgenommen, nahezu alles, was ich auf der Welt noch besaß. Ich war gezwungen, Sigunn die Goldketten abzunehmen, und ich nahm zwei davon, um die Mönche zu bezahlen, während ich mir schwor, eines Tages zurückzukehren und mir die kostbaren Gliederketten zurückzuholen. Dann, in der langsam einsetzenden Abenddämmerung unseres zweiten Tages in Buchestanes, ging ich Richtung Südwesten zu einem Hügel, der die Stadt überragte und von einem der Gräber des alten Volkes beherrscht wurde, eine grüne Kuppe auf einem regendurchtränkten Hügel. Diese Gräber werden von rachsüchtigen Geistern bewacht, und als ich dem Pfad in einen Wald aus Eschen, Buchen und Ulmen folgte, überlief mich ein Schauder. Ich war angewiesen worden, allein zu gehen, und man hatte mir gesagt, dass die Zauberin nicht erscheinen würde, wenn ich nicht gehorchte, doch in diesem

Moment wünschte ich mir sehnlichst jemanden, der dafür sorgte, dass mir niemand in den Rücken fallen konnte. Ich blieb stehen, aber ich hörte nur den Wind durchs Blattwerk seufzen und Wasser tropfen und den nahen Fluss rauschen. Die Witwe hatte mir erzählt, dass manche Männer schon tagelang auf ein Treffen mit Ælfadell hatten warten müssen, und einige, so sagte sie, hatten ihr Silber oder Gold bezahlt, waren in den Wald gekommen und hatten sie dennoch nicht gefunden. «Sie kann sich in Luft auflösen», erklärte mir die Witwe und bekreuzigte sich. Einmal, so sagte sie, war Cnut selbst gekommen, und Ælfadell hatte es abgelehnt zu erscheinen.

«Und Jarl Sigurd?», hatte ich sie gefragt. «War er auch hier?»

«Er kam vergangenes Jahr», sagte sie, «und er war großzügig. Ein sächsischer Herr war bei ihm.»

«Wer?»

«Wie soll ich das wissen? Sie haben nicht bei mir übernachtet. Sie sind bei den Mönchen geblieben.»

«Dann erzählt, woran Ihr Euch erinnert», bat ich sie.

«Er war jung», sagte sie, «und hatte langes Haar wie Ihr, aber er war trotzdem Sachse.» Die meisten Sachsen schneiden ihr Haar, während die Dänen es lieber lang wachsen lassen. «Die Mönche haben ihn den Sachsen genannt, Herr», fuhr die Witwe fort, «aber wer es war, kann ich nicht sagen.»

«Und er war ein Herr?»

«Er trug die Kleidung eines Herrn.»

Und ich trug Eisen und Leder. Ich hörte nichts Bedrohliches im Wald, also ging ich mit hochgezogenen Schultern unter tropfendem Blattwerk weiter, bis ich vor mir einen hoch aufragenden, von oben nach unten gespaltenen Kalksteinfelsen sah, bei dem der Pfad endete. Wasser sickerte an der Felswand herab, und unten aus der Felsspalte schoss der Fluss hervor und schäumte weiß über herabgestürztes Gestein, bevor er zwischen den Bäumen fortströmte. Ich ließ meinen Blick herumschweifen, doch ich sah niemanden, hörte niemanden. Es kam mir so vor, als würde kein einziger Vogel singen, aber das lag wohl an meinen bösen Ahnungen. Das Rauschen des Flusses war laut. Ich entdeckte Fußspuren im Kies und Steine, mit denen der Wasserlauf abgelenkt worden war, doch keine der Spuren war frisch, und deshalb atmete ich tief ein, kletterte über das herabgestürzte Gestein, und betrat den schlitzartigen Mund der Höhle, der von Farnen eingerahmt war.

Ich weiß noch, wie ich mich in dieser Höhle fürchtete, es war eine größere Furcht, als ich sie bei Cynuit empfunden hatte, als sich Ubbas Männer zum Schildwall aufstellten, um uns zu töten. Ich berührte den Thorshammer, der um meinen Hals hing, und ich sagte ein Gebet an Hoder auf, den Sohn Odins und blinden Nachtgott, und dann tastete ich mich vor, duckte mich unter einem Felsbogen hindurch, hinter dem das letzte graue Licht des Spätnachmittags schnell versickerte. Ich wartete, bis sich meine Augen an die Düsternis gewöhnt hatten, und ging weiter, wobei ich versuchte, oberhalb des Flusses zu bleiben. Meine Schritte knirschten auf seinem schmalen Rand aus Kies und Sand. Langsam schob ich mich durch einen engen, niedrigen Felsdurchgang. Es wurde spürbar kälter. Ich trug einen Helm, und er streifte mehr als einmal an den Felsen entlang. Wieder tastete ich nach meinem Thorshammer. Diese Höhle war ganz gewiss einer der Eingänge zur Unterwelt, in der Yggdrasil wurzelte und die drei Nornen über unser Schicksal bestimmten. Es war ein Ort für Kobolde und Elfen, für die Schattenwesen, die uns heimsuchen und über unsere Hoffnungen spotten. Ich fürchtete mich.

Ich glitt auf dem Sand aus, stolperte vorwärts, und spürte, dass der Durchgang hinter mir lag und dass ich mich in einem großen, hallenden Raum befand. Ich sah Licht schimmern und fragte mich, ob mir meine Augen einen Streich spielten. Wieder berührte ich den Thorshammer, und dann legte ich meine Hand an Schlangenhauchs Griff. Ich stand bewegungslos, hörte Wasser tropfen und das Rauschen des Flusses, aber ich lauschte auf ein Geräusch von einem Menschen. Meine Finger krampften sich um den Schwertgriff, und ich betete zum blinden Hoder, dass er mich durch diese Finsternis leiten solle.

Und dann war da Licht.

Ganz unvermittelt. Es waren nur ein paar Binsenlampen, aber sie waren hinter Abschirmungen verborgen gewesen, und nun wurden diese Abschirmungen auf einmal weggezogen, und die kleinen, rauchenden Flammen wirkten blendend hell in der vollkommenen Dunkelheit.

Die Binsenlichter standen auf einem Felsen mit einer glatten, tischähnlichen Oberfläche. Ein Messer, ein Becher und eine Schale befanden sich neben den Lampen, die eine Felskammer so hoch wie jeder erdenkliche Palas erhellten. Von der Decke der Höhle hingen bleiche Steine herab, die aussahen, als wären sie im Fließen erstarrt. Flüssiger Stein, durchzogen von bläulicher und grauer Farbe, und all das sah ich in einem einzigen Augenblick, dann starrte ich das Geschöpf an, das hinter dem Felstisch kauerte und mich beobachtete. Das Wesen hing wie ein schwarzer Umhang in der Dunkelheit, ein Umriss in den Schatten, eine gekrümmte Form, das *aglæcwif*, doch als sich meine Augen an das Licht gewöhnt hatten, sah ich, dass die Gestalt klein war, zerbrechlich wie ein Vogel, so alt wie die Zeit, und mit einem so dunklen und zerfurchten Gesicht, dass es aussah wie Leder. Ihr schwarzer Wollumhang war verdreckt, und seine Kapuze verdeckte ihr schwarzes, von grauen Strähnen durchzogenes Haar. Sie war die Hässlichkeit in Menschengestalt, die *galdricge*, das *aglæcwif*, Ælfadell.

Ich rührte mich nicht, und ich sagte kein Wort. Sie betrachtete mich einfach, ohne auch nur einmal zu blinzeln, und ich spürte, wie sich Angst in mir regte, und dann winkte sie mich mit einer klauenartigen Hand zu sich und berührte die leere Schale. «Füll sie», sagte sie. Ihre Stimme klang wie Wind, der über eine Kiesfläche zieht.

«Sie füllen?»

«Gold», sagte sie, «oder Silber. Aber füll sie.»

«Ihr wollt noch mehr?», fragte ich wütend.

«Ihr wollt alles, Kjartan von Cumbrien», sagte sie, und sie hatte einen winzigen Moment innegehalten, bevor sie den Namen aussprach, als hätte sie den Verdacht, er sei falsch, «und deshalb, ja. Ich will mehr.»

Ich hätte mich beinahe geweigert, aber ich gebe zu, dass mich ihre Macht schreckte, also nahm ich Silber aus meinem Beutel, fünfzehn Münzen, und legte sie in die Holzschale. Bei dem Geräusch der klimpernden Münzen verzog sie den Mund zu einer Art Lächeln. «Was wollt Ihr wissen?», fragte sie.

«Alles.»

«Es wird eine Ernte geben», sagte sie herablassend, «und dann wird der Winter kommen, und nach dem Winter kommt die Zeit der Aussaat, und dann wieder eine Ernte und dann wieder ein Winter, bis zum Ende der Zeiten, und Menschen werden geboren, und Menschen werden sterben, und das ist alles.»

«Dann erzählt mir, was ich wissen will», sagte ich.

Sie zögerte, dann nickte sie beinahe unmerklich. «Legt Eure Hand auf den Stein», sagte sie, doch als ich meine linke Hand flach auf den kalten Felstisch legte, schüttelte sie den Kopf. «Eure Schwerthand», sagte sie, und gehorsam legte ich meine rechte Hand auf den Stein. «Dreht sie um», knurrte sie, und ich drehte die Hand mit der Handfläche nach oben. Sie nahm das Messer und beobachtete dabei meinen Blick. Sie lächelte beinahe, forderte mich dazu heraus, die Hand zurückzuziehen, und als ich sie nicht bewegte, zog sie mir unvermittelt das Messer über die Handfläche. Sie ritzte sie einmal vom Daumenballen bis zum Ansatz meines kleinen Fingers ein, und dann noch einmal, kreuzweise. Ich sah das frische Blut aus den Schnitten quellen und dachte an die kreuzförmige Narbe auf Sigurds Hand. «Jetzt», sagte sie und legte das Messer weg, «schlagt fest auf den Stein.» Sie deutete mit dem Zeigefinger auf die glatte Mitte des Steins. «Schlagt hierher.»

Ich schlug fest auf den Stein und hinterließ ein Muster aus Blutspritzern, ausgehend von einem grob verschmierten Handabdruck, der von einem roten Kreuz entstellt wurde.

«Und jetzt schweigt», sagte Ælfadell und schüttelte ihren Umhang ab.

Sie war nackt. Mager, bleich, hässlich, alt, eingeschrumpft und nackt. Ihre Brüste waren Fleischlappen, ihre Haut faltig und fleckig, und ihre Arme dürr. Sie hob die Hand und löste ihr Haar, das im Nacken zusammengedreht war, sodass die grauschwarzen Strähnen nach der Art junger, unverheirateter Mädchen um ihre Schultern fielen. Sie war das Zerrbild einer Frau, sie war die *galdricge*, und es schauderte mich bei ihrem Anblick. Sie schien meinen Blick nicht wahrzunehmen, sondern starrte auf das Blut, das im Licht der Flammen schimmerte. Sie berührte das Blut mit einem Finger, der so gekrümmt war wie eine Klaue, und schmierte es über den glatten Stein. «Wer seid Ihr?», fragte sie, und es kam mir so vor, als läge echte Neugierde in ihrer Stimme.

«Ihr wisst, wer ich bin», sagte ich.

«Kjartan von Cumbrien», sagte sie. Ein merkwürdiges Geräusch entwich ihrer Kehle, es mochte wohl ein Lachen gewesen sein, dann bewegte sie die blutbesudelte Klaue zu dem Becher. «Trinkt das, Kjartan von Cumbrien», sagte sie und sprach den Namen mit säuerlichem Spott aus, «trinkt es ganz aus!»

Ich hob den Becher und trank. Es schmeckte faulig. Bitter und ranzig. Es schnürte einem die Kehle zu, und ich trank alles aus.

Und Ælfadell lachte.

Ich erinnere mich nur an wenig aus dieser Nacht, und das meiste von diesem Wenigen würde ich am liebsten vergessen.

Ich erwachte nackt, frierend und gefesselt. Um meine Hand- und Fußgelenke waren Lederschlaufen gebunden, die miteinander verknotet waren, sodass meine Hände zu meinen Fußknöcheln hinuntergezogen wurden. Schwaches graues Licht sickerte durch den Felsspalt und den Durchgang in die große Höhle. Der Boden war weiß von Fledermauskot, und mein Körper war mit meinem eigenen Erbrochenen beschmiert. Ælfadell, gekrümmt und dunkel in ihrem schwarzen Umhang, hatte sich über meine Rüstung gebeugt, meine beiden Schwerter, meinen Helm, meinen Hammer und meine Kleidung. «Du bist wach, Uhtred von

Bebbanburg», sagte sie. Sie scharrte zwischen meinen Besitzungen herum. «Und du glaubst», fuhr sie fort, «dass ich leicht zu töten wäre.»

«Ich glaube, dass du leicht zu töten wärest, Weib», sagte ich. Meine Stimme war ein trockenes Krächzen. Ich zerrte an den Lederriemen, aber ich schnitt mir damit nur in die Handgelenke.

«Ich kenne mich mit Knoten aus, Uhtred von Bebbanburg», sagte sie. Dann nahm sie den Thorshammer auf und ließ ihn an seinem Lederband schwingen. «Ein wertloses Amulett für einen großen Herrn.» Sie kicherte. Sie war krumm, alt und widerwärtig. Ihre Klauenhand zog Schlangenhauch aus seiner Scheide, und sie trug die Klinge auf mich zu. «Ich sollte dich töten, Uhtred von Bebbanburg», sagte sie. Ihre Kraft reichte kaum aus, die lange Klinge hochzuheben, die sie nun auf einem meiner gebeugten Knie ablegte.

«Warum tust du es nicht?», fragte ich.

Sie musterte mich genau. «Bist du nun klüger geworden?», fragte sie. Ich schwieg. «Du hast nach Weisheit gesucht», fuhr sie fort. «Nun? Hast du sie gefunden?»

Irgendwo weit außerhalb der Höhle krähte ein Hahn. Ich zerrte wieder an den Riemen, und wieder nutzte es nichts. «Schneid die Fesseln durch», sagte ich.

Darüber lachte sie nur. «Ich bin keine Närrin, Uhtred von Bebbanburg.»

«Du hast mich nicht getötet», sagte ich, «also bist du vielleicht doch eine Närrin.»

«Das ist wahr», pflichtete sie mir bei. Sie schob das Schwert vor, sodass seine Spitze meine Brust berührte. «Hast du in deiner Nacht Weisheit gefunden, Uhtred?», fragte sie und lächelte mich mit ihren verfaulten Zähnen an. «Deiner Nacht der Lüste?» Ich versuchte, das Schwert wegzustoßen, indem ich mich auf die Seite rollte, aber sie hielt es gegen meinen Körper gedrückt, und an der Spitze lief ein wenig Blut herab. Sie war belustigt. Ich lag nun auf der Seite, und sie setzte die Klinge auf meiner Hüfte ab. «Du hast im Dunkeln gestöhnt, Uhtred. Du hast vor Lust gestöhnt, oder hast du das vergessen?»

Ich erinnerte mich an das Mädchen, das in der Nacht zu mir gekommen war. Ein dunkelhaariges Mädchen, schlank und schön, geschmeidig wie eine Weidenrute, ein Mädchen das gelächelt hatte, als es auf mir geritten war und mit seinen zarten Händen mein Gesicht und meine Brust gestreichelt hatte, ein Mädchen, das sich zurückgebogen hatte, als ich seine Brüste mit den Händen liebkoste. Ich erinnerte mich an den Druck seiner Oberschenkel auf meinen Hüften, die Berührung seiner Finger auf meinen Wangen. «Ich erinnere mich an einen Traum», sagte ich verdrießlich.

Ælfadell wippte auf ihren Fersen vor und zurück, in obszöner Nachahmung dessen, was das schwarzhaarige Mädchen in der Nacht getan hatte. Die flache Seite der Schwertklinge glitt über meinem Hüftknochen hin und her. «Es war kein Traum», sagte sie spöttisch.

Da wollte ich sie töten, und sie wusste es, und dieses Wissen brachte sie zum Lachen. «Es haben schon andere versucht, mich umzubringen», sagte sie. «Die Priester hatten es auch einmal auf mich abgesehen. Es kamen beinahe zwei Dutzend von ihnen, angeführt von dem alten Abt mit einer Fackel. Sie haben laut gebetet, mich eine heidnische Hexe genannt, und ihre Knochen verrotten immer noch im Tal. Ich habe Söhne, weißt du? Es ist gut für eine Mutter, Söhne zu haben, denn es gibt keine Liebe, die sich mit der Liebe einer Mutter zu ihren Söhnen vergleichen lässt. Hast du diese Liebe vergessen, Uhtred von Bebbanburg?»

«Das war auch ein Traum», sagte ich.

«Kein Traum», sagte Ælfadell, und ich erinnerte mich an meine Mutter, die mich nachts gewiegt und in ihren Armen geschaukelt und mir die Brust gegeben hatte, und ich konnte mich an das Behagen dieses Augenblicks erinnern, und an die Tränen, als mir klar wurde, dass es ein Traum gewesen sein musste, denn meine Mutter war bei meiner Geburt gestorben, und ich hatte sie nie gekannt.

Ælfadell lächelte. «Von jetzt an, Uhtred von Bebbanburg», sagte sie, «sehe ich dich als Sohn an.» Wieder wollte ich sie töten, und sie wusste es und lachte mich aus. «Heute Nacht», sagte sie, «ist die Göttin zu dir gekommen. Sie hat dir dein ganzes Leben gezeigt, und deine ganze Zukunft, und die ganze weite Menschenwelt und was in ihr geschehen wird. Hast du das alles schon vergessen?»

«Die Göttin ist gekommen?», fragte ich. Ich erinnerte mich daran, unablässig geredet zu haben, und ich erinnerte mich an die Traurigkeit, als mich meine Mutter verließ, und ich erinnerte mich daran, dass mich das schwarzhaarige Mädchen bestieg, und ich erinnerte mich, dass mir übel war und ich mich betrunken fühlte, und ich erinnerte mich an einen Traum, in dem ich über die Welt geflogen war, indem ich auf den Winden ritt, ebenso wie die Langschiffe auf den Meereswellen, aber ich erinnerte mich an keine Göttin. «Welche Göttin?», fragte ich.

«Erce natürlich», sagte sie, als hätte ich eine dumme Frage gestellt. «Weißt du etwas über Erce? Sie kennt dich.»

Erce war eine der alten Göttinnen, die in Britannien gewohnt hatten, als unser Volk übers Meer kam. Ich wusste, dass ihr auf dem Land noch immer gehuldigt wurde, als

Erdmutter, als Lebensspenderin, als Göttin. «Ich weiß von Erce», sagte ich.

«Du weißt, dass es Götter gibt», sagte Ælfadell, «darin bist du nicht töricht. Die Christen denken, ein einziger Gott würde alle Männer und Frauen versorgen, aber wie könnte das sein? Könnte ein einziger Schäfer jedes Schaf auf der ganzen Welt beschützen?»

«Der alte Abt hat versucht, dich zu töten?», fragte ich. Ich hatte mich mühsam auf die rechte Seite gedreht, sodass sie meine gefesselten Hände nicht sehen konnte, und ich rieb die Lederriemen an einer Steinkante, weil ich hoffte, sie zerspleißen zu können. Ich konnte nur winzig kleine Bewegungen machen, damit sie nichts bemerkte, und ich musste sie am Reden halten. «Der alte Abt hat versucht, dich zu töten», fragte ich erneut, «und trotzdem wirst du jetzt von den Mönchen beschützt?»

«Der neue Abt ist kein Narr», sagte sie. «Er weiß, dass ihm Jarl Cnut bei lebendigem Leib die Haut abziehen würde, wenn er etwas gegen mich unternimmt, also steht er mir lieber zu Diensten.»

«Stört es ihn nicht, dass du keine Christin bist?»

«Er liebt das Geld, das ihm Erce bringt», sagte sie höhnisch, «und er weiß, dass Erce in dieser Höhle wohnt und dass ich unter ihrem Schutz stehe. Und jetzt wartet Erce auf deine Antwort. Bist du klüger geworden?»

Wieder sagte ich nichts, weil mich die Frage verwirrte, und damit erzürnte ich sie.

«Spreche ich zu undeutlich?», fauchte sie. «Hat dir die Dummheit die Ohren zuwachsen lassen und den Kopf mit Stroh vollgestopft?»

«Ich erinnere mich an nichts», sagte ich wahrheitswidrig.

Das brachte sie erneut zum Lachen. Sie hockte sich auf die Fersen, das Schwert lag immer noch auf meiner Hüfte, und sie begann wieder vor und zurück zu wippen. «Sieben Könige werden sterben, Uhtred von Bebbanburg, sieben Könige und die Frauen, die du liebst. Das ist dein Schicksal. Und Alfreds Sohn wird nicht in Wessex regieren, und Wessex wird untergehen, und der Sachse wird töten, was er liebt, und die Dänen werden alles gewinnen, und alles wird sich ändern, und alles wird so bleiben, wie es immer war und wie es immer sein wird. So, siehst du, nun bist du klüger.»

«Wer ist der Sachse?», fragte ich. Noch immer rieb ich die Fesseln an dem Stein, aber nichts schien auszufasern oder lockerer zu werden.

«Der Sachse ist der König, der das zerstören wird, was er regiert. Erce weiß alles, Erce sieht alles.»

Schlurfende Schritte in dem Felsdurchgang machten mir einen Moment lang Hoffnung, aber statt meiner Männer duckten sich drei Mönche unter dem Bogen hindurch und kamen in die düstere Höhle herein. Ihr Anführer war ein älterer Mann mit zottigem weißen Haar und eingefallenen Wangen, der zuerst mich anstarrte, dann Ælfadell, und dann wieder mich. «Ist er es wirklich?», fragte er.

«Es ist Uhtred von Bebbanburg, es ist mein Sohn», sagte Ælfadell und lachte.

«Gütiger Gott», sagte der Mönch. Einen Augenblick lang zeigte sich Verängstigung in seiner Miene, und sie war der Grund, aus dem ich noch lebte. Sowohl Ælfadell als auch der Mönch wussten, dass ich Cnuts Feind war, aber sie wussten nicht, was Cnut von mir wollte, und sie fürchteten, dass sie den Zorn ihres Herrn herausfordern könnten, wenn sie mich umbrachten. Der weißhaarige Mönch kam auf mich zu, langsam und vorsichtig, weil er sich vor dem fürchtete, was ich tun könnte. «Seid Ihr Uhtred?», fragte er.

«Ich bin Kjartan von Cumbrien», sagte ich.

Ælfadell kicherte. «Er ist Uhtred», sagte sie. «Erces Trank lügt nicht. Er hat heute nacht geredet wie ein Wasserfall.»

Der Mönch fürchtete sich vor mir, weil mein Leben und Sterben jenseits seines Begriffsvermögens lagen. «Warum seid Ihr hierhergekommen?», fragte er.

«Um die Zukunft kennenzulernen», sagte ich. Ich spürte Blut zwischen meinen Händen. Als ich mit den Riemen an dem Stein gescheuert hatte, war der Schorf von den Schnitten abgefallen, die mir Ælfadell in der Handfläche beigebracht hatte.

«Er hat die Zukunft kennengelernt», sagte Ælfadell. «Die Zukunft toter Könige.»

«Hat Erce auch von meinem Tod gesprochen?», fragte ich sie, und zum ersten Mal sah ich einen Zweifel auf dem hageren Runzelgesicht.

«Wir müssen eine Nachricht an Jarl Cnut schicken», sagte der Mönch.

«Tötet ihn», sagte einer der jüngeren Mönche. Er war groß und kräftig, mit einem harten, langen Gesicht, einer Hakennase und grausamem, gnadenlosem Blick. «Der Jarl wird gewiss seinen Tod wollen.»

Der ältere Mönch war unsicher. «Wir wissen nicht, was der Jarl will, Bruder Hearberht.»

«Tötet ihn! Er wird Euch belohnen. Er wird uns alle belohnen.» Bruder Hearberht hatte recht, aber die Götter hatten den anderen Zweifel eingeflößt.

«Der Jarl muss entscheiden», sagte der ältere Mönch.

«Es wird drei Tage dauern, bis wir die Antwort haben», sagte Hearberht ätzend, «und was sollen wir drei Tage lang mit ihm machen? Er hat seine Männer in der Stadt. Zu viele Männer.»

«Sollen wir ihn zum Jarl bringen?», schlug der ältere Mönch vor. Er suchte verzweifelt nach einer Lösung, die ihn davor bewahren würde, eine Entscheidung treffen zu müssen.

«Um Himmels willen», zischte Hearberht. Dann schritt er zu dem Stapel mit meinen Besitzungen, beugte sich hinab und richtete sich mit Wespenstachel in der Hand wieder auf. Die kurze Klinge fing das schwache Licht ein. «Was tut man mit einem Wolf, den man in die Enge getrieben hat?», wollte er wissen und kam auf mich zu.

Und ich setzte all meine Kraft ein, all die Kraft, die Jahre der Übung mit Schwert und Schild in meinen Knochen und Muskeln hatten wachsen lassen, die Jahre des Krieges und der Vorbereitung auf den Krieg, und ich stieß meine Beine vor und zog meine Arme hoch, und ich spürte, wie die Fesseln rissen, und rollte zurück, die Klinge rutschte von meiner Hüfte, und ich begann zu brüllen, den Schlachtenschrei eines Kriegers, und griff nach Schlangenhauchs Heft.

Ælfadell versuchte, das Schwert wegzuziehen, aber sie war alt und langsam, und ich brüllte, um die Höhle mit schauerlichem Widerhall zu füllen, und ich packte den Schwertgriff und schwang die Klinge, um sie zurückzutreiben, und Hearberht blieb stehen, als ich auf die Füße kam. Ich stolperte beinahe, die Riemen immer noch um meine Fußgelenke, und Hearberht sah seine Gelegenheit und griff an, hielt die kurze Klinge in niedriger Höhe, um mir den nackten Bauch aufzuschlitzen, und ich schlug die Waffe zur Seite und fiel gegen ihn. Er taumelte zu Boden, und ich stand wieder auf, und er hackte mit der Klinge in Richtung meiner bloßen Beine, aber ich wehrte ihn ab, und dann stach ich Schlangenhauch hinab, mein Schwert, meine Geliebte, meine Klinge, meine Kampfgefährtin, und sie nahm diesen Mönch aus wie einen Fisch unter einem frisch geschliffenen Messer, und sein Blut spritzte auf seinen schwarzen Habit und färbte den Fledermauskot schwarz, und ich riss die Klinge weiter durch seinen Körper und wusste nicht, dass ich immer noch brüllte, um die Höhle mit all meiner Wut zu erfüllen.

Hearberht kreischte und zitterte und starb, und die anderen beiden Mönche flüchteten. Ich riss die übrigen Riemen von meinen Fußgelenken und verfolgte sie. Der Griff meines Schwertes war schlüpfrig von meinem Blut, und Schlangenhauch war gierig.

Ich erwischte sie im Wald, keine fünfzig Schritt von der Felsspalte entfernt, und ich streckte den jüngeren Mönch mit einem Hieb auf den Hinterkopf nieder, dann packte ich den älteren an seinem Gewand. Ich drehte ihn zu mir um und roch die Angst, die er säuerlich ausatmete. «Ich bin Uhtred von Bebbanburg», sagte ich, «und wer seid Ihr?»

«Abt Deorlaf, Herr», sagte er, fiel auf die Knie und streckte mir seine gefalteten Hände entgegen, und ich hielt ihn an der Kehle fest und vergrub Schlangenhauch in seinem Bauch und sägte ihn mit der Klinge auf, und er fiepte wie ein Tier und schluchzte wie ein Kind und rief Jesus den Erlöser an, als er in seinen eigenen Exkrementen starb. Dann schnitt ich dem jüngeren Mönch die Kehle durch und kehrte in die Höhle zurück, wo ich Schlangenhauch im Fluss abwusch.

«Erce hat deinen Tod nicht vorausgesagt», kam es von

Ælfadell. Sie hatte geschrien, als ich die Riemen durchgerissen und ihr das Schwert weggenommen hatte, doch nun war sie merkwürdig ruhig. Sie sah mir nur zu und hatte offenkundig keine Angst.

«Hast du mich deshalb nicht getötet?»

«Sie hat auch meinen Tod nicht vorausgesagt», erklärte Ælfadell.

«Dann hat sie sich vielleicht geirrt», sagte ich und nahm Hearberht Wespenstachel aus der toten Hand.

Und da sah ich sie.

Aus einer tiefer gelegenen Höhle, aus einem Durchgang zur Unterwelt, kam Erce. Sie war ein Mädchen von solcher Schönheit, dass mir der Atem stehenblieb. Das dunkelhaarige Mädchen, das in der Nacht auf mir geritten war, das langhaarige Mädchen, schlank und bleich, so schön und so gelassen und so nackt wie die Klinge in meiner Hand, und alles, was ich tun konnte, war, sie anzustarren. Ich konnte mich nicht bewegen, und sie erwiderte meinen Blick mit ernsten, großen Augen, und sie sagte nichts, und ich sagte nichts, bis ich endlich wieder zu atmen begann. «Wer bist du?», fragte ich.

«Zieh dich an», sagte Ælfadell, ob zu mir oder dem Mädchen wusste ich nicht.

«Wer bist du?», fragte ich das Mädchen, aber sie schwieg weiter.

«Zieht Euch an, Herr Uhtred!», befahl Ælfadell, und ich gehorchte ihr. Ich zog meinen Kittel an, meine Stiefel, mein Kettenhemd und schnallte mir die Schwerter um die Hüfte, und immer noch betrachtete mich das Mädchen mit seinem ruhigen, dunklen Blick. Die junge Frau war so schön wie die Morgenröte des Sommers und so schweigsam wie die Winternacht. Sie lächelte nicht, ihr Gesicht zeigte keinen Ausdruck. Ich ging auf sie zu und spürte etwas Seltsames. Die Christen sagen, wir haben eine Seele, was immer das sein mag, und es schien mir, als hätte dieses Mädchen keine Seele. In seinen dunklen Augen war Leere. Es war furchterregend, sodass ich mich ihr nur langsam näherte.

«Nein!», rief Ælfadell. «Du darfst sie nicht berühren! Du hast Erce bei Tageslicht gesehen. Kein anderer Mann hat sie jemals bei Tag zu Gesicht bekommen.»

«Erce?»

«Geh», sagte sie, «geh.» Sie wagte es, sich mir in den Weg zu stellen. «Du hattest einen Traum letzte Nacht», sagte sie, «und in deinem Traum hast du die Wahrheit gefunden. Gib dich damit zufrieden und geh.»

«Sprich mit mir», sagte ich zu dem Mädchen, aber die rätselhafte Schönheit blieb bewegungslos, schweigend und ohne jeden Ausdruck, und doch konnte ich meinen Blick nicht von ihr wenden. Ich hätte den Rest meines Lebens nichts anderes tun können, als sie immer nur anzuschauen. Die Christen reden von Wundern, von Männern, die auf dem Wasser gehen und die Toten aufwecken, und sie sagen, diese Wunder sind Beweise für ihre Religion, und dennoch kann keiner von ihnen ein Wunder bewirken oder uns ein Wunder zeigen, hier aber, in dieser feuchten Höhle jenseits des Hügelgrabes, sah ich ein Wunder. Ich sah Erce.

«Geh», sagte Ælfadell, und obwohl sie zu mir sprach, war es die Göttin, die sich umdrehte und in der Unterwelt verschwand.

Ich tötete die alte Frau nicht. Ich ging. Ich schleppte die toten Mönche ins Gestrüpp, wo sich vielleicht die wilden Tiere an ihnen gütlich tun würden, und dann hockte ich mich an den Fluss und trank wie ein Hund.

«Was hat Euch die Hexe gesagt?», fragte mich Osferth, als ich wieder bei dem Gehöft der Witwe ankam.

«Ich weiß nicht», sagte ich, und mein Ton hielt ihn von allen weiteren Fragen ab, bis auf eine. «Wohin gehen wir, Herr?», fragte Osferth.

«Wir gehen nach Süden», sagte ich, immer noch leicht benommen.

Und so ritten wir auf Sigurds Gebiet zu.

VIER

Ich hatte Ælfadell meinen Namen gesagt – und was sonst noch? Hatte ich ihr erzählt, dass ich mich an Sigurd rächen wollte? Und warum hatte ich so viel geredet? Ludda beantwortete mir diese Frage auf unserem Ritt nach Süden. «Es gibt Kräuter und Pilze, Herr, und es gibt die schwarzen Körner an den Roggenähren, es gibt die unterschiedlichsten Dinge, die in einem Menschen Träume hervorrufen. Meine Mutter hat sie auch eingesetzt.»

«War sie eine Zauberin?»

Er zuckte mit den Schultern. «Eine weise Frau jedenfalls. Sie hat gewahrsagt und Tränke zubereitet.»

«Und der Trank, den mir Ælfadell gegeben hat, damit ich meinen Namen sage?»

«Das kann das Tollkorn gewesen sein. Ihr könnt von Glück reden, dass Ihr es überlebt habt. Falsch dosiert bringt es den Träumenden um, aber wenn sie wusste, wie man es einsetzt, habt Ihr geschwatzt wie ein altes Weib, Herr.»

Und wer konnte ahnen, was ich dem *aglæcwif* sonst noch alles enthüllt hatte. Ich fühlte mich wie ein Narr. «Spricht sie wirklich mit den Göttern?» Ich hatte Ludda von Ælfadell erzählt, aber nicht von Erce. Dieses Geheimnis wollte ich für mich behalten, als immer wiederkehrende Erinnerung.

«Manche Menschen schwören Stein und Bein, dass sie mit den Göttern sprechen können», sagte Ludda unsicher.

«Und die Zukunft voraussehen?»

Er rutschte in seinem Sattel herum. Ludda war nicht ans Reiten gewöhnt, und die Reise hatte bei ihm für einen entzündeten Hintern und schmerzende Oberschenkel gesorgt. «Wenn sie wirklich in die Zukunft schauen könnte, Herr, würde sie dann in einer Höhle leben? Sie hätte einen Palast. Könige würden vor ihr auf dem Bauch kriechen.»

«Vielleicht sprechen die Götter nur in dieser Höhle zu ihr», gab ich zu bedenken.

Ludda hörte die Unruhe in meiner Stimme. «Herr», sagte er ernst, «wenn Ihr den Würfel oft genug werft, bekommt Ihr immer die Zahlen, die Ihr sehen wollt. Wenn ich Euch sage, dass die Sonne morgen aufgeht und dass es regnet und dass es schneit und dass Wolken über den Himmel ziehen und dass es ohrenbetäubenden Donner geben wird, dann wird sich eines dieser Dinge als wahr herausstellen, und den Rest werdet Ihr vergessen, weil Ihr glauben wollt, dass ich wirklich die Zukunft voraussagen kann.» Er lächelte mich kurz an. «Die Leute kaufen bei mir kein rostiges Eisen, weil ich so überzeugend bin, Herr, sondern weil sie unbedingt glauben wollen, dass es sich in Silber verwandelt.»

Und ich wollte unbedingt an seine Zweifel glauben, was Ælfadell anging. Sie hatte gesagt, Wessex sei dem Untergang geweiht, und sieben Könige würden sterben, aber was bedeutete das? Welche Könige? Alfred von Wessex, Edward von Cent, Eohric von Ostanglien? Wer noch? Und wer war der Sachse? «Sie wusste, wer ich war», sagte ich zu Ludda.

«Weil Ihr das Gebräu getrunken habt, das sie Euch angerührt hat, Herr. Es muss gewesen sein, als wäret Ihr betrunken, und ihr habt alles ausgesprochen, was Euch gerade in den Sinn kam.»

«Und sie hat mich gefesselt», erzählte ich ihm, «aber nicht getötet.»

«Der Herr sei gepriesen», sagte Ludda pflichtschuldig. Ich glaubte nicht, dass er Christ war, jedenfalls kein guter, aber er war zu gewitzt, um sich mit den Priestern zu streiten. Er runzelte die Stirn. «Ich frage mich, warum sie Euch nicht getötet hat.»

«Sie hatte Angst es zu tun», sagte ich, «und der Abt genauso.»

«Sie hat Euch gefesselt, Herr», sagte Ludda, «weil ihr jemand erzählt hat, Ihr wärt Jarl Cnuts Feind. Das wusste sie also, aber sie wusste nicht, was Jarl Cnut mit Euch vorhat. Also hat sie nach den Mönchen geschickt, um es in Erfahrung zu bringen. Und auch die Mönche haben sich zu sehr gefürchtet, um Euren Tod anzuordnen. Es ist keine Kleinigkeit, einen Herrn zu töten, ganz besonders, wenn seine Männer in der Nähe sind.»

«Einer von ihnen hatte keine Angst.»

«Und jetzt tut es ihm leid», sagte Ludda heiter, «aber es ist seltsam, Herr, sehr seltsam.»

«Was?»

«Sie kann mit den Göttern sprechen. Aber die Götter haben ihr nicht gesagt, ob sie Euch töten soll.»

«Ah», sagte ich, weil ich verstand, worauf er hinauswollte, und nicht wusste, was ich dazu sagen sollte.

«Die Götter hätten gewusst, wie mit Euch zu verfahren ist, und sie hätten ihr gesagt, was sie tun soll, aber sie haben es nicht getan. Das sagt mir, dass sie ihre Anordnungen nicht von den Göttern bekommt, Herr, sondern von Jarl Cnut. Sie erzählt jedem Mann, was er hören will.» Wieder rutschte er im Sattel herum, weil er eine weniger schmerzhafte Sitzhaltung suchte. «Da ist die Straße, Herr», sagte er und deutete auf eine Römerstraße, die über die Hügel führte. Er hatte mir erklärt, dass die Straße an einigen alten Bleiminen endete. Ich hatte Ludda gesagt, er solle uns nach Cytringan bringen, wo Sigurds Festhalle war, aber ich hatte ihm nicht erzählt, was ich dort vorhatte.

Warum hatte ich Ælfadell überhaupt besucht? Um einen Weg zu finden, natürlich. Die drei Nornen sitzen an den Wurzeln von Yggdrasil und weben unsere Schicksalsfäden zusammen, und manchmal nehmen sie ihre Schere und schneiden den Faden durch. Wir alle wollen wissen, wo unser Lebensfaden endet. Wir wollen die Zukunft kennen. Wir wollen wissen, so hatte es Beornnoth gesagt, wie die Geschichte ausgeht, und das war der Grund, aus dem ich zu Ælfadell gegangen war. Alfred würde bald sterben, vielleicht war er schon tot, und alles würde sich ändern, und ich war kein solcher Narr zu denken, dass meine Rolle bei dieser Veränderung klein sein würde. Ich bin Uhtred von Bebbanburg. Männer fürchteten mich. In jenen Tagen war ich kein großer Herr, was Land oder Reichtum oder Männer anging, aber Alfred hatte gewusst, dass er mir Männer zur Verfügung stellen musste, wenn er den Sieg wollte, und so hatten wir Haestens Übermacht bei Beamfleot gebrochen. Alfreds Sohn, Edward, schien mir zu vertrauen, aber ich war dennoch zu Ælfadell gegangen, um einen Blick auf die Zukunft zu erhaschen. Warum sollte ich mich mit einem Mann verbünden, der zum Scheitern verurteilt war? War Edward der Mann, den Ælfadell den Sachsen genannt hatte und der dazu verdammt war, Wessex zu zerstören? Welcher war der sichere Weg? Edwards Schwester, Æthelflæd, würde mir niemals verzeihen, wenn ich ihren Bruder verriet, aber möglicherweise war auch sie dem Untergang geweiht. Alle meine Frauen würden sterben. Darin lag keine besondere Erkenntnis, denn wir alle müssen sterben, aber warum hatte Ælfadell diese Worte gesagt? Warnte sie mich vor Alfreds Kindern? Vor Æthelflæd und Edward? Wir leben in einer Welt, die der Finsternis entgegentreibt, und ich hatte nach einem Licht gesucht, das mir auf einem sicheren Weg leuchten würde, und ich hatte keines gefunden, nur ein Traumbild von Erce, ein Traumbild, das ich nicht vergessen würde, ein Traumbild, das mich heimsuchen würde. «Wyrd bi∂ ful āræd», sagte ich laut.

Das Schicksal ist unausweichlich.

Und unter dem Einfluss von Ælfadells bitterem Trank hatte ich meinen Namen ausgeplaudert und was sonst noch? Ich hatte keinem meiner Männer erzählt, welchen Plan ich gefasst hatte, aber hatte ich es Ælfadell erzählt? Und Ælfadell lebte in Cnuts Land und unter seinem Schutz. Sie hatte mir gesagt, Wessex würde zerstört, und die Dänen würden alles gewinnen, und das musste sie mir auch sagen, denn es war das, was Cnut Langschwert alle Welt hören lassen wollte. Jarl Cnut wollte jeden dänischen Anführer zu Besuch bei Ælfadell in der Höhle haben, damit sie hörten, der Sieg gehöre ihnen, denn Männer, die mit dem beflügelnden Vorwissen vom eigenen Sieg in die Schlacht ziehen, kämpfen mit einer Leidenschaft, die ihnen den Sieg bringt. Sigurds Männer, die mich auf der Brücke angriffen, hatten wirklich geglaubt, sie würden siegen, und das hatte sie dazu verführt, in eine Falle zu laufen.

Und jetzt führte ich einige wenige Männer auf etwas zu, das unseren Tod bedeuten konnte. Hatte ich Ælfadell erzählt, dass ich vorhatte, Cytringan anzugreifen? Denn wenn ich es getan hatte, würde sie Cnut mit Sicherheit eine Benachrichtigung schicken, und Cnut würde sehr schnell

Maßnahmen ergreifen, um seinen Freund Sigurd zu schützen. Ich hatte geplant, über Cytringan, wo sich Sigurds Festhalle befand, nach Hause zu reiten, und gehofft, in Cytringan alles verlassen und unbewacht vorzufinden. Ich wollte den Palas niederbrennen und sofort nach Buccingahamm reiten. Sigurd hatte versucht, mich zu töten, und das sollte er bereuen, und ich war nach Ceaster gegangen, um ihn von seinem Stammland wegzulocken, und wenn er sich von meiner List täuschen ließ, war Sigurd jetzt auf dem Weg dorthin, um mich zu fangen und zu töten, während ich seinen Palas niederbrennen wollte. Doch sein Freund Cnut würde möglicherweise Männer nach Cytringan schicken, um die Festhalle in eine Falle für mich zu verwandeln.

Also musste ich etwas anderes tun. «Vergiss Cytringan», sagte ich zu Ludda, «bring mich stattdessen ins Trente-Tal. Nach Snotengaham.»

Und so ritten wir unter schnell dahinziehenden Wolken Richtung Süden, und nach zwei Tagen und Nächten kamen wir in ein Flusstal, das viele Erinnerungen in mir wachrief. Ich war hierhergekommen, als ich das erste Mal auf einem Kriegsschiff mitfuhr, wir waren den Humber und dann die Trente hinaufgerudert, und in ihrem Tal hatte ich auch Alfred zum ersten Mal gesehen. Ich war noch ein Junge gewesen und er ein junger Mann, und ich hatte ihn bespitzelt, hatte seine verzweifelten Klagen über die Sünde mitangehört, die Osferth in die Welt gebracht hatte. Und es war auch an den Ufern der Trente, wo ich Ubba zum ersten Mal begegnet war und wo man ihn als Ubba den Schrecklichen kannte, und er hatte mich eingeschüchtert und mir Angst eingejagt. Später, an einem fernen Meer, sollte ich ihn töten. Ich war ein Knabe gewesen, als ich das letzte

Mal an den Ufern dieses Flusses war, doch nun war ich ein Mann und andere Männer fürchteten mich, wie ich einst Ubba gefürchtet hatte. Uhtedærwe, so nannten mich manche, Uhtred der Gottlose. Diesen Namen gaben sie mir, weil ich kein Christ war, aber mir gefiel er, und eines Tages, dachte ich, würde ich es mit der Gottlosigkeit zu weit treiben, und Männer würden sterben, weil ich ein Narr war.

Und vielleicht würde das hier und jetzt geschehen, denn ich hatte den Plan aufgegeben, die Festhalle von Cytringan zu zerstören, und wollte stattdessen eine närrische Sache versuchen, aber eine, die meinen Namen in ganz Britannien bekanntmachen würde. Das Ansehen. Wir legen mehr Wert auf das Ansehen als auf Gold, und deshalb ließ ich meine Männer in einem Gehöft zurück und ritt, nur begleitet von Osferth, am Südufer des Flusses entlang, und ich sagte nichts, bis wir an den Rand eines Niederwaldes kamen, von dem aus wir über die weiten Flussschleifen hinweg die Stadt sehen konnten. «Snotengaham», sagte ich. «Hier bin ich zum ersten Mal deinem Vater begegnet.»

Darauf stieß er nur ein Knurren aus. Die Stadt lag am Nordufer des Flusses und war gewachsen, seit ich sie zum letzten Mal gesehen hatte. Nun standen Gebäude außerhalb der Wallanlagen, und über den Dächern hingen dichte Rauchschwaden von den Kochfeuern. «Gehört sie Sigurd?», fragte Osferth.

Ich nickte und dachte daran, dass mir Beornnoth gesagt hatte, Sigurd habe seine Kriegsflotte über den Winter nach Snotengaham zurückgezogen. Und ich erinnerte mich an die Worte Ragnars des Älteren, der mir als Kind gesagt hatte, Snotengaham würde für immer dänisch bleiben, die meisten Bewohner aber seien Sachsen. Es war eine mercische Stadt, an der nördlichen Grenze dieses Königreichs, doch während nahezu meines gesamten Lebens war sie von Dänen regiert worden, und nun zahlten ihre Händler und Kirchenmänner, ihre Huren und Wirte Silber an Sigurd. Er hatte auf einer massigen Felsnase, die mitten in der Stadt aufragte, einen Palas errichtet. Es war nicht sein Hauptwohnsitz, der lag weiter im Süden, aber Snotengaham war eine von Sigurds Festungen, ein Ort, an dem er sich sicher fühlte.

Um vom Meer aus nach Snotengaham zu kommen, fuhr man mit dem Boot den mächtigen Humber hinauf und folgte dann der Trente. Diese Reise hatte ich als Kind auf Ragnars *Windviper* gemacht, und jetzt sah ich von dem Niederwald am Südufer aus, dass vierzig oder fünfzig Schiffe auf das andere Ufer gezogen worden waren. Es waren die Schiffe, mit denen Sigurd im Jahr zuvor nach Wessex im Süden gefahren war, doch er hatte im Grunde nichts weiter erreicht, als außerhalb von Exanceaster ein paar Bauernhöfe zu zerstören. Dass die Schiffe in Snotengaham lagen, deutete darauf hin, dass er keinen weiteren Einmarsch von der Küste aus plante. Seinen nächsten Angriff würde er über Land führen, er würde zuerst nach Mercien und von dort aus nach Wessex vorstoßen, um das Land der Sachsen zu erobern.

Doch der Stolz eines Mannes ist nicht nur sein Land. Wir beurteilen einen Herrn auch nach der Anzahl der Schiffsmannschaften, die er anführt, und diese Schiffe machten mir klar, dass Sigurd ein ganzes Heer befehligte. Ich dagegen befehligte nur eine einzige Schiffsmannschaft. Ich wage zu sagen, dass ich ebenso berühmt war wie Sigurd, doch all mein Ruhm hatte sich nicht in Reichtum verwandelt. Ich sollte, dachte ich, Uhtred der Narr genannt werden. Ich hatte Alfred all die Jahre gedient, und als Lohn hatte ich geliehenen Grundbesitz, eine einzige Mannschaft und den Ruhm. Sigurd dagegen besaß Städte, Ländereien und führte eine Armee an.

Es war an der Zeit, ihn ein wenig zu ärgern.

Ich redete mit jedem meiner Männer. Ich erklärte ihnen, dass sie reich werden könnten, wenn sie mich verrieten, und dass ich, wenn auch nur einer von ihnen einer Hure in der Stadt erzählte, dass ich Uhtred war, vermutlich sterben würde, und dass die meisten von ihnen gemeinsam mit mir sterben würden. Ich erinnerte sie nicht an den Treueschwur, den sie mir geleistet hatten, denn keiner von ihnen hatte diese Erinnerung nötig, und ich glaubte auch nicht, dass irgendeiner von ihnen mich verraten würde. Ich hatte vier Dänen und drei Friesen in der Truppe, aber sie waren dennoch meine Männer, sowohl durch Freundschaft als auch durch den Eid an mich gebunden. «Was wir tun werden», erklärte ich ihnen, «wird in ganz Britannien für Aufsehen sorgen. Es wird uns nicht reich machen, aber ich verspreche euch großes Ansehen.»

«Ich werde mich Kjartan nennen», sagte ich ihnen. Es war der Name, den ich bei Ælfadell benutzt hatte, ein Name aus meiner Vergangenheit, ein Name, den ich nicht mochte, der Name von Sihtrics widerwärtigem Vater, aber er würde mir für die nächsten paar Tage genügen, und ich würde diese paar Tage nur überleben, wenn keiner meiner Männer die Wahrheit enthüllte, und wenn mich in Snotengaham niemand erkannte. Ich war Sigurd nur zweimal begegnet, und beide Male nur kurz, aber es konnten Männer in Snotengaham sein, die ihn bei diesen Begegnungen begleitet hatten, und das war ein Risiko, das ich eingehen musste. Ich hatte mir den Bart wachsen lassen, ich trug ein altes Kettenhemd, das ich sogar hatte verrosten lassen, und ich sah aus, wie ich aussehen wollte, nämlich wie ein Mann am Rande des Scheiterns.

Ich fand eine Schänke außerhalb der Stadt. Sie hatte keinen Namen. Es war ein erbärmliches Loch mit saurem Ale, schimmeligem Brot und würmergespicktem Käse, aber es war geräumig, sodass meine Männer auf dem verdreckten Stroh schlafen konnten, und der Besitzer, ein griesgrämiger Sachse, war mit dem bisschen Silber zufrieden, das ich ihm gab. «Warum seid Ihr in Snotengaham?», wollte er wissen.

«Um ein Schiff zu kaufen», sagte ich, dann erzählte ich, wir hätten zu Haestens Armee gehört und dass wir nicht länger in Ceaster hungern wollten und uns nur noch wünschten, wieder nach Hause zu fahren. «Wir gehen zurück nach Friesland», sagte ich, und das war die Geschichte, die ich erzählte, und keinem Menschen in Snotengaham kam sie merkwürdig vor. Die Dänen folgen Anführern, die sie reich machen, und wenn ein Anführer keinen Erfolg hat, schmelzen seine Mannschaften weg wie Reif in der Sonne. Und es kam auch niemandem seltsam vor, dass ein Friese Sachsen anführte. Die Mannschaften der Wikingerschiffe bestehen aus Dänen, Norwegern, Friesen und Sachsen. Jeder Mann ohne Gebieter konnte auf Raubzug gehen, und einem Schiffsführer war es gleichgültig, in welcher Sprache ein Mann redete, wenn er nur ein Schwert führen, einen Speer schleudern und sich in die Riemen legen konnte.

Also wurde meine Geschichte nicht in Frage gestellt, und am Tag nach unserer Ankunft in Snotengaham suchte mich ein beleibter Däne namens Frithof auf. Unterhalb des Ellbogens fehlte ihm der linke Arm. «So ein Sachsenschwein hat ihn mir abgehackt», erklärte er fröhlich, «aber ich habe ihn geköpft, also war es ein angemessener Tausch.» Frithof war, was die Sachsen den Vogt von Snotengaham nennen würden, also der Mann, der für die Aufrechterhaltung des Friedens und die Interessenswahrung seines Herrn in der Stadt verantwortlich war. «Ich vertrete die Rechte Jarl Sigurds», sagte Frithof, «und er vertritt meine.»

«Ein guter Herr?»

«Der beste, den man sich denken kann», sagte Frithof leidenschaftlich, «großzügig und zuverlässig. Wollt Ihr ihm nicht auch Euren Eid leisten?»

«Ich will nach Hause», sagte ich.

«Friesland?», fragte er, «Ihr klingt dänisch, nicht friesisch.»

«Ich habe Skirnir Thorson gedient», erklärte ich. Skirnir war an der friesischen Küste Pirat gewesen, und ich hatte ihm gedient, indem ich ihn in sein Verderben gelockt hatte.

«Er war ein Bastard», sagte Frithof, «aber er hatte eine schöne Frau, habe ich gehört. Wie hieß seine Insel noch?» Er stellte diese Frage ohne jedes Misstrauen. Frithof war ein unbefangener, gastlicher Mann.

«Zegge», sagte ich.

«Genau, das war's! Nichts als Sand und Fischkot. Also seid Ihr von Skirnir an Haesten geraten, was?» Er lachte. Seine Frage drückte aus, dass ich mir meine Herren schlecht ausgesucht hatte. «Man könnte es viel schlechter treffen, als in die Dienste Jarl Sigurds einzutreten», versicherte er mir. «Er kümmert sich um seine Männer, und bald gibt es Land und Silber.»

«Bald?»

«Wenn Alfred stirbt», sagte Frithof, «wird Wessex zerbrechen. Alles, was wir tun müssen, ist abzuwarten und die Stücke aufzuteilen.»

«Ich habe Besitzungen in Friesland», sagte ich, «und eine Frau.»

Frithof grinste. «Es gibt hier reichlich Frauen», sagte er, «aber Ihr wollt wohl wirklich nach Hause.»

«Ich will nach Hause.»

«Dann braucht Ihr ein Schiff», sagte er, «es sei denn, Ihr habt vor zu schwimmen. Also, machen wir einen Spaziergang.»

Bei einer kleinen Einbuchtung des Flusses mit sanft ansteigendem Ufer, das es einfach machte, die Schiffe aus dem Fluss zu ziehen und wieder zu Wasser zu lassen, waren siebenundvierzig Schiffe an Land geschafft worden, wo sie nun auf einer Wiese mit Eichenstämmen abgestützt wurden. Sechs weitere Schiffe lagen im Wasser. Vier davon waren Handelsfahrer und zwei waren lange, schlanke Kriegsschiffe mit hochgezogenem Bug und Heck. «Die *Funkenflug*.» Frithof deutete auf eines der beiden Kampfschiffe auf dem Fluss. «Sie ist Jarl Sigurds eigenes Schiff.»

Die *Funkenflug* war eine Schönheit mit flachem, glatten Rumpf und hohen Steven. Ein Mann hockte auf dem Landesteg und malte eine weiße Linie um ihren obersten Plankengang, eine Linie, die ihre schmale, bedrohliche Form betonen würde. Frithof führte mich auf den hölzernen Landesteg und stieg mit einem Schritt über die niedrige Seitenplanke mittschiffs auf die *Funkenflug*. Ich folgte ihm und spürte das leichte Zittern, mit dem der Segler auf unser Gewicht ansprach. Ich stellte fest, dass der Mast nicht auf dem Schiff war und auch keine Riemen oder Rudergabeln, und zwei kleine Sägen, eine Dechsel und eine Kiste

147

mit Beiteln zeigten, dass gerade an ihm gearbeitet wurde. Die *Funkenflug* lag auf dem Wasser, aber sie war nicht fahrbereit. «Ich habe sie aus Dänemark hierhergebracht», sagte Frithof wehmütig.

«Seid Ihr Schiffsführer?», fragte ich.

«Das war ich, und vielleicht werde ich es wieder sein. Das Meer fehlt mir.» Er fuhr mit der Hand über das glatte Holz des obersten Plankengangs. «Ist sie nicht wundervoll?»

«Sie ist prächtig», sagte ich.

«Jarl Sigurd hat sie bauen lassen», sagte er, «und er nimmt nur das Beste!» Er klopfte an den Rumpf. «Grüneiche aus Friesland. Zu groß für Euch, allerdings.»

«Ist sie zu verkaufen?»

«Niemals! Da würde Jarl Sigurd eher seinen eigenen Sohn in die Sklaverei verkaufen. Davon abgesehen, wie viele Riemen wollt Ihr? Zwanzig?»

«Mehr nicht», sagte ich.

«Sie braucht fünfzig Ruderer», sagte Frithof und klopfte erneut auf die Planken. Er seufzte bei der Erinnerung daran, wie er mit ihr auf See gewesen war.

Ich warf einen Blick auf die Werkzeuge der Zimmerleute. «Macht Ihr sie zum Auslaufen bereit?», fragte ich.

«Der Jarl hat nichts davon gesagt, aber ich hasse es, wenn die Schiffe zu lange am Ufer liegen. Das Holz trocknet aus und schrumpft. Als Nächstes werde ich die dort ins Wasser lassen.» Er deutete zur Spitze der kleinen Bucht, wo eine weitere Schönheit von dicken Eichenschäften aufrecht gehalten wurde. «Die *See-Schlachter*», sagte Frithof, «Jarl Cnuts Schiff.»

«Er hat seine Schiffe hier?»

«Nur zwei», sagte er. «Die *See-Schlachter* und die *Wol-*

kenjäger.» Männer kalfaterten die *See-Schlachter*, dichteten die Plankenfugen mit einer Mischung aus Wollfasern und Kiefernharz ab. Kleine Jungen halfen ihnen oder spielten am Ufer des Flusses. Die Harzpfannen rauchten, und der beißende Gestank zog über den trägen Fluss. Frithof trat auf den Landesteg zurück und versetzte dem Mann, der die weiße Linie auf den Plankengang malte, einen freundschaftlichen Klaps auf den Kopf. Frithof war offenkundig beliebt. Männer grinsten ihn an und riefen ihm respektvolle Grüße zu, und Frithof antwortete mit wohlwollender Freundlichkeit. An seinem Gürtel trug er einen Beutel mit geräucherten Rindfleischstückchen, die er an die Kinder verteilte. Er kannte jedes von ihnen beim Namen. «Das ist Kjartan», stellte er mich den Männern vor, die gerade die *See-Schlachter* kalfaterten, «und er will ein Schiff von uns. Er geht nach Friesland zurück, weil dort seine Frau ist.»

«Bringt die Frau doch hierher!», rief mir ein Mann zu.

«Er weiß etwas Besseres, als sie von euch widerlichen Kerlen begaffen zu lassen», gab Frithof zurück, dann führte er mich weiter am Ufer entlang und vorbei an einem riesigen Haufen Ballaststeine. Frithof hatte Sigurds Genehmigung, Schiffe zu kaufen und zu verkaufen, aber nur ein halbes Dutzend stand überhaupt zum Verkauf, und davon waren nur zwei für mich geeignet. Eins war ein Handelsschiff, breit und solide gebaut, aber es war kurz, nur etwa viermal so lang wie breit, und das machte es langsam. Das andere Schiff war älter und hatte deutliche Gebrauchsspuren, aber es war mindestens siebenmal so lang wie breit, und seine schlanken Linien waren gefällig. «Sie hat einem Norweger gehört», erklärte Frithof, «der in Wessex umgekommen ist.»

«Kiefer?», fragte ich und klopfte an den Rumpf.

«Sie ist ganz aus Fichte», sagte Frithof.

«Ich ziehe Eiche vor», sagte ich mit einem neidischen Blick auf die prächtige *Funkenflug*.

«Gebt mir Gold, und ich lasse Euch ein Schiff aus der besten friesischen Eiche bauen», sagte Frithof, «aber wenn Ihr noch diesen Sommer übers Meer wollt, dann fahrt ihr auf Fichte. Sie ist gut gemacht, und sie hat einen Mast, Segel und Takelung.»

«Riemen?»

«Wir haben reichlich gute Eschenriemen.» Er ließ seine Hand am Vordersteven hinabgleiten. «Es muss noch ein bisschen was daran gemacht werden», räumte er ein, «aber sie war zu ihrer Zeit ein echter Schatz. *Tyrs Tochter*.»

«Das ist ihr Name?»

Frithof lächelte. «So ist es.» Er lächelte, weil Tyr der Gott der Krieger ist, der als Einzelkämpfer gestritten hat und, ebenso wie Frithof, einhändig ist, seit er seine rechte Hand an die Reißzähne von Fenrir, dem rasenden Wolf, verlor. «Ihr Besitzer mochte Tyr», sagte Frithof, während er noch immer den Vordersteven streichelte.

«Hat sie einen Tierkopf?»

«Da finde ich etwas für Euch.»

Darauf feilschten wir gutmütig miteinander. Ich bot einen Gutteil des wenigen Silbers an, das ich noch übrig hatte, zusammen mit all unseren Pferden, Sätteln und dem Zaumzeug, und Frithof verlangte zuerst eine Summe, die den Wert dieser Gegenstände zumindest um das zweifache überschritt, doch in Wahrheit war er froh, die *Tyrs Tochter* loszuwerden. Sie mochte einmal ein gutes Schiff gewesen sein, aber sie war alt, und sie war klein. Ein Schiff braucht fünfzig oder sechzig Männer, um sicher zu sein, und die *Tyrs Tochter* war schon mit dreißig Männern überfüllt, aber sie war für meine Absichten bestens geeignet. Wenn ich sie nicht gekauft hätte, wäre sie wohl zu Feuerholz zerhackt worden, und im Grunde bekam ich sie billig. «Sie wird Euch nach Friesland bringen», versicherte mir Frithof.

Wir spuckten in unsere Handflächen, schlugen ein, und so wurde ich der Besitzer von *Tyrs Tochter*. Ich musste Kiefernharz kaufen, um sie zu kalfatern, und wir verbrachten zwei Tage am Flussufer und zwängten die zähe Mischung aus heißem Harz, Pferdehaar, Moos und Wolle in die Plankenfugen. Ihr Mast, die Segel und die Hanftaue der Takelage wurden aus einem Lagerraum auf die Uferwiese gebracht, auf der die abgestützten Schiffe lagen, und ich bestand darauf, dass meine Männer die schmuddelige Schänke verließen und beim Schiff schliefen. Wir zogen das Segel wie ein Zelt über die *Tyrs Tochter* und schliefen entweder in oder unter dem Rumpf.

Frithof schien uns zu mögen, oder vielleicht gefiel ihm auch der Gedanke, dass eines seiner Schiffe wieder zur See fahren würde. Er brachte Ale auf die Wiese, die etwa vierhundert oder fünfhundert Schritt von dem nahegelegensten Teil der Wallanlagen entfernt war, und er trank mit uns und erzählte alte Geschichten von längst vergangenen Kämpfen, und im Gegenzug erzählte ich ihm von den Reisen, die ich unternommen hatte. «Das Meer fehlt mir», sagte er wieder einmal sehnsüchtig.

«Kommt mit uns», lud ich ihn ein.

Er schüttelte kläglich den Kopf. «Jarl Sigurd ist ein guter Herr, er sorgt für mich.»

«Werde ich ihn sehen, bevor wir aufbrechen?», fragte ich.

«Das glaube ich nicht», sagte Frithof, «er und sein Sohn sind fort, um Eurem alten Freund zu helfen.»

«Haesten?»

Frithof nickte. «Habt Ihr den Winter bei ihm verbracht?»

«Er hat uns immer versichert, dass noch andere Männer zu ihm stoßen werden», erfand ich, «er hat gesagt, sie kommen aus Irland, aber es ist keiner aufgetaucht.»

«Er hat sich im vergangenen Sommer nicht schlecht geschlagen», sagte Frithof.

«Bis die Sachsen ihm seine Flotte genommen haben», bemerkte ich säuerlich.

«Uhtred von Bebbanburg», sagte Frithof genauso säuerlich, dann berührte er das Hammer-Amulett, das er um den Hals trug. «Uhtred belagert ihn jetzt. Geht Ihr deshalb?»

«Ich will nicht in Britannien sterben. Und ja, deshalb sind wir dort weggegangen.»

Frithof lächelte. «Aber Uhtred wird in Britannien sterben, mein Freund. Jarl Sigurd ist unterwegs, um den Bastard zu töten.»

Ich berührte ebenfalls mein Hammer-Amulett. «Mögen die Götter dem Jarl den Sieg schenken», sagte ich heuchlerisch.

«Wenn Uhtred erst tot ist», sagte Frithof, «wird Mercien fallen. Und wenn Alfred stirbt, fällt Wessex.» Wieder lächelte er. «Warum sollte ein Mann in Friesland sein wollen, wenn all das geschieht?»

«Die Heimat fehlt mir», sagte ich.

«Macht dieses Land zu Eurer Heimat!», sagte Frithof leidenschaftlich. «Schließt Euch Jarl Sigurd an, und Ihr könnt Euch Eure Ländereien in Wessex aussuchen, Ihr könnt Euch ein Dutzend sächsische Frauen nehmen und leben wie ein König!»

«Aber davor muss ich Uhtred töten?», fragte ich mit gleichgültigem Ausdruck.

Frithof griff wieder an sein Amulett. «Er wird sterben», sagte er, und sein Tonfall war alles andere als gleichgültig.

«Schon viele Männer haben versucht, ihn zu töten», sagte ich. «Ubba hat es versucht!»

«Uhtred hat Jarl Sigurd nie im Kampf gegenübergestanden», sagte Frithof, «und Jarl Cnut auch nicht, und Jarl Cnuts Schwert ist flink wie eine Schlangenzunge. Uhtred wird sterben.»

«Alle Menschen sterben.»

«Sein Tod ist vorhergesagt worden», sagte Frithof, und als er mein Interesse bemerkte, berührte er wieder das Hammer-Amulett. «Es gibt eine Zauberin», erklärte er, «und sie hat seinen Tod gesehen.»

«Wo wird er sterben? Und wann?»

«Wer weiß?», fragte er zurück. «Sie weiß es, vermute ich, und sie hat es dem Jarl verheißen.»

Mit einem Mal spürte ich einen merkwürdigen Stich der Eifersucht. Hatte Erce Sigurd bei Nacht genauso bestiegen wie mich? Dann dachte ich, dass Ælfadell Sigurd meinen Tod vorausgesagt, ihn mir gegenüber jedoch bestritten hatte, und das hieß, dass sie entweder einen von uns beiden belog oder dass Erce, trotz all ihrer Lieblichkeit, keine Göttin war.

«Jarl Sigurd und Jarl Cnut sind dazu bestimmt, gegen Uhtred zu kämpfen», fuhr Frithof fort, «und die Prophezeiung sagt, die Jarle werden gewinnen. Uhtred wird sterben, und Wessex wird untergehen. Und das bedeutet, dass Ihr Euch eine Gelegenheit entgehen lasst, mein Freund.»

«Vielleicht komme ich zurück», sagte ich, und ich dachte, dass ich sehr wohl eines Tages nach Snotengaham zurückkehren könnte, denn wenn Alfreds Traum von der Vereinigung aller englischsprachigen Gebiete wahr werden sollte, mussten die Dänen aus dieser und jeder anderen Stadt zwischen Wessex und dem wilden schottischen Grenzland vertrieben werden.

Abends, wenn die Gesänge in den Schänken von Snotengaham erstorben und die Hunde still geworden waren, kamen die Späher, die zur Bewachung der Schiffe abgestellt worden waren, an unsere Lagerfeuer und ließen sich von uns zu Essen und Ale einladen. Das geschah an drei Abenden, und dann, in der nächsten Morgendämmerung, rollten die Männer die *Tyrs Tochter* singend auf einer Rampe aus Baumstämmen in die Trente.

Sie schwamm. Es dauerte einen Tag, um die Ballaststeine einzuladen, und noch einmal einen halben, um die Steine so zu verteilen, dass das Schiff gerade und nur mit einer leichten Abwärtsneigung heckwärts auf dem Wasser lag. Ich wusste, dass sie lecken würde, alle Schiffe lecken, aber am Abend des zweiten Tages war immer noch kein Wasser über den Ballaststeinen zu sehen. Frithof hatte Wort gehalten und uns Riemen gebracht, und meine Männer ruderten das Schiff ein paar Meilen stromauf, dann drehten sie um und fuhren zurück. Wir hoben den Mast auf sein Gestell, zurrten das Segel an den Mast, und luden unsere kargen Besitztümer unter das kleine Halbdeck im Heck des Schiffes. Ich gab ein paar Silbermünzen für ein Fass Ale, zwei Fässer Trockenfisch, doppelt gebackenes Brot, eine Speckseite und einen großen, steinharten Käse aus, der in Leinen eingeschlagen war. Am nächsten Morgen kam Frithof mit einem aus Eiche geschnitzten Seeadlerkopf, den wir auf den Bug setzen konnten. «Das ist ein Geschenk», erklärte er mir.

«Ihr seid ein guter Mann», sagte ich und meinte es auch.

Er sah zu, wie seine Sklaven den geschnitzten Kopf an Bord meines Schiffes trugen. «Möge die *Tyrs Tochter* Euch gute Dienste leisten», sagte er und griff an seinen Thorshammer, «und möge der Wind Euch immer treu sein, und mögt Ihr sicher übers Meer in die Heimat kommen.»

Ich sagte den Sklaven, sie sollten den Adlerkopf im Bug verstauen. «Ihr wart eine große Hilfe», sagte ich herzlich zu Frithof, «und ich wünschte, ich könnte Euch danken, wie es sich gehört.» Ich bot ihm einen silbernen Armring an, doch er schüttelte den Kopf.

«Ich brauche ihn nicht», sagte er, «aber Ihr braucht in Friesland vielleicht Silber. Legt Ihr morgen ab?»

«Am Vormittag», sagte ich.

«Ich komme, um Euch eine gute Reise zu wünschen», versprach er.

«Wie lange brauchen wir bis zum Meer?»

«Ihr schafft es in zwei Tagen», sagte er, «und wenn Ihr den Humber hinter Euch habt, haltet Euch etwas nordwärts. Kommt nicht zu nahe an die ostanglische Küste.»

«Gibt es dort Ärger?»

Er zuckte mit den Schultern. «Ein paar Schiffsführer suchen nach leichter Beute. Eohric ermuntert sie dazu. Fahrt nur geradewegs aufs Meer und haltet Euch nicht auf.» Er legte den Kopf in den Nacken und sah zum wolkenlosen Himmel hinauf. «Wenn dieses Wetter anhält, seid Ihr in vier Tagen zu Hause. Vielleicht in fünf.»

«Gibt es etwas Neues aus Ceaster?», erkundigte ich mich. Ich fragte mich, ob Sigurd erfahren hatte, dass er getäuscht worden war, und möglicherweise in sein Stammland zurückkehrte, doch Frithof hatte nichts gehört, und ich nahm an, dass Finan den Jarl immer noch in den Hügeln und Wäldern südlich der alten Römerfestung an der Nase herumführte.

In dieser Nacht gab es Vollmond, und die Wächter kamen wieder zum Landesteg, wo die *Tyrs Tochter* mit Hanftauen an der *Funkenflug* festgemacht war. Der Mond versilberte die trägen Wasserwirbel des Flusses. Wir gaben den Wachmännern Ale, unterhielten sie mit Liedern und Geschichten und warteten. Eine Schleiereule flog niedrig über uns hinweg, die Schwingen rauchweiß, und ich nahm den schnellen Vorüberflug des Vogels als gutes Omen.

Als die Nacht am tiefsten war und die Hunde schwiegen, schickte ich Osferth und ein Dutzend Männer zu einem Heuschober, der etwa auf halbem Weg zur Stadt lag. «Bringt so viel Heu wie ihr tragen könnt», sagte ich.

«Heu?», fragte einer der Wächter.

«Für die Schlafstellen», erklärte ich und sagte Ludda, er solle das Ale-Horn des Mannes auffüllen. Den Wachleuten schien nicht aufzufallen, dass keiner meiner Männer etwas trank und Anspannung unter meinen Leuten herrschte. Sie tranken, und ich stieg an Bord der *Funkenflug* und von dort aus auf das Deck der *Tyrs Tochter*, wo ich mein Kettenhemd überzog und mir Schlangenhauch um die Mitte schnallte. Einer nach dem anderen kamen meine Männer auf das Schiff und legten ihre Kampfausrüstung an, während Osferth mit Armen voller Heu zurückkehrte, und erst in diesem Moment fand einer der vier Wachleute unser Verhalten eigenartig.

«Was tut Ihr?», fragte er.

«Eure Schiffe verbrennen», sagte ich freudig.

Er starrte mich an. «Ihr tut *was*?»

Ich zog Schlangenhauch und hielt ihm seine Spitze vor

die Nase. «Mein Name ist Uhtred von Bebbanburg», sagte ich, und er riss die Augen auf. «Dein Herr hat versucht, mich zu töten», fuhr ich fort, «und ich erinnere ihn daran, dass er versagt hat.»

Ich ließ drei Männer zur Bewachung der Gefangenen auf dem Landesteg zurück, während sich die übrigen bei den aufs Ufer gezogenen Schiffen an die Arbeit machten. Unter unseren Axthieben zersplitterten die Ruderbänke, dann schichteten wir Heu und das Kleinholz in die Laderäume. Den höchsten Haufen errichtete ich in der *See-Schlachter*, Cnuts hochgepriesenem Schiff, weil es inmitten der trockengelegten Schiffe am Strand lag. Osferth und seine sechs Männer beobachteten die Stadt, aber an den Toren, die wahrscheinlich verriegelt waren, rührte sich nichts. Sogar als wir mit Tauen die Stützbalken einiger Schiffe wegzogen, sodass sie krachend umstürzten, drang der Lärm nicht bis nach Snotengaham.

Die Stadt lag im Norden von Sigurds Land, wurde vor dem übrigen Mercien im Süden durch seine weitläufigen Besitzungen geschützt und im Norden durch die befreundete Region, die Cnut beherrschte. Möglicherweise gab es in ganz Britannien keine Stadt, in der man sich weiter weg von allen Schwierigkeiten fühlte als in Snotengaham, und das war der Grund dafür, dass die Schiffe hierher gebracht worden waren und dass Frithof nur vier alte und halb lahme Männer zu ihrer Bewachung aufgestellt hatte. Sie waren nicht dazu vorgesehen, einen Angriff abzuwehren, denn niemand erwartete in Snotengaham einen Angriff, sondern um kleine Diebereien von Holzbalken oder der Kohle zu verhindern, die sie in ihren Kohlepfannen benutzten. Diese Kohle war nun über die Schiffe verteilt, die auf den Strand gezogen worden waren, und ich hievte eine der immer noch schwelenden Kohlepfannen in den Laderaum der *See-Schlachter*.

Wir legten auch auf den anderen Schiffen Feuer und zogen uns dann zum Landesteg zurück.

Hell schossen Flammen empor, sanken in sich zusammen, und loderten erneut auf. Bald quoll dicker Rauch aus den Schiffen. Bisher brannten nur der Zunder und die Kohle, das Eichenholz der Schiffe brauchte länger, um Feuer zu fangen, doch schließlich sah ich wütendere Flammen aufzüngeln und sich verbreiten. Der Wind war schwach und wechselhaft, drückte manchmal den Rauch ins Feuer nieder und ließ ihn niedrig über der Erde wirbeln, bevor er ihn in die dunkle Nacht entließ. Der Brand fraß sich weiter und breitete sich aus, verströmte glühende Hitze, schmelzender Teer tropfte herab, Funken stoben in die Höhe, und das Tosen der Brände wurde lauter.

Osferth rannte herbei und führte seine Männer zwischen dem im Feuerschein glänzenden Fluss und den Flammen am Ufer entlang. Ein Schiff brach in sich zusammen, seine brennenden Balken stürzten auf die Erde und sprühten Feuer unter die Rümpfe der danebenliegenden Schiffe. «Männer im Anmarsch!», rief Osferth.

«Wie viele?»

«Sechs? Sieben?»

Ich ging mit zehn Männern am Ufer hinauf, während Osferth auch noch auf den Schiffen im Wasser Feuer legte. Brüllend wüteten die Flammen, dazwischen war das laute Knacken brechender Balken zu hören. Die *See-Schlachter* war ein Flammenschiff, ihr Laderaum ein Feuerkessel, und ihr langer Kiel brach, als wir an ihr vorbeiliefen, und sie sackte mit einem ohrenbetäubenden Krachen zusammen, und die Funken schossen von ihr weg, und die Flammen schlugen noch höher, und ich sah einen ungeordneten Trupp Männer von der Stadt heranhasten. Es waren nicht viele, vielleicht acht oder neun, und sie waren nicht fertig angezogen, sondern hatten nur Umhänge über ihr Wams geworfen. Keiner trug eine Waffe, und als sie mich sahen, blieben sie stehen, und das war kein Wunder, denn ich trug Kettenhemd und Helm und hielt Schlangenhauch in der Hand. Das Feuer spiegelte sich in seiner Klinge. Ich sagte kein Wort. Ich stand mit dem Rücken zum Feuer, das wie ein Sturm in der Finsternis brauste, und mein Gesicht lag im Schatten. Die Männer sahen die feuerbeschienenen Umrisse einer Reihe kampfbereiter Krieger vor sich, und da liefen sie zurück in die Stadt, um Hilfe zu holen. Und diese Hilfe war schon unterwegs. Noch mehr Männer überquerten die Wiese, und im hellen Schein der Flammen sah ich Klingen blitzen. «Zurück zum Landesteg», sagte ich zu meinen Männern.

Wir zogen uns zum Landesteg zurück, der schon von den Flammen angesengt wurde. «Osferth! Brennen alle?», rief ich und meinte mit Ausnahme der *Tyrs Tochter* und der *Funkenflug* alle Schiffe, die auf dem Wasser lagen.

«Sie brennen», rief er zurück.

«An Bord!», rief ich.

Ich zählte meine Männer an Bord der *Tyrs Tochter* nach, und dann, während die Wachmänner vom Landesteg weghasteten, durchschlug ich mit einer Axt die Festmacherleinen, mit denen die *Funkenflug* am Landesteg vertäut war. Die Männer aus der Stadt glaubten, ich sei dabei, Sigurds Schiff zu stehlen, und die bewaffneten unter ihnen kamen, um mich daran zu hindern. Ich sprang an Bord der *Funkenflug* und hieb mit der Axt auf den letzten Festmacher ein, der ihren Bug am Ufer hielt. Das Schiff schwang in den Fluss hinaus, lediglich von diesem letzten Tau gehalten, und mein Hieb zertrennte das Hanftau nur zur Hälfte. Mit einem gewaltigen Sprung kam ein Mann aufs Schiff und stolperte über die Ruderbänke. Dann holte er mit seinem Schwert nach mir aus, und die Klinge traf mein Kettenhemd, und ich trat ihm ins Gesicht, und da sprangen noch zwei Männer vom Landesteg Richtung Schiff. Einer schaffte es nicht und fiel zwischen das Schiff und das Ufer, allerdings gelang es ihm, sich mit einer Hand am obersten Plankengang festzuklammern, während der andere neben mir aufkam und mir ein Kurzschwert in den Bauch rammen wollte. Osferth war auf die *Funkenflug* zurückgeklettert, um mich zu unterstützen, und ich wehrte das Kurzschwert mit der Axt ab. Dann führte der erste Mann wieder einen Hieb mit seinem Schwert auf meine Beine zu, doch die Klinge wurde von den Eisenstreifen aufgehalten, die in mein Stiefelleder eingenäht waren. Dieser Mann hatte sich bei seinem Sprung aufs Schiff verletzt, vielleicht hatte er sich den Knöchel gebrochen, denn er konnte nicht aufstehen. Er fuhr zu Osferth herum, der ihm das Schwert seitlich wegschlug und dann mit seinem eigenen zustach. Den zweiten Mann packte das Entsetzen, und ich versetzte ihm einen Stoß, sodass er rücklings ins Wasser fiel. Dann hieb ich die Axtklinge erneut in den gespannten Festmacher, und das Tau zerriss, und ich verlor beinahe das Gleichgewicht, als die *Funkenflug* mit einem Satz vom Ufer wegschoss. Der Mann, der sich an den Plankengang klammerte, ließ los. Osferths Gegner starb, sein Blut lief zwischen die Ballaststeine.

«Danke», sagte ich zu Osferth. Die Strömung trug die *Funkenflug* und die *See-Schlachter* flussabwärts vom Feuer weg, das nun noch heller und heftiger brannte als zuvor und mit seinem Rauch die Sterne verhüllte. Wir hatten

Zunder, Kohle und die letzte Kohlenpfanne in den Laderaum der *Funkenflug* gebracht, und jetzt kippte ich die Kohlenpfanne um, wartete, bis um die glimmende Kohle Flammen züngelten, und kletterte auf die *Tyrs Tochter*. Wir durchschnitten die Taue zur *Funkenflug*. Ein Dutzend Männer hatte sich schon an die Riemen gesetzt und ruderte das kleinere Schiff von dem größeren weg. Ich schob das Steuerruder in die Spalte am Heck und lehnte mich dagegen, um die *Tyrs Tochter* in die Mitte des Flusses zu lenken, und in diesem Moment flog eine Axt, in deren Klinge sich das Feuer spiegelte, vom Ufer heran und klatschte hinter uns ins Wasser, ohne Schaden anzurichten.

«Setzt den Adlerkopf auf den Bug!», rief ich meinen Männern zu.

«Kjartan!» Frithof galoppierte auf einem schwarzen Hengst neben uns am Ufer entlang. Es war einer seiner Männer gewesen, der die Axt geschleudert hatte, und nun warf ein anderer einen Speer, der ebenfalls im Fluss versank. «Kjartan!»

«Mein Name ist Uhtred», rief ich zurück. «Uhtred von Bebbanburg!»

«Was?», schrie er.

«Uhtred von Bebbanburg! Richtet Jarl Sigurd meine Grüße aus!»

«Bastard!»

«Erklärt diesem Schleimfresser, den Ihr einen Herrn nennt, dass er es besser nicht noch einmal versucht, mich zu töten!»

Frithof und seine Männer mussten ihre Pferde anhalten, weil ihnen die Einmündung eines Nebenflusses den Weg abschnitt. Er verfluchte mich, aber seine Stimme verklang, als wir weiterruderten.

Der Himmel hinter uns glühte im Widerschein von Sigurds verbrennender Flotte. Nicht alle Schiffe hatten Feuer gefangen, und ich bezweifelte nicht, dass Frithofs Männer eines oder zwei oder vielleicht auch ein paar mehr aus dem lodernden Inferno retten würden. Außerdem mussten sie darauf aus sein, uns zu verfolgen, und deshalb ließen wir die *Funkenflug* hinter uns auf dem Wasser verbrennen. Sie drehte sich in die Strömung, die Flammen wiegten sich in ihrem glatten, schönen Körper. Irgendwann würde sie sinken, und statt Rauch würde Dampf emporsteigen, und das Wrack, so hoffte ich, würde die Fahrrinne versperren. Ich winkte Frithof zu und lachte. Sigurd würde rasen vor Zorn, wenn er feststellte, dass er übertölpelt worden war. Und nicht nur übertölpelt, sondern zum Narren gemacht. Seine wertvolle Flotte war nur noch ein Haufen Asche.

Der Fluss hinter uns schimmerte rot, während er vor uns im silbernen Mondlicht lag. Die Strömung brachte uns schnell voran, und ich brauchte nur ein halbes Dutzend Riemen, um uns auf Kurs zu halten. Ich steuerte um die Außenseiten der Flussschleifen, wo das Wasser am tiefsten war, und lauschte währenddessen immer auf das unheimliche Geräusch, mit dem unser Kiel über den Schlamm knirschen konnte. Aber die Götter waren mit uns, und *Tyrs Tochter* glitt immer weiter von dem großen Feuerschein weg, der die Lage Snotengahams anzeigte. Wir kamen schneller voran, als wir es auf den besten Pferden gekonnt hätten, und darum hatte ich das Boot für unsere Flucht gekauft, und wir hatten einen riesigen Vorsprung vor jedem Schiff, das unsere Verfolgung aufnehmen mochte. Eine Zeitlang trieb die *Funkenflug* dicht hinter uns her, und dann, nach etwa einer Stunde, blieb sie auf einer

Stelle liegen, wenn auch ihr Flammenleuchten weiter über die Flussschleifen strahlte. Dann verging auch das, und ich nahm an, dass sie untergegangen war, und wieder hoffte ich, dass ihr Wrack die Fahrrinne verstopfte. Wir fuhren weiter.

«Was haben wir damit erreicht, Herr?», fragte Osferth. Er war neben mich auf das kleine Deck im Heck der *Tyrs Tochter* gekommen.

«Wir haben Sigurd zum Narren gemacht», sagte ich.

«Aber er ist kein Narr.»

Ich wusste, dass Osferth die ganze Sache missbilligte. Er war kein Feigling, aber er dachte, ebenso wie sein Vater, dass der Krieg der Klugheit unterlegen sei und dass ein Mann seinen Weg zum Sieg mit dem Verstand finden könne. Doch im Krieg geht es sehr oft um Gefühle. «Ich will, dass die Dänen uns fürchten», sagte ich.

«Das haben sie auch vorher schon getan.»

«Jetzt fürchten sie uns noch mehr», sagte ich. «Kein Däne kann Mercien oder Wessex mit der Überzeugung angreifen, dass sein Heim und Hof sicher sind. Wir haben ihnen gezeigt, dass wir bis tief auf ihr Gebiet vordringen können.»

«Oder wir haben sie zur Rache herausgefordert», meinte er.

«Rache?», fragte ich. «Glaubst du etwa, die Dänen hätten vorgehabt, uns in Frieden zu lassen?»

«Ich befürchte Angriffe auf Mercien», sagte er, «Rachefeldzüge.»

«Buccingahamm wird in Flammen aufgehen», sagte ich, «aber ich habe allen gesagt, sie sollen den Palas aufgeben und nach Lundene gehen.»

«Das habt Ihr getan?» Er klang überrascht, dann runzelte er die Stirn. «Also wird Beornnoths Palas ebenfalls niedergebrannt werden.»

Darüber lachte ich bloß, dann legte ich meinen Finger auf die Silberkette, die Osferth um den Hals trug. «Willst du um diese Kette wetten?», fragte ich.

«Warum sollte Sigurd Beornnoths Palas nicht verbrennen?», fragte er.

«Weil Beornnoth und sein Sohn Sigurds Männer sind», sagte ich.

«Beornnoth und Beortsig?»

Ich nickte. Ich hatte keinen Beweis, nur meinen Verdacht, aber Beornnoths Ländereien lagen so dicht am dänischen Mercien und waren trotzdem unangetastet geblieben, und das deutete auf eine Übereinkunft hin. Beornnoth, so vermutete ich, war zu alt für die Beschwernisse eines immerwährenden Krieges, und so hatte er seinen Frieden geschlossen, während sein Sohn ein verbitterter Mann voller Hass auf die Westsachsen war, die, aus seiner Sicht, Mercien die Unabhängigkeit geraubt hatten. «Ich kann es nicht beweisen», erklärte ich Osferth, «aber das werde ich noch.»

«Auch so, Herr», sagte er verhalten, «was haben wir erreicht?» Er deutete auf das schwindende Glühen am Himmel.

«Außer Sigurd Verdruss bereitet zu haben?», fragte ich. Ich lehnte mich ans Steuerruder und brachte die *Tyrs Tochter* an die Außenseite eines langgestreckten Flussbogens. Der Himmel im Osten wurde licht, kleine Wolken schwebten leuchtend oberhalb der Sonne, die noch nicht zu sehen war. Rinder beäugten uns, als wir an ihnen vorbeifuhren. «Dein Vater», sagte ich und wusste sehr wohl, dass ihn diese beiden Worte verunsichern würden, «hat die Dänen mein ganzes Leben lang in Schach gehalten. Wessex ist eine einzige Festung. Aber du weißt, was dein Vater will.»

«Alle Gebiete der Engländer.»

«Und die bekommt man nicht mit Festungen. Man besiegt die Dänen nicht, indem man sich gegen sie verteidigt. Man muss angreifen. Und dein Vater hat niemals angegriffen.»

«Er hat Schiffe nach Ostanglien geschickt», wies Osferth mich zurecht.

In der Tat hatte Alfred einmal einen Verband nach Ostanglien geschickt, um Eohrics Dänen zu bestrafen, die plündernd in Wessex einfielen, aber Alfreds Schiffe hatten wenig bewirkt. Die Westsachsen hatten große Schiffe gebaut, und ihre Kiele lagen zu tief, um die Flüsse hinauffahren zu können, und Eohrics Männer hatten sich einfach in flachere Gewässer zurückgezogen, und so hatte Alfreds Flotte ihnen nur gedroht, und dann waren sie wieder weggerudert. Allerdings hatte diese Drohung genügt, um Eohric dazu zu bringen, sich an das Abkommen zwischen Wessex und seinem Königreich zu halten. «Wenn wir die Sachsen vereinen wollen», sagte ich, «wird das nicht durch Schiffe geschehen. Es wird mit Schildwällen und Speeren und Schwertern und durch die Schlacht geschehen.»

«Und mit Gottes Hilfe», sagte Osferth.

«Sogar damit», sagte ich, «und dein Bruder weiß das, und deine Schwester weiß das, und sie werden jemanden suchen, der diesen Schildwall anführt.»

«Euch.»

«Uns. Deshalb haben wir Sigurds Flotte verbrannt. Um Wessex und Mercien zu zeigen, wer sie anführen kann.» Ich klopfte Osferth auf die Schulter und grinste ihn an.

«Ich habe es satt, der Schild Merciens genannt zu werden. Ich will das Schwert der Sachsen sein.»

Alfred, falls er überhaupt noch lebte, lag im Sterben. Und gerade hatte ich seinen Ehrgeiz zu meinem gemacht.

Wir nahmen den Adlerkopf vom Steven, damit wir nicht als Feinde angesehen würden, und unter der aufgehenden Sonne glitten wir weiter durch England.

Einst war ich im Land der Dänen gewesen und hatte eine Gegend aus Sand und karger Erde gesehen, und obwohl ich nicht daran zweifle, dass die Dänen auch besseres Land als das haben, was ich sah, bezweifle ich sehr wohl, dass es sich mit dem messen könnte, durch das wir nun auf unserer stillen Fahrt mit der *Tyrs Tochter* glitten. Der Fluss trug uns zwischen üppigen Feldern und dichten Wäldern dahin. Die Strömung zog die tiefhängenden Weidenzweige flussabwärts. Otter schlängelten sich durchs Wasser und flohen geschmeidig vor dem Schatten unseres Schiffsrumpfes. Grasmücken lärmten an den Ufern, an denen die ersten Schwalben Schlamm für ihre Nester sammelten. Ein Schwan zischte uns mit ausgebreiteten Schwingen an, und meine Männer zischten allesamt zurück und fanden es belustigend. Die Bäume waren mit frischem Grün überzogen, breiteten ihre Äste über Wiesen, die gelb waren von Schlüsselblumen, während in den Wäldern Glockenblumenwolken standen. Das hatte die Dänen hierhergebracht, nicht Silber, nicht die Sklaven, nicht einmal das Ansehen, sondern nur die Erde. Die fette, üppige, fruchtbare Erde, auf der die Feldfrüchte gediehen und auf der ein Mann seine Familie ohne Furcht vorm Verhungern durchbringen konnte. Kleine Kinder jäteten auf den Feldern und hielten inne, um uns zu winken. Ich sah Gehöfte und Dörfer und

Milchvieh und Schafherden, und ich wusste, dass hier der wahre Reichtum lag, der die Männer übers Meer lockte.

Wir hielten nach Verfolgern Ausschau, doch wir sahen keine. Wir ruderten, wenn ich auch sparsam mit den Kräften meiner Männer umging und nur ein halbes Dutzend Riemen an jeder Seite des Schiffes einsetzen ließ, um schnell flussab zu kommen. Dichte Schwärme von Eintagsfliegen standen über dem Wasser, und Fische sprangen hoch, um nach ihnen zu schnappen, und die langen Weidenzweige wogten unter Wasser, und *Tyrs Tochter* kam an Gegnesburh vorbei, und ich erinnerte mich an den Mönch, den Ragnar hier getötet hatte. Dies war die Stadt, in der Alfreds Frau aufgewachsen war, lange bevor die Dänen kamen und Gegnesburh eroberten. Die Stadt hatte einen Wall und eine Palisade, doch beides war in schlechtem Zustand. Ein großer Teil der Palisade war niedergerissen worden, vermutlich weil die Leute die Eichenbalken benutzt hatten, um ihre Häuser zu bauen, und der Erdwall war in den Graben gerutscht, hinter dem neue Gebäude standen. Die Dänen kümmerte das nicht. Sie fühlten sich sicher. Ein Leben lang war hier kein Feind aufgetaucht, und es würde, wenn man sie fragte, auch in Zukunft niemals einer kommen. Männer riefen uns Grüße zu. Die einzigen Schiffe bei Gegnesburh waren Handelsfahrer mit breiten Laderäumen, die sich nur langsam auf dem Wasser bewegen konnten. Ich fragte mich, ob die Stadt einen neuen, dänischen Namen hatte. Dies war Mercien, doch es war zu einem dänischen Königreich gemacht worden.

Wir ruderten den ganzen Tag, bis wir gegen Abend auf dem immer breiter werdenden Humber waren und das Meer vor uns lag und sich verschattete, während hinter uns die Sonne unterging. Wir richteten den Mast auf, eine Aufgabe, für die wir die Kräfte aller Männer benötigten, und wir verzurrten die Hanftakelung an den Schiffsseiten und zogen die Rah mit dem Segel auf. Das Tuch aus Wolle und Leinen blähte sich im Südwestwind, die Takelung dehnte sich und knarrte, das Schiff krängte, und ich fühlte das Schwappen der ersten Wellen, fühlte die *Tyrs Tochter* unter dieser ersten Zärtlichkeit erbeben, und wir bemannten alle Ruderbänke und legten uns schwer in die Riemen, rangen mit der hereinkommenden Flut und fuhren ostwärts auf die dunkle Nacht zu. Wir brauchten sowohl Riemen als auch Segel, um uns gegen die Flut zu behaupten, doch schließlich wurde ihr Druck schwächer, und wir fuhren auf das Meer hinaus, das vom Kampf der Wellen gegen den Fluss in der Dämmerung weiß gefleckt war, und weiter fuhren wir, und ich sah keine Verfolgerschiffe, als wir an den Sandbänken vorbeikamen und spürten, wie unser Schiff von den Wellen der offenen See hochgehoben wurde.

Die meisten Schiffe laufen beim Dunkelwerden die Küste an. Der Schiffsmeister findet einen Wasserlauf, in dem er über Nacht ankern kann, wir aber ruderten nach Osten und zogen, als es ganz dunkel geworden war, die Ruder ein, und ich ließ das kleine Schiff im Wind treiben. Es ging sehr gut. Manchmal richtete ich den Kurs im Dunkeln nach Süden aus, und beim Hellwerden schlief ich. Ich hatte nicht den geringsten Hinweis darauf entdeckt, dass wir verfolgt wurden, und auf den ostanglischen Schiffen sah man uns nicht, als wir südwärts fuhren.

Ich kannte diese Gewässer. Am nächsten Tag wagten wir uns im strahlenden Sonnenschein näher an die Küste, bis ich eine Landmarke wiedererkannte. Wir sahen zwei andere Schiffe, aber man beachtete uns nicht, und wir segelten weiter, vorbei an großen Wattgebieten, um Fughelness herum und in die Temes. Die Götter liebten uns, die Tage und Nächte unserer Reise waren ohne jede Störung verlaufen, und so kamen wir nach Lundene.

Ich brachte die *Tyrs Tochter* zu dem Liegeplatz neben dem Haus, in dem ich in Lundene gewohnt hatte. Ich hatte nicht geglaubt, dass ich dieses Haus jemals wiedersehen würde, denn dort war Gisela gestorben. Ich dachte an Ælfadell und ihre düstere Prophezeiung, all meine Frauen müssten sterben, dann beruhigte ich mich damit, dass die Zauberin nicht gewusst hatte, dass Sigurds Flotte verbrennen würde, woher wollte sie also wissen, was mit meinen Frauen geschah?

Ich hatte meine Leute bei Buccingahamm ermahnt, mit einem Angriff zu rechnen, und ihnen befohlen, nach Süden in die Sicherheit der Verteidigungsanlagen von Lundene zu ziehen, und ich hatte erwartet, dass Sigunn mich im Haus begrüßen würde, oder sogar Finan, der sich, nachdem er seinen Ablenkungsauftrag in Ceaster erfüllt hatte, ebenfalls mit mir in der Stadt treffen sollte. Aber das Haus schien menschenleer, als wir die letzten Ruderschläge ausführten und mit dem Bug den Liegeplatz berührten. Ein paar von meinen Männern sprangen mit Tauen zum Festmachen ans Ufer. Die Riemen klapperten, als sie auf die Ruderbänke gelegt wurden, und in demselben Moment wurde die Haustür geöffnet, und ein Priester kam auf die Terrasse. «Ihr könnt das Schiff nicht dort lassen!», rief er mir zu.

«Wer seid Ihr?», fragte ich.

«Das ist kein öffentlich zugängliches Haus.» Er beachtete meine Frage nicht. Er war mager, in mittlerem Alter, und sein strenges Gesicht trug Pockennarben. Sein langes, schwarzes Gewand war makellos sauber und aus der feinsten Wolle gewebt. Sein Haar war säuberlich geschnitten. Er war kein gewöhnlicher Priester, seine Kleidung und sein Benehmen zeugten von einer bevorzugten Stellung. «Flussabwärts ist eine Kaianlage», sagte er und deutete nach Osten.

«Wer seid Ihr?», fragte ich erneut.

«Der Mann, der Euch sagt, Ihr sollt einen anderen Liegeplatz für dieses Schiff suchen», gab er gereizt zurück und blieb stehen, wo er war, als ich mich auf den Landesteg zog und mich vor ihm aufbaute. «Ich werde das Schiff wegbringen lassen», drohte er, «und dann werdet Ihr zahlen müssen, um es wiederzubekommen.»

«Ich bin müde», sagte ich, «und ich werde das Schiff hier liegen lassen.» Ich roch Lundenes vertrauten Gestank, die Mischung aus Rauch und Jauche, und ich dachte an Gisela, die Lavendel auf die gefliesten Böden gestreut hatte. Und wie jedes Mal, wenn ich an sie dachte, ergriff mich das Gefühl von Verlust und Sinnlosigkeit. Mit der Zeit hatte sie dieses einst von den Römern erbaute Haus immer mehr gemocht: die Räume, die um einen großen Hof angeordnet waren, und den Saal, der zum Fluss hinausging.

«Ihr könnt dort nicht hineingehen!», sagte der Priester streng, als ich an ihm vorbeiging. «Es gehört Plegmund.»

«Plegmund?», fragte ich. «Befehligt er jetzt die Garnison hier?» Das Haus wurde immer demjenigen gegeben, der in Lundene Garnisonsführer war, ein Amt, das nach mir ein Westsachse namens Weohstan übernommen hatte, aber Weohstan war ein Freund, und ich wusste, dass er mich unter seinem Dach willkommen heißen würde.

«Das Haus wurde dem Erzbischof übertragen», sagte der Priester. «Von Alfred.»

«Erzbischof?», fragte ich erstaunt. Dann war Plegmund der neue Erzbischof von Contwaraburg, ein Mercier von weithin gerühmter Frömmigkeit, ein Freund Alfreds und nun offenkundig der Besitzer eines der besten Häuser von Lundene. «War ein junges Mädchen hier?», fragte ich. «Oder ein Ire? Ein Krieger?»

Da erbleichte der Priester. Er musste sich entweder an Sigunn oder an Finan erinnern, einer von ihnen war zu dem Haus gekommen, und diese Erinnerung machte ihm klar, wer ich war. «Seid Ihr Uhtred?», fragte er.

«Ich bin Uhtred», sagte ich und drückte die Haustür auf. In dem langen Raum, der so einladend gewirkt hatte, als Gisela hier lebte, waren nun Mönche damit beschäftigt, Manuskripte abzuschreiben. Sechs hohe Pulte mit Tinten-fässchen, Federn und Pergamenten standen vor mir. An zweien waren Schreiber bei der Arbeit. Einer verfertig-te die Abschrift eines Manuskripts, der andere stach mit Hilfe eines Lineals und einer Nadel Zeilen auf ein leeres Pergament. Die gestochenen Zeilen sollten dabei helfen, gerade zu schreiben. Die beiden Männer sahen mich beun-ruhigt an, dann senkten sie ihre Blicke wieder auf die Per-gamente. «Also. War ein Mädchen hier?», fragte ich den Priester. «Ein dänisches Mädchen. Schlank und schön. Sie müsste in Begleitung von einem halben Dutzend Krieger gewesen sein.»

«Sie war hier», sagte er, mit einem Mal unsicher gewor-den.

«Und?»

«Sie ist in eine Schänke gegangen», sagte er steif, was bedeutete, dass er sie einfach abgewiesen hatte.

«Und Weohstan?», fragte ich. «Wo ist er?»

«Er hat sein Quartier bei der Hauptkirche.»

«Ist Plegmund hier in Lundene?», fragte ich.

«Der Erzbischof ist in Contwaraburg.»

«Und wie viele Schiffe hat er?», fragte ich.

«Keins», sagte der Priester.

«Dann braucht er den verfluchten Landeplatz gar nicht, oder? Und deshalb bleibt mein Schiff dort, bis ich es verkaufe, und wenn Ihr es anrührt, Priester, wenn Ihr es auch nur mit einem Finger berührt, wenn Ihr es wegbringen lasst, schon wenn Ihr nur daran denkt, es wegbringen zu lassen, dann nehme ich Euch mit auf See und bringe Euch bei, wie sich Jesus gefühlt hat.»

«Wie sich Jesus gefühlt hat?»

«Er ist doch auf dem Wasser gegangen, oder stimmt das nicht?»

Nach diesem belanglosen Streit war ich niedergeschlagen, weil er mich daran erinnerte, wie fest die Kirche Alfreds Wessex in ihren gierigen Klauen hielt. Es sah so aus, als hätte der König Plegmund und Werferth, dem Bischof von Wygraceaster, die Hälfte der Kaianlagen Lundenes übertragen. Alfred wollte, dass die Kirche reich und ihre Bischöfe mächtig waren, weil er sich auf sie verließ, wenn es darum ging, seine Gesetze zu verbreiten und durchzusetzen, und wenn ich ihm dabei half, Wessex' Zugriff nach Norden auszuweiten, dann würden uns diese Bischöfe und Priester und Mönche und Nonnen im Kielwasser folgen, um dem Land ihre freudlosen Regeln aufzuzwingen. Und doch war ich dazu verpflichtet, weil ich Æthelflæd verpflichtet war, die sich in Wintanceaster aufhielt. Das hatte mir Weohstan gesagt. «Der König hat seine Familie zusammengerufen», sagte er bedrückt, «weil er sich aufs Sterben vorbereitet.» Weohstan war ein schwerfälliger, kahlköpfiger Westsachse, dem beinahe jeder zweite Zahn fehlte, und er befehligte in Lundene die Garnison. Lundene gehörte im Grunde zu Mercien, doch Alfred hatte dafür gesorgt, dass jeder Mann, der in dieser Stadt Macht besaß, ein Verbündeter von Wessex war, und Weohstan war ein guter Mann, einfallslos, aber gewissenhaft. «Nur, dass ich Geld brauche, um die Wälle instand zu setzen», murrte er, «und sie wollen mir nichts geben. Sie schicken ein Vermögen nach Rom, damit sich der Papst genug Ale kaufen kann, aber für meine Wälle wollen sie nichts geben.»

«Stehlt es», schlug ich vor.

«Nicht dass wir hier seit Monaten einen einzigen Dänen gesehen hätten», sagte er.

«Außer Sigunn.»

«Sie ist ein hübsches Ding», gab er zurück und schenkte mir ein Zahnlückenlächeln. Er hatte für ihre Unterkunft gesorgt, solange sie auf mich wartete. Sie hatte keine Neuigkeiten aus Buccingahamm, aber ich ging davon aus, dass der Palas, genauso wie die Stallungen und Lagerschuppen in Flammen aufgehen würden, sobald Sigurd von seinem Vorstoß nach Ceaster zurückkehrte.

Zwei Tage später kam Finan. Er war sehr guter Dinge und hatte viele Neuigkeiten zu berichten. «Wir haben Sigurd an der Nase herumgeführt», erklärte er mir, «und er ist geradewegs den Walisern in die Arme gelaufen.»

«Und Haesten?»

«Weiß der Himmel.»

Finan erzählte mir, wie er sich zusammen mit Merewalh in die tiefen Wälder Richtung Süden zurückgezogen hatte und wie Sigurd ihnen gefolgt war. «Bei Gott, hatte er es eilig. Er hat uns auf einem Dutzend unterschiedlicher Wege Reiter nachgeschickt, und eine Gruppe haben wir in die Falle gelockt.» Er gab mir einen Beutel mit Silber, die Beute von den Toten, die sie in dem Eichenwald niedergemacht hatten. Sigurd war vor Zorn noch unvorsichtiger geworden und hatte versucht, die flinken Gegner einzukreisen, indem er Männer nach Westen und Süden geschickt hatte. Doch alles, was er damit erreichte, war, die Waliser aufzuscheuchen, die sich immer schnell reizen ließen. Also kam ein Trupp walisischer Krieger aus den Hügeln, um die Nordmänner zu töten. Sigurd hatte die Angreifer mit seinem Schildwall abgewehrt und sich dann unvermittelt nach Norden zurückgezogen.

«Also muss er von seinen Schiffen erfahren haben», sagte ich.

«Was für ein bedauernswerter Mann», feixte Finan.

«Und ich bin ein armer Mann», sagte ich. Buccingahamm war vermutlich niedergebrannt, also wurden keine Abgaben mehr bezahlt. Die Familien meiner Männer waren alle in Lundene, und die *Tyrs Tochter* wurde für ein Almosen verkauft, und Æthelflæd konnte mich nicht unterstützen. Sie war in Wintanceaster bei ihrem siechen Vater, und ihr Ehemann war ebenfalls dort. Sie hatte mir einen Brief geschickt, aber er war nichtssagend, sogar unfreundlich, wahrscheinlich nahm sie an, ihre Korrespondenz würde gelesen. Aber ich hatte ihr von meinem Geldmangel berichtet, und in ihrem Brief schlug sie mir vor, auf eine ihrer Besitzungen im Temes-Tal zu gehen. Der Gutsverwalter dort war ein Mann, der mit mir bei Beamfleot gekämpft hatte, und wenigstens er freute sich, mich zu sehen. Er war in diesem Kampf verkrüppelt worden, konnte mit einer Krücke aber noch laufen und auch noch recht gut reiten. Er lieh mir Geld. Ludda blieb bei mir. Ich hatte ihm gesagt, dass ich ihn für seine Dienste bezahlen würde, wenn ich wieder wohlhabend wäre, und dass er gehen könne, wenn er wolle, doch er wollte bleiben. Er lernte mit Schild und Schwert umzugehen, und ich war froh über seine Gesellschaft. Zwei von meinen Friesen gingen, weil sie glaubten, es bei einem anderen Herrn besser zu treffen, und ich ließ sie ziehen. Ich saß in der gleichen Klemme wie Haesten, und meine Männer fragten sich, ob sie dem falschen Mann ihren Treueschwur geleistet hatten.

Und dann, als der Sommer zu Ende ging, kehrte Sihtric zurück.

FÜNF

Es war ein Sommer des Jagens und der Spähtrupps. Unbeschäftigte Männer sind unglückliche Männer, und so kaufte ich mit dem geliehenen Silber Pferde, und wir ritten nach Norden, um das Grenzgebiet zu Sigurds Besitzungen auszukundschaften. Falls Sigurd von meiner Anwesenheit wusste, reagierte er nicht darauf, vielleicht fürchtete er eine weitere List, wie die, mit der wir seine Männer in einen sinnlosen Kampf mit den grausamen Walisern geführt hatten, doch wir suchten keine Auseinandersetzung. Ich hatte nicht genügend Männer, um es mit Sigurd aufzunehmen. Zwar ließ ich mein Banner flattern, aber in Wahrheit war das alles nur Blendwerk.

Haesten war noch immer in Ceaster, wenn die Garnison nun auch fünfmal größer war als im Frühling. Die Neuankömmlinge waren jedoch nicht Haestens Männer, sondern Schwurleute von Sigurd und seinem Verbündeten Cnut Langschwert, und sie reichten aus, um den gesamten Ringwall der alten Festung zu bewachen. Sie hatten ihre Schilde an die Palisade und ihre Banner ans südliche Torhaus gehängt. Sigurds Erkennungszeichen, der fliegende Rabe, wurde neben Cnuts Flagge mit der Axt und einem zerschmetterten Kreuz gezeigt. Es gab keine Flagge von Haesten, was mir sagte, dass er sich einem der beiden größeren Herren unterstellt hatte.

Merewalh vermutete, dass jetzt etwa tausend Männer in der Festung waren. «Sie werden versuchen, uns herauszufordern», erklärte er mir. «Sie wollen den Kampf.»

«Und Ihr wollt ihn nicht?»

Er schüttelte den Kopf. Er hatte nur hundertundfünfzig Krieger, also zog er sich jedes Mal zurück, wenn die Garnisonsbesatzung von Ceaster einen Ausfall machte. «Ich bin nicht sicher, wie lange wir uns hier noch halten können», gab er zu.

«Habt Ihr Herrn Æthelred um Unterstützung gebeten?»

«Das habe ich», sagte er düster.

«Und?»

«Er sagt, wir sollen sie einfach nur beobachten.» Merewalh klang angewidert. Æthelred hatte genügend Männer, um einen Krieg zu führen, er hätte Ceaster erobern können, wann immer es ihm gefiel, doch stattdessen tat er gar nichts.

Ich zeigte meine Anwesenheit, indem ich mit meinem Wolfskopf-Banner bis dicht vor die Wälle ritt, und dieser Versuchung konnte Haesten nicht widerstehen. Dieses Mal verließ er die Festung mit einem Dutzend Männer, ritt jedoch allein auf mich zu und breitete die Arme aus. Wie üblich grinste er. «Das war schlau, mein Freund», lautete seine Begrüßung.

«Schlau?»

«Jarl Sigurd war nicht sehr erfreut. Er kommt, um mich zu retten, und Ihr verbrennt seine Flotte. Er ist nicht glücklich.»

«Ich hatte auch nicht vor, ihn glücklich zu machen.»

«Und er hat geschworen, dass Ihr sterben werdet.»

«Ich glaube, du hast einmal das Gleiche geschworen.»

«Ich erfülle meine Schwüre», sagte er.

«Du brichst Deine Schwüre wie ein ungeschicktes Kind Eier zerbricht», sagte ich verächtlich. «Nun? Vor wem hast du das Knie gebeugt? Sigurd?»

«Vor Sigurd», bestätigte er, «und als Gegenleistung hat er mir seinen Sohn geschickt und dazu noch siebenhundert Mann.» Er deutete nachlässig auf die Reiter, die mit ihm aus der Festung gekommen waren, und ich sah das mürrische junge Gesicht Sigurd Sigurdsons, der mich finster anstarrte.

«Und wer führt hier den Befehl?», fragte ich. «Du oder der Junge?»

«Ich», sagte Haesten. «Meine Aufgabe ist es, ihm Vernunft beizubringen.»

«Das erwartet Sigurd ausgerechnet von dir?», fragte ich, und Haesten ließ sich zu einem Lachen herab. Dann sah er an mir vorbei zum Waldrand und versuchte auszumachen, wie viele Männer ich wohl mitgebracht hatte, um Merewalhs Truppen zu verstärken. «Genügend, um dich zu erledigen», beantwortete ich seine unausgesprochene Frage.

«Das bezweifle ich», sagte er, «sonst würdet Ihr nicht reden, sondern kämpfen.»

Das stimmte allerdings. «Und was hat dir Sigurd als Lohn für deinen Treueid versprochen?», fragte ich.

«Mercien.»

Nun war ich mit dem Lachen an der Reihe. «Du bekommst also Mercien. Und wer regiert in Wessex?»

«Derjenige, für den sich Sigurd und Cnut entscheiden», sagte er leichthin. Dann lächelte er. «Ihr vielleicht? Ich glaube, wenn Ihr ein bisschen vor ihm auf dem Bauch kriecht, wird Euch Jarl Sigurd verzeihen. Es wäre ihm lieber, wenn Ihr mit ihm statt gegen ihn kämpft.»

«Und mir wäre es lieber, ihn zu töten. Das kannst du ihm ausrichten.» Ich nahm die Zügel meines Hengstes kürzer. «Wie geht es deiner Frau?»

«Brunna geht es gut», sagte er. Die Frage hatte ihn überrascht.

«Ist sie immer noch Christin?», fragte ich. Brunna war getauft worden, aber ich hatte die ganze Zeremonie für ein hinterhältiges Manöver gehalten, mit dem Haesten Alfreds Misstrauen zerstreuen wollte.

«Sie glaubt an den Christengott», sagte Haesten angewidert. «Ständig jammert sie ihm etwas vor.»

«Ich werde um eine sorgenfreie Witwenschaft für sie beten», sagte ich.

Damit ritt ich weg, doch in genau diesem Augenblick stieß jemand einen Ruf aus, und ich drehte mich um und sah Sigurd Sigurdson auf mich zugaloppieren. «Uhtred!», rief er.

Ich zügelte das Pferd, ließ es umdrehen und wartete.

«Kämpft mit mir», sagte er, sprang aus dem Sattel und zog sein Schwert.

«Sigurd!», sagte Haesten warnend.

«Ich bin Sigurd Sigurdson!», schrie der Grünschnabel. Er blitzte mich von unten herauf an, das Schwert kampfbereit in der Hand.

«Nicht jetzt», sagte Haesten.

«Hör auf dein Kinderfräulein», sagte ich zu dem Jungen, und das ärgerte ihn so, dass er die Klinge gegen mich schwang. Ich wehrte sie mit dem rechten Fuß ab, und das Schwert fuhr gegen das Metall des Steigbügels.

«Nein!», rief Haesten.

Sigurd spuckte in meine Richtung aus. «Ihr seid alt, Euch ist angst und bange.» Erneut spuckte er aus, dann erhob er die Stimme. «Dann sollen sich die Männer erzählen, dass Uhtred vor Sigurd Sigurdson weggelaufen ist!»

Er wollte den Kampf unbedingt, er war jung, und er war ein Narr. Er war recht groß gewachsen, und sein Schwert war gut, aber sein Ehrgeiz überstieg seine Fähigkeiten. Er wollte sich Ansehen verschaffen, und ich dachte daran, dass ich in seinem Alter genau das Gleiche gewollt hatte, und dass ich ein Liebling der Götter war. Liebten sie auch Sigurd Sigurdson? Ich sagte nichts, schüttelte aber die Steigbügel ab, und schwang mich aus dem Sattel. Ganz langsam zog ich Schlangenhauch, lächelte den Jungen an und sah den ersten Schatten des Zweifels in seiner streitlustigen Miene.

«Nicht! Bitte!», rief Haesten. Seine Männer waren herangekommen und meine ebenso.

Ich breitete die Arme aus, lud Sigurd zum Angriff ein. Er zögerte, aber er hatte die Herausforderung ausgesprochen, und wenn er jetzt nicht kämpfte, würde er aussehen wie ein Feigling, und dieser Gedanke war ihm unerträglich, also machte er einen Satz auf mich zu, seine Klinge stieß vor wie eine Schlange, und ich wehrte den Hieb ab, von seiner Schnelligkeit überrascht, und dann schob ich ihn mit der freien Hand weg, sodass er zurücktaumelte. Erneut stieß er zu, ein wilder Schlag, und wieder wehrte ich ihn ab. Ich ließ ihn angreifen, tat nichts, als mich zu verteidigen, und diese Trägheit ließ ihn noch zorniger werden. Er hatte die Schwertkunst erlernt, aber er vergaß in seiner Wut, was man ihm beigebracht hatte. Er schwang die Klinge ungezügelt hin und her, die Hiebe waren leicht aufzuhalten, und ich hörte Haestens Männer Ratschläge rufen. «Benutz die Spitze!»

«Kämpft!», schrie er und holte erneut aus.

«Säugling», sagte ich zu ihm, und er heulte beinahe vor Ohnmachtsgefühlen. Er stieß mit dem Schwert gegen meinen Kopf vor, die Klinge zischte in der Sommerluft, und ich beugte mich nur zurück, während die Spitze an meinen Augen vorbeiraste, und dann trat ich wieder einen Schritt vor und schob ihn erneut mit meiner freien Hand zurück, nur dass ich dieses Mal einen Stiefel hinter seinem linken Knöchel einhakte und er zu Boden ging wie ein Ochse, dem man die Sehnen durchgeschnitten hat, und dann setzte ich ihm Schlangenhauch an die Kehle. «Werd erst einmal erwachsen, bevor du mit mir kämpfst», sagte ich zu ihm. Er wand sich, und dann erstarrte er, weil er spürte, wie sich meine Schwertspitze in seinen Hals grub. «Heute ist nicht dein Todestag, Sigurd Sigurdson», sagte ich. «Und jetzt lass dein Schwert los.»

Er gab einen jämmerlichen Laut von sich.

«Lass dein Schwert los», knurrte ich, und dieses Mal gehorchte er. «Ist es ein Geschenk von deinem Vater?», fragte ich. Er sagte nichts. «Heute ist nicht dein Todestag», wiederholte ich, «aber es ist ein Tag, an den du noch lange denken sollst. Der Tag, an dem du Uhtred von Bebbanburg herausgefordert hast.» Ich hielt einen Moment lang seinen Blick fest, dann ließ ich Schlangenhauch zustoßen, eher aus dem Handgelenk als aus dem Arm heraus, sodass die Klingenspitze seine Schwerthand aufschlitzte. Er krümmte sich zusammen, als das Blut spritzte, dann trat ich einen Schritt weg, bückte mich und hob sein Schwert auf. «Erzähl seinem Vater, dass ich sein Knäblein verschont habe», sagte ich zu Haesten. Ich wischte die Spitze von Schlangenhauch am Saum meines Umhangs ab, warf meinem Diener Oswi das Schwert des Jungen zu und zog mich wieder in den Sattel. Sigurd Sigurdson hielt sich die übel zugerichtete Hand. «Beste Grüße an deinen Vater», sagte ich zu ihm, und dann sprengte ich davon. Ich konnte Haestens erleichterten Seufzer, weil der Junge noch lebte, beinahe hören.

Warum hatte ich ihn am Leben gelassen? Weil er es nicht wert war, getötet zu werden. Ich wollte seinen Vater reizen, und der Tod seines Sohnes hätte das sicher erreicht, aber ich hatte nicht genügend Männer, um gegen Sigurd zu kämpfen. Um das zu tun, brauchte ich westsächsische Truppen. Ich musste warten, bis ich bereit war, bis Wessex und Mercien ihre Kräfte vereint hatten, und deshalb blieb Sigurd Sigurdson am Leben.

Wir hielten uns nicht lange in Ceaster auf. Wir konnten die alte Festung schließlich nicht erobern, und je länger wir blieben, umso wahrscheinlicher würde es, dass Sigurd mit einer überwältigenden Übermacht anrückte. Deshalb überließen wir Merewalh die Beobachtung der Festung und ritten zu Æthelflæds Besitzung im Tal der Temes, und von dort aus schickte ich einen Boten mit der Nachricht zu Alfred, dass Haesten Sigurd Gefolgschaft geschworen hatte und dass Ceaster nicht ausreichend bemannt war. Ich wusste, dass Alfred zu krank war, um viel mit diesen Nachrichten anzufangen, aber ich vermutete, dass Edward oder vielleicht der Witan es wissen wollten. Ich erhielt keine Antwort. Der Sommer ging in den Herbst über, und das Schweigen in Wintanceaster machte mich unruhig. Wir erfuhren von Reisenden, dass der König schwächer war denn je, dass er kaum noch von seinem Lager aufstand und dass seine Familie ständig um ihn war. Von Æthelflæd hörte ich gar nichts.

«Er hätte dir zumindest dafür danken können, dass du Eohrics Plan vereitelt hast», brummte Finan eines Abends. Er sprach natürlich von Alfred.

«Vermutlich war er enttäuscht», sagte ich.

«Dass du überlebt hast?»

Ich lächelte. «Dass der Friedensvertrag nicht zustande gekommen ist.»

Schlecht gelaunt starrte Finan durch den Palas. Das Feuer in der Mitte brannte nicht, weil es ein warmer Abend war. Meine Männer saßen ruhig an ihren Tischen, die Hunde dösten auf dem Binsenstroh. «Wir brauchen Silber», sagte Finan niedergeschlagen.

«Ich weiß.»

Wie hatte ich nur so arm werden können? Den größten Teil meines Geldes hatte ich für den Vorstoß nordwärts zu Ælfadell und Snotengaham verbraucht. Ich hatte zwar noch etwas Silber, doch das genügte bei weitem nicht für meinen Traum, und mein Traum war es, Bebbanburg, die mächtige Festung am Meer, zurückzuerobern. Dazu brauchte ich Männer, Schiffe, Waffen, Nahrungsmittel und Zeit. Ich brauchte ein Vermögen, und jetzt lebte ich von geliehenem Geld in einem schäbigen Palas an der Südgrenze Merciens. Ich lebte von Æthelflæds Mildtätigkeit, und die schien dahinzuschmelzen, denn ich erhielt keinen Brief von ihr. Ich nahm an, dass sie unter dem verderblichen Einfluss ihrer Familie und ihrer eifrigen Priester stand, die immer allzu bereit sind, uns zu erklären, wie wir uns verhalten sollen. «Alfred verdient dich nicht», sagte Finan.

«Er hat gerade anderes im Sinn», sagte ich, «zum Beispiel seinen Tod.»

«Er würde schon lange nicht mehr leben, wenn es dich nicht gäbe.»

«Uns», sagte ich.

«Und was hat er für uns getan?», wollte Finan wissen. «Gott und all seine Heiligen sind Zeuge, dass wir Alfreds

Feinde niederwerfen, und er behandelt uns wie Hunde-dreck.»

Ich sagte nichts. Ein Harfner spielte in der Ecke, aber seine Musik war zu leise und wehmütig, um zu meiner Stimmung zu passen. Das Tageslicht wurde schwächer, und zwei Dienerinnen brachten Binsenlichter für die Tische. Ich sah, wie Ludda seine Hand unter einem Rock hinaufgleiten ließ und wunderte mich wieder darüber, dass er bei mir geblieben war. Ich hatte ihn nach dem Grund gefragt, und er hatte geantwortet, das Schicksal würde Höhen und Tiefen kennen und er spüre, dass es mit mir bald wieder aufwärts ginge. Hoffentlich hatte er recht. «Was ist eigentlich aus diesem walisischen Mädchen von dir geworden?», rief ich zu Ludda hinüber. «Wie hieß sie noch?»

«Teg, Herr. Sie hat sich in eine Fledermaus verwandelt und ist weggeflogen.» Er grinste, ich hatte allerdings bemerkt, wie viele Männer sich bei seinen Worten bekreuzigten.

«Vielleicht sollten wir uns allesamt in Fledermäuse verwandeln», sagte ich düster.

Finan saß mit finsterer Miene am oberen Ende des Tisches. «Wenn Alfred dich nicht will», sagte er unbehaglich, «solltest du dich Alfreds Gegnern anschließen.»

«Ich habe Æthelflæd meinen Schwur geleistet.»

«Und sie hat ihrem Mann einen Schwur geleistet», sagte er grob.

«Ich werde nicht gegen sie kämpfen», sagte ich.

«Und ich werde dich nicht verlassen», sagte Finan, und ich wusste, dass es ihm ernst war, «aber nicht jeder Mann will hier einen Hungerwinter durchstehen.»

«Ich weiß», sagte ich.

«Also stehlen wir ein Schiff», drängte er, «und unternehmen einen Raubzug.»

«Dafür ist es zu spät im Jahr», sagte ich.

«Gott weiß, wie wir den Winter überleben sollen», knurrte er. «Wir müssen etwas unternehmen. Einen Reichen umbringen.»

Und in diesem Moment meldeten die Wachen an der Tür des Palas einen Besucher. Der Mann kam in einem Kettenhemd, den Helm auf dem Kopf, und an seiner Seite hing ein Schwert. Hinter ihm, kaum erkennbar in der schnell zunehmenden Dunkelheit, waren eine Frau und zwei Kinder zu erkennen. «Ich verlange Einlass!», rief er.

«Gott im Himmel», sagte Finan, der Sihtrics Stimme erkannte.

Eine der Wachen versuchte das Schwert zu nehmen, doch Sihtric schob den Mann wütend zur Seite. «Lasst den Bastard sein Schwert behalten», sagte ich und stand auf, «und lasst ihn hereinkommen.» Sihtrics Frau und seine beiden Söhne waren hinter ihm, blieben aber an der Tür, während Sihtric mit langen Schritten auf mich zukam. Es herrschte vollkommenes Schweigen.

Finan erhob sich, um ihn herauszufordern, aber ich drückte den Iren wieder auf die Bank. «Das ist meine Sache», erklärte ich Finan leise, dann ging ich um die Ehrentafel herum, die erhöht am Ende des Palas auf einem Podest stand, und sprang auf den mit Binsenstroh ausgestreuten Boden hinunter. Sihtric blieb stehen, als ich auf ihn zuging. Ich hatte kein Schwert. Wir trugen im Palas keine Waffen, weil Waffen und Ale eine schlechte Mischung sind, und ein vielfaches Keuchen erklang, als Sihtric sein Schwert zog. Einige meiner Männer standen auf, um einzugreifen, doch ich winkte sie zurück und ging weiter auf den nackten Stahl zu. Zwei Schritte vor Sihtric blieb ich stehen. «Nun?», sagte ich ruppig.

Sihtric grinste, und ich lachte. Ich umarmte ihn, und er erwiderte die Umarmung, dann hielt er mir seinen Schwertgriff entgegen. «Es gehört Euch, Herr», sagte er, «wie es immer Euch gehört hat.»

«Ale!», rief ich dem Verwalter zu. «Ale und etwas zu essen!»

Finan riss die Augen auf, als ich Sihtric den Arm um die Schulter legte und mit ihm zur Ehrentafel zurückging. Ein paar Männer brachen in Jubel aus. Sie hatten Sihtric gemocht und sein Verhalten nicht verstanden, aber wir hatten alles zwischen uns abgesprochen. Sogar die Beleidigungen hatte ich mit Sihtric eingeübt. Ich hatte erreichen wollen, dass ihn Beortsig anwarb, und Beortsig hatte nach Sihtric geschnappt wie ein Hecht nach einem Entenküken. Und ich hatte Sihtric befohlen, für Beortsig zu arbeiten, bis er erfuhr, was ich wissen wollte. Und nun war er zurückgekommen. «Ich wusste nicht, wo Ihr wart, Herr», sagte er, «also bin ich zuerst nach Lundene, und Weohstan hat mich hierher geschickt.»

Beornnoth war tot, erzählte er mir. Der alte Mann war im Frühsommer gestorben, kurz bevor Sigurds Männer durch seinen Besitz gezogen waren, um Buccingahamm niederzubrennen. «Sie haben in seinem Palas übernachtet, Herr», erklärte er mir.

«Sigurds Männer?»

«Und Sigurd selbst, Herr. Beortsig hat sie verpflegt.»

«Wird er von Sigurd bezahlt?»

«Ja, Herr», sagte er, und das war keine Überraschung, «und nicht nur Beortsig. Da war ein Sachse mit Sigurd zusammen, Herr, ein Mann, den Sigurd mit viel Respekt behandelt hat. Ein langhaariger Mann namens Sigebriht.»

«Sigebriht?», fragte ich. Dieser Name schien mir bekannt, irgendwo in meiner Erinnerung regte sich etwas, doch ich konnte den Gedanken nicht greifen, also dachte ich daran, dass die Witwe in Buchestanes gesagt hatte, ein langhaariger Sachse sei bei Ælfadell gewesen.

«Sigebriht von Cent, Herr», sagte Sihtric.

«Ah!» Ich schenkte Sihtric Ale ein. «Sigebrihts Vater ist in Cent Aldermann, das stimmt doch, oder?»

«Aldermann Sigelf, Herr, ja.»

«Dann ist Sigebriht wohl unzufrieden damit, dass Edward als König von Cent benannt wurde?», riet ich.

«Sigebriht hasst Edward, Herr», erklärte Sihtric. Er grinste selbstzufrieden. Ich hatte ihn als Spion in Beortsigs Haushalt eingeschleust, und er wusste, dass er seine Sache gut gemacht hatte. «Und das liegt nicht nur daran, dass Edward König von Cent ist, Herr, es liegt an einem Mädchen – der Herrin Ecgwynn.»

«Das alles hat er dir erzählt?», fragte ich erstaunt.

«Er hat es einem Sklavenmädchen erzählt, Herr. Er hat sie bestiegen, und er hat ein loses Mundwerk, wenn er eine Frau nimmt, und er hat es der Sklavin erzählt, und sie hat es Ealhswith erzählt.» Ealhswith war Sihtrics Frau. Sie saß jetzt zusammen mit ihren beiden Söhnen im Palas beim Essen. Sie war früher eine Hure gewesen, und ich hatte Sihtric davon abgeraten, sie zu heiraten, aber ich hatte falschgelegen. Sie hatte sich als gute Ehefrau erwiesen.

«Und wer ist diese Herrin Ecgwynn?», fragte ich.

«Die Tochter von Bischof Swithwulf, Herr», erklärte Sihtric. Swithwulf war Bischof von Hrofeceastre in Cent, so viel wusste ich, allerdings war ich dem Mann noch niemals begegnet und seiner Tochter ebensowenig. «Und sie hat nicht Sigebriht, sondern Edward den Vorzug gegeben», fuhr Sihtric fort.

War also die Tochter des Bischofs das Mädchen gewesen, das Edward hatte heiraten wollen? Das Mädchen, das er aufgeben musste, weil sein Vater mit dieser Wahl nicht einverstanden war? «Wie ich gehört habe, wurde Edward gezwungen, sich von dem Mädchen zu trennen», sagte ich.

«Aber sie ist mit ihm durchgebrannt», erklärte Sihtric, «jedenfalls hat Sigebriht das gesagt.»

«Durchgebrannt!» Ich grinste. «Und wo ist sie jetzt?»

«Das weiß niemand.»

«Und Edward», sagte ich, «ist mit Ælflæd verlobt.» Es musste eine heftige Auseinandersetzung zwischen Vater und Sohn gegeben haben, vermutete ich. Edward hatte für Alfred immer als vollendeter Erbe gegolten, der Sohn ohne Fehl und Tadel, der Prinz, der dazu erzogen und aufgebaut worden war, der nächste König von Wessex zu werden, doch das Lächeln einer Bischofstochter hatte offenkundig genügt, um die lebenslangen Gebete von Alfreds Priestern zunichte zu machen. «Also hasst Sigebriht Edward», sagte ich.

«So ist es, Herr.»

«Weil er ihm die Bischofstochter weggenommen hat. Aber reicht das aus, um Sigurd den Treueid zu leisten?»

«Nein, Herr.» Sihtric feixte. Er hatte sich seine wichtigste Neuigkeit für den Schluss aufgespart. «Er hat nicht Sigurd sondern Æthelwold Gefolgschaft geschworen.»

Und deshalb war Sihtric zu mir zurückgekommen, weil er herausgefunden hatte, wer der Sachse war, der Sachse, von dem Ælfadell gesagt hatte, er würde Wessex vernichten, und ich fragte mich, warum ich nicht früher darauf gekommen war. Ich hatte an Beortsig gedacht, weil er König von Mercien werden wollte, aber Beortsig war zu unbedeutend. Sigebriht wollte vermutlich eines Tages König von Cent sein, aber ich konnte mir nicht vorstellen, dass Sigebriht stark genug war, um den Untergang von Wessex herbeizuführen. Doch die Antwort war offensichtlich. Und sie war es schon die ganze Zeit, nur war ich nicht darauf gekommen, weil Æthelwold ein Narr ohne Macht war. Doch Narren ohne Macht können dennoch Ehrgeiz besitzen und Schläue und Entschlossenheit.

«Æthelwold!» Ich wiederholte den Namen.

«Sigebriht hat ihm die Treue geschworen, Herr, und Sigebriht ist Æthelwolds Bote bei Sigurd. Und da ist noch etwas, Herr. Beortsigs Priester ist einäugig, dünn wie ein Halm und kahl.»

Weil ich gerade über Æthelwold nachdachte, dauerte es einen Moment, bis mir der ferne Tag wieder einfiel, an dem mich diese Narren hatten umbringen wollen und ich von dem Schäfer mit seiner Schleuder und seiner Herde gerettet worden war. «Beortsig wollte meinen Tod», sagte ich.

«Oder sein Vater», gab Sihtric zu bedenken.

«Wie Sigurd es befohlen hat», riet ich, «oder vielleicht auch Æthelwold.» Und mit einem Mal schien alles so offensichtlich. Und ich wusste, was ich zu tun hatte. Ich wollte es nicht tun. Ich hatte einst geschworen, niemals an Alfreds Hof zurückzukehren, doch am nächsten Tag ritt ich nach Wintanceaster.

Um den König aufzusuchen.

Æthelwold, ich hätte darauf kommen müssen. Ich kannte Æthelwold schon mein ganzes Leben, und all die Zeit hatte ich ihn verachtet. Er war Alfreds Neffe und war seines Thronrechts beraubt worden. Alfred hätte Æthelwold selbstredend schon vor Jahren töten sollen, aber irgendeine Gefühlsduselei, vielleicht Zuneigung zu dem Sohn seines Bruders, aber wahrscheinlicher noch die Schuldgefühle, die ernsthafte Christenmenschen so gern empfinden, hatte seine Hand aufgehalten.

Æthelwolds Vater war Alfreds Bruder gewesen, König Æthelred. Æthelwold hatte als ältester Sohn Æthelreds erwartet, König von Wessex zu werden, doch er war noch ein Kind, als sein Vater starb, und der Witan, die Ratsversammlung der führenden Männer, hatte stattdessen seinen Onkel Alfred auf den Thron berufen. Alfred hatte dies selbst gewünscht und viel dafür getan, und es gab immer noch Männer, die hinter vorgehaltener Hand sagten, Alfred sei ein Thronräuber. Æthelwold hatte ihm aufgrund dieser Usurpation immer übelgewollt, doch Alfred, statt seinen Neffen umzubringen, wie ich es ihm wieder und wieder empfohlen hatte, verwöhnte ihn. Er ließ ihn einige Besitzungen seines Vaters behalten, er verzieh ihm seine ständige Heimtücke, und zweifellos betete er auch für ihn. Æthelwold hatte sehr viel Gebet notwendig. Er war unzufrieden und ein Trunkenbold, und möglicherweise war das der Grund, warum Alfred ihn duldete. Es war schwer, in einem betrunkenen Narren eine Gefahr für das Königreich zu sehen.

Aber jetzt redete Æthelwold mit Sigurd. Æthelwold wollte anstelle von Edward König sein, und um König zu werden, hatte er einfach das Bündnis mit Sigurd gesucht, und Sigurd, das versteht sich, gefiel nichts besser als ein zahmer Sachse, der mit demselben Recht Anspruch auf den Thron von Wessex erhob wie Edward, und sogar mit noch größerem Recht, weil das bedeutete, dass Sigurds Einfall in Wessex den falschen Glanz der Rechtmäßigkeit tragen würde.

Sechs von uns ritten südwärts durch Wessex. Ich nahm Osferth, Sihtric, Rypere, Eadric und Ludda mit. Finan ließ ich mit dem Befehl über meine übrigen Männer zurück und mit einem Versprechen. «Wenn man sich in Wintanceaster nicht dankbar zeigt», sagte ich, «gehen wir in den Norden.»

«Wir müssen etwas tun», sagte Finan.

«Ich verspreche es», sagte ich. «Wir gehen auf Raubzug. Wir werden gut leben. Aber ich muss Alfred noch eine letzte Chance geben.»

Finan kümmerte es nicht besonders, für welche Seite wir kämpften, solange unser Kampf gewinnbringend war, und ich verstand seine Einstellung. Mein Ehrgeiz war es, mir eines Tages Bebbanburg zurückzuholen, und seiner, nach Irland heimzukehren und Rache an dem Mann zu nehmen, der seinen Besitz und seine Familie vernichtet hatte, und dafür brauchte er das Silber ebenso nötig wie ich. Finan war natürlich Christ, aber er ließ nie zu, dass dies seine Vergnügungen beeinträchtigte, und er hätte sein Schwert freudig zu einem Angriff auf Wessex erhoben, wenn es am Ende des Kampfes genügend Geld gegeben hätte, um eine Reise zurück nach Irland auszustatten. Ich wusste, dass er meinen Besuch in Wintanceaster für Zeitverschwendung hielt. Alfred mochte mich nicht, Æthelflæd schien auf Abstand zu mir gegangen zu sein, und Finan glaubte, dass ich bei Leuten betteln gehen wollte, die sich von Beginn an hätten dankbar zeigen sollen.

Und es gab Momente auf diesem Weg, in denen ich Finan recht gab. Ich hatte nun schon so viele Jahre für das

Überleben von Wessex gekämpft, und ich hatte so viele Feinde von Wessex unter die Erde gebracht, und als Dank dafür stand ich mit leeren Händen da. Doch ich empfand auch eine widerwillige Loyalität. Ich habe Eide gebrochen, ich habe die Seiten gewechselt, ich habe mit den dornigen Widerhaken von Treueschwüren gekämpft, und doch hatte ich es so gemeint, als ich zu Osferth sagte, ich wäre lieber das Schwert der Sachsen als der Schild von Mercien, und deshalb würde ich einen letzten Besuch im Kernland des sächsischen Britanniens machen und feststellen, ob sie mein Schwert wollten oder nicht. Und wenn nicht? Ich hatte Freunde im Norden. Da war Ragnar, er war mehr als ein Freund, ein Mann, den ich wie einen Bruder liebte, und er würde mir helfen, und wenn der Preis, den ich zu zahlen hätte, die ewige Feindschaft gegenüber Wessex wäre, dann sollte es wohl so sein. Ich ritt nicht als Bettler, wie Finan glaubte, sondern voller Rachgier.

Es regnete, als wir in der Gegend von Wintanceaster ankamen, ein sanfter Regen über einem sanften Land, auf Felder mit fruchtbarer Erde, auf Dörfer, denen man ihren Wohlstand ansah, die neue Kirchen hatten und dicke Strohdächer und keine verödeten Balkenskelette von ausgebrannten Häusern. Die Palas-Bauten wurden größer, denn der Mensch siedelt gern in der Nähe der Macht.

Es gab zwei Mächte in Wessex, König und Kirche, und die Kirchen wurden, ebenso wie die Palas-Gebäude, immer größer, je näher wir der Stadt kamen. Kein Wunder, dass die Nordmänner dieses Land begehrten, wer würde das nicht? Das Vieh war gut genährt, die Scheunen waren voll und die Mädchen hübsch. «Es wird Zeit, dass du heiratest», erklärte ich Osferth, als wir an einer Scheune mit offenstehenden Toren vorbeikamen, in der zwei blonde Mädchen auf der Tenne standen und Korn droschen.

«Ich habe daran gedacht», sagte er trübsinnig.

«Nur gedacht?»

Beinahe musste er lächeln. «Ihr glaubt an das Schicksal, Herr», sagte er.

«Und du nicht?», fragte ich. Osferth und ich ritten ein paar Schritte vor den anderen. «Und was hat das Schicksal mit einem Mädchen in deinem Bett zu tun?»

«Non ingredietur mamzer hoc est de scorto natus in ecclesiam Domini», sagte er und sah mich traurig an, *«usque ad decimam generationem.»*

«Sowohl Pater Beocca als auch Pater Willibald haben versucht, mir Latein beizubringen», sagte ich, «und sie sind beide gescheitert.»

«Das stammt aus der Bibel, Herr», sagte er, «aus dem Buch Deuteronomium, und es bedeutet, dass ein Bastard von der Kirche ausgeschlossen ist und dass dieser Fluch zehn Generationen lang währt.»

Ich starrte ihn ungläubig an. «Du warst in der Priesterausbildung, als wir uns das erste Mal begegnet sind!»

«Und ich habe die Ausbildung abgebrochen», sagte er. «Ich musste es tun. Wie könnte ich Priester sein, wenn Gott mich aus seiner Gemeinde verbannt?»

«Also kannst du kein Priester sein», sagte ich, «aber du kannst verheiratet sein!»

«Usque at decimam generationem», sagte er. «Auf meinen Kindern läge ein Fluch und auch auf ihren Kindern und auf jedem Kind für die nächsten zehn Generationen.»

«Also ist jeder Bastard verloren?»

«So lautet das Wort Gottes, Herr.»

«Dann ist er ein schrecklicher Gott», sagte ich wild,

denn ich hatte gesehen, dass Osferths Verzweiflung echt war. «Es war nicht deine Schuld, dass Alfred mit einer Sklavin Huckepack gespielt hat.»

«Das stimmt, Herr.»

«Wie kann diese Sünde also dich betreffen?»

«Gott ist nicht immer gerecht, Herr, aber seine Regeln gelten für alle gleich.»

«Für alle gleich! Wenn ich also einen Dieb nicht erwische und stattdessen seine Kinder auspeitsche, nennst du mich gerecht?»

«Gott verabscheut die Sünde, Herr, und wie könnte man die Sünde besser abwehren als durch die grässlichsten Strafen?» Er lenkte sein Pferd an die linke Straßenseite, um einen Zug Packpferde vorbeizulassen. Sie waren mit Schafsfellen beladen und auf dem Weg Richtung Norden. «Wenn Gott uns nicht streng bestraft», fuhr Osferth fort, «was soll dann sonst die Ausbreitung der Sünde verhindern?»

«Ich mag die Sünde», sagte ich und nickte dem Reiter zu, der den Tross anführte. «Lebt Alfred noch?», fragte ich ihn.

«Gerade noch so», sagte der Mann. Dann bekreuzigte er sich und nickte zum Dank, als ich ihm eine sichere Reise wünschte.

Osferth sah mich stirnrunzelnd an. «Warum habt Ihr mich hierher gebracht, Herr?», fragte er.

«Warum nicht?»

«Ihr hättet Finan mitnehmen können, aber Ihr habt mich ausgesucht.»

«Willst du deinen Vater nicht sehen?»

Er schwieg eine Weile, dann wandte er mir seinen Blick zu, und ich sah Tränen in seinen Augen. «Doch, Herr.»

«Deshalb habe ich dich mitgenommen», sagte ich, und in diesem Moment kamen wir um eine Kurve in der Straße und sahen unterhalb von uns Wintanceaster liegen, mit seiner neuen Kirche, die hoch über die enggedrängten Hausdächer ragte.

Wintanceaster war gewiss die bedeutendste von Alfreds Wehrstädten, also den Städten, die er zum Schutz vor den Dänen befestigt hatte. Um die Stadt lief ein tiefer Graben, der an manchen Stellen geflutet war, und dahinter erhob sich ein hoher Erdwall, über den sich eine Palisade aus Eichenstämmen zog. Es gibt wenig Schlimmeres, als solch einen Ort angreifen zu müssen. Die Verteidiger, wie Haestens Männer bei Beamfleot, haben alle Vorteile auf ihrer Seite und können einen Hagel aus Speeren und Steinen auf die Angreifer niederregnen lassen, während diese sich über Hindernisse hinwegkämpfen und auf Leitern hinaufklettern müssen, die mit Äxten zerhackt werden. Alfreds Wehrstädte hatten Wessex sicher gemacht. Die Dänen konnten immer noch ihre Beutezüge auf dem Land machen, doch alles Wertvolle wurde dann hinter die Wälle der Wehrstädte gebracht, und um die Wälle konnten die Dänen nur herumreiten und nutzlose Vorstöße unternehmen. Die sicherste Art, eine Wehrstadt einzunehmen, war es, die Garnison so lange auszuhungern, bis sie sich ergab, aber das konnte Wochen oder Monate dauern, und während all dieser Zeit waren die Belagerer der Gefahr durch Angriffe von Truppen aus anderen Festungen ausgesetzt. Die zweite Möglichkeit bestand darin, Männer zum Angriff gegen die Wälle zu schicken und viele von ihnen in den Gräben sterben zu sehen, aber die Dänen setzten ihre Männer nie leichtfertig ein. Die Wehrstädte waren Festungen, zu stark für die Dänen, und Bebbanburg, so ging es mir durch den Kopf, war widerstandsfähiger als jede Wehrstadt.

Das nördliche Stadttor von Wintanceaster war inzwischen aus Stein und wurde von einem Dutzend Männern bewacht, die den offenen Torbogen versperrten. Ihr Anführer war ein kleiner, grauhaariger Mann mit grimmigem Blick, der seine Männer zur Seite winkte, als er mich sah. «Grimric, Herr», sagte er, weil er offenkundig erwartete, wiedererkannt zu werden.

«Du warst bei Beamfleot», riet ich.

«Das war ich, Herr!», sagte er, erfreut, dass ich mich erinnerte.

«Wo du eine große Schlacht geschlagen hast», sagte ich und hoffte, damit die Wahrheit getroffen zu haben.

«Wir haben den Bastarden gezeigt, wie die Sachsen kämpfen, Herr, was?», sagte er grinsend. «Wie oft habe ich diesen hasenfüßigen Grünschnäbeln schon erzählt, dass Ihr wisst, wie man einem Mann einen echten Kampf liefert!» Er zeigte mit dem Daumen auf seine Männer, sämtlich Jünglinge, die man von ihren Bauernhöfen oder Warenläden abgezogen hatte, damit sie ihre Dienstwochen in der Garnison ableisteten. «Die haben gestern noch an den Brüsten ihrer Mütter genuckelt, Herr», sagte Grimric.

Ich gab ihm eine Münze, auch wenn ich mir das kaum erlauben konnte, doch so etwas wird von einem Herrn erwartet. «Kauf ihnen Ale», erklärte ich Grimric.

«Das werde ich, Herr», sagte er, «und ich wusste, dass Ihr kommt! Ich muss natürlich noch melden, dass Ihr hier seid, aber ich wusste, dass alles in Ordnung kommen würde.»

«In Ordnung?», fragte ich, etwas verwirrt von seinen Worten.

«Ich wusste, dass es so sein würde, Herr!» Er grinste, dann winkte er uns durch. Ich ging zu der Schänke Zwei Kraniche, deren Besitzer mich kannte. Er rief seine Bediensteten, damit sie sich um unsere Pferde kümmerten, brachte uns Ale und gab uns eine große Kammer im rückwärtigen Teil des Gasthauses, wo das Stroh sauber war.

Der Besitzer war einarmig und hatte einen so langen Bart, dass er das Ende des Bartes unter einen breiten Ledergürtel klemmte. Er hieß Cynric, hatte seinen linken Unterarm im Kampf für Alfred verloren, führte die Zwei Kraniche seit über zwanzig Jahren, und es ging nicht viel in Wintanceaster vor, von dem er nichts wusste. «Die Kirchenmänner regieren», erklärte er mir.

«Nicht Alfred?»

«Der arme Kerl ist krank wie ein besoffener Köter. Es ist ein Wunder, dass er noch lebt.»

«Und Edward steht unter der Fuchtel der Geistlichen?», fragte ich.

«Der Geistlichen», sagte Cynric, «seiner Mutter und des Witans. Aber er ist nicht annähernd so fromm, wie sie glauben. Habt Ihr von der Herrin Ecgwynn gehört?»

«Die Bischofstochter?»

«Genau die, und sie war ein entzückendes Ding, weiß Gott. Noch beinahe ein Mädchen, aber schon so schön.»

«Ist sie tot?»

«Bei einer Geburt gestorben.»

Ich starrte ihn an, die Bedeutung seiner Worte ließ meinen Kopf schwirren. «Bist du sicher?»

«Beim Zahne Christi, ich kenne ihre Geburtshelferin! Ecgwynn hat Zwillinge bekommen, einen Jungen namens Æthelstan und ein Mädchen namens Eadgyth, aber die bedauernswerte Mutter ist noch in derselben Nacht gestorben.»

«Edward war der Vater?», fragte ich, und Cynric nickte. «Königliche Zwillingsbastarde», sagte ich leise.

Cynric schüttelte den Kopf. «Aber sind sie wirklich Bastarde?» Er hatte seine Stimme gesenkt. «Edward behauptet, er habe sie geheiratet, sein Vater sagt, es war keine gültige Ehe, und sein Vater gewinnt den Streit. Und sie haben die ganze Sache totgeschwiegen. Gott weiß, dass sie die Geburtshelferin gut genug bezahlt haben.»

«Die Kinder haben überlebt?»

«Sie sind im Nonnenkloster von Sankt Hedda, zusammen mit der Herrin Æthelflæd.»

Ich starrte ins Feuer. Also hatte sich der vollkommene Erbe als ebenso sündig erwiesen wie ein ganz gewöhnlicher Mann. Und Alfred ließ die Früchte dieser Sünde verschwinden, steckte sie in ein Nonnenkloster und hoffte, niemand würde von ihrem Dasein erfahren. «Armer Edward», sagte ich.

«Er heiratet jetzt Ælflæd», sagte Cynric, «und damit ist Alfred zufrieden.»

«Und er hat schon zwei Kinder», sagte ich nachdenklich. «Das ist ein wahrhaft königlicher Wirrwarr. Du sagst, Æthelflæd ist im Sankt Hedda?»

«Sie haben sie dort weggesperrt», sagte Cynric. Er wusste von meiner Zuneigung zu Æthelflæd, und aus seinem Tonfall schloss ich, dass sie eingesperrt worden war, um sie von mir fernzuhalten.

«Ist ihr Mann hier?»

«In Alfreds Palast. Die ganze Familie ist hier, sogar Æthelwold.»

«Æthelwold!»

«Ist vor zwei Wochen gekommen, hat die ganze Zeit um seinen Onkel geheult.»

Æthelwold war mutiger, als ich geglaubt hatte. Er hatte ein Bündnis mit den Dänen geschlossen und war dennoch dreist genug, an den Hof seines sterbenden Onkels zu kommen. «Trinkt er immer noch?», fragte ich.

«Nicht dass ich wüsste. Er war nicht in meiner Gaststube. Es heißt, er verbringt seine Tage im Gebet», sagte Cynric verächtlich, und ich lachte. «Wir alle beten», fügte er verdrießlich hinzu und meinte damit, dass sich jeder darüber sorgte, was nach Alfreds Tod werden würde.

«Und in Sankt Hedda?», fragte ich. «Ist dort immer noch Hildegyth Äbtissin?»

«Sie ist selbst schon eine Heilige, Herr, ja, sie ist immer noch dort.»

Ich nahm Osferth mit nach Sankt Hedda. Es fiel leichter Nieselregen, der die Straßen schlüpfrig machte. Der Konvent lag am nördlichen Stadtrand, dicht an dem Erdwall mit der hohen Palisade. Der einzige Zugang zu dem Nonnenkloster befand sich am Ende einer langen, schlammigen Gasse, in der sich, ebenso wie bei meinem letzten Besuch, die Bettler drängten, weil sie auf die Almosen und das Essen warteten, das die Nonnen morgens und abends ausgaben. Die Bettler machten uns den Weg frei. Sie waren unruhig, denn sowohl Osferth als auch ich trugen Rüstung und Schwert. Einige streckten uns die Hände oder Holzschalen entgegen, doch ich beachtete sie nicht, denn ich sah drei Soldaten am Eingang des Klosters stehen, und das war eigenartig. Die drei trugen Helm und Speer, Schwerter und Schilde, und als wir näher kamen, traten sie von der Tür weg und verstellten uns den Weg. «Ihr könnt nicht hinein, Herr», sagte einer von ihnen.

«Weißt du, wer ich bin?»

«Ihr seid der Herr Uhtred», sagte der Mann ehrerbietig, «und Ihr könnt nicht hinein.»

«Die Äbtissin ist eine alte Freundin von mir», sagte ich, und so war es. Hild war eine Freundin, eine Heilige und eine Frau, die ich geliebt hatte, doch es schien, als wäre es mir nicht erlaubt, sie zu besuchen. Der Anführer der drei Soldaten war ein kräftiger Mann, nicht mehr jung, aber mit breiten Schultern und selbstbewusster Miene. Sein Schwert steckte in der Scheide, und ich zweifelte nicht daran, dass er es ziehen würde, wenn ich versuchen sollte, an ihm vorbeizukommen, allerdings zweifelte ich ebenso wenig daran, dass ich ihn zu Boden schlagen konnte. Aber sie waren zu dritt, und ich wusste, dass Osferth nicht gegen westsächsische Soldaten kämpfen würde, die ein Kloster bewachten. Ich zuckte mit den Schultern. «Kannst du der Äbtissin Hild eine Nachricht übermitteln?», fragte ich.

«Das kann ich tun, Herr.»

«Sag ihr, dass Uhtred hier war, um sie zu besuchen.»

Er nickte, und da hörte ich die Bettler hinter mir aufkeuchen, und als ich mich umdrehte, sah ich noch mehr Soldaten in die Gasse kommen. Ich erkannte ihren Anführer, der Mann hieß Godric und hatte unter Weohstan gedient. Er führte sieben behelmte Männer, die, genau wie die Bewacher des Konvents, mit Schilden und Speeren ausgerüstet waren. Sie waren zum Kampf bereit. «Ich wurde angewiesen, Euch zum Palast zu bringen, Herr», lautete Godrics Begrüßung.

«Und dazu brauchst du Speere?»

Godric beachtete den Einwurf nicht und deutete stattdessen die Gasse hinunter. «Kommt Ihr?»

«Mit Vergnügen», sagte ich und folgte ihm zurück

durch die Stadt. Die Leute auf den Straßen ließen uns schweigend vorbei. Osferth und ich hatten unsere Schwerter behalten, aber wir sahen trotzdem aus wie Gefangene unter Bewachung, und als wir zum Palast kamen, bestand ein Verwalter am Tor darauf, dass wir die Waffen abgaben. Das war so üblich. Nur der Leibwache des Königs war eine Bewaffnung innerhalb des Palastbezirks gestattet. Und so übergab ich Schlangenhauch dem Verwalter und folgte Godric anschließend vorbei an Alfreds Privatkapelle zu einem kleinen, niedrigen, strohgedeckten Gebäude.

«Bitte wartet hier, Herr», sagte er und deutete auf die Tür.

Wir warteten in einem fensterlosen Raum, der mit zwei Bänken, einem Lesepult und einem Kruzifix ausgestattet war. Godrics Männer blieben draußen und versperrten mir den Weg mit ihren Speeren, als ich hinauswollte. «Wir möchten etwas zu essen», sagte ich, «und Ale. Und einen Pisskübel.»

«Sind wir verhaftet?», fragte Osferth, nachdem das Essen und der Kübel gebracht worden waren.

«Hat ganz den Anschein.»

«Warum?»

«Ich weiß nicht», sagte ich. Dann aß ich das Brot und den Käse, und danach streckte ich mich auf dem gestampften Erdboden aus, obwohl er feucht war, und versuchte zu schlafen.

Es wurde schon dämmrig, als Godric zurückkam. Noch immer war er überaus höflich. «Wenn Ihr mit mir kommen möchtet, Herr», sagte er, und Osferth und ich folgten ihm durch vertraute Innenhöfe zu einem kleineren Palas-Gebäude, in dessen Feuerstelle wärmende Flammen loderten. An der Wand hingen auf Leder gemalte Bilder, jedes zeigte einen anderen westsächsischen Heiligen, und auf dem Podest am Ende des Palas saßen an einem Tisch, über den ein blau gefärbtes Tuch gebreitet war, fünf Kirchenmänner. Drei hatte ich nie gesehen, aber die beiden anderen kannte ich, und weder der eine noch der andere war ein Freund von mir. Bischof Asser, der gehässige walisische Priester und Alfreds engster Vertrauter, war der eine, und Bischof Erkenwald der andere. Sie rahmten einen Mann mit knochigen Schultern und weißem tonsuriertem Haar ein, dessen Gesicht in seiner Hagerkeit an ein verhungertes Wiesel erinnerte. Er hatte eine Nase, die so scharf geschnitten war wie eine Klinge, einen wachen Blick und verkniffene, schmale Lippen, die seine schiefen Zähne nicht verbergen konnten. Die beiden Priester an den Schmalseiten des Tisches waren erheblich jünger, und jeder hatte eine Schreibfeder, ein Tintenfässchen und eine Pergamentseite vor sich. Sie sollten wohl bei dem Gespräch mitschreiben.

«Bischof Erkenwald», begrüßte ich ihn, dann sah ich Asser an. «Ich glaube, Euch kenne ich nicht.»

«Nimm ihm dieses Hammeramulett ab», sagte Asser zu Godric.

«Fass den Hammer an», erklärte ich Godric, «und du sitzt mit dem Arsch im Feuer.»

«Genug!» Das verhungerte Wiesel schlug auf den Tisch. Die Tintenfässchen sprangen hoch. Die beiden Schreiberlinge ließen ihre Federn über das Pergament kratzen. «Ich bin Plegmund», sagte der Mann zu mir.

«Der Obermagier von Contwaraburg?», fragte ich.

Er starrte mich mit offenkundiger Abneigung an, dann zog er ein Pergament heran. «Ihr habt einiges zu erklären», sagte er.

«Und keine Lügen dieses Mal!», fauchte Asser. Jahre zuvor, in ebendiesem Palas, war ich vom Witan zu Vergehen befragt worden, an denen ich in Wahrheit die volle Schuld trug. Der Hauptzeuge meiner Verbrechen war damals Asser, aber ich hatte mich mit Lügen aus der Anklage herausgewunden, und er hatte gewusst, dass ich log, und seither verabscheute er mich.

Ich sah ihn stirnrunzelnd an. «Wie ist gleich Euer Name?», fragte ich. «Ihr erinnert mich an jemanden. Er war ein walisischer Earsling, ein Rattenschiss, aber ich habe ihn getötet, also könnt Ihr nicht derselbe Mann sein.»

«Herr Uhtred», sagte Bischof Erkenwald mit müder Stimme, «bitte beleidigt uns nicht.»

Erkenwald und ich mochten uns nicht, aber in seiner Zeit als Bischof von Lundene hatte er sich als tüchtiger Anführer erwiesen, und er hatte mir vor Beamfleot keine Steine in den Weg gelegt, im Gegenteil – seine Fähigkeiten als Organisator hatten erheblich zum Sieg beigetragen. «Was wollt Ihr erklärt haben?», fragte ich.

Erzbischof Plegmund zog eine Kerze über den Tisch, um das Pergament anzuleuchten. «Wir haben Berichte über Eure Unternehmungen dieses Sommers erhalten», sagte er.

«Und Ihr wollt mir danken», sagte ich.

Sein kalter, stechender Blick durchbohrte mich beinahe. Plegmund war berühmt dafür, sich jede Freude zu versagen, ganz gleich, ob es ums Essen, Frauen oder ein Leben im Wohlstand ging. Er diente seinem Gott, indem er es sich unbequem machte, indem er sich zum Beten in die Einsamkeit zurückzog und als Eremit lebte. Warum das Volk so etwas bewunderungswürdig findet, weiß ich nicht, aber er wurde von den Christen mit Ehrfurcht betrachtet, und sie waren alle hoch erfreut, als er sein beschwerliches Dasein in der Einsiedelei aufgab, um Erzbischof zu werden. «Im Frühling», sagte er mit dünner, klarer Stimme, «habt Ihr Euch mit dem Mann getroffen, der sich Jarl Haesten nennt, und infolge dieses Treffens seid Ihr nach Norden auf das Gebiet Cnut Ranulfsons geritten, wo Ihr die Hexe Ælfadell konsultiert habt. Von dort seid Ihr nach Snotengaham weitergezogen, das derzeit von Sigurd Thorrson besetzt ist, und sodann wieder zu Jarl Haesten.»

«All das trifft zu», sagte ich leichthin, «nur habt Ihr einiges ausgelassen.»

«Jetzt kommen die Lügen», höhnte Asser.

Ich blitzte ihn an. «Hat Eure Mutter unter Verstopfung gelitten, als Ihr geboren wurdet?»

Plegmund schlug erneut auf den Tisch. «Was haben wir ausgelassen?»

«Die unerhebliche Tatsache, dass ich Sigurds Flotte verbrannt habe.»

Auf Osferths Miene hatte sich in der feindseligen Stimmung, die im Raum herrschte, immer größere Unruhe breitgemacht, und nun zog er sich, ohne ein Wort zu mir und ohne jede Einwendung von den Geistlichen, zur Tür zurück. Sie ließen ihn gehen. Ich war derjenige, auf den sie es abgesehen hatten.

«Die Flotte wurde verbrannt, das wissen wir», sagte Plegmund, «und wir kennen auch den Grund.»

«Raus damit.»

«Es war ein Zeichen an die Dänen, dass kein Rückzug übers Wasser erfolgen kann. Sigurd Thorrson hat seinen Gefolgsleuten damit gesagt, dass es ihr Schicksal ist, Wessex zu erobern, und als Beweis für dieses Schicksal hat er seine eigenen Schiffe verbrannt, um zu zeigen, dass jeder Rückzug unmöglich ist.»

«Das glaubt Ihr?», fragte ich.

«Es ist die Wahrheit», blaffte Asser.

«Ihr würdet die Wahrheit nicht einmal erkennen, wenn man sie Euch mit dem Schaft einer Axt in die Kehle stopfen würde», sagte ich, «und kein Herr aus dem Norden würde seine Schiffe verbrennen. Sie kosten viel Gold. Ich habe sie verbrannt, und Sigurds Männer haben versucht, mich zu töten, als ich es getan habe.»

«Oh, niemand bezweifelt, dass Ihr dort wart, als sie verbrannt wurden», sagte Erkenwald.

«Und Ihr leugnet nicht, die Hexe Ælfadell aufgesucht zu haben?», fragte Plegmund.

«Nein, sagte ich, «und ich leugne auch nicht, letztes Jahr bei Fearnhamme und Beamfleot die dänischen Armeen vernichtet zu haben.»

«Niemand bestreitet, dass Ihr Euch früher Verdienste erworben habt», sagte Plegmund.

«Wenn es Euch gerade genehm war», fügte Asser giftig hinzu.

«Und leugnet Ihr, den Abt Deorlaf von Buchestanes getötet zu haben?», fragte Plegmund.

«Ich habe ihn ausgenommen wie einen fetten Fisch», sagte ich.

«Ihr leugnet es nicht?» Asser klang erstaunt.

«Ich bin stolz darauf», sagte ich, «und auf die beiden anderen Mönche, die ich umgebracht habe.»

«Schreibt das auf!», zischte Asser den Schreibermönchen zu, die seine Aufforderung kaum nötig hatten. Unablässig kritzelten sie übers Pergament.

«Vergangenes Jahr», sagte Bischof Erkenwald, «habt

Ihr Euch geweigert, dem Ætheling Edward den Treueid zu schwören.»

«Stimmt.»

«Warum?»

«Weil ich genug von Wessex habe», sagte ich, «genug von Priestern, genug davon, erzählt zu bekommen, wie der Wille Eures Gottes lautet, genug davon, mir vorwerfen zu lassen, ein Sünder zu sein, genug von Eurem endlosen, verfluchten Geschwätz, genug von diesem angenagelten Tyrannen, den Ihr Euren Gott nennt, und der nur will, dass es uns schlechtgeht. Und ich habe mich geweigert, den Eid zu leisten, weil es mein Ziel ist, zurück in den Norden zu gehen, zu meiner Festung Bebbanburg, und die Männer zu töten, die sie besetzt halten, und das kann ich nicht tun, wenn ich Edwards Schwurmann bin und er etwas anderes von mir verlangt.»

Das mochte nicht die zartfühlendste Rede gewesen sein, aber mir war nicht nach Zartgefühl zumute. Jemand, ich vermutete Æthelred, hatte sein Bestes getan, um mich zu vernichten, und dazu hatte er die Macht der Kirche eingesetzt, und ich war entschlossen, mich gegen die elenden Hunde zu wehren. Es sah so aus, als hätte ich Erfolg, zumindest darin, dass sie sich noch elender fühlten. Plegmund verzog das Gesicht, Asser bekreuzigte sich, und Erkenwald hatte die Augen geschlossen. Die beiden jungen Priester schrieben schneller denn je. «Angenagelter Tyrann», murmelte einer von ihnen langsam, als seine Feder übers Pergament kratzte.

«Und wer hatte den überaus klugen Einfall, mich nach Ostanglien zu schicken, damit Sigurd mich tötet?», wollte ich wissen.

«König Eohric versichert uns, dass Sigurd ohne seine

Aufforderung gehandelt hat und dass er – hätte er es gewusst – einen Angriff auf Sigurds Truppen geführt hätte», sagte Plegmund.

«Eohric ist ein Earsling», sagte ich, «und für den Fall, dass Ihr es nicht wisst, Erzbischof, ein Earsling ist so etwas wie Bischof Asser, ein Ding, das aus einem Arsch geschissen wird.»

«Zeigt Respekt!», knurrte Plegmund mit wütendem Blick.

«Warum?», fragte ich.

Darauf konnte er nur blinzeln. Asser flüsterte ihm etwas ins Ohr, es klang eindringlich und fordernd, während Bischof Erkenwald versuchte, etwas Nützliches aus mir herauszubringen. «Was hat Euch die Hexe Ælfadell gesagt?», fragte er.

«Dass der Sachse Wessex zerstören wird, die Dänen siegen und Wessex nicht weiterbesteht.»

Alle drei erstarrten bei diesen Worten. Sie mochten Christen sein, und bedeutende Christen noch dazu, aber sie waren nicht gefeit gegen die Macht der wahren Götter und ihre Magie. Sie fürchteten sich, allerdings bekreuzigte sich keiner von ihnen, denn das zu tun, wäre das Eingeständnis gewesen, dass die heidnischen Propheten möglicherweise Zugang zur Wahrheit hatten, und das wollten sie voreinander leugnen. «Und wer ist der Sachse?», kam es böse von Asser.

«Um dem König das zu erzählen», sagte ich, «bin ich nach Wintanceaster gekommen.»

«Also sagt es uns», forderte mich Plegmund auf.

«Ich sage es dem König», erwiderte ich.

«Schlange!», fauchte Asser. «Ein Dieb in der Nacht, das seid Ihr! Der Sachse, der Wessex zerstören wird, seid Ihr!»

Ich spuckte aus, um meine Verachtung zu zeigen, aber die Spucke flog nicht bis zum Tisch.

«Ihr», sagte Erkenwald erschöpft, «seid wegen einer Frau hierhergekommen.»

«Ehebrecher!», schnappte Asser.

«Das ist die einzige Erklärung für Eure Anwesenheit hier», sagte Erkenwald. Dann sah er den Bischof an. *«Sicut canis qui revertitur ad vomitum suum.»*

«Sic inprudens qui iterat stultitiam suam», psalmodierte der Erzbischof.

Einen Moment lang dachte ich, sie würden mich verfluchen, aber der kleine Bischof Asser konnte der Versuchung nicht widerstehen, sein Wissen vorzuführen, indem er mich mit einer Übersetzung versorgte. «Wie der Hund sein Gespeites wieder frisst, also ist der Narr, der seine Narrheit wieder treibt.»

«Das Wort Gottes», sagte Erkenwald.

«Und wir müssen entscheiden, was wir mit Euch tun sollen», sagte Plegmund, und bei diesen Worten rückten Godrics Männer etwas näher. Ich war mir ihrer Speere hinter meinem Rücken bewusst. Ein Holzscheit barst im Feuer und sprühte Funken auf die Binsenstreu des Bodens, die zu rauchen begann. Normalerweise wäre sofort ein Diener oder einer der Soldaten herbeigesprungen, um das winzige Feuer auszutreten, doch niemand rührte sich. Sie wollten mich tot sehen. «Wie uns bewiesen wurde», brach Plegmund das Schweigen, «habt Ihr mit den Feinden unseres Königs verkehrt, habt mit ihnen paktiert, habt ihr Brot gegessen und ihr Salz genommen. Schlimmer noch, Ihr habt zugegeben, den heiligen Abt Deorlaf und zwei seiner Mitbrüder niedergemetzelt zu haben …»

«Der heilige Abt Deorlaf», unterbrach ich ihn, «war mit

der Hexe Ælfadell im Bund, und der heilige Abt Deorlaf wollte mich töten. Was hätte ich tun sollen? Ihm die andere Wange hinhalten?»

«Schweigt!», sagte Plegmund.

Ich machte zwei Schritte vorwärts und trat die brennende Binsenspreu mit dem Stiefel aus. Einer von Godrics Soldaten, der dachte, ich würde die Geistlichen angreifen, hatte seinen Speer gehoben, und ich drehte mich um und sah ihn an. Sah ihn einfach nur an. Er errötete und langsam, ganz langsam, senkte sich der Speer. «Ich habe gegen die Feinde eures Königs gekämpft», sagte ich, ohne den Speermann aus den Augen zu lassen, aber dann drehte ich mich wieder zu Plegmund um, «wie Bischof Erkenwald sehr wohl weiß. Während sich andere Männer hinter die Wälle der Wehrstädte geduckt haben, führte ich die Armee Eures Königs an. Ich habe im Schildwall gestanden. Ich habe die Widersacher niedergemacht, den Boden mit dem Blut Eurer Feinde getränkt, ich habe die Schiffe verbrannt, ich habe die Festung bei Beamfleot erobert.»

«Und Ihr tragt den Hammer!» Assers Stimme war schrill. Mit bebendem Finger deutete er auf mein Amulett. «Es ist das Symbol unserer Gegner, das Zeichen derer, die unseren Herrn Jesus erneut martern würden, und Ihr tragt es sogar am Hof unseres Königs!»

«Was hat Eure Mutter getan?», fragte ich. «Gefurzt wie eine Mähre? Und damit wart Ihr auf einmal da?»

«Das genügt», sagte Plegmund matt.

Es war nicht schwer zu erraten, wer ihnen das Gift ins Ohr geträufelt hatte. Mein Cousin Æthelred. Seinem Titel nach war er der Herr von Mercien, und es gab in diesem Land keine andere Stellung, die einem Königsthron näher kam, allerdings wusste jedermann, dass Æthelred nichts weiter war als ein Hündchen, das von Westsachsen an der kurzen Leine gehalten wurde. Diese Leine wollte er kappen, und wenn Alfred starb, würde er zweifellos die Krone verlangen. Und eine neue Frau, denn die alte war Æthelflæd, die ihm zu der Leine auch noch Hörner aufgesetzt hatte. Ein gehörntes Hündchen, das an der kurzen Leine gehalten wurde, wollte Rache, und es wollte meinen Tod. Denn Æthelred wusste, dass es in Mercien allzu viele Männer gab, die eher mir als ihm Gefolgschaft leisten würden.

«Es ist unsere Pflicht, über Euer Schicksal zu entscheiden», sagte Plegmund.

«Das tun die Nornen», sagte ich, «an der Wurzel des Weltenbaumes Yggdrasil.»

«Heide», zischte Asser.

«Das Königreich muss geschützt werden», fuhr der Erzbischof fort, ohne uns beide zu beachten, «es muss einen Schild des Glaubens und ein Schwert der Rechtschaffenheit haben, und im Reiche Gottes ist kein Platz für einen Mann ohne Glauben, einen Mann, der sich jeden Augenblick gegen uns wenden könnte. Uhtred von Bebbanburg, ich muss Euch sagen …»

Doch was immer er mir auch sagen wollte, blieb unausgesprochen, weil knarrend die Tür des Palas geöffnet wurde. «Der König will ihn sehen», sagte eine vertraute Stimme.

Ich drehte mich um und sah Steapa an der Tür stehen. Der gute Steapa, der Befehlshaber über Alfreds Haustruppen, ein Bauernsklave, der zu einem großen Krieger aufgestiegen war, ein Mann, der nicht viel mehr Verstand hatte als ein Fass Lehm, aber stark war wie ein Ochse, ein Freund, und ein so wahrhaftiger Mensch, wie ich kaum je einen gekannt habe. «Der König», sagte er auf seine schwerfällig Art.

«Aber ...», begann Plegmund.

«Der König will mich sehen, krummzahniger Bastard», sagte ich zu ihm, und dann sah ich den Speermann an, der mich bedroht hatte. «Wenn du jemals wieder eine Klinge gegen mich erhebst», versprach ich ihm, «schlitze ich dir den Bauch auf und verfüttere deine Eingeweide an meine Hunde.»

Die Nornen lachten sich vermutlich ins Fäustchen, und ich ging zum König.

ZWEITER TEIL

Tod eines Königs

SECHS

Alfred lag, in Wolldecken gehüllt, halb aufrecht an ein gro-ßes Kissen gelehnt. Osferth saß am Bett, sein Vater hielt seine Hand. Die andere Hand des Königs lag auf einem ju-welenbesetzten Buch, das ich für ein Evangeliar hielt. Vor dem Zimmer, in einem langen Durchgang, intonierten Bruder John und vier Mitglieder seines Chors einen Trau-ergesang. Im Zimmer stank es, trotz der Kräuter, die auf den Boden gestreut worden waren, und der dicken Kerzen, die auf hohen, hölzernen Haltern brannten. Einige von ih-nen gehörten zu Alfreds hochgeschätzten Uhrenkerzen, ihre Streifen machten die vergehenden Stunden sichtbar, während dem König langsam sein Leben entwich. Zwei Priester lehnten an einer der Wände von Alfreds Kammer, während ihnen gegenüber ein großes Lederbild die Kreu-zigung zeigte.

Steapa schob mich in den Raum und zog hinter mir die Tür zu.

Alfred sah aus, als wäre er schon gestorben. Und wahr-haftig, ich hätte ihn beinahe für eine Leiche gehalten, wenn er nicht seine Hand über der Hand von Osferth bewegt hät-te, dem die Tränen über die Wangen strömten. Das läng-liche Gesicht des Königs war fahl wie ein Schafspelz, mit eingesunkenen Augen, eingesunkenen Wangen und dunk-len Schatten. Sein Haar war dünn und weiß geworden. Sein Zahnfleisch hatte sich von den letzten Zähnen zurückgezo-gen, die ihm noch geblieben waren, an seinem unrasier-ten Kinn klebte angetrockneter Speichel, die Hand auf dem

Buch bestand nur noch aus Haut und Knochen, und an ihr schimmerte ein mächtiger Rubinring, der für den skelettartigen Finger viel zu groß geworden war. Sein Atem ging flach, doch seine Stimme war bemerkenswert kräftig. «Sehet, das Schwert der Sachsen», grüßte er mich.

«Und ich sehe, dass Euer Sohn eine lose Zunge hat, mein Herr König», sagte ich. Dann ließ ich mich auf ein Knie hinab, bis er mich mit schwacher Geste dazu aufforderte, mich zu erheben.

Er blickte von seinem Kissen zu mir empor, und ich sah ihn an, und die Mönche sangen hinter der Tür, und eine Kerze flackerte, und von ihrem Docht stieg eine dicke Rauchspirale auf. «Ich sterbe, Herr Uhtred», sagte Alfred.

«Ja, Herr.»

«Und du siehst aus, als wärst du gesund wie ein Ochse», sagte er mit einer Grimasse, die ein Lächeln sein sollte. «Du hattest schon immer die Gabe, mich zu verdrießen, nicht wahr? Es ist nicht rücksichtsvoll, vor einem sterbenden König so gesund auszusehen, aber ich freue mich für dich.» Seine linke Hand fuhr über das Evangeliar. «Erzähl mir, was geschehen wird, wenn ich tot bin», befahl er mir.

«Euer Sohn Edward wird regieren, Herr.»

Er blickte mich an, und ich sah die Klugheit in den eingesunkenen Augen. «Erzähl mir nicht, was ich deiner Meinung nach hören will», sagte er mit einem Hauch seiner alten Schroffheit, «sondern was du selbst glaubst.»

«Euer Sohn wird regieren, Herr», wiederholte ich.

Er nickte langsam. «Er ist ein guter Sohn», sagte Alfred, beinahe als versuchte er, sich selbst davon zu überzeugen.

«Er hat bei Beamfleot gut gekämpft. Ihr wärt stolz auf ihn gewesen, Herr.»

Erschöpft nickte Alfred noch einmal. «So vieles wird

von einem König erwartet», sagte er. «In der Schlacht muss er tapfer sein, in der Ratsversammlung weise und gerecht in seinem Urteil.»

«Dies alles wart Ihr, Herr», sagte ich, und damit schmeichelte ich ihm nicht, sondern sprach die Wahrheit.

«Ich habe mich bemüht», sagte er. «Gott weiß, wie sehr ich mich bemüht habe.» Er schloss die Augen und schwieg so lange, dass ich mich fragte, ob er eingeschlafen war und ich gehen sollte, doch dann schlug er die Augen wieder auf und sah zu der rauchgeschwärzten Zimmerdecke empor. Irgendwo im Palast kläffte durchdringend ein Hund und brach dann unvermittelt ab. Alfred runzelte gedankenvoll die Stirn, dann wandte er den Kopf, um mich anzusehen. «Du hast vergangenen Sommer einige Zeit mit Edward verbracht», sagte er.

«Das habe ich, Herr.»

«Ist er klug?»

«Er ist schlau, Herr», sagte ich.

«Viele Menschen sind schlau, Herr Uhtred, aber nur wenige sind klug.»

«Der Mensch wird durch Erfahrung klug, Herr», sagte ich.

«Einige schon», gab Alfred spitz zurück. «Aber wird Edward klug werden?» Ich zuckte mit den Schultern, denn diese Frage konnte ich nicht beantworten. «Ich habe Sorge», sagte Alfred, «dass er sich von seinen Leidenschaften beherrschen lassen wird.»

Ich streifte Osferth mit einem Blick. «Wie Eure einst Euch beherrscht haben, Herr.»

«*Omnes enim peccaverunt*», sagte Alfred leise.

«Alle haben gesündigt», übersetzte Osferth und erntete ein Lächeln seines Vaters.

«Sein Eigensinn beunruhigt mich», sagte Alfred und meinte wieder Edward. Ich war überrascht, dass er so offen über seinen Erben sprach, aber es verstand sich, dass es nur noch diese eine Sache war, die ihm in seinen letzten Tagen auf der Seele lag. Alfred hatte sein ganzes Leben der Sicherung von Wessex gewidmet, und er suchte verzweifelt nach einer Bestätigung, dass seine Erfolge nicht allesamt von seinem Nachfolger zunichte gemacht werden würden, und diese Sorge war so groß, dass er nicht von diesem Thema ablassen konnte. So sehr wollte er diese Bestätigung.

«Ihr habt ihm gute Berater zur Seite gestellt, Herr», sagte ich, nicht weil ich es glaubte, sondern weil er es hören wollte. Viele Männer aus dem Witan waren in der Tat gute Berater, aber es gab zu viele Kirchenvertreter wie Plegmund, dessen Vorschlägen ich niemals trauen würde.

«Und ein König kann jeden Rat ablehnen», sagte Alfred, «denn am Ende ist es immer die Entscheidung des Königs, es ist die Verantwortung des Königs, und es ist der König, der klug oder töricht ist. Und wenn der König töricht ist, was wird dann mit dem Königreich geschehen?»

«Ihr sorgt Euch, Herr», sagte ich, «weil Edward getan hat, was alle jungen Männer tun.»

«Er ist nicht wie andere junge Männer», sagte Alfred ernst, «er wurde für ein Leben mit Vorrechten und Pflichten geboren.»

«Und das Lächeln eines Mädchens», sagte ich, «kann das Pflichtbewusstsein schneller untergraben als eine Flamme das Eis schmelzen lässt.»

Er starrte mich an. «Also weißt du es?», sagte er nach längerem Schweigen.

«Ja, Herr, ich weiß es.»

Alfred seufzte. «Er sagt, es war Leidenschaft, es war Liebe. Aber Könige heiraten nicht aus Liebe, Herr Uthred, sie heiraten, um ihr Königreich abzusichern. Und sie war unpassend», sagte er fest, «sie war dreist! Sie war schamlos!»

«Dann wünschte ich, dass ich sie kennengelernt hätte, Herr», sagte ich, und Alfred lachte, doch das Lachen bereitete ihm Schmerzen und verwandelte sich in ein Stöhnen. Osferth wusste nicht, worüber wir sprachen, und ich gab ihm mit einem beinahe unmerklichen Kopfschütteln zu verstehen, dass er nicht fragen solle, und dann dachte ich an die Worte, die Alfred die Bestätigung geben würden, die er haben wollte. «Bei Beamfleot, Herr», sagte ich, «stand ich neben Edward in einem Schildwall, und in einem Schildwall kann kein Mann sein Wesen verbergen, und ich habe erkannt, dass Euer Sohn ein guter Mann ist. Ich verspreche Euch, er ist ein Mann, auf den man stolz sein kann», ich zögerte, dann nickte ich zu Osferth hinüber, «wie all Eure Söhne.»

Ich sah, dass sich die Hand des Königs fester um Osferths Finger schloss. «Osferth ist ein guter Mann», sagte Alfred, «und ich bin stolz auf ihn.» Er tätschelte seinem Bastardsohn die Hand und ließ seinen Blick dann wieder zu mir wandern. «Und was wird noch geschehen?», fragte er.

«Æthelwold wird versuchen, den Thron an sich zu reißen», sagte ich.

«Er schwört, es nicht zu tun.»

«Er schwört recht leichtherzig, Herr. Ihr hättet ihm schon vor zwanzig Jahren die Kehle durchschneiden sollen.»

«Die Leute sagen das Gleiche über dich, Herr Uhtred.»

«Vielleicht hättet Ihr den Rat dieser Leute ja befolgen sollen, Herr.»

Die Andeutung eines Lächelns lag auf seinen Lippen.

«Æthelwold ist ein jämmerlicher Tropf», sagte er, «ohne Selbstbeherrschung und ohne Verstand. Er ist keine Gefahr, nur eine Mahnung an die Fehlbarkeit des Menschen.»

«Er hat mit Sigurd gesprochen», sagte ich, «und er hat Unzufriedenheit unter den Verbündeten sowohl in Cent als auch in Mercien gesät. Deshalb bin ich nach Wintanceaster gekommen, Herr, um Euch davor zu warnen.»

Alfred sah mich lange an, dann seufzte er. «Er hat immer davon geträumt, König zu werden», sagte er.

«Es ist an der Zeit, ihn mitsamt seinem Traum aus dem Weg zu räumen, Herr», sagte ich entschlossen. «Sagt nur ein Wort, und ich befreie Euch von ihm.»

Alfred schüttelte den Kopf. «Er ist der Sohn meines Bruders», sagte er, «und ein schwacher Mensch. Ich will nicht das Blut meiner Familie an den Händen haben, wenn ich vor Gottes Richterstuhl trete.»

«Also lasst Ihr ihn am Leben?»

«Er ist zu schwach, um gefährlich zu werden. Niemand in Wessex wird ihn unterstützen.»

«Das würden in der Tat nur wenige tun, Herr», sagte ich, «deshalb wird er zurück zu Sigurd und Cnut gehen. Sie werden zuerst in Mercien einfallen und dann in Wessex. Es wird Kämpfe geben.» Ich zögerte. «Und bei diesen Kämpfen, Herr, werden Cnut, Sigurd und Æthelwold sterben, aber Edward und Wessex werden sicher sein.»

Er überdachte diese wenig überzeugende Behauptung, dann seufzte er wieder. «Und Mercien? Nicht jeder Mann in Mercien liebt Wessex.»

«Die mercischen Führer müssen sich für eine Seite entscheiden, Herr», sagte ich. «Wer Wessex unterstützt, wird auf der Seite der Gewinner sein, und die anderen werden tot sein. Mercien wird von Edward regiert werden.»

Ich hatte ihm erzählt, was er hören wollte, aber auch, was ich glaubte. Es war eigentümlich. Ælfadells Prophezeiungen hatten mich verwirrt, doch wenn ich selbst aufgefordert wurde, die Zukunft vorherzusagen, zögerte ich keinen Moment.

«Wie kannst du so sicher sein?», fragte Alfred. «Hast du das alles von der Hexe Ælfadell gehört?»

«Nein, Herr. Sie hat mir das Gegenteil erzählt, aber das war nur, was ihr Jarl Cnut aufgetragen hatte.»

«Die Gabe der Prophetie», sagte Alfred streng, «wird keinem Heiden verliehen.»

«Und doch fordert Ihr mich auf, die Zukunft vorherzusagen, Herr?», fragte ich mutwillig und wurde mit einer weiteren Grimasse belohnt, die ein Lächeln sein sollte.

«Wie also kannst du sicher sein?», fragte Alfred erneut.

«Wir haben gelernt, wie man gegen die Nordmänner kämpfen muss, Herr», sagte ich, «und sie haben nicht gelernt, wie man gegen uns kämpft. Wenn man Wehrstädte hat, liegen alle Vorteile bei den Verteidigern. Sie werden angreifen, wir werden uns verteidigen, sie werden verlieren, wir werden siegen.»

«Bei dir hört sich das so einfach an», sagte Alfred.

«Zu kämpfen ist einfach, Herr, vielleicht bin ich deshalb so gut darin», gab ich zurück.

«Ich habe mich in dir getäuscht, Herr Uhtred.»

«Nein, Herr.»

«Nein?»

«Ich liebe die Dänen, Herr.»

«Und doch bist du das Schwert der Sachsen?»

«Wyrd bið ful āræd, Herr», sagte ich.

Er schloss erneut die Augen. Er lag so still da, dass ich ein paar Momente lang glaubte, er würde sterben, doch dann öffnete er die Augen wieder und blickte wie zuvor stirnrunzelnd zu den rauchgeschwärzten Deckenbalken empor. Er versuchte, ein Stöhnen zu unterdrücken, doch es schlüpfte ihm über die Lippen, und ich sah den Schmerz über sein Gesicht ziehen. «Es ist so schwer», sagte er.

«Es gibt Tränke, die gegen die Schmerzen helfen, Herr», sagte ich hilflos.

Langsam schüttelte er den Kopf. «Nicht die Schmerzen, Herr Uhtred. Wir sind zum Leiden geboren. Nein, das Schicksal ist schwer zu verstehen. Ist alles vorherbestimmt? Das Vorauswissen ist kein Schicksal, also können wir selbst unseren Weg wählen, und doch sagt das Schicksal, dass wir unseren Weg nicht selbst wählen können. Wenn es das Schicksal wirklich gibt, haben wir dann überhaupt eine Wahl?» Ich sagte nichts, ließ ihn dieses unlösbare Problem allein überdenken. Er sah mich an. «Was würdest du dir für ein Schicksal wünschen?», fragte er.

«Ich würde Bebbanburg zurückerobern, Herr, und wenn ich auf dem Sterbebett liege, will ich, dass es im Palas von Bebbanburg steht und mir das Rauschen des Meeres im Ohr klingt.»

«Und mir klingt Bruder John in den Ohren», sagte Alfred erheitert. «Er sagt ihnen, sie sollen ihre Münder aufreißen wie hungrige Vögelein, und sie tun es.» Er legte seine Rechte wieder über Osferths Hand. «Und mich betrachtet man hier auch als hungriges Vogelküken. Sie füttern mich mit dünner Schleimsuppe, Herr Uhtred, und bestehen darauf, dass ich esse, aber ich will nichts essen.» Er seufzte. «Mein Sohn», er meinte Osferth, «erzählt mir, du wärst ein armer Mann. Warum? Hast du nicht in Dunholm ein Vermögen erbeutet?»

«Das habe ich, Herr.»

«Hast du es vergeudet?»

«Ja, ich habe es vergeudet, nämlich in Euren Diensten, Herr, für Männer, Rüstungen und Waffen. Für die Bewachung der mercischen Grenze. Für die Ausstattung einer Armee, um Haesten zu schlagen.»

«*Nervi bellorum pecuniae*», sagte Alfred.

«Aus Eurer Heiligen Schrift, Herr?»

«Von einem weisen Römer, Uhtred, der gesagt hat, Geld ist die Stärke des Krieges.»

«Er wusste, wovon er spricht, Herr.»

Alfred schloss die Augen, und wieder sah ich ihn vor Schmerzen das Gesicht verziehen. Er presste den Mund zusammen, um ein Stöhnen zu unterdrücken. Der Geruch im Zimmer wurde noch übler. «In meinem Bauch ist eine Geschwulst», sagte er, «wie ein Stein.» Er hielt inne und versuchte erneut, ein Stöhnen zu ersticken. Eine einzelne Träne stahl sich aus seinem Auge. «Ich betrachte die Uhrenkerzen», sagte er, «und ich frage mich, wie viele Streifen ich wohl noch schmelzen sehe.» Er zögerte. «Ich messe meine Lebenszeit in Fingerbreit ab. Morgen kommst du wieder, Herr Uhtred.»

«Ja, Herr.»

«Ich habe meinem», er unterbrach sich, dann tätschelte er Osferth die Hand, «meinem Sohn einen Auftrag gegeben.» Er schlug die Augen auf und sah mich an. «Mein Sohn ist beauftragt, dich zum wahren Glauben zu bekehren.»

«Ja, Herr», sagte ich, weil ich nichts anderes zu sagen wusste. Über Osferths Wangen liefen Tränen.

Alfred sah zu dem großen Lederbild hinüber, das die Kreuzigung zeigte. «Fällt dir an diesem Gemälde irgendetwas Seltsames auf?», fragte er mich.

Ich starrte das Bild an. Jesus hing am Kreuz, blutüberströmt, die angespannten Sehnen seiner Arme hoben sich gegen den dunklen Himmel ab. «Nein, Herr», sagte ich.

«Er stirbt», sagte Alfred. Das war offenkundig, also schwieg ich. «Auf jeder anderen Darstellung, die ich vom Tode Unseres Heilands gesehen habe», fuhr der König fort, «hängt er lächelnd am Kreuz, aber nicht auf diesem. Auf diesem Bild lässt er den Kopf hängen, er leidet Schmerzen.»

«Ja, Herr.»

«Erzbischof Plegmund hat den Maler dafür gerügt», sagte Alfred, «weil er glaubt, Unser Heiland habe den Schmerz besiegt und deshalb sein Ende mit einem Lächeln erwartet, aber mir gefällt das Bild. Er erinnert mich daran, dass mein Schmerz nichts ist im Vergleich zu Seinem.»

«Ich wünschte, Ihr hättet keine Schmerzen, Herr», sagte ich schwerfällig.

Er beachtete meine Worte nicht. Immer noch betrachtete er den gequälten Jesus, dann verzog er das Gesicht. «Er hat eine Dornenkrone getragen», sagte er nachdenklich. «Viele Männer wollen König sein», fuhr er fort, «aber jede Krone hat Dornen. Ich habe Edward erklärt, dass es schwer ist, die Krone zu tragen, sehr schwer. Noch eine letzte Sache», er wandte den Blick von dem Gemälde ab und hob seine linke Hand, und ich sah, welche Anstrengung es ihn kostete, diese abgemagerte Hand von dem Evangeliar zu heben. «Ich möchte, dass du Edward den Treueid leistest. Dann kann ich in dem Wissen sterben, dass du für uns kämpfen wirst.»

«Ich werde für Wessex kämpfen», sagte ich.

«Der Eid», gab er streng zurück.

«Und ich werde einen Eid leisten», sagte ich. Er starrte mich mit seinem gewitzten Blick an.

«Auf meine Tochter?», fragte er, und ich sah Osferth erstarren.

«Auf Eure Tochter, Herr», stimmte ich zu.

Ein Schauer schien ihn zu überlaufen. «Nach meinen Gesetzen, Herr Uhtred, ist Ehebruch nicht nur eine Sünde, sondern ein Verbrechen.»

«Damit macht ihr die gesamte Menschheit zu Verbrechern, Herr.»

Darüber musste er beinahe lächeln. «Ich liebe Æthelflæd», sagte er, «sie war immer das lebhafteste meiner Kinder, aber nicht das gehorsamste.» Seine Hand sank auf das Evangeliar zurück. «Lass mich jetzt allein, Herr Uhtred. Komm morgen wieder.»

Wenn er dann noch lebt, dachte ich. Ich beugte das Knie vor ihm, dann verließen Osferth und ich den Raum. Schweigend gingen wir zu einem Innenhof, in dem die letzten Sommerrosen ihre Blütenblätter auf das feuchte Gras gestreut hatten. Wir setzten uns auf eine Steinbank und lauschten auf die traurigen Gesänge, die aus dem Durchgang hallten. «Der Erzbischof will meinen Tod», sagte ich.

«Ich weiß», sagte Osferth, «deshalb bin ich zu meinem Vater gegangen.»

«Es überrascht mich, dass sie dich vorgelassen haben.»

«Ich musste mich mit den Priestern anlegen, die ihn behüten», sagte er mit einem schiefen Lächeln, «aber er hat den Streit gehört.»

«Und dich hereingerufen?»

«Er hat einen Priester geschickt, um mich zu sich holen.»

«Und du hast ihm erzählt, was sie vorhatten?»

«Ja, Herr.»

«Danke», sagte ich. «Und hast du deinen Frieden mit Alfred gemacht?»

Osferths Blick richtete sich in eine unbestimmte Ferne. «Er hat gesagt, Herr, es tue ihm leid, dass ich bin, was ich bin, und dass es sein Fehler war, und dass er im Himmel ein Wort für mich einlegen wird.»

«Das freut mich», sagte ich, nicht sicher, was ich auf solchen Unsinn erwidern sollte.

«Und ich habe ihm erklärt, Herr, dass Edward Euch brauchen wird, wenn er an die Regentschaft kommt.»

«Edward wird regieren», sagte ich, dann erzählte ich ihm von Ecgwynn und den beiden Säuglingen, die in dem Nonnenkloster versteckt worden waren. «Edward hat nur getan, was sein Vater auch getan hat», fuhr ich fort, «aber es wird Schwierigkeiten verursachen.»

«Schwierigkeiten?»

«Sind die Kinder legitim?», fragte ich. «Alfred sagt nein, aber wenn er stirbt, kann Edward etwas anderes erklären.»

«O Gott», sagte Osferth, als er die Probleme erkannte, die in der Zukunft drohten.

«Was sie natürlich tun sollten», sagte ich, «ist, die kleinen Bastarde zu erwürgen.»

«Herr!», sagte Osferth entsetzt.

«Aber das werden sie nicht. Deine Familie war nie skrupellos genug.»

Der Regen war stärker geworden, die Tropfen trommelten auf die Ziegel und die Strohdächer des Palasts. Es war kein Mond zu sehen, und keine Sterne, nur Wolken in der Dunkelheit und die Regenschwaden, und um den eingerüsteten Turm von Alfreds großer, neuer Kirche ging seufzend der Wind. Ich machte mich auf den Weg zu Sankt

Hedda. Die Wachen waren verschwunden, die Gasse finster, und ich schlug an die Tür des Klosters, bis mich jemand hörte.

Am nächsten Tag waren der König und sein Bett in den größeren Saal geschafft worden, in dem Plegmund und seine Genossen mich hatten verurteilen wollen. Die Krone lag auf dem Bett, ihre funkelnden Smaragde spiegelten das Feuer wider, das den hohen Raum mit Rauch und Wärme erfüllte. In dem Gemach herrschte Gedränge, es stank nach Männern und dem dahinsiechenden König. Bischof Asser war da, ebenso wie Erkenwald, der Erzbischof hingegen hatte offenkundig Pflichten gefunden, die ihn daran hinderten, beim König zu sein. Es waren auch ungefähr zwei Dutzend westsächsischer Herren da. Einer von ihnen war Æthelhelm, dessen Tochter Edward heiraten sollte. Ich mochte Æthelhelm. Er stand nahe bei Ælswith, Alfreds Frau, die nicht wusste, über was sie sich mehr ärgern sollte, über meine Existenz oder über die merkwürdige Tatsache, dass Wessex den Rang einer Königin nicht anerkannte. Sie betrachtete mich mit unheilvollen Blicken, ihre Kinder an ihrer Seite. Æthelflæd war mit neunundzwanzig Jahren das älteste, dann kam ihr Bruder Edward, dann Æthelgifu und schließlich Æthelweard, der gerade sechzehn geworden war. Ælfthryth, Alfreds dritte Tochter, war nicht da, weil man sie jenseits des Meeres mit einem König im Frankenreich verheiratet hatte. Steapa aber war da, ragte hoch über meinem guten alten Freund Pater Beocca auf, der nun gebeugt und weißhaarig war. Bruder John und seine Mönche sangen im Hintergrund. Nicht alle aus seinem Chor waren richtige Mönche, ein paar waren noch Knaben, angetan mit weißen Leinengewändern, und mit einem Schreck, der mir in jedes Glied fuhr, erkannte ich meinen Sohn Uhtred als einen von ihnen.

Ich war, das gebe ich zu, ein schlechter Vater. Ich liebte meine beiden jüngsten Kinder, aber mein Ältester, der nach der Familientradition meinen Namen bekommen hatte, war mir rätselhaft. Statt die Schwertkunst und den Gebrauch des Speers erlernen zu wollen, war er ein Christ geworden. Ein Christ! Und er sang mit den anderen Knaben aus dem Kathedralchor wie ein Vögelein. Ich starrte ihn böse an, aber er wich meinem Blick entschlossen aus.

Ich gesellte mich zu den Aldermännern, die an einer Seite des Palas standen. Sie bildeten, gemeinsam mit den älteren Kirchenmännern, die Ratsversammlung des Königs, den Witan, und sie hatten verschiedene Angelegenheiten zu regeln, wenn auch keiner von ihnen große Begeisterung dafür an den Tag legte. Einem Kloster wurden Ländereien verliehen, und den Maurern, die an Alfreds neuer Kirche bauten, Lohnzahlungen bewilligt. Einem Mann, der es versäumt hatte, sein Bußgeld für einen Totschlag zu entrichten, wurde vergeben, weil er mit Weohstans Einheit gute Dienste bei der Schlacht von Beamfleot geleistet hatte. Einige der Männer sahen mich an, als dieser Sieg erwähnt wurde, aber keiner fragte, ob ich mich an den Mann erinnerte. Der König beteiligte sich kaum an den Entscheidungen, er hob nur schwach die Hand, um seine Zustimmung deutlich zu machen.

Während all dessen stand ein Amtmann hinter einem Pult und verfertigte ein Manuskript. Zuerst dachte ich, er würde einen Bericht von der Ratssitzung abfassen, doch dafür waren offenkundig schon zwei andere Schreiber zuständig, wohingegen der Mann hinter dem Pult von einem weiteren Dokument abschrieb. Er schien sich der Blicke aller Anwesenden sehr bewusst, und sein Gesicht war gerötet, aber das mochte auch von der Hitze des Feuers kommen. Bischof Asser schaute mürrisch vor sich hin, und Ælswith sah aus, als hätte sie mich am liebsten umgebracht vor Ärger, Pater Beocca aber lächelte. Nickend sah er mich an, und ich zwinkerte ihm zu. Æthelflæd fing meinen Blick auf und lächelte mich so mutwillig an, dass ich hoffte, ihr Vater habe es nicht mitbekommen. Ihr Ehemann stand nicht weit von ihr, und genau wie mein Sohn vermied er es eifrig, mich anzusehen. Dann entdeckte ich zu meinem Erstaunen Æthelwold am anderen Ende des Saales. Er sah mich herausfordernd an, konnte aber meinem starren Blick nicht standhalten und neigte sich stattdessen zum Gespräch mit einem Begleiter, den ich nicht kannte.

Ein Mann trug die Beschwerde vor, sein Nachbar, Aldermann Æthelnoth, habe Felder in Besitz genommen, die ihm nicht gehörten. Der König unterbrach ihn und flüsterte Bischof Asser etwas zu, der daraufhin das Urteil des Königs verkündete. «Wirst du einer Schlichtung durch Abt Osburh zustimmen?», fragte er den Mann.

«Das werde ich.»

«Und Ihr, Herr Æthelnoth?»

«Mit Freuden.»

«Dann ist der Abt hiermit beauftragt, die Grundstücksgrenzen den entsprechenden Schriftsätzen gemäß festzustellen», sagte Asser, und die Schreiber kratzten seine Worte aufs Pergament, und der Rat ging zum nächsten Streitfall über, und ich sah Alfred erschöpft zu dem Mann hinüberblicken, der an dem Pult das Dokument kopierte. Gerade hatte der Mann seine Aufgabe abgeschlossen, denn er streute Sand über das Pergament, wartete ein paar Herzschläge lang ab und blies den Sand dann ins Feuer. Er faltete das Pergament und schrieb etwas auf die gefaltete Seite, dann streute er wieder Sand über die Schrift und blies ihn weg. Ein zweiter Schreiber brachte eine Kerze, Wachs und ein Siegel herbei. Das Dokument wurde zum Bett des Königs gebracht, Alfred setzte mit großer Anstrengung seinen Namen darunter und winkte dann Bischof Erkenwald und Pater Beocca heran, damit sie ihre Unterschrift als Zeugen dessen hinzufügten, was immer er auch gerade abgezeichnet haben mochte.

Als dies getan war, breitete sich unter den Ratsleuten Schweigen aus. Ich vermutete, dass es sich bei dem Dokument um das Testament des Königs handelte, doch als das große Siegel in das Wachs gedrückt worden war, winkte mich der König zu sich.

Ich ging an sein Bett und kniete mich daneben. «Ich habe zu meinem Andenken kleine Schenkungen bewilligt», sagte Alfred.

«Ihr wart von jeher sehr großzügig, Herr König», log ich, aber was soll man zu einem sterbenden Mann sagen?

«Das ist für dich», sagte er, und ich hörte Ælswith scharf einatmen, als ich das eben fertiggestellte Dokument aus der schwachen Hand ihres Ehemannes entgegennahm. «Lies es», sagte er, «du kannst doch noch lesen?»

«Pater Beocca hat es mich gut gelehrt», sagte ich.

«Pater Beocca macht alles gut», sagte der König, dann stöhnte er vor Schmerz auf, und sogleich hastete ein Mönch an seine Seite und hielt ihm einen Becher an den Mund.

Der König nippte daran, und ich las. Es war eine Urkunde. Der Amtmann hatte das meiste abgeschrieben, denn eine Urkunde gleicht der anderen, aber diese nahm mir den Atem. Sie verlieh mir Land, und es waren keine Bedingungen daran geknüpft, wie es Alfred früher einmal getan hatte, als er mir einen Besitz in Fifhaden überschrieb. Stattdessen wurde mir das Land einfach so übertragen, mir und meinen Erben oder wem auch immer ich es einmal schenken wollte, und die Urkunde beschrieb bis ins Kleinste die Grenzen der Ländereien, und die Länge der Beschreibung sagte mir, dass es eine ausgedehnte Besitzung war. Es gab einen Fluss und Obstgärten und Weiden und Dörfer und einen Palas in einem Ort namens Fagranforda, und alles lag in Mercien. «Das Land hat meinem Vater gehört», sagte Alfred.

Ich wusste nicht, was ich sagen sollte, konnte nur meinen Dank ausdrücken.

Die kraftlose Hand streckte sich zu mir, und ich ergriff sie. Ich küsste den Rubin. «Du weißt, was ich will», sagte Alfred. Ich hielt meinen Kopf über seine Hand gebeugt. «Das Land wird dir umsonst gegeben», sagte er, «und es wird dich reich machen, sehr reich.»

«Herr König», sagte ich, und meine Stimme schwankte.

Seine schwachen Finger schlossen sich fester um meine Hand. «Gib mir etwas als Gegenleistung dafür, Uhtred», sagte er, «gib mir meinen Seelenfrieden, bevor ich sterbe.»

Und so tat ich, was er wollte, und was ich nicht wollte, aber er starb, und am Ende war er großzügig gewesen, und wie könnte man etwas einem Mann abschlagen, der nur noch wenige Tage zu leben hat? Also ging ich zu Edward, kniete vor ihm nieder, legte meine Hände zwischen seine und schwor ihm den Treueid. Und einige im Saal klatschten, und andere verharrten in eisernem Schweigen. Æthelhelm, der leitende Berater des Witans, lächelte, denn ihm war klar, dass ich nun für Wessex kämpfen würde. Mein Cousin Æthelred erschauerte vor Wut, denn ihm wiederum war klar, dass er sich niemals König in Mercien nen

nen konnte, solange ich Edwards Willen erfüllte, während Æthelwold sich gefragt haben muss, ob er jemals Alfreds Thron übernehmen würde, wenn er sich zuvor an Schlangenhauch vorbeikämpfen musste. Edward zog mich auf die Beine und umarmte mich. «Danke», flüsterte er mir zu. Dies war am Mittwoch, dem Wotanstag, im Oktober, dem achten Monat des Jahres, und dieses Jahr war 899.

Der nächste Tag war Thor geweiht. Der Regen ließ nicht nach, wurde in dichten Schwaden herangetrieben, die sich über Wintanceaster ergossen. «Selbst der Himmel vergießt Tränen», erklärte mir Beocca. Auch er weinte. «Der König hat mich um die letzte Ölung gebeten», sagte er, «und ich habe seinen Willen erfüllt, aber meine Hände haben gezittert.» Anscheinend wurden Alfred die Sterbesakramente über den Tag hinweg wiederholt gespendet, so sehr war er darauf aus, einen guten Tod zu sterben, und die Priester und Bischöfe wetteiferten miteinander um die Ehre, den König zu salben und ihm ein Stück trockenes Brot zwischen die Lippen zu schieben. «Bischof Asser wollte ihm das *viaticum* reichen», sagte Beocca, «aber Alfred hat mich dafür holen lassen.»

«Er liebt Euch», sagte ich, «und Ihr habt ihm gut gedient.»

«Ich habe Gott und dem König gedient», sagte Beocca, dann ließ er sich von mir zu einem Platz neben dem Feuer im großen Gastraum der Zwei Kraniche führen. «Er hat heute morgen etwas Weißkäse zu sich genommen», erzählte mir Beocca sorgenvoll, «aber nicht viel. Nur zwei Löffel.»

«Er möchte nicht essen», sagte ich.

«Er muss», gab Beocca zurück. Armer, gütiger Beocca. Er war der Priester und Schreiber meines Vaters gewesen und der Lehrer meiner Kindheitstage, doch als mein Onkel die Herrschaft über Bebbanburg an sich riss, hatte Beocca seine Stellung dort aufgegeben. Er war von niedrigem Stand und mit Geburtsfehlern geschlagen, einem bedauernswerten Schielauge, einer verunstalteten Nase, einer verkrüppelten linken Hand und einem Klumpfuß. Es war mein Großvater, der die Klugheit des Knaben erkannte und ihn von den Mönchen in Lindisfarena erziehen ließ, und Beocca wurde Priester und dann, nach dem Verrat meines Onkels, ein Entwurzelter. Seine Gewitztheit und seine Anhänglichkeit hatten Alfred für ihn eingenommen, und von da an hatte Beocca in seinen Diensten gestanden. Jetzt war er alt, beinahe so alt wie der König, und sein strähniges rotes Haar war weiß geworden, sein Rücken gebeugt, und doch besaß er immer noch seinen scharfen Verstand und seinen starken Willen. Auch er hatte eine dänische Frau, eine wahre Schönheit, und sie war die Schwester meines liebsten Freundes, Ragnar.

«Wie geht es Thyra?», fragte ich ihn.

«Gut, Gott sei es gedankt, und den Jungen auch! Wir sind gesegnet.»

«Ihr werdet bald den Totensegen empfangen, wenn Ihr weiter bei solchem Regen auf den Straßen umherlauft», sagte ich. «Es gibt keinen größeren Narren als einen alten Narren.»

Darüber lachte er, dann erhob er kurz einen machtlosen Widerspruch, als ich darauf bestand, ihm den triefend nassen Umhang abzunehmen und ihm einen trockenen um die Schultern zu legen. «Der König hat mich gebeten, zu dir zu gehen», sagte er.

«Dann hätte der König mich heißen sollen, zu Euch zu kommen», sagte ich.

«So ein verregneter Herbst!», sagte Beocca. «Seit dem

Jahr, in dem Erzbischof Æthelred gestorben ist, habe ich keinen solchen Regen mehr erlebt. Der König weiß nicht, dass es regnet. Der arme Mann. Er kämpft gegen die Schmerzen. Es wird wohl nicht mehr lange dauern.»

«Und er hat Euch zu mir geschickt», erinnerte ich ihn.

«Er bittet dich um einen Gefallen», sagte Beocca mit einem Anflug seiner alten Strenge.

«Sprecht weiter.»

«Fagranforda ist ein weitläufiger Besitz», sagte Beocca, «der König war großzügig.»

«Ich war auch ihm gegenüber großzügig», sagte ich.

Beocca wedelte mit seiner verkrüppelten Hand herum, als wollte er meine Bemerkung vertreiben. «Derzeit gibt es auf dem Besitz vier Kirchen und ein Kloster», fuhr er entschlossen fort, «und der König bittet um deine Versicherung, dass du sie so verwaltest, wie sie verwaltet werden sollten, so, wie es die Gründungsurkunden festlegen und so, wie es deine Pflicht ist.»

Ich lächelte. «Und wenn ich ablehne?»

«O bitte, Uhtred», sagte er erschöpft, «schon mein ganzes Leben lang plage ich mich mit dir herum!»

«Ich werde den Verwalter anweisen, alles zu tun, was notwendig ist», versprach ich.

Er musterte mich mit seinem guten Auge, als wolle er meine Ernsthaftigkeit überprüfen, und anscheinend war er mit dem zufrieden, was er sah. «Der König wird dankbar sein, das zu hören», sagte er.

«Ich dachte, Ihr würdet mich auffordern, Æthelflæd aufzugeben», sagte ich schalkhaft. Es gab nur wenige Menschen, mit denen ich je über Æthelflæd sprach, doch Beocca, der mich kannte, seit ich ein kleines Bürschchen war, gehörte dazu.

Ein Schauder überlief ihn bei meinen Worten. «Ehebruch ist eine schwere Sünde», sagte er, wenn auch nicht sehr leidenschaftlich.

«Und auch ein Verbrechen», sagte ich belustigt. «Habt Ihr das Edward erklärt?»

Er zuckte zusammen. «Das war die Narretei eines jungen Mannes», sagte er, «und Gott hat das Mädchen bestraft. Es ist gestorben.»

«Euer Gott ist wahrhaftig gut», sagte ich ätzend, «aber warum ist es ihm nicht eingefallen, die königlichen Bastarde gleich mit umzubringen?»

«Sie sind weggebracht worden», sagte er.

«Mit Æthelflæd.»

Er nickte. «Sie haben Æthelflæd von dir ferngehalten», sagte er, «weißt du das?»

«Das weiß ich.»

«Haben sie in Sankt Hedda eingesperrt», sagte er.

«Ich habe den Schlüssel gefunden.»

«Gott behüte uns vor der Sündhaftigkeit», sagte Beocca und bekreuzigte sich.

«Æthelflæd», sagte ich, «wird in Mercien geliebt. Ihr Ehemann nicht.»

«Das ist bekannt», gab er kühl zurück.

«Wenn Edward König wird», sagte ich, «wird er sich nach Mercien umschauen.»

«Nach Mercien umschauen?»

«Die Dänen werden kommen, Pater», sagte ich, «und sie fangen mit Mercien an. Wollt Ihr, dass die mercischen Herren für Wessex kämpfen? Wollt Ihr, dass der mercische Fyrd für Wessex kämpft? Der einzige Mensch, der sie dazu bringen kann, ist Æthelflæd.»

«Du kannst es», sagte mein treuer Beocca.

Diese Bemerkung bedachte ich mit dem Hohn, den sie verdiente. «Ihr und ich, wir sind Northumbrier, Pater. Sie halten uns für Barbaren, die ihre Kinder zum Frühstück verspeisen. Aber sie lieben Æthelflæd.»

«Ich weiß», sagte er.

«Also lasst sie eine Sünderin sein, wenn es das ist, was Wessex Sicherheit bringt.»

«Soll ich das etwa dem König sagen?»

Ich lachte. «Das sollt Ihr Edward sagen. Und sagt ihm noch etwas. Sagt ihm, er soll Æthelwold töten. Keine Gnade, keine verwandtschaftlichen Gefühlsduseleien, keine christlichen Schuldgefühle. Gebt mir einfach den Befehl, und er ist tot.»

Beocca schüttelte den Kopf. «Æthelwold ist ein Narr», sagte er wahrheitsgemäß, «und die meiste Zeit ein volltrunkener Narr. Er hat mit den Dänen geliebäugelt, das ist nicht zu leugnen, aber er hat dem König all seine Verfehlungen bekannt, und es wurde ihm verziehen.»

«Verziehen?»

«Gestern Abend», sagte Beocca, «hat er am Bett des Königs bittere Tränen vergossen und dem Thronfolger des Königs die Gefolgschaft geschworen.»

Ich musste lachen. Als Antwort auf meine Warnung hatte Alfred Æthelwold zu sich gerufen und seine Lügen für bare Münze genommen. «Æthelwold wird versuchen, an den Thron zu kommen», sagte ich.

«Er hat aber das Gegenteil geschworen», sagte Beocca ernst, «er hat auf Noahs Feder und den Handschuh von Sankt Cedd geschworen.»

Die Feder stammte angeblich von einer Taube, die Noah in jener fernen Zeit von der Arche hatte wegfliegen lassen, als es ebenso unaufhörlich geregnet hatte wie bei dem Wolkenbruch, der in diesem Moment auf das Dach der Zwei Kraniche niederging. Die Feder und der Handschuh des Heiligen gehörten zu Alfreds wertvollsten Reliquien, und zweifellos glaubte er alles, was auf sie geschworen wurde. «Glaubt ihm nicht», sagte ich, «tötet ihn. Er wird sonst nur für Schwierigkeiten sorgen.»

«Er hat einen Eid abgelegt», sagte Beocca, «und der König glaubt ihm.»

«Æthelwold ist ein betrügerischer Earsling», sagte ich.

«Er ist nur ein Narr», gab Beocca leichthin zurück.

«Aber ein ehrgeiziger Narr, und noch dazu ein Narr mit einem legitimen Anspruch auf den Thron, und diesen Anspruch werden einige Männer zu nutzen wissen.»

«Er hat den Anspruch aufgegeben, er hat seine Beichte abgelegt, er hat die Absolution empfangen, und er hat bereut.»

Was sind wir doch allesamt für Narren. Ich sehe die gleichen Fehler, die immer wieder gemacht werden, von Generation zu Generation, und immer noch glauben wir, was wir glauben wollen. Später an diesem Abend, in der feuchten Dunkelheit, wiederholte ich Beoccas Worte. «Er hat den Anspruch aufgegeben», sagte ich, «er hat seine Beichte abgelegt, er hat die Absolution empfangen, und er hat bereut.»

«Und das glauben sie ihm?», fragte Æthelflæd bedrückt.

«Christen sind töricht», sagte ich, «sie sind bereit, alles zu glauben.»

Sie stieß mich heftig vor den Brustkorb, und ich lachte leise in mich hinein. Der Regen fiel auf das Dach von Sankt Hedda. Ich hätte selbstredend nicht dort sein sollen, aber die Äbtissin, die liebe Hild, gab vor, es nicht zu wissen. Ich war nicht in dem Teil des Nonnenklosters, in dem die Schwestern in strenger Abgeschiedenheit lebten, sondern in einem Gebäudetrakt am äußeren Hof, in dem Laien zugelassen waren. Es gab dort Küchen, in denen für die Armen gekocht wurde, ein Hospital, in dem die Mittellosen sterben konnten, und dann gab es diese Kammer unter dem Dach, die Æthelflæds Gefängnis gewesen war. Es war nicht unbequem, wenn auch klein. Sie hatte ihre Dienstmägde bei sich, aber an diesem Abend waren sie angewiesen worden, sich ihr Nachtlager in den Lagerräumen zu bereiten. «Mir wurde gesagt, du hättest mit den Dänen Verhandlungen geführt», sagte Æthelflæd.

«Das habe ich auch. Mit Schlangenhauch in der Hand.»

«Und hast du auch mit Sigunn Verhandlungen geführt?»

«Ja», sagte ich. «Und es geht ihr gut.»

«Gott weiß, warum ich dich liebe.»

«Gott weiß alles.»

Darauf sagte sie nichts, sondern regte sich nur neben mir, um das Schaffell höher über die Schultern und bis zu ihrem Kopf hinaufzuziehen. Ihre goldfarbenen Haarsträhnen lagen über meinem Gesicht. Sie war Alfreds ältestes Kind, und ich hatte mitangesehen, wie sie heranwuchs und zur Frau wurde, hatte mitangesehen, wie die Freude in ihrer Miene zu Bitterkeit wurde, als man sie meinem Cousin zur Frau gab, und ich hatte die Freude wiederkehren sehen. Ihre blauen Augen waren braun gesprenkelt, und sie hatte eine Stupsnase. Ich liebte dieses Gesicht, doch nun hatte es Sorgenfalten bekommen. «Du solltest mit deinem Sohn reden», sagte sie, ihre Stimme dumpf unter dem Schaffell.

«Uhtred gibt nichts als frömmlerischen Unsinn von sich», sagte ich, «also würde ich lieber mit meiner Tochter sprechen.»

«Sie ist in Sicherheit, und dein anderer Sohn auch. Sie sind in Cippanhamm.»

«Warum ist Uhtred hier?», fragte ich.

«Der König wollte ihn hier haben.»

«Sie machen einen Priester aus ihm», sagte ich wütend.

«Und aus mir wollen sie eine Nonne machen», sagte sie ebenso wütend.

«Wirklich?»

«Bischof Erkenwald wollte mir das Gelübde abnehmen. Ich habe ihn angespuckt.»

Ich zog das Fell vor ihrem Gesicht weg. «Das haben sie wirklich versucht?»

«Bischof Erkenwald und meine Mutter.»

«Wie ist das vor sich gegangen?»

«Sie sind hierhergekommen», sagte sie äußerst sachlich, «und haben darauf bestanden, dass ich in die Kapelle gehe, und dort hat Bischof Erkenwald lange und zornig auf Latein geredet, und dann hat er mir ein Buch hingehalten, und gesagt, ich solle meine Hand darauf legen und schwören, den Eid zu halten, den er soeben aufgesagt hatte.»

«Und hast du es getan?»

«Ich habe dir schon gesagt, was ich getan habe. Ich habe ihn angespuckt.»

Ich schwieg eine Zeitlang. «Dazu muss sie Æthelred überredet haben», sagte ich schließlich.

«Ich bin sicher, dass er mich gern aus dem Weg hätte, aber Mutter sagte, es wäre Vaters Wunsch, dass ich das Gelübde ablege.»

«Das bezweifle ich», sagte ich.

«Und dann sind sie in den Palast zurück und haben verkündet, ich hätte das Gelübde abgelegt.»

«Und sie haben Wachen am Tor aufgestellt.»

«Ich glaube, die Wachen waren eher dazu da, dich draußen zu halten», sagte Æthelflæd, «aber jetzt sind sie verschwunden, hast du gesagt.»

«Sie sind verschwunden.»

«Also kann ich gehen?»

«Du hast das Kloster doch gestern schon einmal verlassen.»

«Steapas Männer haben mich zum Palast begleitet», sagte sie, «und anschließend wieder zurückgebracht.»

«Jetzt sind keine Wachen da.»

Sie runzelte nachdenklich die Stirn. «Ich hätte als Mann geboren werden sollen.»

«Ich bin im Grunde recht froh, dass es nicht so gekommen ist», sagte ich.

«Dann wäre ich König», sagte sie.

«Edward wird ein guter König sein.»

«Das wird er wohl», stimmte sie mir zu, «aber er ist manchmal sehr entscheidungsschwach. Ich wäre ein besserer König geworden.»

«Ja», sagte ich, «das wärst du ganz bestimmt.»

«Armer Edward.»

«Arm? Er wird bald König.»

«Er hat seine Liebe verloren», sagte sie.

«Und die Kinder sind am Leben.»

«Die Kinder leben», bestätigte Æthelflæd.

Ich glaube, von allen Frauen in meinem Leben habe ich Gisela am meisten geliebt. Noch heute trauere ich um sie. Aber Æthelflæd war mir immer am nächsten. Sie dachte wie ich. Manchmal fing ich an, etwas zu sagen, und sie beendete den Satz. Mit der Zeit mussten wir uns nur noch ansehen und wussten, was der andere dachte. Von allen Freundschaften, die ich im Leben hatte, war keine so eng wie die mit Æthelflæd.

Irgendwann in dieser feuchten Dunkelheit wurde der Thorstag zu Freyas Tag. Freya war die Frau Wotans, die Göttin der Liebe, und während ihres gesamten Tages regnete es weiter. Nachmittags erhob sich Wind, ein starker Wind, der an den Strohdächern von Wintanceaster zerrte und den Regen mit tückischer Boshaftigkeit vor sich hertrieb, und in dieser Nacht segnete König Alfred, der achtundzwanzig Jahre in Wessex regiert hatte und in seinem fünfzigsten Lebensjahr stand, das Zeitliche.

Am nächsten Morgen regnete es nicht mehr, und der Wind hatte sich beinahe vollständig gelegt. Stille lag über Wintanceaster, bis auf das Grunzen der Schweine, die in den morastigen Straßen wühlten, das Krähen der Hähne, das Jaulen und Bellen der Hunde, und das Stampfen der Wächterstiefel auf den wassergetränkten Bohlen der Wallanlagen. Das Volk schien wie betäubt. Am Vormittag begann eine Glocke zu läuten, nur eine einzelne Glocke, die langsam ein ums andere Mal angeschlagen wurde, und der Klang verhallte weit unten im Flusstal, wo die Auwiesen überflutet waren, und dann ertönte der nächste Glockenschlag mit unerbittlicher Klarheit und Schärfe. Der König ist tot, lang lebe der König.

Æthelflæd wollte in der Nonnenkapelle beten, und ich ließ sie in Sankt Hedda und ging durch die stillen Straßen zum Palast, wo ich mein Schwert am Torhaus abgab und Steapa allein im äußeren Hof sitzen sah. Sein grimmiges Gesicht, über das die Haut wie über eine Maske gespannt schien und das so manchem Feind Alfreds Furcht und Schrecken eingeflößt hatte, war nass vor Tränen. Ich setzte mich neben ihn auf die Bank, sagte aber nichts. Eine Frau eilte mit einem Stapel gefalteter Leinentücher vorbei. Der König stirbt, und doch müssen weiter Laken gewaschen und Räume ausgefegt werden, die Asche muss hinausgebracht, Holz eingelagert und das Korn muss gemahlen werden. Etwa zwanzig gesattelte Pferde standen am anderen Ende des Hofes bereit. Ich nahm an, sie waren für die Boten bestimmt, die mit der Nachricht vom Tode des Königs in jeden Winkel seines Reiches geschickt wurden, doch stattdessen erschien aus einem Durchgang ein Trupp Männer mit Rüstungen und Helmen. «Deine Männer?», fragte ich Steapa.

Er warf einen verdrießlichen Blick zu ihnen hinüber. «Nicht meine.»

Es waren Æthelwolds Männer. Æthelwold selbst erschien als Letzter, und er war, wie seine Gefolgsleute, kampfbereit mit Helm und Rüstung angetan. Drei Diener hatten die Schwerter des Trupps aus dem Torhaus gebracht, und die Männer drängten sich um den Haufen, um ihre eigenen Waffen herauszusuchen. Dann schnallten sie sich die Schwertgürtel um. Auch Æthelwold nahm sein Langschwert, ließ einen Diener den Schwertgürtel festschnallen und sich dann auf sein Pferd helfen, einen großen schwarzen Hengst. Da sah er mich. Er trieb sein Pferd im Galopp auf mich zu und zog die Klinge aus der Scheide. Ich rührte mich nicht, und er hielt das Pferd ein paar Schritte vor mir an. Es rutschte mit einem Huf über die Pflastersteine, sodass Funken sprühten. «Ein trauriger Tag, Uhtred», sagte Æthelwold. Die nackte Schwertklinge ließ er in einer Hand an der Seite herabhängen, die Spitze auf den Boden gerichtet. Er wollte es benutzen und wagte es doch nicht. Er war ehrgeizig, und er war schwach.

Ich sah zu seinem länglichen Gesicht auf, das früher so anziehend und nun von Trunk, Zorn und Enttäuschung verwüstet war. An seinen Schläfen zeigte sich ein grauer Schimmer. «Ein trauriger Tag, mein Prinz», sagte ich.

Er schätzte mich ab, schätzte die Reichweite seines Schwertes ab, schätzte ab, ob er noch durchs Tor entkommen konnte, wenn er den Hieb ausführen würde. Er warf einen kurzen Blick über den Hof, um zu sehen, wie viele Männer der königlichen Leibwache in Sicht waren. Es waren nur zwei. Er hätte mich niedermachen, seinen Gefolgsleuten die beiden Leibwächter überlassen und verschwinden können, alles in wenigen Augenblicken, doch noch immer zögerte er. Einer seiner Gefährten ritt heran. Der Mann trug einen Helm mit geschlossenen Wangenstücken, sodass ich von seinem Gesicht nur die Augen sah. Ein Schild hing über seinem Rücken, und darauf war ein Bullenschädel mit blutigen Hörnern gemalt. Sein Pferd war unruhig, und er schlug ihm heftig auf den Hals. Ich sah die Narben auf den Flanken des Tieres, wo er ihm die Sporen tief in die Seiten gebohrt hatte. Er beugte sich dicht zu Æthelwold und murmelte ihm etwas zu, wurde aber davon unterbrochen, dass Steapa einfach nur aufstand. Er war ein hünenhafter Mann, zum Fürchten groß und breit, und als Anführer der königlichen Leibwache durfte er auch innerhalb des Palastbezirks sein Schwert tragen. Er umschloss das Heft seines Schwertes mit der Hand, und augenblicklich schob Æthelwold seine eigene Waffe halb in die Scheide zurück. «Ich war in Sorge», sagte er, «dass die Klinge bei diesem feuchten Wetter gerostet sein könnte. Aber es sieht nicht danach aus.»

«Hast du Wollfett auf die Klinge gestrichen?», fragte ich.

«Das muss wohl mein Diener getan haben», sagte er leichthin. Er schob das Schwert nun ganz in die Scheide. Der Mann mit den blutigen Bullenhörnern auf dem Schild starrte mich unter seinem Helm heraus an.

«Kommst du zur Beerdigung zurück?», fragte ich Æthelwold.

«Und zur Krönung ebenfalls», sagte er verschlagen, «aber bis dahin habe ich in Tweoxnam zu tun.» Er schenkte mir ein unfreundliches Lächeln. «Mein Besitz dort ist nicht so umfangreich wie deiner in Fagranforda, Herr Uhtred, aber groß genug, dass ich mich in diesen traurigen Tagen darum kümmern muss.» Er raffte die Zügel zusammen und rammte dem Hengst die Sporen in die Flanken, sodass das Tier einen Satz nach vorn machte. Seine Männer folgten ihm, und lautes Hufgeklapper erfüllte den gepflasterten Hof.

«Wer trägt einen Bullenschädel auf dem Schild?», fragte ich Steapa.

«Sigebriht von Cent», sagte Steapa und sah den Männern nach, die durch den Torbogen verschwanden. «Ein junger, reicher Tölpel.»

«Waren das seine Gefolgsleute oder die von Æthelwold?»

«Æthelwold hat Männer», sagte Steapa. «Er kann sie sich leisten. Ihm gehören die Besitzungen seines Vaters bei Tweoxnam und Wimburnan, das macht ihn zu einem wohlhabenden Mann.»

«Er wäre besser tot.»

«Das sind Familienangelegenheiten», sagte Steapa. «Damit haben du und ich nichts zu schaffen.»

«Du und ich sind aber diejenigen, die für die Familie das Töten übernehmen», sagte ich.

«Dafür werde ich langsam zu alt», knurrte er.

«Wie alt bist du?»

«Keine Ahnung», sagte er, «vierzig?»

Er führte mich durch ein kleines Tor in der Palastmauer und dann über ein Stück regendurchweichter Wiese zu Alfreds alter Kirche, die neben der neuen Klosterkirche stand. Wo der große Steinturm noch nicht fertiggestellt war, reckten sich Gerüste wie Spinnweben in den Himmel. Das Stadtvolk hatte sich an der Tür der alten Kirche versammelt. Die Leute unterhielten sich nicht, standen einfach nur da, starrten schweigend vor sich hin und traten zur Seite, als Steapa und ich näher kamen. Jemand verbeugte sich vor uns. Die Tür wurde von sechs Männern Steapas bewacht, die ihre Speere zur Seite zogen, als sie uns sahen.

Steapa bekreuzigte sich, als wir die alte Kirche betraten. Es war kalt dort drinnen. Die Steinmauern waren mit Szenen aus der Bibel bemalt, während auf den Altären Gold, Silber und Kristall funkelten. Der Traum eines jeden Dänen, dachte ich, denn hier konnte man genug Beute machen, um eine ganze Flotte zu kaufen und sie mit Schwertkämpfern auszustatten. «Er fand diese Kirche zu klein», sagte Steapa verständnislos und sah zu den hohen Deckenbalken hinauf. Vögel flatterten dort oben herum. «Letztes Jahr hat hier ein Falke genistet», sagte er.

Der König war schon in die Kirche gebracht und vor dem Hochaltar aufgebahrt worden. Ein Harfner spielte, und in den Schatten sang Bruder Johns Chor. Ich fragte mich, ob mein Sohn bei ihnen war, sah aber nicht nach. Priester murmelten vor den Seitenaltären oder knieten neben dem Sarg, in dem der König lag. Alfreds Augen waren geschlossen, und sein Gesicht war mit einem weißen Tuch umschlungen, damit seine Lippen zusammengepresst blieben, zwischen ihnen konnte ich gerade noch eine Brotkruste erkennen, weil vermutlich ein Priester dem Toten ein Stück vom Leib Christi in den Mund geschoben hatte. Alfred war in ein weißes Büßergewand gehüllt, ebenso wie das, das er mich einmal gezwungen hatte zu tragen. Das war Jahre zuvor gewesen, als Æthelwold und mir befohlen worden war, uns vor einem Altar zu demütigen, und mir war keine Wahl geblieben, als es zu tun, doch Æthelwold hatte aus der ganzen erbärmlichen Zeremonie eine Schmierenkomödie werden lassen. Er hatte vorgegeben, von größter Reue erfüllt zu sein und diese Reue zum Himmel emporgeschrien: «Keine Brüste mehr, Gott! Keine Brüste mehr! Bewahre mich vor diesen Brüsten!», und ich erinnerte mich, wie Alfred voll Enttäuschung und Ekel den Blick von ihm abgewandt hatte.

«Exanceaster», sagte Steapa.

«Du denkst an denselben Tag», sagte ich.

«Es hat geregnet», sagte er, «und du musstest bäuchlings zu dem Feldaltar kriechen. Ja, das weiß ich noch.»

Damals hatte ich den unheimlichen und bedrohlichen Steapa zum ersten Mal gesehen, und wir hatten gegeneinander gekämpft, und dann waren wir Freunde geworden, und all das war so lange her, und jetzt stand ich vor Alfreds Sarg und dachte daran, wie uns das Leben zwischen den Fingern zerrinnt und dass Alfred beinahe mein ganzes Leben lang auf mich gewirkt hatte wie eine unübersehbare Landmarke. Ich hatte ihn nicht gemocht. Ich hatte gegen ihn gekämpft und für ihn, ich hatte ihn verflucht und ihm gedankt, ihn verabscheut und ihn bewundert. Ich hasste seine Religion und seinen kühlen missbilligenden Blick, seine Gehässigkeit, die sich in einen Mantel aus vorgeblicher Freundlichkeit hüllte, und seine Treue zu einem Gott, der alle Freude aus der Welt bannte, indem er sie Sünde nannte, und dennoch hatte Alfreds Religion einen guten Mann aus ihm gemacht und einen guten König.

Und Alfreds freudlose Seele hatte sich als Felsen erwiesen, auf den die Dänen aufgelaufen waren. Wieder und wieder hatten sie angegriffen, und wieder und wieder war ihnen Alfred überlegen gewesen, und Wessex wurde immer mächtiger und reicher, und all das lag an Alfred. Wir sehen Könige als privilegierte Männer, die über uns herrschen und die Freiheit haben, ihr eigenes Gesetz zu brechen und sich darüberzustellen, doch Alfred hatte sich nie über das Gesetz erhoben, das zu ersinnen ihm so viel Freude bereitete. Er betrachtete sein Leben als Dienst für seinen Gott und das Volk von Wessex, und ich habe nie einen besseren König gesehen, und ich bezweifle, dass meine Söhne, meine Enkel und deren Kindeskinder jemals einen besseren sehen werden. Ich mochte ihn nie, aber ich habe dennoch nie aufgehört, ihn zu bewundern. Er war mein König, und alles, was ich jetzt besitze, schulde ich ihm. Das Essen, das ich zu mir nehme, der Palas, in dem ich wohne, und die Schwerter meiner Männer, alles begann mit Alfred, der mich zuweilen gehasst und zuweilen geliebt hat und der großzügig zu mir war. Er war ein Goldgeber.

Steapas Wangen waren tränennass. Einige der Priester, die beim Sarg knieten, schluchzten hemmungslos. «Heute Nacht werden sie sein Grab ausheben», sagte Steapa und deutete auf den Hochaltar, der mit den glitzernden Reliquien überhäuft war, die Alfred so geliebt hatte.

«Sie beerdigen ihn hier drinnen?», fragte ich.

«Es gibt eine Gruft», sagte er, «aber sie muss erst noch geöffnet werden. Wenn die neue Kirche fertig ist, wird er dorthin gebracht.»

«Und die Beisetzung ist morgen?»

«Vielleicht in einer Woche. Sie müssen den Leuten Zeit geben, damit sie die Reise hierher machen können.»

Wir blieben lange in der Kirche, grüßten Männer, die kamen, um zu trauern, und um die Mittagszeit kam der neue König mit einer Gruppe Edelleute. Edward war groß gewachsen, hatte ein längliches Gesicht, schmale Lippen und sehr schwarzes Haar, das er zurückgekämmt trug. Er wirkte so jung auf mich. Er trug ein blaues Gewand, das in seiner Mitte von einem mit Goldplättchen besetzten Ledergürtel zusammengehalten wurde, und darüber einen schwarzen Umhang, der bis auf den Boden reichte. Eine Krone trug er nicht, denn er war noch nicht gekrönt, aber auf seinem Kopf lag ein Bronzereif.

Ich erkannte die meisten Aldermänner, die ihn begleiteten. Æthelnoth, Wilfrith und selbstredend Edwards künftigen Schwiegervater, Æthelhelm, der neben Pater Coenwulf ging, dem Beichtvater und Vertreter Edwards. Ein halbes Dutzend jüngerer Männer kannte ich nicht, und dann sah ich meinen Cousin, Æthelred, und er sah mich in demselben Moment und erstarrte. Edward, der zum Sarg seines Vaters ging, winkte ihn weiter. Steapa und ich ließen uns auf ein Knie nieder und blieben so, als sich Edward ans Fußende des väterlichen Sarges kniete und seine Hände zum Gebet faltete. All seine Wachen knieten ebenfalls. Niemand sprach ein Wort. Nur der endlose Gesang des Chors hallte durch die Kirche, während Weihrauchschwaden durch die Sonnenstrahlen trieben, die zu den Fenstern hereinfielen.

Æthelred hatte in vorgeblichem Gebet die Augen geschlossen. Ein bitterer Ausdruck lag auf seiner Miene, und er wirkte merkwürdig gealtert, vielleicht hatte er ein Leiden überstanden und war, wie sein Schwiegervater Alfred, anfällig für Krankheiten. Ich beobachtete ihn, stellte mir Fragen. Er musste darauf gehofft haben, dass ihn Alfreds Tod von der Leine befreien würde, die Mercien an Wessex fesselte. Er musste gehofft haben, dass es zwei Krönungen geben würde, eine in Wessex und eine in Mercien, und er musste gewusst haben, dass Edward dies alles bewusst war. Was Æthelred im Weg stand, war zum einen seine Frau, die in ganz Mercien geliebt wurde und deren Macht er zu brechen versucht hatte, indem er sie im Kloster Sankt Hedda einschloss. Und das andere Hindernis war der Geliebte seiner Frau.

«Herr Uhtred.» Edward hatte die Augen aufgeschlagen, auch wenn seine Hände noch gefaltet blieben.

«Herr?», erwiderte ich fragend.

«Bleibt Ihr zur Beerdigung?»

«Wenn Ihr es wünscht, Herr.»

«Ich wünsche es. Und dann müsst Ihr auf Euren Besitz in Fagranforda», fuhr er fort. «Ich bin sicher, dass Ihr dort viel zu tun habt.»

«Ja, Herr.»

«Der Herr Æthelred», fuhr Edward fest und laut fort, «wird einige Wochen als mein Berater hierbleiben. Ich benötige kluge Ratschläge, und ich kann mir niemand Geeigneteren denken, von dem ich sie erhalten könnte.»

Das war eine Lüge. Jeder dahergelaufene Schwachkopf hätte Edward besser beraten als Æthelred, und es versteht sich, dass Edward keineswegs den Rat meines Cousins wollte. Aber er wollte Æthelred dort haben, wo er ihn im

Blick hatte, wo es für Æthelred schwierig wäre, die Leute aufzuwiegeln, und mich schickte er nach Mercien, weil er mir zutraute, Mercien weiter an der westsächsischen Leine zu halten. Und weil er wusste, dass seine Schwester, wenn ich nach Mercien ginge, dies ebenfalls tun würde. Ich wahrte eine sehr ernste Miene.

Ein Sperling flog durch das hohe Deckengewölbe der Kirche, und was er fallen ließ, feucht und weiß, landete auf Alfreds totem Gesicht und bespritzte ihn von der Nase bis über die linke Wange.

Das war ein so schlechtes, so schreckliches Omen, dass jeder Mann um den Sarg den Atem anhielt.

Und in eben diesem Moment kam eine von Steapas Wachen in die Kirche und hastete den langen Mittelgang hinauf, aber nicht, um sich hinzuknien. Stattdessen blickte der Mann von Edward zu Æthelred und von Æthelred zu mir, und er schien nicht zu wissen, was er sagen sollte, bis ihn Steapa knurrend anwies, endlich zu reden.

«Die Herrin Æthelflæd», brachte er heraus.

«Was ist mit ihr?», fragte Edward.

«Der Herr Æthelwold hat sie mit Gewalt geholt, Herr, aus dem Kloster. Hat sie mitgenommen, Herr. Und sie sind fort.»

Der Kampf um Wessex hatte begonnen.

SIEBEN

Æthelred lachte. Vermutlich war ihm dieses Lachen nur in der Anspannung entschlüpft, aber in dieser alten Kirche echote das Geräusch höhnisch von den niedrigeren Steinwänden zurück. Als der Klang verhallt war, vernahm ich nur noch das Tropfen, mit dem Regenwasser durch das aufgeweichte Strohdach auf den Boden fiel.

Edward sah mich an, dann Æthelred und schließlich Æthelhelm. Er schien verwirrt.

«Wohin ist Herr Æthelwold gegangen?», fragte Steapa.

«Die Nonnen sagen, er wollte nach Tweoxnam», sagte der Bote.

«Aber er hat mir den Treueid geschworen!», empörte sich Edward.

«Er war schon immer ein Lügenmaul», sagte ich. Dann sah ich den Mann an, der die Nachricht gebracht hatte. «Er hat also den Nonnen gesagt, er geht nach Tweoxnam?»

«Ja, Herr.»

«Dasselbe hat er mir erzählt», sagte ich.

Edward nahm sich zusammen. «Ich will alle Männer bewaffnet in den Sätteln sehen», erklärte er Steapa. «Sie sollen sich bereit machen, um nach Tweoxnam zu reiten.»

«Ist das sein einziger Besitz, Herr König?», fragte ich.

«Er hat auch noch Wimburnan», sagte Edward. «Warum?»

«Ist nicht sein Vater in Wimburnan beigesetzt?»

«Ja.»

«Dann ist er dorthin gegangen», sagte ich. «Er hat

Tweoxnam nur erwähnt, um uns zu verwirren. Wenn man jemanden entführt, erzählt man den Verfolgern nicht, wohin man ihn bringt.»

«Aber warum sollte er Æthelflæd entführen?» Erneut war Edward ratlos.

«Weil er Mercien auf seiner Seite haben will», sagte ich. «Ist sie ihm freundlich gesinnt?»

«Freundlich? Darum haben wir uns alle bemüht», sagte Edward. «Er ist unser Cousin.»

«Er glaubt, dass er sie davon überzeugen kann, Mercien auf seine Seite zu bringen», vermutete ich laut und fügte nicht hinzu, dass es wohl nicht bei Mercien allein bleiben würde. Wenn sich Æthelflæd auf die Seite ihres Cousins stellte, würden ihn wohl auch in Wessex viele unterstützen.

«Gehen wir nun nach Tweoxnam?», fragte Steapa unsicher.

Edward zögerte, dann schüttelte er den Kopf und sah mich an. «Die beiden Orte liegen nahe beieinander», sagte er immer noch zögerlich, doch dann fiel ihm wieder ein, dass er nun König war, und er fasste seinen Entschluss. «Wir reiten nach Wimburnan», sagte er.

«Und ich gehe mit Euch, Herr König», sagte ich.

«Warum?», platzte Æthelred heraus, ohne sich zu überlegen, was er da fragte. Der König und die Aldermänner waren unangenehm berührt.

Ich ließ die Frage in der Luft hängen, bis ihr Nachhall verklungen war, dann lächelte ich. «Um die Ehre Æthelflæds, der Schwester des Königs, zu schützen, selbstverständlich», sagte ich und lachte immer noch darüber, als wir schließlich losritten.

Es dauerte seine Zeit, so wie es immer seine Zeit dauert. Pferde mussten gesattelt, Rüstungen angelegt und Banner herbeigeholt werden, und während sich die königlichen Hauskerle vorbereiteten, ging ich mit Osferth zum Kloster Sankt Hedda, wo wir die Äbtissin Hildegyth in Tränen aufgelöst fanden. «Er hat gesagt, man verlange in der Kirche nach ihr», erklärte sie mir, «dass die Familie dort gemeinsam für die Seele ihres Vaters beten wollte.»

«Du hast nichts falsch gemacht», erklärte ich ihr.

«Aber er hat sie mitgenommen!»

«Er wird ihr nichts antun», versicherte ich ihr.

«Aber …», ihre Stimme erstarb, und ich wusste, dass sie viele Jahre zurückdachte, an die Schande, von den Dänen vergewaltigt worden zu sein.

«Sie ist Alfreds Tochter», sagte ich, «und er will ihre Hilfe, nicht ihre Feindschaft. Ihre Unterstützung würde seinen Anspruch gerechtfertigt erscheinen lassen.»

«Trotzdem ist sie eine Geisel», sagte Hild.

«Ja, aber wir bekommen sie zurück.»

«Und wie?»

Ich berührte Schlangenhauchs Heft, zeigte auf das Silberkreuz, das in den Knauf eingelassen war, das Kreuz, das mir Hild vor so langer Zeit gegeben hatte. «Damit», sagte ich und meinte das Schwert, nicht das Kreuz.

«Du solltest in einem Nonnenkonvent kein Schwert tragen», sagte sie mit gespielter Strenge.

«Es gibt vieles, was ich in einem Nonnenkonvent nicht tun sollte», erklärte ich ihr, «aber ich tue das meiste trotzdem.»

Sie seufzte. «Was erhofft sich Æthelwold von all dem?»

Osferth antwortete. «Er hofft, sie davon überzeugen zu können, dass er König sein sollte. Und er hofft, dass sie anschließend Herrn Uhtred davon überzeugt, ihn zu unterstützen.» Er warf mir einen flüchtigen Blick zu und sah in diesem Moment seinem Vater erstaunlich ähnlich. «Und ich zweifle nicht daran», fuhr er trocken fort, «dass er das Angebot machen wird, Herrn Uhtred und der Herrin Æthelflæd die Heirat zu ermöglichen, und vermutlich wird er ihnen den Thron Merciens als Verlockung in Aussicht stellen. Er will nicht nur die Unterstützung der Herrin Æthelflæd, er will auch die von Herrn Uhtred.»

Daran hatte ich nicht gedacht, und Osferth überraschte mich mit dieser Erkenntnis. Es hatte eine Zeit gegeben, in der Æthelwold und ich Freunde gewesen waren, aber das war lange her, damals waren wir noch jung und die gemeinsame Abneigung gegen Alfred hatte uns zusammengebracht. Æthelwolds Abneigung war in Hass umgeschlagen, während sich meine in widerwillige Bewunderung verwandelt hatte, und deshalb waren wir keine Freunde mehr. «Er ist ein Narr», sagte ich, «und das war er schon immer.»

«Ein unglaublicher Narr», fügte Osferth hinzu, «aber ein Narr, der weiß, dass dies seine letzte Gelegenheit ist, den Thron zu gewinnen.»

«Meine Hilfe hat er dabei nicht», versprach ich Hild.

«Bring sie einfach nur zurück», sagte Hild, und wir ritten los, um genau das zu tun.

Eine kleine Armee zog westwärts. In ihrer Mitte ritten Steapa und die Leibgarde des Königs, und jeder Krieger in Wintanceaster, der ein Pferd besaß, schloss sich uns an. Es war ein strahlender Tag, die letzten Wolken, die so viel Regen gebracht hatten, verflüchtigten sich. Unser Weg führte uns durch die einsamen Regionen des südlichen Wessex, wo Hirsche und kleine Wildpferde in Wäldern und

Mooren umherstreiften und wo wir den Hufspuren von Æthelwolds Trupp gut folgen konnten, weil der Grund noch regenfeucht war. Edward hielt sich knapp hinter der Vorhut, und an seiner Seite war ein Fahnenträger, der das weiße Drachenbanner flattern ließ. Edwards Priester, Pater Coenwulf, die schwarzen Gewänder über das Hinterteil des Pferdes gelegt, ritt dicht beim König, ebenso wie zwei Aldermänner, Æthelnoth und Æthelhelm. Auch Æthelred war mitgekommen, er konnte sich auch kaum vor einem Feldzug drücken, der zur Rettung seiner Frau unternommen wurde, doch er und seine Gefolgsleute blieben bei der Nachhut, weit weg von der Spitze, an der Edward und ich ritten, und ich weiß noch, dass ich dachte, wir wären zu viele, dass ein halbes Dutzend Männer ausreichen würde, um mit einem Dummkopf wie Æthelwold fertig zu werden.

Weitere Männer schlossen sich uns an, verließen ihren Palas, um dem Banner des Königs zu folgen, und als wir das Moorland hinter uns hatten, waren wir wohl mehr als dreihundert Reiter. Steapa hatte Späher vorausgeschickt, aber wir bekamen keine Nachrichten von ihnen, was wohl bedeutete, dass sich Æthelwold hinter der Palisade seines Palas verschanzt hatte. Einmal trieb ich mein Pferd voraus auf einen niedrigen Hügel, und Edward ließ seine Leibwache hinter sich und folgte mir. «Mein Vater», sagte er, «hat mir erklärt, dass ich Euch vertrauen kann.»

«Zweifelt Ihr an seinen Worten, Herr König?», fragte ich.

«Während meine Mutter sagt, man könne Euch nicht trauen.»

Ich lachte. Ælswith, Alfreds Frau, hatte mich von Anfang an gehasst, und dieses Gefühl beruhte auf Gegenseitigkeit. «Eure Mutter hat mich noch nie geschätzt», sagte ich milde.

«Und Beocca hat mir erzählt, Ihr wollt meine Kinder töten.» Er war aufgebracht.

«Es liegt nicht an mir darüber zu entscheiden, Herr König», sagte ich, und er sah mich überrascht an. «Euer Vater», erklärte ich, «hätte Æthelwold schon vor zwanzig Jahren die Kehle durchschneiden sollen, aber er hat es nicht getan. Eure ärgsten Feinde, Herr König, sind nicht die Dänen. Es sind die Männer, die Euch am nächsten sind und Eure Krone wollen. Eure illegitimen Kinder werden für Eure legitimen Söhne zum Problem werden, aber das ist nicht meine Sache, es ist Eure.»

Er schüttelte den Kopf. Wir waren seit dem Tod seines Vaters zum ersten Mal allein miteinander. Ich wusste, dass Edward mich mochte, aber ich beunruhigte ihn auch. Er hatte mich immer nur als Krieger gekannt, und anders als seine Schwester hatte er in seiner Kindheit nie ein vertrautes Verhältnis zu mir entwickelt. Eine Weile sagte er nichts, sondern betrachtete nur die kleine Armee, die unterhalb von uns westwärts zog. Die Banner leuchteten in der Sonne. Die ganze Landschaft schimmerte von all dem Regen. «Sie sind nicht illegitim», sagte er schließlich leise. «Ich habe Ecgwynn geheiratet. Ich habe sie in einer Kirche geheiratet, vor dem Angesicht Gottes.»

«Euer Vater war da anderer Ansicht.»

Ein Schauder überlief ihn. «Er war wütend. Meine Mutter auch.»

«Und Aldermann Æthelhelm, Herr König?», fragte ich. «Er wird wohl nicht sehr glücklich darüber sein, dass die Kinder seiner Tochter nicht Eure Erstgeborenen sind.»

Er spannte den Kiefer an. «Es wurde ihm versichert, dass ich nicht geheiratet habe», sagte er kühl.

Also hatte sich Edward dem Zorn seiner Eltern gebeugt. Er hatte sich mit dem Märchen einverstanden erklärt, seine Kinder von Ecgwynn wären Bastarde, aber es war offenkundig, dass er mit seiner Unterwerfung nicht glücklich war. «Herr», sagte ich, «Ihr seid jetzt König. Ihr könnt die Zwillinge als Eure legitimen Kinder aufziehen. Ihr seid der König.»

«Wenn ich Æthelhelm beleidige», fragte er traurig, «wie lange würde ich dann wohl König bleiben?» Æthelhelm war der reichste Edelmann in Wessex, die mächtigste Stimme im Witan, und im ganzen Königreich sehr beliebt. «Mein Vater hat immer betont, dass der Witan einen König machen und einen König stürzen kann», sagte Edward, «und meine Mutter besteht darauf, dass ich auf den Rat des Witans höre.»

«Ihr seid der älteste Sohn», sagte ich, «das macht Euch zum König.»

«Nicht, wenn mir Æthelhelm und Plegmund die Unterstützung verweigern», sagte Edward.

«Das stimmt», knurrte ich widerwillig.

«Also müssen die Zwillinge behandelt werden, als wären sie illegitim», sagte er unglücklich, «und Bastarde bleiben, bis ich genügend Macht habe, um eine andere Entscheidung durchzusetzen. Und bis dahin müssen sie sicher untergebracht werden, deshalb übergebe ich sie der Fürsorge meiner Schwester.»

«Meiner Fürsorge», sagte ich, um es eindeutig klarzustellen.

«Ja», sagte er. Er sah mich forschend an. «Solange Ihr versprecht, sie nicht zu töten.»

Ich lachte. «Ich töte keine Säuglinge, Herr König. Ich warte, bis sie erwachsen sind.»

«Sie müssen erwachsen werden», sagte er, dann runzelte er die Stirn. «Ihr verdammt mich doch nicht als Sünder, oder?»

«Ich! Ich bin Euer Heide, Herr», sagte ich, «was kümmert mich die Sünde?»

«Dann sorgt für meine Kinder», sagte er.

«Das werde ich, Herr König», versprach ich.

«Und sagt mir, was ich mit Æthelred machen soll.»

Ich starrte auf die Truppen meines Cousins hinunter, die in der Nachhut ritten. «Er will König von Mercien sein», sagte ich, «aber er weiß, dass er die Unterstützung von Wessex braucht, wenn er überleben will, also wird er den Thron nicht ohne Eure Zustimmung an sich reißen, und diese Zustimmung werdet Ihr ihm nicht geben.»

«Nein, das werde ich nicht», sagte Edward, «aber meine Mutter behauptet, ich brauche seine Unterstützung ebenfalls.»

Dieses elende Weib, dachte ich. Sie hatte Æthelred schon immer gemocht, ihre Tochter jedoch abgelehnt. Dennoch stimmte das, was sie sagte zum Teil. Æthelred konnte mindestens tausend Mann aufs Schlachtfeld führen, und falls sich Wessex jemals mit den mächtigen dänischen Herren des Nordens schlagen musste, wären diese Männer von unschätzbarem Wert. Andererseits hatte ich Alfred hundert Mal erklärt, er könne davon ausgehen, dass Æthelred in einem solchen Fall ungezählte Ausreden finden würde, um seine Krieger zu Hause zu behalten. «Also, was verlangt Æthelred von Euch?», fragte ich.

Edward antwortete nicht sofort. Stattdessen sah er zum

Himmel hinauf und dann wieder nach Westen. «Er hasst Euch.»

«Und Eure Schwester», sagte ich rundheraus.

Er nickte. «Er will, dass Æthelflæd zurück in ein …», begann er und unterbrach sich, weil ein Horn geblasen worden war.

«Er will Æthelflæd entweder in seinem Palas oder in einem Kloster eingesperrt haben», sagte ich.

«Ja», sagte Edward. «Genau das will er.» Er starrte auf die Straße hinunter, von der zum zweiten Mal der Hornklang heraufgeschallt war. «Man ruft mich», sagte er und sah zu Pater Coenwulf hinüber, der uns zu sich winkte. Ich sah ein paar von Steapas Männern zur Vorhut galoppieren. Edward gab seinem Pferd die Sporen, und wir ritten zur Spitze der Kolonne. Die beiden Späher hatten einen Priester gebracht, der sich halb aus dem Sattel stürzte, um vor Edward niederzuknien.

«Herr, Herr König!», keuchte der Priester. Er war völlig außer Atem.

«Wer seid Ihr?», fragte Edward.

«Pater Edmund, Herr.»

Er war aus Wimburnan gekommen, wo er Priester war, und er berichtete, dass Æthelwold in der Stadt sein Banner gehisst und sich zum König von Wessex erklärt hatte.

«Er hat *was* getan?», fragte Edward.

«Er hat mich gezwungen, vor dem Kloster Sankt Cuthberga eine Proklamation zu verlesen, Herr.»

«Er nennt sich König?»

«Er sagt, er ist der König von Wessex, Herr. Er verlangt, dass ihm die Männer Gefolgschaft schwören.»

«Und wie viele Männer waren da, als Ihr dort weg seid?»

«Ich weiß nicht, Herr», sagte Pater Edmund.

«Habt Ihr eine Frau gesehen?», fragte Edward. «Meine Schwester?»

«Die Herrin Æthelflæd? Ja, Herr, sie war bei ihm.»

«Hat er zwanzig Männer?», fragte ich. «Oder zweihundert?»

«Ich weiß nicht, Herr. Viele.»

«Hat er Boten zu anderen Herren geschickt?», fragte ich.

«Zu seinen Thegn, Herr. Und er hat mich losgeschickt. Ich soll ihm Männer bringen.»

«Und stattdessen habt Ihr mich gefunden», sagte Edward herzlich.

«Er stellt eine Armee auf», sagte ich.

«Den Fyrd», kam es verächtlich von Steapa.

Æthelwold tat, was er für klug hielt, aber er war nicht klug. Er hatte von seinem Vater weitläufige Ländereien geerbt, und Alfred war töricht genug gewesen, diese Besitzungen unangetastet zu lassen, und nun forderte Æthelwold von seinen Pachtbauern, bewaffnet zu ihm zu kommen und eine Armee zu bilden, die seiner Vorstellung nach wohl gegen Wintanceaster vorrücken sollte. Aber diese Armee wäre der Fyrd, der sich aus Männern ohne Kampferfahrung zusammensetzte, aus Lohnarbeitern und Zimmerleuten und Dachdeckern und Ackerleuten, während Edward seine königliche Leibgarde hatte, in der alle Männer geübte Krieger waren. Der Fyrd eignete sich zur Verteidigung einer Wehrstadt oder dazu, den Gegner durch die schiere Anzahl von Männern zu beeindrucken, doch zum Kampf, dazu, sich einem Schwertdänen oder einem plündernden Nordmann entgegenzustellen, war ein echter Krieger nötig. Was Æthelwold hätte tun sollen, war, in Wintanceaster zu bleiben, Alfreds sämtliche Kinder zu ermorden und erst danach sein Banner zu hissen, doch wie ein Tölpel war er auf seine eigenen Besitzungen gezogen, und nun setzten wir ihm mit Kriegern nach.

Der Tag neigte sich dem Ende zu, als wir in die Nähe von Wimburnan kamen. Die Sonne stand niedrig im Westen, und lange Schatten lagen auf den fruchtbaren Hängen, auf denen Æthelwolds Schafe und Rinder grasten. Wir kamen von Osten, und niemand versuchte uns zu hindern, als wir uns dem Städtchen näherten. Es war zwischen zwei Ströme gebettet, und ihr Zusammenfluss lag bei einer Steinkirche, die über den Strohdächern aufragte. König Æthelred, Æthelwolds Vater, war in dieser Kirche begraben, und dahinter, von einer hohen Palisade umgeben, befand sich Æthelwolds Palas, über dem eine große Flagge wehte. Sie zeigte einen steigenden weißen Hirschen mit blitzenden Augen und zwei christlichen Kreuzen als Geweih, und die niedrigen Sonnenstrahlen fingen sich in dem Leintuch, das im leichten Wind schlug, sodass der dunkelrote Hintergrund des Banners im späten Tageslicht wie kochendes Blut zu brodeln schien.

Wir umritten die Stadt im Norden, überquerten den schmaleren Fluss, dann ging es einen sanften Hügel hinauf, der zu einer dieser Festungen führte, die das Alte Volk überall in Britannien angelegt hat. Diese Festung war aus der Kalkspitze des Hügels gehauen worden, und Pater Edmund erzählte mir, dass sie Baddan Byrig hieß und dass die Leute aus der Gegend glaubten, in manchen Winternächten tanze dort der Teufel. Die Festung hatte drei Wälle aus aufgehäuftem Kalkstein, die alle mit Gras überwachsen waren, und zwei verschachtelte Eingänge, an denen Schafe grasten, und sie bot einen Blick auf die Straße hinunter, die Æthelwold nehmen musste, wenn er nach Norden zu seinen dänischen Freunden wollte. Edwards erster Gedanke war es gewesen, die Straße nach Wintanceaster zu sperren, aber diese Stadt war von den Wällen und der Garnison geschützt, und ich überzeugte ihn davon, dass die größere Gefahr darin bestand, dass Æthelwold ganz aus Wessex entkam.

Unsere Armee nahm unter den königlichen Bannern über den gesamten Hügelkamm Aufstellung. Wimburnan lag nur wenige Meilen im Südosten, und wir müssen jedem, der von unten aus der Stadt zu uns heraufsah, einen höchst furchterregenden Anblick geboten haben. Wir waren ins Licht der niedrigstehenden Sonne getaucht, und es ließ unsere Rüstungen und Waffen aufblitzen und die freiliegenden Stellen von Baddan Byrigs Kalksteinwällen weiß leuchten. Dieselbe niedrigstehende Sonne erschwerte es uns jedoch auch zu erkennen, was in der kleinen Stadt vor sich ging, aber ich sah Männer und Pferde bei Æthelwolds Palas und Leute, die in den Straßen zusammenstanden, doch keinen Schildwall, um die Straße zu verteidigen, die zum Palas führte. «Wie viele Männer haben sie?», fragte Edward. Diese Frage hatte er schon ein Dutzend Mal gestellt, seit wir Pater Edmund begegnet waren, und ein Dutzend Mal war ihm beschieden worden, dass wir es nicht wussten, dass niemand es wusste und dass es ebenso gut vierzig wie vierhundert sein konnten.

«Auf jeden Fall nicht genügend, Herr», sagte ich jetzt.

«Was …», begann er, dann unterbrach er sich unvermittelt. Er hatte fragen wollen, was wir tun sollten, dann war ihm eingefallen, dass er der König war und er deshalb selbst für die Antwort sorgen sollte.

«Wollt Ihr ihn tot oder lebendig?», fragte ich.

Er sah mich an. Er wusste, dass er Entscheidungen fällen musste, aber er wusste dennoch nicht, wie er sich entscheiden sollte. Pater Coenwulf, der sein Lehrer gewesen war, setzte zu einem Ratschlag an, aber Edward schnitt ihm mit einer Geste das Wort ab. «Ich will ihn vor Gericht stellen», sagte er.

«Denkt daran, was ich Euch erklärt habe», sagte ich. «Euer Vater hätte uns sehr viele Schwierigkeiten ersparen können, wenn er Æthelwold hätte töten lassen, warum lasst Ihr mich diesen Bastard also jetzt nicht einfach abstechen?»

«Oder mich, Herr», bot sich Steapa bereitwillig an.

«Er muss sich vor dem Witan verantworten», beschloss Edward. «Ich wünsche meine Regentschaft nicht mit einer Bluttat zu beginnen.»

«Amen und Gott sei gepriesen», sagte Pater Coenwulf.

Ich blickte in das Tal hinunter. Falls Æthelwold tatsächlich so etwas wie eine Armee aufgestellt hatte, war sie nicht zu sehen. Alles, was ich erkennen konnte, waren ein paar Pferde und ein ungeordneter bewaffneter Haufen. «Lasst ihn mich einfach töten, Herr», drängte ich weiter, «dann seid Ihr das Problem bei Sonnenuntergang los.»

«Lasst mich mit ihm reden», bat Pater Coenwulf.

«Bringt ihn zur Vernunft», sagte Edward zu dem Priester.

«Und wie bringt man eine in die Enge getriebene Ratte zur Vernunft?», wollte ich wissen.

Darauf ging Edward nicht ein. «Sagt ihm, er muss sich unserer Gnade ausliefern», erklärte er Pater Coenwulf.

«Und was ist, wenn er beschließt, Pater Coenwulf stattdessen umzubringen, Herr König?», fragte ich.

«Ich bin in Gottes Hand», sagte Coenwulf.

«In Herrn Uhtreds Hand wärt Ihr besser aufgehoben», murrte Steapa.

Die Sonne stand nun schon dicht über dem Horizont, eine blendende rote Kugel am herbstlichen Himmel. Edward wirkte unsicher, wollte aber weiter entschlossen auftreten. «Ihr geht alle drei», verkündete er mit fester Stimme, «und Pater Coenwulf übernimmt das Reden.»

Auf dem Ritt hügelabwärts erteilte mir Pater Coenwulf Belehrungen. Ich solle niemanden bedrohen, ich solle nicht den Mund aufmachen, es sei denn, jemand habe das Wort an mich gerichtet, ich solle mein Schwert nicht anrühren, und die Herrin Æthelflæd, darauf bestand er, solle wieder sicher dem Schutz ihres Ehemannes unterstellt werden. Pater Coenwulf war blass und ernst, einer dieser unnachgiebigen Männer, die Alfred mit Vorliebe als Lehrer und Berater eingesetzt hatte. Er war klug, das versteht sich von selbst, sämtliche Priester, für die Alfred eine Vorliebe gehegt hatte, besaßen einen scharfen Verstand, aber er war übereifrig, die Sünde zu verdammen oder sie gar erst zu erfinden, und das bedeutete, dass er Æthelflæds und mein Verhalten verurteilte. «Habt Ihr mich verstanden?», fragte er, als wir die Straße erreichten, die kaum mehr war als ein zerfurchter Karrenweg zwischen unbeschnittenen Hecken. Bachstelzen schwärmten über die Felder, und weit weg, jenseits der Stadt, kreiste eine große Starenwolke und verlor sich dann in den Weiten des Himmels.

«Ich soll niemanden bedrohen», sagte ich heiter, «und zu niemandem sprechen und mein Schwert nicht anrühren. Wäre es nicht einfacher, wenn ich gleich das Atmen einstelle?»

«Und wir sollen die Herrin Æthelflæd an den rechten Ort zurückbringen», sagte Coenwulf fest.

«Was ist denn der rechte Ort für sie?», fragte ich.

«Das wird ihr Ehemann entscheiden.»

«Aber er will sie ins Kloster schicken», betonte ich.

«Wenn ihr Ehemann so entscheidet, Herr Uhtred», sagte Coenwulf, «dann ist es ihr Schicksal.»

«Ich denke, Ihr werdet noch herausfinden», sagte ich milde, «dass diese Dame ihren eigenen Willen hat. Sie wird sich möglicherweise nicht den Wünschen irgendeines Mannes fügen.»

«Sie wird ihrem Ehemann gehorchen», verkündetet Coenwulf entschlossen, und ich lachte ihn einfach aus, und das verärgerte ihn. Der arme Steapa sah uns ratlos an.

Um die Stadt waren ein halbes Dutzend Männer aufgestellt, aber sie versuchten nicht, uns aufzuhalten. Es gab keinen Wall, dieses Städtchen war keine Wehrstadt, und so tauchten wir geradewegs in eine Straße ein, in der es nach Dung und Holzfeuer roch. Die Bewohner waren besorgt und still. Sie beobachteten uns, und manche schlugen ein Kreuz, als wir vorbeikamen. Mir fiel auf, dass nur wenige Männer bewaffnet waren. Wenn Æthelwold nicht einmal in seiner eigenen Heimatstadt den Fyrd aufstellen konnte, wie konnte er dann hoffen, die gesamte Grafschaft gegen Edward aufzubringen? Das Tor des Nonnenklosters Sankt Cuthberga öffnete sich einen Spalt, als wir näher kamen, und ich sah eine Frau herausspähen, und dann wurde das Tor wieder zugeschlagen. An der Kirchentür standen mehrere Wachen, aber auch sie unternahmen keine Anstrengungen, um uns aufzuhalten. Sie sahen uns nur finster an, als wir vorbeiritten. «Er hat schon verloren», sagte ich.

«In der Tat», stimmte mir Steapa zu.

«Verloren?», fragte Pater Coenwulf.

«Das hier ist seine Festung», sagte ich, «aber niemand will sich uns entgegenstellen.»

Zumindest wollte sich uns niemand entgegenstellen, bis

wir den Eingang zu Æthelwolds Palas erreicht hatten. Das Tor war mit seiner Flagge geschmückt, wurde von sieben Speermännern bewacht und war mit einer jämmerlichen Barrikade versperrt, die aus Fässern bestand, auf die zwei Holzbalken gelegt worden waren. Einer der Speermänner kam mit großen Schritten auf uns zu und hob seine Waffe. «Nicht weiter», verkündete er.

«Roll einfach die Fässer weg», sagte ich, «und mach das Tor auf.»

«Nennt Eure Namen», sagte er. Es war ein Mann mittleren Alters, kräftig gebaut und pflichtbewusst.

«Das ist Matthäus», sagte ich und deutete auf Pater Coenwulf, «ich bin Markus, er dort ist Lukas, und der andere Kerl hat sich betrunken und ist nicht mitgekommen. Du weißt verflucht genau, wer wir sind, also mach das Tor auf.»

«Lass uns ein», sagte Pater Coenwulf streng, nachdem er mir einen garstigen Blick zugeworfen hatte.

«Keine Waffen», sagte der Mann.

Ich sah Steapa an. Er trug sein Langschwert an der linken Seite, sein Kurzschwert an der rechten, und über seinem Rücken hing eine Kriegsaxt. «Steapa», sagte ich zu ihm, «wie viele Männer waren es noch, die du im Kampf getötet hast?»

Meine Frage erstaunte ihn, aber er dachte über die Antwort nach. Schließlich musste er den Kopf schütteln. «Ich bin mit dem Zählen nicht nachgekommen», sagte er.

«Ich auch nicht», sagte ich und wandte meinen Blick wieder dem Mann vor uns zu. «Du kannst uns die Waffen abnehmen», erklärte ich ihm, «oder du kannst am Leben bleiben und uns durch das Tor lassen.»

Er beschloss, dass er am Leben bleiben wollte, gab seinen Männern den Befehl, die Fässer und Balken wegzuräumen und die Torflügel aufzuziehen, und so ritten wir auf den Hof. Dort waren gerade Fackeln angezündet worden und ihre wild zuckenden Flammen warfen unruhige Schatten von gesattelten Pferden, die auf ihre Reiter warteten, an die Mauern. Ich zählte etwa dreißig Männer, die bei den Pferden standen, manche in Rüstungen und alle bewaffnet, aber keiner von ihnen forderte uns heraus. Stattdessen wirkten sie ängstlich. «Er hat seine Flucht vorbereitet», sagte ich.

«Ihr sollt hier nicht reden», sagte Pater Coenwulf gereizt.

«Seid still, Ihr fader Priester», gab ich zurück.

Bedienstete kamen, um unsere Pferde wegzuführen, und wie ich erwartet hatte, verlangte ein Verwalter, dass Steapa und ich unsere Waffen abgaben, bevor wir den großen Palas betraten. «Nein», sagte ich.

«Mein Schwert bleibt bei mir», sagte Steapa mit drohender Stimme.

Der Verwalter wusste nicht, was er tun sollte, aber Pater Coenwulf schob sich einfach an dem Mann vorbei, und wir folgten ihm in den großen Palas, der von einem lodernden Feuer und Kerzen erleuchtet wurde. Die Kerzen waren auf zwei Tischen angeordnet worden, und zwischen ihnen stand ein Thron. Es gab kein anderes Wort, um diesem riesigen Stuhl gerecht zu werden, der hoch über die vielen Kerzen hinausragte und auf dem Æthelwold saß, wenn er auch im Augenblick unseres Erscheinens aufsprang und zum Rand des Podests kam, auf dem der Thron den Ehrenplatz einnahm. Noch ein zweiter Stuhl stand auf dem Podest, viel kleiner und an die Seite gerückt, und darauf saß Æthelflæd, flankiert von zwei Speerträgern. Sie sah mich, lächelte schief, und hob eine Hand, um mir zu bedeuten, dass sie unverletzt war.

Mehr als fünfzig Männer waren in dem Palas. Die meisten waren bewaffnet, trotz der Anstrengungen des Verwalters, doch auch hier wurden wir nicht bedroht. Unser Erscheinen schien für eine plötzliche Stille gesorgt zu haben. Diese Männer waren angespannt, ebenso wie die auf dem Hof. Ich kannte einige von ihnen und spürte, dass die Männer im Saal geteilter Meinung waren. Die jüngsten Männer standen am dichtesten bei dem Podest und waren Æthelwolds Unterstützer, während die älteren Männer seine Thegn waren und offenkundig unzufrieden mit dem Gang der Ereignisse. Sogar die Hunde im Saal wirkten, als hätte man ihnen eins mit der Peitsche übergezogen. Einer winselte, als wir hereinkamen, dann schlich er sich an den Rand des Saals, wo er sich zitternd auf den Boden sinken ließ. Æthelwold stand mit verschränkten Armen am Rand des Podests und bemühte sich um ein königliches Auftreten, doch mir erschien er ebenso angespannt wie die Hunde, wenn auch ein hellhaariger Mann an seiner Seite vor Unternehmungslust sprühte. «Nehmt sie gefangen, Herr», drängte der junge Mann Æthelwold.

Es gibt keine Unternehmung, die so hoffnungslos, keine Überzeugung, die so wahnwitzig, keinen Einfall, der so lächerlich ist, dass er nicht ein paar Anhänger anzieht, und der hellhaarige Jüngling, das war nicht zu übersehen, hatte Æthelwolds Sache zu seiner gemacht. Er war ein gutaussehender Bursche mit wachem Blick, breitem Kiefer und kräftigem Körperbau. Er trug sein Haar lang und im Nacken mit einem Lederband zusammengebunden. Ein zweites Band lag wie ein dünner Schal um seinen Hals und wirkte seltsam weibisch, denn es war rosafarben und aus der wertvollen und zarten Seide gemacht, die von Händlern aus einem fernen Land nach Britannien gebracht wird. Die Enden des Seidenbandes hingen über sein Kettenhemd, das aus feinen Gliedern bestand und wohl von den kostspieligen Schmieden im Frankenreich angefertigt worden war. Sein Gürtel war mit eckigen Goldplättchen besetzt und das Heft seines Schwertes mit einem Kristallknauf geschmückt. Er war reich, er war selbstbewusst, und er sah uns streitlustig entgegen. «Wer seid Ihr?», fragte Pater Coenwulf den Jüngling.

«Mein Name ist Sigebriht», sagte der junge Mann stolz. «Herr Sigebriht für Euch, Priester.» Also war dies der junge Mann, der die Botschaften zwischen Æthelwold und den Dänen übermittelt hatte, Sigebriht von Cent, der die Herrin Ecgwynn geliebt und sie an Edward verloren hatte. «Lasst sie gar nicht erst reden», drängte Sigebriht seinen Meister. «Tötet sie!»

Æthelwold wusste nicht, was er tun sollte. «Der Herr Uhtred», grüßte er mich, weil er irgendetwas sagen wollte. Er hätte seinen Männern befehlen sollen, uns in Stücke zu hacken, um anschließend seine Kräfte zum Angriff auf Edward zu führen, aber dafür war er nicht Manns genug, und vermutlich wusste er, dass ihm nur eine Handvoll Männer im Saal folgen würden.

«Herr Æthelwold», sagte Pater Coenwulf streng, «wir sind hier, um Euch an den Hof König Edwards vorzuladen.»

«Diesen König gibt es nicht», zeterte Sigebriht.

«Ihr werdet Eurem Rang gemäß behandelt», Pater Coenwulf achtete nicht auf Sigebriht und sprach an Æthelwold gewandt weiter, «aber Ihr habt den Frieden des Königs gestört, und dafür müsst Ihr dem König und seinem Witan Rede und Antwort stehen.»

«Ich bin hier König», sagte Æthelwold. Er straffte sich, um würdig auszusehen. «Ich bin König», wiederholte er, «und ich werde hier in meinem Königreich leben oder sterben!»

Einen Augenblick lang tat er mir beinahe leid. Er war ja tatsächlich um den Thron von Wessex betrogen worden, verdrängt von seinem Onkel Alfred und gezwungen zuzusehen, wie Alfred Wessex zum mächtigsten Königreich Britanniens machte. Æthelwold hatte Trost in Ale, Met und Wein gefunden, und in trinkseliger Laune konnte er durchaus eine unterhaltsame Gesellschaft sein, doch immer hatte er den Ehrgeiz gehabt, das richtigzustellen, was er als das große Unrecht betrachtete, das ihm in seiner Kindheit angetan worden war. Und jetzt mühte er sich so sehr um einen königlichen Auftritt, doch nicht einmal seine eigenen Gefolgsleute waren bereit, sich ihm in dieser Sache anzuschließen, nur ein paar wenige junge Narren wie Sigebriht.

«Ihr seid nicht König, Herr», sagte Pater Coenwulf schlicht.

«Er ist König!», beharrte Sigebriht und ging auf Pater Coenwulf zu, als wolle er den Priester niederschlagen. Da trat auch Steapa einen Schritt vor.

Ich habe im Leben viele respekteinflößende Männer gesehen, und von ihnen war Steapa der furchterregendste. In Wirklichkeit war er eine sanftmütige Seele, freundlich und unendlich rücksichtsvoll, aber er war auch einen Kopf größer als die meisten Männer und mit einem knochigen Schädel gesegnet, über den die Haut straff gespannt schien, was ihm einen immerzu düsteren Ausdruck verlieh, der an gnadenlose Grausamkeit denken ließ. Früher hatten ihn die Männer Steapa Snotor genannt, was Steapa der

Dumme bedeutet, aber diesen Spottnamen hatte ich schon seit Jahren nicht mehr gehört. Steapa war als Sklave geboren, war aber bis zum Anführer der königlichen Leibwache aufgestiegen, und obwohl er kein schneller Denker war, so war er doch treu, gewissenhaft und gründlich. Außerdem war er der gefürchtetste Krieger von Wessex, und nun, als er eine Hand auf den Griff seines gewaltigen Schwertes legte, blieb Sigebriht stehen, und ich sah die Angst auf seinem hochmütigen Gesicht aufblitzen.

Und ich sah Æthelflæd lächeln.

Æthelwold wusste, dass er verloren hatte, klammerte sich aber an seine Würde. «Pater Coenwulf, nicht wahr?», fragte er.

«Ja, Herr.»

«Ihr seid ein weiser Ratgeber, da bin ich gewiss. Möchtet Ihr vielleicht auch mir einen Rat geben?»

«Deshalb bin ich hier», sagte Coenwulf.

«Und würdet Ihr in meiner Kapelle ein Gebet sprechen?» Æthelwold deutete auf eine Tür hinter sich.

«Das wäre eine besondere Ehre», sagte Coenwulf.

«Du auch, meine Teure», sagte Æthelwold zu Æthelflæd. Er klang schicksalsergeben. Er winkte noch ein halbes Dutzend andere zu sich, seine engsten Gefährten, zu denen auch der beschämte Sigebriht gehörte, und sie alle gingen durch die kleine Tür hinter dem Podest. Æthelflæd sah mich fragend an, und ich nickte, denn für mich war klar, dass ich mit ihr in die Kapelle gehen würde, und so folgte sie Sigebriht, doch sobald wir auf das Podest zugingen, hob Æthelwold die Hand. «Nur Pater Coenwulf», sagte er.

«Wo er hingeht, da gehen auch wir hin», sagte ich.

«Wollt Ihr etwa beten?», fragte mich Pater Coenwulf spöttisch.

«Ich will, dass Ihr sicher seid», sagte ich, «auch wenn nur Euer Gott weiß warum.»

Coenwulf sah Æthelwold an. «Habe ich Euer Wort, dass ich in Eurer Kapelle sicher bin, Herr?»

«Ihr selbst seid meine Sicherheit», sagte Æthelwold mit überraschender Demut, «und ich möchte Euren Rat, ich möchte Euer Gebet, und ja, Ihr habt mein Wort, dass Ihr sicher seid.»

«Dann wartet hier», blaffte Coenwulf mich an, «alle beide.»

«Ihr vertraut dem Bastard?», fragte ich laut genug, damit Æthelwold es hören konnte.

«Ich vertraue Gott dem Allmächtigen», sagte Coenwulf großartig, stieg flink auf das Podest und folgte Æthelwold aus dem Saal.

Steapa legte mir die Hand auf den Arm. «Lass ihn gehen», sagte er, also warteten wir. Zwei der älteren Männer kamen zu uns und sagten, dieser Plan stamme nicht von ihnen, und dass sie Æthelwold geglaubt hatten, als er behauptete, der Witan von Wessex habe seiner Thronbesteigung zugestimmt, und ich erklärte ihnen, sie hätten nichts zu fürchten, solange sie nicht die Waffen gegen ihren rechtmäßigen König erhoben. Dieser König wartete, soweit ich wusste, immer noch in der alten Festung mit den Kalkwällen nördlich der Stadt, wartete, während die lange Nacht anbrach und die Sterne am Himmel erschienen. Und auch wir warteten. «Wie lange dauert ein Gebet?», fragte ich.

«Ich habe schon erlebt, dass sie zwei Stunden dauern», sagte Steapa trübsinnig, «und die Predigten können noch länger dauern.»

Ich wandte mich an den Verwalter, der versucht hatte,

uns die Schwerter abzunehmen. «Wo ist die Kapelle?», fragte ich ihn.

Der Mann sah mich voller Schrecken an, dann stammelte er: «Es gibt keine Kapelle, Herr.»

Ich fluchte, rannte zu der Tür am Kopfende des Saales, drückte sie auf, und hatte eine Schlafkammer vor mir. Sie war mit Fellteppichen, Wolldecken, einem Holzkübel und einer hohen, unangezündeten Kerze in einem silbernen Halter ausgestattet, und in der gegenüberliegenden Wand war eine Tür, die zu einem kleinen Hof führte. Der Hof war leer und das offenstehende Tor wurde von einem einzelnen Speermann bewacht. «In welche Richtung sind sie?», schrie ich ihm zu, und zur Antwort deutete er vor dem Tor die Straße Richtung Westen hinunter.

Wir rannten in den größeren Hof zurück, wo unsere Pferde warteten. «Reite zu Edward», sagte ich zu Steapa, «erzähl ihm, dass der Bastard abgehauen ist.»

«Und du?», fragte er und zog sich in den Sattel.

«Ich verfolge sie Richtung Westen.»

«Aber nicht allein», sagte er rügend.

«Mach schon», sagte ich.

Steapa hatte natürlich recht. Es hatte wenig Zweck, allein in die Dunkelheit zu reiten, aber ich wollte nicht zurück zu den Kalkhängen von Baddan Byrig, wo unweigerlich die nächsten beiden Stunden damit vergeudet werden würden zu beraten, was nun zu tun sei. Ich fragte mich, was mit Pater Coenwulf geschehen war und hoffte, dass er noch lebte, und dann war ich durch das Tor, und die Leute auf der Straße sprangen zurück, als ich mit dem Pferd eine Gasse Richtung Westen entlangsprengte.

Æthelwold war mit seinem kläglichen Versuch gescheitert, als König von Wessex anerkannt zu werden, aber er hatte nicht klein beigegeben. Die Leute aus seiner eigenen Grafschaft hatten ihn nicht unterstützen wollen, und er hatte nur einen winzigen Trupp Getreuer, und deshalb floh er nun dahin, wo er Schwerter, Schilde und Speere finden würde. Er wollte nach Norden zu den Dänen, und dazu standen ihm, soweit ich es einschätzen konnte, nur zwei Möglichkeiten offen. Er konnte über Land reiten und hoffen, einen Bogen um die kleine Armee schlagen zu können, die Edward nach Wimburnan geführt hatte, oder er konnte nach Süden, wo ihn möglicherweise ein Boot erwartete. Ich verwarf den zweiten Gedanken. Die Dänen hatten nicht gewusst, wann Alfred sterben würde, und es war zu gefährlich für dänische Boote, länger in westsächsischen Gewässern zu fahren, und damit war es mehr als unwahrscheinlich, dass ein Schiff zu Æthelwolds Rettung bereitlag. Er war jetzt auf sich allein gestellt, und das bedeutete, dass er versuchte, über Land zu reiten.

Und ich verfolgte ihn, besser gesagt, ich tastete mich schlecht und recht durch die Dunkelheit. In dieser Nacht schien zwar der Mond, doch die Schatten, die er warf, lagen schwarz auf dem Weg, und weder ich noch das Pferd konnten viel erkennen, und deshalb bewegten wir uns nur langsam vorwärts. An manchen Stellen glaubte ich frische Hufabdrücke auf dem Boden zu erkennen, aber sicher war ich nicht. Die Straße bestand aus Schlamm und Gras, sie lag breit zwischen Hecken und hohen Bäumen, es war ein Weg für den Viehtrieb, und er folgte dem Flusstal, das sich nordwärts wand. Irgendwann in dieser Nacht kam ich zu einem Dorf und sah Licht in der Schmiedewerkstatt. Ein Junge schürte das Feuer in der Esse. Das war seine Arbeit, er musste das Feuer über Nacht in Gang halten, und er kauerte sich ängstlich zusammen, als er mich in meiner

Kriegerpracht sah. Helm, Kettenhemd und Schwertscheide funkelten im Widerschein der Flammen, die Licht auf die morastige Straße warfen.

Ich hielt das Pferd an und schaute zu dem Jungen hinüber. «In deinem Alter», sagte ich, «habe ich manchmal ein Köhlerfeuer gehütet. Meine Aufgabe war es, die Löcher im Meiler mit Moos und feuchten Erdklumpen zu verstopfen, falls irgendwo Rauch austrat. Ich habe die ganze Nacht aufgepasst. Dabei kann man sich sehr einsam fühlen.»

Er nickte, immer noch zu erschrocken, um etwas zu sagen.

«Aber ich hatte ein Mädchen, das mir beim Feuerhüten geholfen hat», sagte ich und dachte an die dunklen Nächte mit Brida zurück. «Hast du kein Mädchen?»

«Nein, Herr», sagte er. Inzwischen hatte er sich auf die Knie aufgerichtet.

«Mädchen sind die beste Gesellschaft in einsamen Nächten», sagte ich, «auch wenn sie zu viel reden. Sieh mich an, Junge.» Er hatte den Kopf gesenkt, vielleicht aus Scheu. «Und jetzt erzähl mir etwas», fuhr ich fort, «sind ein paar Männer durchs Dorf geritten? Sie müssten eine Frau bei sich gehabt haben.» Der Junge sagte nichts, starrte mich einfach nur an. Mein Pferd mochte die Hitze der Esse nicht, oder vielleicht wurde es auch durch den beißenden Geruch verunsichert, also klopfte ich ihm beruhigend auf den Hals. «Die Männer haben dir gesagt, du sollst den Mund halten», sagte ich zu dem Jungen, «sie haben gesagt, du musst das Geheimnis bewahren. Haben sie dir gedroht?»

«Er hat gesagt, er sei der König, Herr.» Beinahe flüsternd hatte der Junge die Worte hervorgestoßen.

«Der wahre König ist ganz in der Nähe», sagte ich. «Wie heißt dieser Ort?»

«Blaneford, Herr.»

«Sieht so aus, als könnte man hier gut leben. Sie sind wohl nach Norden geritten?»

«Ja, Herr.»

«Wie lange ist das her?»

«Nicht lange, Herr.»

«Und diese Straße führt nach Sceaftesburi?», fragte ich und versuchte mir die Gegebenheiten im Kernland des reichen Wessex ins Gedächtnis zu rufen.

«Ja, Herr.»

«Wie viele Männer waren es?», fragte ich.

«Dick a mimp, Herr», sagte er, und mir war klar, dass er auf diese Art zählte, und es war eine andere als meine, aber er war schlau genug, das selbst zu bemerken, und hob einmal alle Finger hoch und dann nur eine Hand. Fünfzehn.

«War ein Priester dabei?»

«Nein, Herr.»

«Du bist ein guter Kerl», sagte ich, und das war er auch, weil er so klug gewesen war, die Männer zu zählen. Ich warf ihm ein Stückchen Silber zu. «Morgen früh», sagte ich, «erzählst du deinem Vater, dass du Uhtred von Bebbanburg begegnet bist und deinen Dienst am neuen König erfüllt hast.»

Er starrte mich mit weit aufgerissenen Augen an, als ich mein Pferd umdrehen ließ und zu der Furt lenkte, wo ich das Tier trinken ließ, bevor ich hügelan weiterritt.

Ich weiß noch, wie mir durch den Kopf ging, dass ich in dieser Nacht hätte sterben können. Æthelwold hatte vierzehn Begleiter, wenn man Æthelflæd nicht mitrechnete, und er muss gewusst haben, dass er verfolgt werden würde. Ich vermute, er dachte, dass Edwards gesamte Armee hinter ihm her durch die Dunkelheit stolperte, denn wenn er gewusst hätte, dass es nur ein einzelner Reiter war, hätte er sicher einen Hinterhalt gelegt, und ich wäre niedergeschlagen und im Mondeslicht abgeschlachtet worden. Ein besserer Tod, dachte ich, als ihn Alfred gestorben war. Besser, als in einem stinkenden Raum zu liegen, quälenden Schmerzen unterworfen, mit einem Klumpen im Bauch wie ein Stein, mit herablaufendem Speichel und Tränen und Kot und üblen Gerüchen. Aber dann kommt die Befreiung des Lebens im Jenseits, die Wiedergeburt in die Freude. Die Christen nennen es Himmel und wollen uns in seine marmornen Hallen treiben, indem sie uns mit grauenhaften Geschichten von einer Hölle schrecken, die heißer ist als die Schmiedeesse von Blaneford, ich aber werde in den Armen einer Walküre mit einem strahlenden Lichtblitz in den großen Ehrensaal von Walhall eingehen, wo meine Freunde auf mich warten, und nicht nur meine Freunde, sondern auch meine Feinde, die Männer, die ich in der Schlacht getötet habe, und es wird ein Schwelgen sein und ein Trinken und Kämpfen, und es werden Frauen da sein. Das ist unser Schicksal, es sei denn, wir sterben einen schlechten Tod, dann leben wir ewiglich in den eisigen Sälen der Göttin Hel.

Wie seltsam das war, dachte ich, als ich Æthelwold durch die Nacht folgte. Die Christen sagen, unsere Strafe sei die Hölle, und die Dänen sagen, diejenigen, die einen schlechten Tod sterben, gehen nach Hel, in die Unterwelt, in der die Göttin gleichen Namens regiert. Aber Hel ist nicht die Hölle. Hel lässt niemanden brennen, sie lässt ihn nur im Elend leben. Stirb mit einem Schwert in der Hand, und du wirst niemals Hels verwesenden Körper sehen oder in ihren riesenhaften kalten Höhlen Hunger leiden. Doch Hels Bezirke sind kein Ort der Bestrafung. Nur das ganz gewöhnliche Leben für alle Zeit. Die Christen verheißen uns Strafe oder Belohnung, als wären wir kleine Kinder, aber in Wahrheit ist das, was danach kommt, das Gleiche, was vorher war. Alles ändert sich, wie Ælfadell erklärt hatte, und alles bleibt gleich, wie es seit jeher war und für immer sein wird. Und die Erinnerung an Ælfadell ließ mich an Erce denken, an diesen schlanken Körper, der sich auf meinem gewiegt, an die kehligen Geräusche, die sie ausgestoßen hatte, an dieses Andenken der Wonnen.

Als die Morgendämmerung kam, hörte ich Hirsche röhren. Es war Brunftzeit, die Zeit, in der Starenwolken den Himmel verdüstern und die Blätter zu fallen beginnen. An einer Erhebung der Straße ließ ich mein erschöpftes Pferd rasten und sah mich um. Ich entdeckte niemanden. Ich schien ganz allein zu sein in dieser nebeligen Dämmerung, beinahe zu schweben in einer Welt aus Gold und Gelb, deren Stille nur vom Röhren der Hirsche unterbrochen wurde, und dann verhallte auch noch dieses Geräusch, während ich ostwärts und südwärts nach einem Zeichen von Edwards Männern Ausschau hielt. Doch ich sah immer noch nichts. Also ritt ich weiter Richtung Norden, wo ziehender Rauch am Himmel die Lage der Stadt Sceaftesburi jenseits der Hügel anzeigte.

Sceaftesburi war eine von Alfreds Wehrstädten, eine Festung, die sowohl einer königlichen Münzstätte als auch einem von Alfred besonders geliebten Frauenkloster Schutz bot. Æthelwold hätte es niemals wagen können, nachts in einer solchen Stadt um Einlass zu bitten oder abzuwarten, bis die Stadttore geöffnet wurden, sodass er hineinreiten konnte. Der Befehlshaber über die Wehrstadt, wer immer es auch sein mochte, wäre zu neugierig gewesen, und das hieß, dass Æthelwold einen Bogen um Sceaftesburi gemacht haben musste. Aber in welcher Richtung? Ich suchte nach Spuren, fand jedoch nichts Auffälliges. Ich war versucht, die Verfolgung aufzugeben, die von Anfang an töricht gewesen war. Ich wollte mir in der Stadt ein Wirtshaus suchen und für etwas zu essen, ein Bett und eine Hure zahlen, die es mir wärmte, aber dann sprang ein Hase über meinen Weg, von Osten nach Westen, und das war ganz gewiss ein Zeichen der Götter. Ich ritt nach Westen von der Straße weg.

Und wenig später hob sich der Nebel, und ich sah die Pferde auf einem Kalkhügel. Zwischen mir und dem Hügel lag ein weites, dichtbewaldetes Tal, und ich galoppierte darauf zu, obwohl ich sah, dass mich die Reiter schon bemerkt hatten. Es war eine ganze Gruppe, alle starrten in meine Richtung, und einer deutete auf mich. Dann drehten sie um und ritten nach Norden. Ich zählte nur neun Männer, und ganz bestimmt gehörten sie zu Æthelwolds Trupp, aber als ich in dem bewaldeten Tal angekommen war, konnte ich nicht nach den übrigen Reitern suchen, weil der Nebel noch zwischen den Bäumen stand und ich langsam reiten musste, denn die Äste hingen niedrig, sodass ich mich auf den Pferderücken ducken musste. Überall wucherte Farn. Ein schmaler Bach kreuzte meinen Weg. Ein toter Baum war mit Pilzen und Moos überwachsen. Brombeerranken, Efeu und Stechpalmenbüsche bildeten ein undurchdringliches Dickicht zu beiden Seiten des Pfades, eines Pfades, der mit frischen Hufspuren übersät war. Es war still zwischen den Bäumen, und in der Stille spürte ich die Angst, das Kribbeln, diese Gewissheit, die aus nichts anderem als der Erfahrung drohender Gefahr geboren wird.

Ich stieg aus dem Sattel und band das Pferd an eine Eiche. Was ich tun sollte, ging es mir durch den Kopf, war, wieder aufzusteigen, auf kürzestem Weg nach Sceaftesburi zu reiten und Alarm zu schlagen. Ich hätte ein frisches Pferd nehmen und gemeinsam mit der Garnisonsbesatzung Æthelwolds Verfolgung fortsetzen sollen, aber das zu tun, hätte bedeutet, dem, was auch immer mich gerade bedrohte, den Rücken zuzuwenden. Ich zog Schlangenhauch. Es war tröstlich, den vertrauten Schwertgriff in der Hand zu spüren.

Langsam ging ich weiter.

Hatten mich die Reiter auf dem Hügel gesehen, bevor ich sie entdeckt hatte? So war es wohl. Ich war in Gedanken versunken die Straße entlanggeritten, halb träumend halb grübelnd. Und wenn sie mich gesehen hatten? Dann wussten sie, dass ich allein war, und vermutlich wussten sie, wer ich war, und ich hatte nur neun Männer gesehen, was nahelegte, dass die übrigen im Wald zurückgeblieben waren, um mir aufzulauern. Dann geh zurück, sagte ich mir, geh zurück und hol die Garnisonsbesatzung der Wehrstadt, und gerade als ich zu der Entscheidung gekommen war, dass dies sowohl meine Pflicht als auch klug wäre, brachen fünfzig Schritt vor mir zwei Reiter aus der Deckung und griffen mich an. Einer trug einen Speer, der andere ein Schwert. Beide hatten Helme mit Wangenstücken, beide trugen Kettenhemden, beiden hatten Schilde, und beide waren Narren.

Ein Mann kann in einem tiefen, dichten Wald nicht auf dem Pferderücken kämpfen. Es gibt zu viele Hindernisse. Die beiden konnten nicht nebeneinander reiten, weil der Pfad zu schmal und das Unterholz rechts und links zu dicht war. Also setzte sich der Speermann an die Spitze, und er war, genau wie sein Kampfgefährte, Rechtshänder, was bedeutete, dass sich der Speer an der rechten Seite seines erschöpften Pferdes und zu meiner Linken befand. Ich ließ sie kommen, überlegte, warum wohl nur zwei angriffen, schob dieses Rätsel dann jedoch beiseite, als sie näher kamen und ich die Augen des ersten Reiters durch die Augenschlitze seines Helmes sehen konnte. Und ich trat einfach nach rechts ins Brombeergebüsch und hinter einen Eichenstamm, und der Speermann galoppierte vorbei, ohne etwas tun zu können, und da trat ich wieder zurück auf den Pfad und schwang Schlangenhauch mit aller Kraft, sodass die Klinge ins Maul des zweiten Pferdes fuhr, Zähne splittern und Blut spritzen ließ, und das Tier schrie und scherte aus, und der Reiter kippte aus dem Sattel und verhedderte sich in den Zügeln und Steigbügeln, während der erste Mann umzudrehen versuchte.

«Nein!», rief eine Stimme aus dem tiefen Wald. «Nein!» Meinte er mich? Nicht, dass es eine Rolle spielte. Der Schwertmann lag inzwischen auf dem Rücken, kämpfte, um hochzukommen, und der Speermann kämpfte, um sein Pferd auf dem engen Pfad umdrehen zu lassen. Der Schild des Schwertmannes hing an einer Schlinge an seinem linken Unterarm, also trat ich einfach nur auf die Weidenbretter, hielt ihn damit fest und ließ Schlangenhauch niederfahren. Kräftig niederfahren. Ein Mal.

Und da war Blut auf der Lauberde und ein würgendes Geräusch, und ein Körper zitterte unter mir, und der Schwertarm eines Sterbenden erschlaffte, als der Speermann sein Pferd wieder auf mich zugaloppieren ließ. Er holte mit dem Speer aus, aber es war leicht, ihm auszuweichen, indem ich mich zu einer Seite wegdrehte, und ich packte den Eschenschaft und zerrte daran, und der

Mann musste loslassen, sonst wäre er aus dem Sattel gerissen worden, und sein Pferd wich zurück, als der Reiter versuchte, sein Schwert zu ziehen, und bei diesem Versuch war er noch, als ich mit Schlangenhauch seinen linken Oberschenkel hinauffuhr unter sein Kettenhemd, mit der Spitze Haut und Muskeln zerschnitt und dann auf seinen Hüftknochen traf und die Klinge noch fester in ihn stieß und brüllte so laut ich konnte, um ihm Entsetzen einzuflößen und um dem Stoß noch mehr Kraft zu verleihen. Das Schwert steckte in seinem Körper, und ich bewegte es, drehte es, schob es weiter, und erneut rief die Stimme aus dem tiefen Wald. «Nein!»

Doch. Der Mann hatte sein Schwert halb gezogen, aber nun tropfte Blut von seinem Stiefel und dem Steigbügel, und ich packte einfach mit der Linken seinen rechten Ellbogen und zog, sodass er vom Pferd fiel. «Schwachkopf», knurrte ich, und dann tötete ich ihn, wie ich seinen Gefährten getötet hatte, um mich sofort darauf in die Richtung umzudrehen, aus der die Stimme gekommen war.

Nichts.

Irgendwo weit weg wurde ein Horn geblasen, dann antwortete ihm ein anderes. Die Klänge kamen von Süden und sagten mir, dass Edwards Truppen anrückten. Eine Glocke begann zu läuten, vermutlich beim Kloster oder der Kirche von Sceaftesburi. Das verwundete Pferd wieherte. Der zweite Mann starb, und ich zog Schlangenhauch aus seiner Kehle. Meine Stiefel waren dunkel von frischem Blut. Ich war müde. Ich wollte dieses Essen, das Bett und die Hure, doch stattdessen ging ich den Pfad entlang bis zu der Stelle, an der die beiden Narren aufgetaucht waren.

Der Pfad beschrieb eine Kurve, und dichtes Laubwerk

behinderte den Blick, dann öffnete er sich auf eine Lichtung um einen breiten Fluss. Frühes Sonnenlicht blitzte durchs Blattwerk und ließ das Gras sehr grün wirken. Auf der Wiese standen Tausendschönchen, und da war Sigebriht mit drei Männern und mit Æthelflæd, alle saßen in den Sätteln. Es war einer von diesen Männern, der seine zwei nun toten Gefährten angerufen hatte, doch welcher und weshalb konnte ich nicht sagen.

Ich trat aus den Schatten. Die Wangenstücke meines Helmes waren geschlossen, mein Kettenhemd und meine Stiefel blutbespritzt, Schlangenhauch rot gefärbt. «Wer ist der Nächste?», fragte ich.

Æthelflæd lachte. Ein Eisvogel, ganz rot und blau und strahlend, jagte wie ein Pfeil in den Fluss hinter ihr und verschwand in den Tiefen des Wassers. «Herr Uhtred», sagte sie und drückte ihrem Pferd die Fersen in die Flanken, sodass es auf mich zukam.

«Seid Ihr unverletzt?», fragte ich.

«Sie waren alle sehr rücksichtsvoll», sagte sie und warf Sigebriht einen spöttischen Blick über die Schulter zu.

«Sie sind nur zu viert», sagte ich, «welchen wünscht Ihr, dass ich zuerst töte?»

Sigebriht zog sein Schwert mit dem Kristallknauf. Ich machte mich bereit, in den Wald zurückzugehen, wo mir die Baumstämme einen Vorteil gegenüber einem berittenen Mann boten, doch zu meiner Überraschung warf er das Schwert weg, sodass es ein paar Schritt vor mir schwer im taubenetzten Gras aufschlug. «Ich ergebe mich Eurer Gnade», sagte Sigebriht. Seine drei Männer folgten seinem Beispiel und warfen ihre Schwerter auf den Boden.

«Von den Pferden», sagte ich, «alle.» Ich beobachtete sie beim Absteigen. «Und jetzt hinknien.» Sie knieten nieder. «Nennt mir einen einzigen Grund, Euch nicht zu töten», sagte ich, während ich auf sie zuging.

«Wir haben uns Euch ergeben, Herr», sagte Sigebriht mit gesenktem Kopf.

«Ihr habt Euch ergeben», sagte ich, «weil es Euren beiden Narren nicht gelungen ist, mich zu töten.»

«Es waren nicht meine beiden Narren, Herr», sagte Sigebriht demütig, «es waren Æthelwolds Männer. Diese drei sind meine Männer.»

«Hat er diesen beiden Tröpfen befohlen, mich anzugreifen?», rief ich Æthelflæd zu.

«Nein», sagte sie.

«Sie wollten den Ruhm, Herr», sagte Sigebriht, «sie wollten als die Uhtred-Töter berühmt werden.»

Ich setzte ihm die blutige Spitze Schlangenhauchs an die Wange. «Und was wollt Ihr, Sigebriht von Cent?»

«Meinen Frieden mit dem König machen, Herr.»

«Welchem König?»

«Es gibt nur einen König in Wessex, Herr. König Edward.»

Ich hob mit Schlangenhauchs Spitze den langen blonden Schwanz, zu dem er sein Haar mit dem Lederband zusammengebunden hatte. Wie mühelos, dachte ich, würde die Klinge diesen Hals durchschneiden. «Warum sucht Ihr den Frieden mit König Edward?»

«Es war falsch, Herr», sagte Sigebriht ergeben.

«Herrin?», rief ich, ohne ihn aus den Augen zu lassen.

«Sie haben gesehen, dass du uns gefolgt bist», erklärte Æthelflæd, «und dieser Mann», sie deutete auf Sigebriht, «hat mir angeboten, mich zu dir zurückzubringen. Er hat Æthelwold erklärt, ich würde dich dazu bringen, dass du dich ihm anschließt.»

«Hat er das geglaubt?»

«Ich habe ihm gesagt, ich würde es versuchen», sagte sie, «und das hat er geglaubt.»

«Er ist ein Narr.»

«Und stattdessen habe ich Sigebriht gesagt, er soll Frieden schließen», fuhr Æthelflæd fort, «und dass er sich am meisten Hoffnung machen kann, die heutige Morgendämmerung zu überleben, wenn er sich von Æthelwold lossagt und Edward die Gefolgschaft schwört.»

Ich legte das Schwert unter Sigebrihts Kinn, von dem er säuberlich den Bart geschabt hatte, sodass er den Kopf heben musste. Er war so schön mit seinen strahlenden Augen, und in diesen Augen entdeckte ich keinen verschlagenen Blick, nur den Blick eines verängstigten Mannes. Und doch wusste ich, dass ich ihn töten sollte. Ich berührte mit der Schwertspitze das Seidenband, das er um den Hals trug. «Erklärt mir, warum ich Euch nicht Eure erbärmliche Kehle durchschneiden soll», befahl ich ihm.

«Ich habe mich ergeben, Herr», sagte er, «ich bitte um Gnade.»

«Was hat es mit diesem Band auf sich?», fragte ich und ließ die rosafarbene Seide unter Schlangenhauchs Spitze wegschnellen, wobei ich einen blutigen Streifen darauf zeichnete.

«Es war das Geschenk eines Mädchens», sagte er.

«Von der Herrin Ecgwynn?»

Er sah mich an. «Sie war eine Schönheit», sagte er wehmütig, «sie war wie ein Engel, sie hat mir den Verstand geraubt.»

«Und sie hat Edward bevorzugt», sagte ich.

«Und sie ist tot, Herr», sagte Sigebriht, «und ich glaube, das bedauert König Edward ebenso sehr wie ich.»

«Kämpft für jemanden, der lebt», sagte Æthelflæd, «nicht für die Toten.»

«Ich war im Unrecht, Herr», sagte Sigebriht, und ich war nicht sicher, ob ich ihm glaubte, und deshalb drückte ich ihm das Schwert an den Hals und sah die Angst in seinen blauen Augen.

«Die Entscheidung liegt bei meinem Bruder», sagte Æthelflæd sanft, denn sie wusste, was ich im Sinn hatte.

Ich ließ ihn leben.

In dieser Nacht, so hörten wir später, überquerte Æthelwold die Grenze nach Mercien und ritt weiter nach Norden, bis er die Sicherheit von Sigurds Palas erreichte. Er war entkommen.

ACHT

Alfred war beerdigt.

Die Beerdigung dauerte fünf Stunden voller Gebete, Gesänge, Geheule und Gepredige. Der alte König war in einen Sarg aus Ulmenholz gelegt worden, der mit Bildern aus dem Leben der Heiligen bemalt war, wogegen der Deckel einen höchst überrascht blickenden Christus bei der Himmelfahrt zeigte. Man hatte dem König einen Splitter des Wahren Kreuzes zwischen die Finger gelegt, und ein Evangeliar diente ihm als Kopfkissen. Der Ulmensarg wurde in einen großen Kasten aus Blei gestellt, und dieser wiederum war von einem dritten Kasten umschlossen, der aus Zedernholz gefertigt war, in den man Bilder von Heiligen geschnitzt hatte, die dem Tode trotzten. Eine Heilige wurde verbrannt, doch die Flammen konnten ihr nichts anhaben, eine zweite wurde gemartert und schenkte ihren glücklosen Folterern dennoch ein verzeihendes Lächeln, und ein dritter wurde von Speeren durchbohrt und predigte gleichwohl weiter. Der gesamte sperrige Sarg wurde in die Krypta der alten Kirche hinuntergetragen, wo er in eine steinerne Kammer eingemauert wurde, in der Alfred so lange ruhte, bis die neue Kirche fertiggestellt war. Später sollte er dann in die Gruft gebracht werden, in der er heute noch liegt. Ich erinnere mich daran, dass Steapa schluchzte wie ein Kind. Beocca war in Tränen aufgelöst. Sogar der gestrenge Erzbischof Plegmund weinte bei seiner Predigt. Er sprach von der Jakobsleiter in einem Traum, von dem die Heilige Schrift der Christen erzählt.

Als Jakob mit einem Stein als Kopfkissen unter dieser Leiter lag, hörte er die Stimme Gottes. «Das Land, auf dem du liegst, soll deinen Kindern gegeben werden und deinen Kindeskindern», Plegmunds Stimme brach, als er die Worte las, «und deine Kinder werden sein wie der Staub auf der Erde, und sie werden sich nach Westen und Osten und Norden und Süden ausbreiten, und durch dich und deine Kinder sollen alle Geschlechter auf Erden gesegnet werden.»

Als Plegmund an der Stelle seiner langen Predigt ankam, an der er den Schluss zog: «Jakobs Traum war Alfreds Traum», war seine Stimme schon heiser geworden. «Und nun ruht Alfred hier, an diesem Ort, und dieses Land soll seinen Kindern und seinen Kindeskindern gegeben werden bis zum Jüngsten Tag! Und nicht nur dieses Land! Alfred hat davon geträumt, dass wir Sachsen das Licht der Heilsbotschaft in ganz Britannien verbreiten und in allen anderen Ländern, bis sich jede Stimme auf Erden zum Lob Gottes des Allmächtigen erhebt.»

Ich weiß noch, wie ich in mich hineinlächelte. Ich stand hinten in der alten Kirche, betrachtete den Rauch, der aus den Weihrauchkesseln aufstieg und sich um die vergoldeten Deckensparren kräuselte, und es belustigte mich, dass Plegmund glaubte, wir Sachsen sollten uns wie der Staub auf der Erde nach Norden, Süden, Osten und Westen ausbreiten. Wir konnten schon von Glück reden, wenn wir behielten, was wir besaßen, von Ausbreitung ganz zu schweigen, aber die Gemeinde war von Plegmunds Worten bewegt. «Die Heiden bedrängen uns», erklärte Plegmund, «sie verfolgen uns! Doch wir werden vor ihnen predigen, und wir werden für sie beten, und wir werden erleben, wie sie das Knie vor Unserem Allmächtigen beugen, und dann wird Alfreds Traum wahr werden, und im Himmel wird es ein Frohlocken geben! Gott wird uns behüten!»

Ich hätte bei dieser Predigt aufmerksamer zuhören sollen, aber ich dachte an Æthelflæd und Fagranforda. Ich hatte um Edwards Erlaubnis gebeten, nach Mercien zu gehen, und als Antwort hatte er Pater Beocca in die Zwei Kraniche geschickt. Mein alter Freund saß am Feuer und tadelte mich, weil ich nicht an meinen ältesten Sohn dachte. «Ich habe an ihn gedacht», sagte ich, «ich möchte, dass er auch mit nach Fagranforda kommt.»

«Und was soll er dort tun?»

«Was er längst tun sollte», sagte ich, «sich als Krieger üben.»

«Er will Priester werden», sagte Beocca.

«Dann ist er kein Sohn von mir.»

Beocca seufzte. «Er ist ein guter Junge! Ein sehr guter Junge.»

«Sagt ihm, er soll sich einen anderen Namen suchen», sagte ich. «Wenn er Priester wird, ist er es nicht wert, Uhtred zu heißen.»

«Wie sehr du deinem Vater gleichst», sagte er, und das überraschte mich, denn ich hatte meinen Vater gefürchtet. «Und wie sehr Uhtred dir gleicht!» Beocca fuhr fort: «Er sieht aus wie du, und er hat deine Starrköpfigkeit.» Er lachte in sich hinein. «Du warst ein außerordentlich starrsinniges Kind.»

Man beschuldigt mich oft, Uhtredærwe zu sein, der gottlose Feind des Christentums, und dennoch waren so viele, die ich geliebt und bewundert habe, Christen, und über ihnen allen stand Beocca. Beocca und seine Frau, Thyra, Hild, Æthelflæd, der gute Pater Pyrlig, Osferth, Willibald, sogar Alfred, die Liste ist unendlich lang, und ich nehme an, sie alle waren gute Menschen, denn ihre Religion fordert, dass sie ein bestimmtes Verhalten zeigen, was meine nicht tut. Thor und Wotan verlangen nichts von mir außer Respekt und ein gelegentliches Opfer, doch sie wären niemals so töricht, darauf zu bestehen, dass ich meine Feinde lieben oder die andere Wange hinhalten soll. Aber die besten Christen, wie Beocca, kämpfen jeden Tag darum, gute Menschen zu sein. Ich habe nie versucht, gut zu sein, allerdings glaube ich auch nicht, dass ich böse bin. Ich bin einfach ich, Uhtred von Bebbanburg. «Uhtred», sagte ich zu Beocca und meinte meinen Ältesten, «wird nach mir der Herr von Bebbanburg sein. Er kann diese Festung nicht mit Gebeten verteidigen. Er muss lernen, wie man kämpft.»

Beocca starrte ins Feuer. «Ich habe immer gehofft, Bebbanburg eines Tages wiederzusehen», sagte er sehnsüchtig, «aber inzwischen bezweifle ich, dass sich diese Hoffnung je erfüllt. Der König sagt, du kannst nach Fagranforda gehen.»

«Gut», sagte ich.

«Alfred war großzügig zu dir», sagte Beocca ernst.

«Das bestreite ich nicht.»

«Und ich hatte darauf einen gewissen Einfluss», sagte Beocca mit verhaltenem Stolz.

«Ich danke Euch.»

«Weißt du, warum er einverstanden war?»

«Weil Alfred es mir geschuldet hat», sagte ich, «weil er ohne Schlangenhauch nicht achtundzwanzig Jahre lang König geblieben wäre.»

«Weil Wessex einen starken Mann in Mercien braucht», sagte Beocca, ohne meine Prahlerei zu beachten.

«Æthelred?», fragte ich spitzbübisch.

«Er ist ein guter Mann, und du hast ihm Unrecht zugefügt.»

«Mag sein», sagte ich, um einen Streit zu vermeiden.

«Æthelred ist der Herr von Mercien», sagte Beocca, «und der Mann mit dem größten Anrecht auf die mercische Krone, und doch hat er nicht versucht, sie an sich zu reißen.»

«Weil er Wessex fürchtet», sagte ich.

«Er war Wessex gegenüber loyal», stellte Beocca richtig, «aber er darf nicht zu unterwürfig wirken, weil sich sonst die mercischen Herren, die sich nach Selbständigkeit sehnen, gegen ihn wenden.»

«Æthelred regiert in Mercien», sagte ich, «weil er der reichste Mann im Land ist, und sooft ein Herr Vieh, Sklaven oder einen Palas an die Dänen verliert, weiß er, dass ihn Æthelred entschädigt. Æthelred bezahlt für seine Herrschaft, aber was er eigentlich tun sollte, ist, die Dänen zu vernichten.»

«Er beobachtet die walisische Grenze», sagte Beocca, als ob mit den Walisern zu verhandeln eine Ausrede dafür wäre, die Dänen unbehelligt zu lassen, «aber es wird anerkannt», er zögerte bei diesem Wort, als wäre es im Vorhinein sorgfältig ausgewählt worden, «es wird anerkannt, dass er kein geborener Kämpfer ist. Er ist ein großartiger Herrscher», fuhr er dann hastig fort, um das höhnische Lachen zu ersticken, das er von mir erwartete, «und seine Verwaltung ist bewunderungswürdig, aber er hat nun einmal keine Begabung für die Kriegsführung.»

«Aber ich», sagte ich.

Beocca lächelte. «Ja, Uhtred, die hast du, aber du hast keine Begabung für respektvolles Verhalten. Der König erwartet, dass du Herrn Æthelred mit Respekt begegnest.»

«Ich behandle ihn mit allem Respekt, den er verdient», versprach ich.

«Und seiner Frau wird gestattet werden, nach Mercien zurückzukehren», sagte Beocca, «unter der Voraussetzung, dass sie ein Frauenkloster stiftet, genauer gesagt, dass sie ein Frauenkloster baut.»

«Sie soll eine Nonne werden?», fragte ich wütend.

«Stiftet und baut!», sagte Beocca. «Und sie kann frei wählen, wo sie dieses Nonnenkloster stiften und bauen will.»

Ich musste lachen. «Soll ich etwa neben einem Nonnenkloster wohnen?»

Beocca runzelte die Stirn. «Wir können nicht wissen, welchen Ort sie sich aussuchen wird.»

«Nein», sagte ich, «gewiss nicht.»

Also hatten die Christen die Sünde geschluckt. Ich vermutete, dass die Lebenserfahrung Edward eine neue Nachsichtigkeit gegenüber der Sünde gelehrt hatte, und das war keine schlechte Sache, denn es bedeutete, dass Æthelflæd nun die Freiheit hatte, mehr oder weniger nach ihren Wünschen zu leben, auch wenn das Frauenkloster für Æthelred herhalten musste, damit er behaupten konnte, seine Frau habe sich ein Leben in heiliger Einkehr erwählt. In Wahrheit aber wussten Edward und sein Rat, dass sie Æthelflæd in Mercien brauchten, und mich brauchten sie ebenfalls. Wir waren der Schild von Wessex, allerdings sah es so aus, als sollten wir nicht das Schwert der Sachsen sein, denn Beocca sprach eine strenge Mahnung aus, bevor er das Gasthaus verließ. «Der König wünscht ganz ausdrücklich, dass die Dänen in Frieden gelassen werden», sagte er. «Sie dürfen nicht gereizt werden! So lautet sein Befehl.»

«Und wenn sie uns angreifen?», fragte ich ungehalten.

«Selbstverständlich kannst du dich verteidigen, aber

der König wünscht nicht, dass ein Krieg angefangen wird. Nicht, bevor er gekrönt ist.»

Widerwillig erklärte ich mich mit dieser Richtlinie einverstanden. Vermutlich war es sinnvoll, dass Edward Frieden haben wollte, während er sich in seinem neuen Königreich Autorität verschaffte, aber ich bezweifelte, dass ihm die Dänen diesen Gefallen tun würden. Ich war sicher, dass sie Krieg wollten, und zwar vor Edwards Krönung.

Diese Zeremonie würde nicht vor dem nächsten Jahr stattfinden, sodass den Ehrengästen genügend Zeit blieb, ihre Anreise in die Wege zu leiten, und deshalb ging ich, als die Herbstnebel kühler und die Tage kürzer wurden, endlich nach Fagranforda.

Es war ein gesegneter Ort mit lieblichen, niedrigen Hügeln, trägen Flussläufen und fruchtbarer Erde. Alfred war in der Tat großzügig gewesen. Der Verwalter war ein griesgrämiger Mercier namens Fulk, dem ein neuer Herr nicht willkommen war, und kein Wunder, hatte er doch gut von den Erträgen des Besitztums gelebt und war dabei noch von dem Priester unterstützt worden, der die Rechnungsbücher führte. Dieser Priester, Pater Cynric, versuchte mich davon zu überzeugen, dass die Ernten in letzter Zeit mager ausgefallen waren und dass die Baumstümpfe im Wald standen, weil die Bäume an einer Krankheit eingegangen wären und nicht etwa, weil man sie wegen des Holzwertes gefällt hatte. Er legte die Dokumente vor, und sie passten zu den Zahlscheinen, die ich aus dem Schatzamt von Wintanceaster mitgebracht hatte, worauf Pater Cynrid heiter auf die Übereinstimmungen hinablächelte. «Wie ich Euch erklärt habe, Herr», sagte er, «haben wir den Besitz für König Alfred in gleichsam heiliger Treue bewahrt.»

«Und niemand ist je von Wessex gekommen, um Eure Rechnungsbücher zu prüfen?»

«Aus welchem Grund denn?», fragte er. Seine Stimme klang überrascht und belustigt bei diesem Gedanken. «Die Kirche lehrt uns, als Arbeiter im Weinberg des Herrn zu wirken.»

Da raffte ich alle Dokumente zusammen und warf sie in das große Feuer des Saals. Pater Cynric und Fulk sahen sprachlos vor Überraschung zu, wie die Pergamente von den Rändern her angesengt wurden, sich zusammenrollten, knackten und verbrannten. «Ihr habt betrogen», sagte ich, «und das hat jetzt ein Ende.» Pater Cynrig öffnete den Mund, um zu widersprechen, doch dann überlegte er es sich besser. «Oder muss ich einen von Euch aufhängen?», fragte ich. «Oder gar alle beide?»

Finan durchsuchte die Häuser von Fulk und Pater Cynric und fand einen Teil ihres gehorteten Silbers, das ich nahm, um Bauholz zu kaufen und Æthelflæds Verwalter das Geld zurückzuzahlen, das er mir geliehen hatte. Bauen war immer eine meiner Leidenschaften, und in Fagranforda wurde ein neuer Palas gebraucht, neue Lagerhäuser und eine Palisade, alles Vorhaben, die im Winter durchzuführen waren. Ich schickte Finan nach Norden, um die Grenze zwischen den Sachsen und den Dänen zu beobachten, und er nahm neue Männer mit, Männer, die zu mir gekommen waren, weil sie gehört hatten, dass ich wohlhabend war und mit Silber zahlte. Finan schickte alle paar Tage eine Nachricht, und in allen hieß es, die Dänen verhielten sich überraschend ruhig. Ich war mit Sicherheit davon ausgegangen, dass auf Alfreds Tod ein Angriff erfolgen würde, doch es kam keiner. Sigurd war anscheinend krank, und Cnut wollte ohne seinen Freund keinen Vorstoß im Süden unternehmen. Ich dachte, dies wäre eine gute Gelegenheit für uns selbst, im Norden anzugreifen, und schickte eine Botschaft mit diesem Vorschlag an Edward, allerdings erhielt ich nie eine Antwort darauf. Gerüchten zufolge war Æthelwold nach Eoferwic gegangen.

Giselas Bruder war gestorben, und als König von Northumbrien war ihm ein Däne gefolgt, der nur regieren konnte, weil Cnut es zuließ. Cnut hatte aus welchem Grund auch immer kein Verlangen danach, König zu sein, hatte jedoch den Thron mit einem seiner Männer besetzt, und Æthelwold war wohl nach Eoferwic geschickt worden, weil es so weit von Wessex entfernt und so tief auf dänischem Gebiet lag und deshalb ein sicherer Ort war. Cnut musste geglaubt haben, Edward könnte einen Kampfverband schicken, um Æthelwold zu töten, und deshalb brachte er seine Trophäe hinter die gewaltigen römischen Wälle von Eoferwic.

Æthelwold hielt sich also in Deckung, Cnut wartete ab, und ich baute. Mit kräftigen Balken und einer starken Palisade errichtete ich einen Palas, der so hoch war wie eine Kirche. Ich nagelte Wolfsschädel an den Giebel, der dem Sonnenaufgang zugewandt war, und ich heuerte Männer an, um Tische und Bänke zu machen. Ich hatte einen neuen Verwalter, einen Mann namens Herric, der bei Beamfleot eine Hüftverletzung davongetragen hatte und nicht mehr kämpfen konnte. Herric war tatkräftig und überaus ehrenhaft. Er schlug vor, dass wir eine Mühle an den Fluss bauen sollten, und das war ein guter Einfall.

Der Priester tauchte auf, als ich gerade auf der Suche nach einer guten Stelle für die Mühle war. Es war ein kalter Tag, ebenso kalt wie der Tag, an dem mich Pater Willibald in Buccingahamm aufgesucht hatte, und die Ufer des Stroms waren mit einer dünnen, knackenden Eisschicht überzogen. Vom Hochland im Norden kam ein kalter Wind, und von Süden kam ein Priester. Er ritt auf einem Maultier, stieg aber eilig aus dem Sattel, als er in meiner Nähe angekommen war. Er war jung und sogar noch größer als ich. Dazu war er mager wie ein Skelett, seine schwarze Priesterrobe war schmutzig, und ihr Saum starrte vor getrocknetem Schlamm. Sein Gesicht war lang, seine Nase wie ein Schnabel, seine Augen glänzend und sehr grün, sein helles Haar strähnig, und sein Kinn war nicht vorhanden. Er trug den dünnsten, lachhaftesten Bart, und dieser wehte ihm vor einen langen, mageren Hals, um den er ein großes Silberkreuz mit fehlendem Querbalken gehängt hatte. «Seid Ihr der große Herr Uhtred?», erkundigte er sich ernst.

«Das bin ich», sagte ich.

«Und ich bin Pater Cuthbert», stellte er sich vor, «und überaus beglückt, Euch kennenzulernen. Soll ich mich verbeugen?»

«Ihr könnt auch auf dem Bauch vor mir kriechen, wenn es Euch gefällt.»

Zu meiner Überraschung ging er vor mir auf die Knie. Er beugte den Kopf fast bis zu dem reifüberhauchten Gras hinab, dann richtete er sich wieder auf und kam auf die Füße. «So», sagte er, «ich bin vor Euch gekrochen. Euer neuer Kaplan, Herr, entbietet Euch seinen Gruß.»

«Mein was?»

«Euer Kaplan, Euer persönlicher Priester», sagte er strahlend. «Das ist meine Strafe.»

«Ich brauche keinen Kaplan.»

«Ich bin sicher, dass Ihr keinen braucht, Herr. Ich bin unnütz, das weiß ich. Ich werde nicht gebraucht, ich bin nur ein Schandfleck auf dem Körper unserer Ewigen Kirche.

Cuthbert der Unnütze.» Mit einem Mal lächelte er, weil ihm ein Einfall gekommen war. «Wenn ich jemals zum Heiligen erklärt werde», sagte er, «dann werde ich Sankt Cuthbert der Unnütze! Das würde mich von dem anderen Sankt Cuthbert unterscheiden, nicht wahr? Ja, ganz bestimmt, das würde es!» Er tat einige hüpfende Tanzschritte. «Sankt Cuthbert der Unnütze!», skandierte er. «Der Schutzheilige aller unnützen Dinge. Dessen ungeachtet, Herr», er nahm wieder eine ernste Miene an, «bin ich Euer Kaplan, ich belaste Euer Säckel, und ich verlange Essen, Silber, Ale und ganz besonders Käse. Ich habe eine Vorliebe für Käse. Ihr sagt, Ihr braucht mich nicht, Herr, aber ich bin dennoch hier und stehe Euch mit meinen bescheidenen Diensten zur Verfügung.» Erneut verbeugte er sich. «Wünscht Ihr die Beichte abzulegen? Wollt Ihr, dass ich Euch am Busen Unserer Mutter Kirche willkommen heiße?»

«Wer sagt, Ihr wärt mein Kaplan?», fragte ich.

«König Edward. Ich bin sein Geschenk an Euch.» Er lächelte glückselig, dann zeichnete er in meine Richtung das Kreuz in die Luft. «Gesegnet sollt Ihr sein, Herr.»

«Warum hat Euch Edward geschickt?»

«Ich vermute, Herr, weil er einen Sinn für Humor hat. Oder», er runzelte nachdenklich die Stirn, «vielleicht auch, weil er mich nicht mag. Nur glaube ich nicht, dass dies der Fall ist, wahrhaftig, es ist nicht so, dass er mich nicht mag, er hat mich sogar sehr gern, auch wenn er meint, ich müsste noch mehr Verschwiegenheit lernen.»

«Also seid Ihr geschwätzig?»

«Oh, Herr, ich bin so Vieles! Ein Gelehrter, ein Priester, ein Käseesser, und nun bin ich Kaplan bei Herrn Uhtred, dem Heiden, der so gern Priester abschlachtet. Das haben sie mir erzählt. Ich wäre Euch auf ewig dankbar, wenn Ihr darauf verzichten könntet, mich abzuschlachten. Kann ich eine Bedienung haben, bitte?»

«Eine Bedienung?»

«Um meine Sachen zu waschen? Gänge für mich zu erledigen? Um mich zu versorgen? Eine Magd wäre ein echter Segen. Etwas Junges mit schönen Brüsten?»

Inzwischen grinste ich. Es war unmöglich, Sankt Cuthbert den Unnützen nicht zu mögen. «Schöne Brüste?», fragte ich streng.

«Wenn es Euch gefällt, Herr. Ich wurde gewarnt, dass es Euch ähnlicher sähe, mich umzubringen, mich zu einem Märtyrer zu machen, aber ich würde ein paar schöne Brüste bei weitem bevorzugen.»

«Seid Ihr wirklich ein Priester?», fragte ich ihn.

«O ja, Herr, das bin ich. Ihr könnt Bischof Swithwulf fragen! Er hat mich zum Priester gemacht. Er hat mir die Hände aufgelegt und alle nötigen Gebete gesprochen.»

«Swithwulf von Hrofeceastre?», fragte ich.

«Eben der. Er ist mein Vater, und er hasst mich!»

«Euer Vater?»

«Mein geistlicher Vater, ja, nicht mein richtiger Vater. Mein richtiger Vater war Steinmetz, gesegnet sei sein kleiner Fäustel, aber Bischof Swithwulf hat mich unterrichtet und aufgezogen, Gott segne ihn, und jetzt verabscheut er mich.»

«Warum?», fragte ich und ahnte die Antwort schon voraus.

«Das darf ich nicht sagen, Herr.»

«Sagt es trotzdem, Ihr seid geschwätzig.»

«Ich habe König Edward mit der Tochter von Bischof Swithwulf verheiratet, Herr.»

Also waren die Zwillinge, die sich nun in Æthelflæds

Obhut befanden, wirklich von legitimer Geburt. Das würde Aldermann Æthelhelm verärgern. Edward behauptete etwas Gegenteiliges, damit der Witan von Wessex nicht beschloss, jemand anderem den Thron anzubieten, und der Beweis für seine erste Eheschließung war zu mir geschickt worden, damit ich ihn unter meinen Schutz nahm.

«Bei Gott, Ihr seid ein Narr», sagte ich.

«Das hat der Bischof auch gesagt. Sankt Cuthbert der Närrische? Aber ich bin ein Freund von Edward, und er hat mich angefleht, und sie war ein bezauberndes Ding. So hübsch.» Er seufzte.

«Hatte sie auch schöne Brüste?», fragte ich mit beißender Schärfe.

«Sie waren wie zwei junge Rehzwillinge, Herr», sagte er ernst.

Ich bin sicher, dass ich ihn mit offenem Mund anstarrte. «Zwei junge Rehzwillinge?»

«Die Heilige Schrift beschreibt vollendete Brüste mit den Worten ‹wie zwei junge Rehzwillinge›, Herr. Ich muss sagen, ich habe das gründlich überprüft», er hielt inne, um zu überdenken, was er gerade gesagt hatte, dann nickte er bekräftigend, «außerordentlich gründlich! Die Ähnlichkeit offenbart sich mir immer noch nicht, aber wer bin ich, die Heilige Schrift in Frage zu stellen?»

«Und jetzt», sagte ich, «erzählt jeder, diese Eheschließung habe niemals stattgefunden.»

«Deshalb darf ich Euch ja auch nicht sagen, dass ich sie durchgeführt habe», sagte Cuthbert.

«Aber Ihr habt es getan», sagte ich, und er nickte. «Und deshalb sind die beiden Säuglinge ehelich geboren», fuhr ich fort, und wieder nickte er. «Habt Ihr gewusst, dass Alfred diese Ehe missbilligen würde?», fragte ich.

«Edward wollte die Heirat», sagte er schlicht.

«Und Ihr habt Stillschweigen geschworen?»

«Sie haben gedroht, mich ins Frankenreich zu schicken», sagte er, «in ein Kloster, aber König Edward wollte, dass ich zu Euch komme.»

«Weil er hoffte, dass ich Euch töten würde?»

«Weil er hoffte, Herr, dass Ihr mich beschützen würdet.»

«Dann, in Gottes Namen, lauft nicht herum und erzählt, dass Edward verheiratet war.»

«Ich werde schweigen», versprach er. «Ich werde Sankt Cuthbert der Schweigende sein.»

Die Zwillinge waren bei Æthelflæd, die ihren Konvent in Cirrenceastre errichtete, einer Stadt, die nicht weit von meinem Besitz entfernt war. Cirrenceastre war zu der Zeit, in der die Römer Britannien regierten, ein bedeutender Ort gewesen, und Æthelflæd wohnte in einem ihrer Häuser, einem schönen Gebäude mit großen Räumen, die einen Innenhof mit einem Säulenumgang umschlossen. Das Haus hatte früher dem älteren Æthelred gehört, einem Aldermann von Mercien und dem Ehemann der Schwester meines Vaters, und ich hatte das Haus als Kind kennengelernt, als ich von Bebbanburg nach Süden geflohen war, weil mein anderer Onkel die Festung an sich gerissen hatte. Der ältere Æthelred hatte das Gebäude erweitert, sodass sich sächsische Strohdächer an römische Ziegel anschlossen, aber es war ein angenehmes Haus, und es lag gut geschützt hinter den Wällen von Cirrenceastre. Æthelflæd ließ einige Männer römische Hausruinen abtragen und benutzte die Mauersteine, um ihren Konvent zu errichten. «Warum schlägst du dich mit diesem Bau herum?», fragte ich sie.

«Weil es der Wunsch meines Vaters war», sagte sie, «und weil ich versprochen habe, es zu tun. Ich werde das Kloster der heiligen Werburgh weihen lassen.»

«Ist das die Frau, die die Gänse erschreckt hat?»

«Ja.»

In Æthelflæds Haushalt lärmten die Kinder. Da war ihre eigene Tochter, Ælfwynn, und meine beiden Jüngsten, Stiorra und Osbert. Mein Ältester, Uhtred, war immer noch in der Schule in Wintanceaster, von wo er mir pflichtgetreu Briefe schrieb, die ich aber nicht las, weil ich wusste, dass sie nichts als öde Frömmigkeiten enthielten. Die jüngsten Kinder in Cirrenceastre waren Edwards Zwillinge und noch Säuglinge. Ich weiß noch, wie ich einmal Æthelstan ansah, der vor mir in den Windeln lag, und dachte, wie viele Probleme mit einem einzigen Hieb von Schlangenhauch gelöst werden könnten. Damit hatte ich recht, aber zugleich auch unrecht, und der kleine Æthelstan wuchs zu einem jungen Mann heran, den ich überaus gern mochte.

«Du weißt, dass er legitim ist?», fragte ich Æthelflæd.

«Nicht nach dem, was Edward sagt», gab sie scharf zurück.

«Der Priester, der sie verheiratet hat, wohnt jetzt bei mir», erklärte ich.

«Dann sorg dafür, dass er den Mund hält», sagte sie, «andernfalls wird ihn sein loses Mundwerk nämlich ins Grab bringen.»

Cirrenceastre war nicht weit von Gleawecestre entfernt, wo Æthelreds Palas stand. Er hasste Æthelflæd, und ich machte mir Sorgen, dass er Männer losschicken könnte, um sie zu fangen und dann entweder umzubringen oder sie in ein Frauenkloster einzusperren. Sie hatte nun den Schutz ihres Vaters nicht mehr, und ich bezweifelte, dass es Edward gelang, Æthelred auch nur annähernd so viel Furcht einzuflößen, wie es Alfred vermocht hatte, doch Æthelflæd tat meine Ängste ab. «Vielleicht macht er sich keine Sorgen über Edward», sagte sie, «aber vor dir graut ihm.»

«Wird er sich zum König von Mercien krönen?»

Sie sah einem Steinmetz zu, der eine römische Adlerstatue mit einem Meißel bearbeitete. Der arme Mann sollte den Adler in eine Gans verwandeln, und bisher war es ihm nur gelungen, ihn wie ein empörtes Huhn aussehen zu lassen. «Das wird er nicht», sagte Æthelflæd.

«Warum nicht?»

«Zu viele der Mächtigen in Südmercien wollen unter dem Schutz von Wessex stehen», sagte sie, «und Æthelred will im Grunde keine Macht.»

«Ach nein?»

«Jetzt nicht mehr. Früher schon. Aber jetzt wird er alle paar Monate krank und hat Angst vorm Sterben. Er will die Zeit, die er noch hat, mit Frauen verbringen.» Sie warf mir einen scharfen Blick zu. «In mancher Hinsicht ist er wie du.»

«Unsinn, Weib», sagte ich. «Sigunn ist meine Haushälterin.»

«Haushälterin», sagte Æthelflæd höhnisch.

«Und sie hat schreckliche Angst vor dir.»

Das brachte sie zum Lachen, dann seufzte sie, weil das bedauernswerte Huhn durch einen missglückten Schlag mit dem Steinmetz-Knüpfel seinen Schnabel verloren hatte. «Ich wollte doch nur eine Statue von Werburgh mit einer Gans», sagte sie.

«Du willst eben zu viel», neckte ich sie.

«Ich will, was mein Vater wollte», sagte sie ruhig. «England.»

Ich jenen Tagen war ich immer aufs Neue überrascht, wenn ich diesen Namen hörte. Ich kannte Mercien und Wessex, hatte Ostanglien gesehen, und Northumbrien betrachtete ich als meine Heimat. Aber England? Das war damals nur ein Traum, ein Traum Alfreds, und nun, nach seinem Tod, war dieser Traum noch ebenso unklar und fern wie seit jeher. Wahrscheinlicher war, dass die vier Königreiche, sofern sie sich jemals vereinten, Daneland und nicht England heißen würden, und doch teilten Æthelflæd und ich Alfreds Traum. «Sind wir Engländer?», fragte ich sie.

«Was sonst?»

«Ich bin Northumbrier.»

«Du bist Engländer», sagte sie bestimmt, «und hast einen dänischen Bettwärmer.» Sie stieß mich hart vor die Rippen. «Richte Sigunn aus, dass ich ihr schöne Weihnachten wünsche.»

Ich feierte Jul mit einem Fest in Fagranforda. Wir bauten aus Holz ein großes Rad von mehr als zehn Schritt Durchmesser, umwanden es mit Stroh, hängten es waagerecht an einen Eichenständer und schmierten die Nabe mit Wollfett ein, damit sich das Rad drehen konnte. Dann, als es dunkel geworden war, zündeten wir es an. Männer brachten das Rad mit Harken und Speeren in Gang, und es begann sich funkensprühend zu drehen. Meine beiden jüngsten Kinder waren bei mir, und Stiorra hatte meine Hand genommen und schaute mit riesigen Augen auf das große, brennende Rad. «Warum hast du es angezündet?», fragte sie.

«Das ist ein Zeichen an die Götter», sagte ich, «es sagt ihnen, dass wir an sie denken, und es bittet sie, dem Jahr neues Leben einzuhauchen.»

«Ist es ein Zeichen an Jesus?», fragte sie, ohne wirklich zu begreifen, was sie da sagte.

«Ja», sagte ich, «und an die anderen Götter.»

Jubel ertönte, als das Rad abstürzte, und dann folgte ein Wettstreit, bei dem Männer und Frauen über die Flammen sprangen. Ich sprang mit meinen beiden Kindern in den Armen, flog durch Rauch und Funken. Dann sah ich den vielen Funken nach, die in die kalte Nacht stoben, und ich fragte mich, wie viele andere Räder im Norden brannten, wo die Dänen von Wessex träumten.

Doch wenn sie träumten, so taten sie nichts für diese Träume. Und das war für sich selbst genommen schon eine Überraschung. Alfreds Tod, so schien es mir, hätte der Auslöser eines Angriffs sein müssen, aber den Dänen fehlte ein Führer, der sie vereinigte. Sigurd war immer noch krank, Cnut, hörten wir, war noch damit beschäftigt, die Schotten zur Unterwerfung zu zwingen, und Eohric wusste nicht, ob er sich für den christlichen Süden oder den dänischen Norden entscheiden sollte und tat demzufolge gar nichts. Haesten lag weiter in Ceaster auf der Lauer, aber seine Truppen waren schwach. Æthelwold blieb in Eoferwic, aber er konnte Wessex nicht angreifen, solange Cnut es nicht erlaubte, und so wurden wir in Frieden gelassen, auch wenn ich überzeugt davon war, dass es nicht so bleiben würde.

Ich war in Versuchung, so sehr in Versuchung, nach Norden zu gehen, um noch einmal Ælfadell zu befragen, aber ich wusste, wie töricht das war, und ich wusste, dass ich in Wahrheit nicht Ælfadell sehen wollte, sondern Erce, diese fremdartige, schweigende Schönheit. Ich ging nicht, aber ich erhielt Neuigkeiten, als Offa nach Fagranforda kam. Ich setzte ihn in meinen neuen Palas und türmte Scheite aufs Feuer, damit er sich die alten Knochen wärmen konnte.

Offa war ein Mercier und früher Priester, doch sein Glaube war nicht stark genug geblieben. Er gab das Priesteramt auf und zog nun mit einem Rudel abgerichteter Terrier durch Britannien, die auf Jahrmärkten die Leute belustigten, wenn sie auf den Hinterbeinen gingen oder tanzten. Die paar Münzen, die ihm diese Hunde einbrachten, hätten niemals ausgereicht, um Offas ansehnliches Haus in Liccelfeld zu erwerben, und seine wahre Begabung, die Gabe, die ihn reich gemacht hatte, war es denn auch, die Hoffnungen, Träume und Absichten der Menschen in Erfahrung zu bringen. Seine drolligen Hunde waren in jedem Palas willkommen, ob dänisch oder sächsisch, und Offa hatte ein scharfes Gehör und einen scharfen Verstand, und er hörte hin, stellte Fragen, und dann verkaufte er, was er erfahren hatte. Alfred hatte sich seiner bedient, aber das taten auch Sigurd und Cnut. Es war Offa, der mir erzählte, was im Norden vor sich ging. «Sigurds Krankheit ist nicht tödlich, wie es aussieht», erklärte er mir. «Sie schwächt ihn nur. Er hat Fieberanfälle, dann erholt er sich wieder, dann kommt das Fieber zurück.»

«Und Cnut?»

«Er will den Süden nicht angreifen, solange er Sigurd nicht an der Seite hat.»

«Eohric?»

«Macht sich vor Sorgen ins Hemd.»

«Æthelwold?»

«Säuft und bespringt die Dienstmägde.»

«Haesten?»

«Hasst Euch, spielt den Freundlichen und träumt von Rache.»

«Ælfadell?»

«Ah», sagte er und lächelte. Offa war ein schwermütiger Mensch, der kaum je lächelte. Sein langgezogenes, tief zerfurchtes Gesicht drückte Beherrschung und Gewitztheit aus. Er schnitt sich ein Stück Käse ab, das in meiner Meierei gemacht worden war. «Wie ich höre, baut Ihr eine Mühle?»

«So ist es.»

«Sehr vernünftig, Herr. Das hier ist ein guter Platz für eine Mühle. Wozu einen Müller bezahlen, wenn man seinen eigenen Weizen mahlen kann?»

«Ælfadell?», fragte ich noch einmal und legte eine Silbermünze auf den Tisch.

«Ich habe gehört, dass Ihr sie aufgesucht habt.»

«Ihr hört zu viel», sagte ich.

«Und Ihr schmeichelt mir», sagte Offa und strich die Münze ein. «Seid Ihr auch ihrer Enkelin begegnet?»

«Erce?»

«So nennt sie Ælfadell», sagte er. «Ich beneide Euch.»

«Ich dachte, Ihr habt eine neue, junge Frau.»

«Die habe ich», sagte er, «aber alte Männer sollten sich keine jungen Frauen nehmen.»

Ich lachte. «Seid Ihr sie leid?»

«Ich werde zu alt, um auf den Straßen Britanniens herumzustreunen.»

«Dann bleibt zuhause in Liccelfeld», sagte ich, «Ihr braucht das Silber nicht.»

«Ich habe aber eine junge Frau», sagte er belustigt, «also brauche ich den Frieden, den das ständige Unterwegssein bietet.»

«Ælfadell?», fragte ich zum wiederholten Mal.

«Sie war Hure in Eoferwic», sagte er, «das ist schon Jahre her. Dort hat Cnut sie gefunden. Sie hat gewahrsagt und gehurt, und sie muss Cnut etwas gesagt haben, das sich als richtig erwiesen hat, denn er hat sie unter seinen Schutz und Schild genommen.»

«Hat er ihr die Höhle bei Buchestanes gegeben?»

«Es ist sein Land, ja.»

«Und sie erzählt den Leuten, was er sie hören lassen will?»

Offa zögerte, was immer ein Zeichen dafür war, dass die Antwort noch ein bisschen mehr kosten würde. Seufzend legte ich eine weitere Münze auf den Tisch. «Sie gibt seine Worte weiter», bestätigte Offa.

«Und was sagt sie zurzeit?», fragte ich, und er zögerte erneut. «Hört zu», sprach ich weiter, «Ihr vertrocknetes Stück Ziegenknorpel. Ich habe genug bezahlt. Also erzählt es mir.»

«Sie sagt, dass sich der neue König des Südens im Norden zeigen wird.»

«Æthelwold?»

«Sie benutzen ihn», sagte Offa düster. «Er ist immerhin der rechtmäßige König von Wessex.»

«Er ist ein schwachsinniger Trunkenbold.»

«Wann hat das schon jemals dazu geführt, dass ein Mann nicht König werden konnte?»

«Also werden ihn die Dänen benutzen, um die Sachsen zu beschwichtigen», sagte ich, «und dann werden sie ihn töten.»

«Freilich.»

«Und warum warten sie dann noch?»

«Weil Sigurd krank ist, weil die Schotten Cnuts Gebiet bedrohen und weil die Sterne nicht günstig stehen.»

«Also kann Ælfadell den Männern nur sagen, sie sollen auf die Sterne warten?»

«Sie sagt, dass Eohric der König des Meeres sein wird, Æthelwold König von Wessex, und dann all die weiten Gebiete im Süden den Dänen gegeben werden.»

«König des Meeres?»

«Das ist nur eine ausgefallene Art, um auszudrücken, dass Sigurd und Cnut nicht auf Eohrics Thron aus sind. Sie haben Bedenken, dass er sich mit Wessex verbündet.»

«Und Erce?»

«Ist sie wirklich so schön, wie es heißt?», fragte er.

«Habt Ihr sie noch nie gesehen?»

«Nicht in ihrer Höhle.»

«Wo sie nackt ist», sagte ich, und Offa seufzte. «Sie ist mehr als schön», sagte ich.

«Das habe ich auch gehört. Aber sie ist stumm. Sie kann nicht sprechen. Ihr Verstand ist beeinträchtigt. Ich weiß nicht, ob sie wahnsinnig ist, aber sie ist wie ein Kind. Ein schönes, stummes, halb wahnsinniges Kind, das aber Männer in den vollkommenen Wahnsinn treibt.»

Ich dachte über seine Worte nach. Ich hörte das Geräusch sich kreuzender Klingen vor dem Palas und das Geräusch von Stahl, der auf Lindenholzschilde hämmert. Meine Männer übten sich im Kampf. Jeden Tag, jeden einzelnen Tag, probten meine Männer den Krieg, den Einsatz von Schwert und Schild, von Axt und Schild, von Speer und Schild, und bereiteten sich auf den Tag vor, an dem sie den Dänen gegenübertreten mussten, die ebenso viel übten. Und dieser Tag, so schien es, würde durch Sigurds schlechte Gesundheit erst später kommen. Wir sollten selbst angreifen, dachte ich, aber um im nördlichen Mercien einzumarschieren, brauchte ich Truppen aus Wessex, und Edward hatte vom Witan den Rat erhalten, den brüchigen Frieden in Britannien zu erhalten.

«Ælfadell ist gefährlich», unterbrach Offa meine Gedanken.

«Eine Alte, die Ihrem Herrn nach dem Mund redet?»

«Und die Männer glauben ihr», sagte er, «und Männer, die glauben, ihr Schicksal zu kennen, fürchten keine Gefahr.»

Ich dachte an Sigurds tollkühnen Angriff auf der Brücke bei Eanulfsbirig und wusste, dass Offa recht hatte. Die Dänen mochten noch mit ihrem Angriff warten, doch die ganze Zeit hörten sie magische Prophezeiungen, die ihnen den Sieg zusicherten. Und Gerüchte von diesen Prophezeiungen verbreiteten sich auch auf sächsischem Gebiet. Wyrd bið ful āræd. Da hatte ich einen Einfall und öffnete den Mund zum Sprechen, dann aber überlegte ich es mir besser. Wenn ein Mann ein Geheimnis bewahren will, war Offa der Letzte, dem dieser Mann davon erzählen sollte, denn Offa lebte davon, die Geheimnisse anderer zu verraten. «Ihr wolltet etwas sagen, Herr?», fragte er.

«Was hört Ihr über die Herrin Ecgwynn?», fragte ich.

Er wirkte überrascht. «Ich dachte, Ihr wisst mehr über sie als ich.»

«Ich weiß, dass sie gestorben ist.»

«Sie war leichtfertig», sagte Offa missbilligend, «aber voller Liebreiz. Wie eine Elfe.»

«Und verheiratet?»

Er zuckte mit den Schultern. «Ich habe gehört, ein Priester soll die Trauzeremonie vollzogen haben, aber es wurde kein Vertrag zwischen Edward und ihrem Vater geschlossen. Bischof Swithwulf ist kein Dummkopf! Er hat sich geweigert, dieser Verbindung zuzustimmen. Ist die Eheschließung dann überhaupt rechtens?»

«Wenn sie ein Priester durchgeführt hat.»

«Die Ehe erfordert einen Vertrag», sagte Offa hart. «Sie waren schließlich keine zwei Bauersleute, die wie die Schweine in einer Hütte mit lehmgestampftem Boden rammeln, sondern ein König und eine Bischofstochter. Ganz sicher ist ein Vertrag vonnöten und ein Brautpreis! Und wenn das fehlt? Dann ist es einfach königliche Wollust.»

«Also sind die Kinder illegitim?»

«Das sagt zumindest der Witan von Wessex, also muss es stimmen.»

Ich lächelte. «Es sind kränkliche Kinder», log ich, «und es ist sehr unwahrscheinlich, dass sie überleben.»

Offa konnte seine Wissbegier nicht verbergen. «Tatsächlich?»

«Æthelflæd kann den Jungen nicht dazu bringen, an der Brust seiner Amme zu trinken», log ich weiter, «und das Mädchen ist sehr schwächlich. Nicht, dass es etwas ausmachen würde, wenn sie sterben, sie sind ja unehelich.»

«Ihr Tod würde so manches Problem lösen», sagte Offa.

Damit hatte ich Edward einen kleinen Dienst erwiesen, denn nun würde sich ein Gerücht verbreiten, das Æthelhelm, seinem Schwiegervater, gefallen würde. In Wahrheit aber waren die Zwillinge gesunde, brüllende Säuglinge, und sie würden Probleme verursachen, aber diese Probleme konnten warten, ebenso wie Cnut entschieden hatte, dass sein Vorstoß auf Südmercien und Wessex warten musste.

Es gibt Spannen in unserem Leben, in denen nichts zu geschehen scheint, in denen kein Rauch eine brennende Stadt oder ein brennendes Gehöft anzeigt und nur wenige Tränen um Verstorbene vergossen werden müssen. Ich habe gelernt, diesen Zeiten nicht zu trauen, denn Frieden auf der Welt bedeutet nur, dass irgendwer auf Krieg sinnt.

Der Frühling kam und mit ihm Edwards Krönung in Cyninges Tun, der Königsstadt etwas westlich von Lundene. Das hielt ich für eine seltsame Wahl. Wintanceaster war die bedeutendste Stadt von Wessex, wo Alfred seine große neue Kirche gebaut hatte und der mächtige Königspalast stand. Doch Edward hatte Cyninges Tun gewählt. Freilich war es ein weitläufiges königliches Besitztum, doch es war in der letzten Zeit vernachlässigt worden, weil es zu nahe bei Lundene lag und, bevor ich die Stadt von den Dänen erobert hatte, wieder und wieder geplündert worden war. «Der Erzbischof sagt, hier sind einige der alten Herrscher gekrönt worden», erklärte mir Edward. «Und es gibt hier einen Stein.»

«Einen Stein, Herr?»

Er nickte. «Es ist ein königlicher Stein. Die alten Könige haben entweder darauf gestanden oder gesessen, jedenfalls eins von beidem.» Er zuckte mit den Schultern, offenkundig unsicher, was den Zweck des Steins betraf. «Plegmund hält es für wichtig.»

Ich war eine Woche vor der Zeremonie auf diese königliche Besitzung befohlen worden und hatte so viele Krieger meiner Hausmacht mitzubringen, wie ich nur ausheben konnte. Ich hatte vierundsiebzig Mann, alle beritten, alle gut ausgerüstet, und Edward kam mit einhundert seiner eigenen Männer und bat uns, Cyninges Tun während seiner Krönung abzusichern. Er fürchtete einen Angriff der Dänen, und ich erklärte mich sehr gern zu dieser Bewachung bereit. Ich saß viel lieber auf einem Pferderücken unter freiem Himmel als stundenlang bei einer christlichen Zeremonie abwechselnd zu sitzen und zu stehen. Und so ritt ich durch die verlassene Landschaft, während Edward auf dem Königsstein saß oder stand und sein Kopf mit geweihtem Öl gesalbt und dann mit der smaragdbesetzten Krone seines Vaters gekrönt wurde.

Kein einziger Däne griff an. Und ich hätte geschworen, dass Alfreds Tod einen Krieg bringen würde, doch stattdessen brachte er einen von diesen merkwürdigen Zeitabschnitten, in denen die Schwerter in den Scheiden bleiben, und Edward wurde in Frieden gekrönt, und danach ging er nach Lundene und berief mich zu einer großen Ratsversammlung dorthin. Die Straßen der alten Römerstadt waren mit Bannern geschmückt, um Edwards Krönung zu feiern, und auf den mächtigen Wällen drängten sich die Krieger. Nichts davon war überraschend, doch was mich erstaunte, war, dort Eohric anzutreffen.

König Eohric von Ostanglien, der sich an einem Komplott zu meiner Ermordung beteiligt hatte, war auf Einladung Erzbischof Plegmunds in Lundene, der zwei seiner eigenen Neffen als Geiseln zur Verfügung gestellt hatte, um die Sicherheit des Königs zu gewährleisten. Eohric und seine Gefolgschaft waren in drei Schiffen mit geschnitzten Löwenköpfen auf dem Vordersteven die Temes heraufgefahren und nun in dem großen mercischen Palast untergebracht, der den Hügel inmitten der alten Römersiedlung krönte. Eohric war ein beleibter Mann mit einem Bauch wie eine trächtige Sau, stark wie ein Ochse und mit einem misstrauischen Blick in den kleinen Augen. Ich sah ihn zuerst auf dem Wall, wo er mit einer Gruppe seiner Männer auf der alten römischen Verteidigungsanlage entlangging. Er führte auch drei Wolfshunde an der Leine mit, und ihre Anwesenheit dort oben auf dem Wall brachte die Hunde in der Stadt unterhalb zum Kläffen. Weohstan, der Anführer der Garnison, spielte Eohrics Führer, vermutlich, weil Edward ihm befohlen hatte, dem ostanglischen König zu zeigen, was immer er auch sehen wollte.

Ich war mit Finan zusammen. Über eine Römertreppe in einem Torturm, der Bischop's Gate genannt wurde, stiegen wir auf den Wall. Es war Vormittag, und die Sonne wärmte das alte Gemäuer. Es stank, weil sich im Graben vor der Wallmauer Unrat und Schlachtabfälle sammelten. Kinder stöberten in dem Schmutz herum.

Ein Dutzend westsächsischer Soldaten räumte für Eohrics Männer den Weg frei, aber mich ließen sie in Ruhe, und so warteten Finan und ich einfach ab, während die Ostanglier auf uns zukamen. Weohstan wirkte beunruhigt, möglicherweise, weil Finan und ich mit Schwertern bewaffnet waren, wenn wir auch weder Kettenhemden noch Helme oder Schilde trugen. Ich verbeugte mich vor dem König. «Kennt Ihr den Herrn Uhtred?», fragte Weohstan Eohric.

Die kleinen Augen starrten mich an. Einer der Wolfshunde knurrte und wurde zum Schweigen gebracht. «Der Schiffsverbrenner», sagte Eohric, offenkundig belustigt.

«Städte brennt er ebenfalls nieder», konnte sich Finan nicht zurückhalten zu sagen, weil er Eohric daran erinnern wollte, dass ich seinen schönen Hafen in Dumnoc verbrannt hatte.

Eohric spannte die Kiefer an, doch er schnappte nicht nach dem Köder. Stattdessen warf er einen Blick nach Süden auf die Stadt. «Ein schöner Ort, Herr Uhtred.»

«Darf ich fragen, was Euch hierher bringt, Herr König?», fragte ich respektvoll

«Ich bin Christ», sagte Eohric. Seine Stimme war ein tiefes Grollen, volltönend und beeindruckend, «und der

Heilige Vater in Rom sagt mir, dass Plegmund mein geistlicher Vater ist. Der Erzbischof hat mich eingeladen, also bin ich gekommen.»

«Wir fühlen uns geehrt», sagte ich, denn was sonst könnte man zu einem König sagen?

«Weohstan hat mir erzählt, dass Ihr die Stadt eingenommen habt», sagte Eohric. Er klang gelangweilt, wie ein Mann, der weiß, dass er eine höfliche Unterhaltung führen muss, jedoch keinerlei Interesse an dem Gesagten hat.

«Das habe ich, Herr.»

«Über dieses Tor dort?» Er deutete westwärts auf Ludd's Gate.

«Ja, Herr König.»

«Diese Geschichte müsst Ihr mir erzählen», sagte er, jedoch nur aus Höflichkeit. Wir waren beide höflich. Dies war ein Mann, der versucht hatte, mich umzubringen, aber weder er noch ich gaben das zu erkennen und führten stattdessen ein gestelztes Gespräch. Ich wusste, was er dachte. Er dachte, dass der Abschnitt des Walls, der sich ans Bischop's Gate anschloss, der schwächste auf den gesamten drei Meilen der römischen Verteidigungsmauer war. Er bot den einfachsten Zugang, auch wenn der übelriechende Graben ein ernstzunehmendes Hindernis bildete, doch östlich des Tors waren die Mauerblöcke aus Kieselsandstein stellenweise eingebrochen und durch Palisaden aus Eichenstämmen ersetzt worden. Ein ganzer Abschnitt des Walls zwischen dem Bischop's Gate und dem Old Gate war verfallen. Als ich Befehlshaber der Garnison war, hatte ich die Palisade errichten lassen, aber auch sie musste wieder instand gesetzt werden, und wenn Lundene damals hätte erobert werden sollen, dann wäre dies die geeignetste Stelle für einen Angriff gewesen, und Eohric dachte das auch. Er deutete auf den Mann neben sich. «Das ist Jarl Oscytel», sagte er.

Oscytel war der Anführer von Eohrics Haustruppen. Er sah aus, wie man es sich vorstellt, groß gewachsen, mit unbarmherzigem Blick, und ich nickte ihm zu, und er nickte zurück. «Seid Ihr auch zum Beten hergekommen?», fragte ich ihn.

«Ich bin gekommen, weil es mir mein König befohlen hat», sagte Oscytel.

Und warum, dachte ich wütend, hatte Edward diesen Unsinn zugelassen? Eohric und Oscytel konnten leicht zu Feinden von Wessex werden, doch hier waren sie, wurden in Lundene willkommen geheißen und als Ehrengäste behandelt. An diesem Abend gab es ein großes Fest, und einer von Edwards Harfnern sang in einem langen Versgedicht Eohrics Lob und pries seinen Heldenmut, obwohl sich Eohric in keiner Schlacht viel Ansehen verdient hatte. Er war ein durchtriebener, gerissener Mann, der durch Gewalt herrschte, der den Kampf vermied, und der überlebte, weil sein Königreich am Rande Britanniens lag, sodass es nicht von Armeen durchquert wurde, die zur Schlacht mit ihren Feinden zogen.

Dennoch war Eohric nicht zu unterschätzen. Er konnte mindestens zweitausend gut ausgerüstete Kämpfer in den Krieg führen, und wenn die Dänen jemals einen ernsthaften Angriff auf Wessex planen würden, dann wären Eohrics Männer eine bedeutende Verstärkung ihrer Kampfkraft. Und umgekehrt hätten auch die Christen die zweitausend Männer gern in ihre Reihen aufgenommen, falls sie sich zum Angriff auf die Heiden im Norden entschlossen. Beide Seiten wollten der anderen Eohric abspenstig machen, und Eohric nahm die Geschenke, machte Versprechungen und tat nichts.

Eohric tat nichts, und doch war er der Schlüssel zu Plegmunds großartiger Vorstellung, ganz Britannien zu einen. Der Erzbischof behauptete, der Einfall sei ihm in einem Traum nach Alfreds Tod gekommen, und er hatte Edward eingeredet, dass ihm dieser Traum von Gott geschickt worden war. Britannien würde durch Christus geeint, nicht durch das Schwert, und es lag etwas Vielversprechendes in dieser Jahreszahl, dem Jahr 900. Plegmund nämlich glaubte und überzeugte davon auch Edward, dass die Wiederkehr Gottes im Jahr 1000 bevorstand, und dass es der göttliche Wille sei, die letzten hundert Jahre des christlichen Jahrtausends mit der Bekehrung der Dänen in der frohen Erwartung der Wiederkunft des Herrn zu verbringen. «Der Krieg hat versagt», verkündete Plegmund mit donnernder Stimme von seiner Kanzel herab, «also müssen wir unser Vertrauen in den Frieden setzen!» Er glaubte, nun wäre die Zeit zur Bekehrung der Heiden gekommen, und er wollte, dass aus Eohrics christlichen Dänen seine Missionare bei Sigurd und Cnut wurden.

«*Was* will er?», fragte ich Edward. Ich war am Morgen nach dem großen Fest zum König gerufen worden und hatte zugehört, als Edward die Hoffnungen des Erzbischofs beschrieb.

«Er will die Bekehrung der Heiden», sagte Edward steif.

«Und sie wollen Wessex, Herr.»

«Christen werden nicht gegen Christen kämpfen.»

«Habt Ihr das schon einmal den Walisern gesagt, Herr König?»

«Sie halten Frieden», sagte er, «meistens.»

Er war inzwischen verheiratet. Seine Angetraute, Ælflæd, fast noch ein Kind, kaum älter als dreizehn oder vierzehn, war schon schwanger, und sie spielte mit ihren Freundinnen und einem Kätzchen in dem kleinen Garten, in dem ich Æthelflæd so oft getroffen hatte. Das Fenster in der Kammer des Königs ging auf den Garten hinunter, und Edward sah, wohin ich schaute. Er seufzte. «Der Witan glaubt, dass sich Eohric als treuer Verbündeter erweisen wird.»

«Und glaubt Euer Schwiegervater das auch?»

Edward nickte. «Wir führen seit drei Generationen Krieg», sagte er ernst, «und der Krieg hat immer noch keinen Frieden gebracht. Plegmund sagt, wir müssen es mit Beten und Predigen versuchen. Meine Mutter gibt ihm recht.»

Darüber lachte ich nur. Wir sollten also unsere Feinde mit Gebeten besiegen? Cnut und Sigurd, dachte ich, wären mit dieser Richtlinie höchst zufrieden. «Und was will Eohric von uns?», fragte ich.

«Nichts!» Die Frage schien Edward überrascht zu haben.

«Er will nichts, Herr?»

«Er will den Segen des Erzbischofs.»

Edward stand in jenen frühen Jahren seiner Regentschaft unter dem Einfluss seiner Mutter, seines Schwiegervaters und des Erzbischofs, und alle drei scheuten die Kosten der Kriegführung. Die Wehrstädte zu befestigen und die Fyrds auszustatten hatte enorme Mengen Silber verschlungen, und eine Armee ins Feld zu schicken war noch teurer, und dieses Geld kam von der Kirche und den Aldermännern. Sie wollten ihr Silber behalten. Krieg ist teuer, aber Gebete sind umsonst. Ich spottete über diesen Einfall, doch Edward schnitt mir mit einer unvermittelten Geste das Wort ab. «Erzählt mir von den Zwillingen», sagte er.

«Sie gedeihen gut», sagte ich.

«Meine Schwester sagt das Gleiche, aber ich habe gehört, dass Æthelstan die Brust verweigert», gab er jammernd zurück.

«Æthelstan saugt die Amme aus wie ein Bullenkalb», sagte ich. «Ich habe das Gerücht gestreut, er wäre schwach. Das wollen Eure Mutter und Euer Schwiegervater hören.»

«Ah», sagte Edward und lächelte. «Ich bin gezwungen zu leugnen, dass sie legitim sind, aber sie sind mir sehr lieb.»

«Sie sind wohlbehalten und gesund, Herr», versicherte ich ihm.

Er legte mir die Fingerspitzen auf den Unterarm. «Sorgt dafür, dass es so bleibt! Und, Herr Uhtred», er umfasste meinen Arm ganz, um seine Worte zu unterstreichen, «ich will nicht, dass die Dänen aufgereizt werden! Habt Ihr mich verstanden?»

«Ja, Herr König.»

Mit einem Mal wurde ihm bewusst, dass er meinen Arm umklammert hielt, und er zog seine Hand weg. Ihm war es unbehaglich in meiner Gesellschaft, vermutlich, weil er es beschämend fand, mich zum Kindermädchen seiner Bastarde gemacht zu haben, oder vielleicht, weil ich der Liebhaber seiner Schwester war, oder auch, weil er mir befohlen hatte, den Frieden zu wahren, obwohl er wusste, dass ich diesen Frieden für trügerisch hielt. Aber die Dänen sollten nicht herausgefordert werden, und ich hatte Edward Gehorsam geschworen.

Also machte ich mich daran, die Dänen aufzureizen.

DRITTER TEIL

Engel

NEUN

«Edward steht unter der Fuchtel der Priester», sagte ich schlecht gelaunt zu Ludda, «und seine verfluchte Mutter ist noch schlimmer. Das törichte Weib.» Wir waren nach Fagranforda zurückgekehrt, und ich hatte ihn mit nach Norden an den Rand der Hügelkette genommen, von wo aus man über den breiten Sæfern bis hin zu den Hügeln von Wales schauen kann. Dort, weit im Westen, regnete es, aber eine wässrige Sonne spiegelte sich wie getriebenes Silber in dem Fluss im Tal unter uns. «Sie glauben, dass sie mit Beten einen Krieg vermeiden können», fuhr ich fort. «Und dahinter steckt Plegmund, dieser Narr. Er glaubt, Gott wird die Dänen kastrieren.»

«Gebete können wirken, Herr», sagte Ludda fröhlich.

«Sie wirken natürlich nicht», fuhr ich ihn an, «wenn euer Gott gewollt hätte, dass sie wirken, warum hat er dann nicht schon vor zwanzig Jahren dafür gesorgt?»

Ludda war zu klug, um darauf zu antworten. Wir hatten sonst niemanden bei uns. Ich suchte etwas, und ich wollte nicht, dass die Leute mitbekamen, was ich suchte, und deshalb waren Ludda und ich allein losgeritten. Wir suchten, redeten mit den Sklaven auf den Feldern und mit den Thegn, und am dritten Tag fand ich, was ich suchte. Es war nicht vollkommen. Es lag zu nah bei Fagranforda und nicht nahe genug am dänischen Gebiet.

«Aber so etwas gibt es im Norden nicht», sagte Ludda, «nicht, dass ich wüsste. Oben im Norden gibt es viele Zaubersteine, aber keine vergrabenen Steine.»

Zaubersteine sind merkwürdige Kreise aus großen Felsblöcken, die vom Alten Volk aufgestellt wurden, wahrscheinlich um ihre Götter zu ehren. Gewöhnlich graben wir, wenn wir solch einen Ort finden, am Sockel der Steine, und dabei habe ich schon die eine oder andere Kostbarkeit gefunden. Die vergrabenen Steine dagegen liegen in Erdhügeln, von denen einige runde Erhebungen sind und andere langgestreckte Grate, und beides sind Grabstellen des Alten Volkes. Dort graben wir auch, obwohl manch einer glaubt, die Skelette darin würden von Geistern bewacht oder gar von Drachen mit Feueratem. Aber einmal habe ich in genau so einem Grab einen Krug voller Jett, Bernstein und goldenem Schmuck gefunden. Der Hügel, den wir an diesem Tag entdeckten, lag auf dem Kamm eines Höhenzugs, der einen weiten Blick in alle Richtungen bot. Fern im Norden sahen wir das dänische Land, und wenn es auch sehr weit weg war, zu weit weg, so dachte ich doch, dieses alte Grab könnte sich für uns eignen.

Der Ort hieß Natangrafum und gehörte einem mercischen Thegn namens Ælwold, der es zufrieden war, dass ich in dem Hügel graben wollte. «Ich stelle Euch Sklaven für die Arbeit zur Verfügung», erklärte er, «die Bastarde haben bis zur Ernte nicht genug zu tun.»

«Ich nehme meine eigenen Leute», sagte ich.

Sofort wurde Ælwold misstrauisch, aber ich war Uhtred, und er wollte mich nicht gegen sich aufbringen. «Teilt Ihr auch alles, was Ihr findet?», erkundigte er sich besorgt.

«Das werde ich», sagte ich, dann legte ich ihm Gold auf den Tisch. «Dieses Gold», sagte ich, «ist für Euer Schweigen. Niemand weiß, dass ich hier bin, und Ihr werdet es niemandem sagen. Wenn ich feststelle, dass Ihr dieses

Schweigen gebrochen habt, komme ich zurück und begrabe Euch in diesem Hügel.»

«Ich sage nichts, Herr», versprach er. Er war älter als ich, mit Hängebacken und langem grauem Haar. «Gott weiß, dass ich nicht auf Ärger aus bin», fuhr er fort, «die letzte Ernte war schlecht, die Dänen sind nicht besonders weit weg, und ich bete einfach nur um ein Leben in Ruhe und Frieden.» Er nahm das Gold. «Ihr werdet aber in diesem Hügel nichts finden, Herr. Mein Vater hat ihn schon vor Jahren aufgegraben, und darin war nichts außer Skeletten. Nicht einmal eine einzige Perle.»

Auf dem Höhenkamm lagen zwei Gräber, eines war über dem anderen errichtet worden. Eine runde Erhebung lag oben in der Mitte, und darunter erstreckte sich Richtung Osten und Westen über Kreuz je eine längliche Erhebung von etwa zehn Fuß Höhe und über sechzig Schritt Länge. Viel von dieser langgestreckten Erhebung war nicht mehr als das, lediglich eine Aufschüttung aus Erde und Kalk, doch an ihrem östlichen Ende befanden sich Höhlen von Menschenhand, und zu ihnen führte ein Durchgang, der zum Sonnenaufgang ausgerichtet war. Der Durchgang war mit einem Felsbrocken verschlossen.

Ich schickte Ludda, um ein Dutzend Sklaven aus Fagranforda zu holen, und sie wälzten den Felsbrocken weg und schaufelten die Erde von dem Eingang, sodass wir uns in den langen, gemauerten Durchgang ducken konnten. Vier Kammern, zwei auf jeder Seite, gingen von dem Gang ab. Wir leuchteten die Grabstätte mit pechgetränkten Fackeln aus, zerrten die schweren Felsen weg, mit denen die Kammern verschlossen waren, und fanden, wie Ælwold gesagt hatte, nichts außer Skeletten.

«Wird es gehen?», fragte ich Ludda.

Er antwortete nicht sofort. Er starrte die Skelette an, und sein Gesicht verriet seine Angst. «Sie werden wiederkehren, um uns heimzusuchen, Herr», sagte er leise.

«Nein», sagte ich, obwohl es mir kalt durch Mark und Bein ging. «Nein», sagte ich noch einmal, aber ich glaubte es nicht.

«Berührt sie nicht, Herr», flehte Ludda.

«Ælwold hat gesagt, dass schon sein Vater ihre Ruhe gestört hat», sagte ich, auch, um mich selbst zu überzeugen, «also haben wir wohl nichts zu befürchten.»

«Er hat ihre Ruhe gestört, Herr, und das bedeutet, dass er sie geweckt hat. Und jetzt warten sie darauf, Rache nehmen zu können.» Die Skelette lagen in unordentlichen Haufen, Erwachsene und Kinder durcheinander. Ihre Schädel grinsten uns an. Ein Knochenschädel wies eine klaffende Öffnung an der linken Seite auf, und an einem anderen klebten noch einige Haare. Das Skelett eines Kindes lag zusammengerollt im Schoß eines Erwachsenenskeletts. Ein anderer Toter streckte seinen Knochenarm nach uns aus, die Fingerknochen auf dem Steinboden verstreut. «Ihre Geister sind hier», flüsterte Ludda, «ich kann sie spüren, Herr.»

Mich überlief ein kalter Schauder. «Reite zurück nach Fagranforda», wies ich Ludda an, «und komm mit Pater Cuthbert und meinem besten Jagdhund wieder.»

«Eurem besten Jagdhund?»

«Blitz, bring ihn her. Morgen erwarte ich dich zurück.»

Wir krochen aus dem Durchgang ins Freie, und die Sklaven rollten den mächtigen Felsblock zurück, der die Toten von den Lebenden trennte, und an diesem Abend hingen leuchtende blassblaue Schlieren am Himmel und schimmernde weiße Wolken, die hoch oben vorbeizogen und die Sterne verbargen. Ich hatte solche Lichter schon früher gesehen, gewöhnlich im tiefsten Winter, und immer nur am Nordhimmel, doch es war bestimmt kein Zufall, dass sie den Himmel an dem Tag leuchten ließen, an dem ich Licht zu den Toten unter der Erde getragen hatte.

Ich hatte von Ælwold ein Haus gemietet. Es war ein Römerhaus, zum größten Teil verfallen, und es lag nahe bei einem Dorf namens Turcandene und von dem Grabmal aus nur einen kurzen Ritt südwärts. Brombeerranken hatten beinahe das gesamte Haus erobert, und Efeu kroch an seinen bröckelnden Wänden hinauf, doch die beiden größten Räume, von denen aus die Römer einst das Umland beherrscht hatten, waren als Viehstall genutzt worden, und in ihnen boten grobbehauene Deckenbalken und ein stinkendes Strohdach Schutz vor dem Wetter. Wir säuberten die Räume, schliefen unter dem Strohdach und kehrten am nächsten Tag zu dem Grab zurück. Nebel hing über der langgestreckten Erhebung. Dort wartete ich, und die Sklaven hockten ein paar Schritt entfernt. Ludda kam gegen Mittag zurück, der Nebel hatte sich immer noch nicht verzogen. Er führte Blitz, meinen guten Hirschhund, an der Leine, und auch Pater Cuthbert war bei ihm. Ich übernahm die Leine von Ludda. Der Jagdhund winselte, und ich kraulte ihm die Ohren. «Was Ihr zu tun habt», erklärte ich Cuthbert, «ist sicherzustellen, dass uns die Geister in diesem Grab nicht stören.»

«Darf ich fragen, Herr, was Ihr hier vorhabt?»

«Was hat Ludda Euch erzählt?»

«Nur, dass Ihr mich braucht und wir das Hündchen mitbringen sollen.»

«Mehr müsst Ihr nicht wissen. Und sorgt dafür, dass diese Geister vertrieben werden.»

Wir wälzten den großen Eingangsfels weg, und Cuthbert ging in das Grab, skandierte Gebete, verspritzte Weihwasser und stellte ein Kreuz auf, das er aus den Ästen eines Baumes gemacht hatte. «Wir müssen bis Mitternacht warten, Herr», erklärte er mir, «um sicher zu sein, dass die Gebete gewirkt haben.» Er war beunruhigt, und seine Gesten drückten Hoffnungslosigkeit aus. Er hatte riesenhafte Hände und schien nie zu wissen, was er damit anfangen sollte. «Werden mir die Geister gehorchen?», fragte er sich selbst und fuhr dann fort: «Ich weiß es nicht! Sie schlafen bei Tag, und wenn sie aufwachen, sollten sie sich hilflos und in Ketten fühlen, aber sind sie vielleicht mächtiger, als wir wissen? Heute Nacht werden wir es erfahren.»

«Warum heute Nacht? Warum nicht jetzt?»

«Sie schlafen bei Tag, Herr, heute Nacht wachen sie auf und kreischen wie gemarterte Seelen. Und wenn sie die Ketten zerbrechen?» Ein Schauder überlief ihn. «Aber ich werde die ganze Nacht da sein und die Engel anrufen.»

«Engel?»

Er nickte mit ernster Miene. «Ja, Herr, Engel.» Er erkannte meine Verwirrung und lächelte. «Oh, stellt Euch die Engel nicht als schöne Mädchen vor, Herr. Das einfache Volk glaubt, Engel wären liebreizende, strahlende Geschöpfe mit wundervollen», er hielt inne, seine Riesenhände flatterten vor seiner Brust, «Rehzwillingen», setzte er schließlich hinzu, «aber in Wahrheit sind es die Schildkrieger Gottes. Grimmige, furchteinflößende Wesen!» Er wedelte mit den Armen, um Flügel anzudeuten, dann schwieg er, weil ihm mein Blick bewusst wurde. Ich starrte ihn so lange an, dass er ängstlich wurde. «Herr?», fragte er mit bebender Stimme.

«Ihr seid klug, Cuthbert», sagte ich.

Er sah mich erfreut und verlegen an. «Das bin ich in der Tat, Herr.»

«Sankt Cuthbert der Kluge», sagte ich bewundernd. «Ein Narr», fuhr ich fort, «aber ein unendlich kluger Narr!»

«Danke, Herr, Ihr seid überaus freundlich.»

In dieser Nacht blieben Cuthbert und ich beim Eingang des Grabes und sahen zu, wie die Sterne am Himmel heller wurden. Blitz legte den Kopf auf meinen Schoß, als ich ihn streichelte. Er war ein großer Jagdhund, pfeilschnell, furchtlos und wild wie ein Krieger. Ein Viertelmond stieg über den Hügeln auf. Die Nacht war voller Geräusche, das Rascheln von Tieren im nahen Wald, der unheimliche Ruf einer jagenden Eule, der Schrei einer Füchsin in der Ferne. Als der Mond hoch am Himmel stand, drehte sich Pater Cuthbert zu dem Grab um, kniete sich auf die Erde und begann still zu beten, seine Lippen bewegten sich unhörbar, seine Hände klammerten sich an den schadhaften Kreuzesanhänger, den er um den Hals trug. Falls Engel kamen, so habe ich sie nicht gesehen, aber vielleicht waren sie da; die prächtigen Schildkrieger des christlichen Gottes, mit den strahlenden Flügeln.

Ich ließ Cuthbert beten und ging mit Blitz auf den höchsten Punkt des Hügelgrabes, wo ich mich neben ihn kniete, die Arme um seinen Hals schlang und ihm erzählte, wie gut er war, wie treu und wie tapfer. Ich streichelte sein raues Fell, vergrub mein Gesicht in seinen Nackenfalten, und erklärte ihm, er sei der beste Jagdhund, den ich je gekannt hatte, und ich hielt ihn immer noch umschlungen, als ich ihm mit einer heftigen Bewegung meines Messers, das ich am Nachmittag sorgfältig gewetzt hatte, die Kehle durchschnitt. Ich fühlte seinen kräftigen Körper kämpfen und schwanken, das unvermittelte Jaulen erstarb bald, Blut durchtränkte mein Kettenhemd und lief um meine Knie, und ich weinte über sein Sterben, und ich hielt seinen bebenden Körper, und ich erklärte Thor, dass ich das Opfer gebracht hatte. Ich wollte es nicht, aber wir berühren die Herzen der Götter, indem wir etwas opfern, das uns teuer ist, und ich hielt Blitz, bis er starb. Es war ein gnädiger, schneller Tod. Ich bat Thor, das Opfer anzunehmen und als Gegenleistung die Toten in ihrem Grab still sein zu lassen.

Ich trug Blitz zu einer Baumgruppe in der Nähe und bereitete ihm mit dem Messer und einer Steinscherbe ein Grab. Ich legte den Jagdhund hinein und das Messer an seine Seite, dann wünschte ich ihm glückliche Jagden in der nächsten Welt. Ich füllte Erde in das Grab und türmte dicke Steine darauf, um Blitz vor den Aasfressern zu schützen. Es dämmerte schon fast, als ich diese Aufgabe hinter mich gebracht hatte, und ich war schmutzig, blutbeschmiert und elend.

«Gütiger Gott, was ist geschehen?» Pater Cuthbert starrte mich entsetzt an.

«Ich habe zu Thor gebetet», sagte ich knapp.

«Der Hund?», flüsterte er.

«Jagt in der nächsten Welt», sagte ich.

Er erschauerte. Manch ein Priester hätte mich dafür gerügt, den falschen Göttern zu opfern, aber Cuthbert bekreuzigte sich nur. «Die Geister sind ruhig geblieben», berichtete er.

«Also hat eines der Gebete gewirkt», sagte ich, «entweder Eures oder meines.»

«Oder beide, Herr», sagte er.

Und als die Sonne aufging, kamen die Sklaven, und ich

ließ sie das Grab öffnen und die Toten aus einer der zwei tiefer gelegenen Kammern holen. Sie häuften die Knochen in die gegenüberliegende Kammer, und dann versiegelten wir diese überfüllte Leichenkammer mit einem Felsblock. Wir legten Totenköpfe in die zwei Höhlen, die dem Eingang am nächsten waren, sodass jeder Besucher, der sich in den Durchgang hineinbückte, vom Grinsen des Todes empfangen würde. Das schwierigste Stück Arbeit war es, den Eingang der nördlichsten Kammer zu verbergen, derjenigen, aus der wir die Knochen geräumt hatten, denn Ludda musste in diese menschengemachte Höhle hineingehen und sie auch wieder verlassen können. Pater Cuthbert fand die Lösung des Problems. Sein Vater hatte ihn das Steinmetzhandwerk gelehrt, und Cuthbert schlug so lange kleine Stücke von einem Kalksteinblock ab, bis er einem dünnen Schild ähnelte. Das kostete ihn zwei Tage, aber es gelang ihm, und wir richteten die dünne Steinplatte an einem Fels auf, und Ludda konnte sie ohne Schwierigkeiten umstoßen. Er konnte die Platte wegziehen, daran vorbei in die Kammer kriechen, und dann konnte ein anderer Mann sie wieder aufrichten, sodass Ludda hinter der schildartigen Steinplatte verborgen war. Als er hinter der Platte etwas sagte, klang seine Stimme dumpf, war aber zu hören.

Dann verließen wir alle das Grab, versiegelten es erneut, häuften Erde über den Eingangsfelsen und kehrten zurück nach Fagranforda. «Jetzt gehen wir nach Lundene», erklärte ich Ludda. «Du, ich und Finan.»

«Lundene!» Das gefiel ihm. «Und warum, Herr?»

«Um zwei Huren zu suchen, selbstredend.»

«Selbstredend», sagte er.

«Dabei kann ich helfen», sagte Pater Cuthbert eifrig.

«Ich dachte, Euch mache ich dafür verantwortlich, dass genügend Gänsefedern gesammelt werden», erklärte ich Cuthbert.

«Gänsefedern?» Er starrte mich entsetzt an. «O Herr, bitte!»

Huren und Gänsefedern. Plegmund betete um Frieden, und ich sann auf Krieg.

Ich ging mit dreißig Männern nach Lundene. Nicht, weil ich sie brauchte, sondern weil ein Herr mit Stil reisen soll. In der Römerfestung, die einst über das nordwestliche Stadtgebiet gewacht hatte, fanden wir Unterkunft für die Männer und die Pferde. Dann ging ich mit Finan und Weohstan an den verfallenden römischen Wallanlagen entlang. «Als Ihr hier die Garnison geführt habt», sagte Weohstan, «haben sie Euch da mit Geldern knappgehalten?»

«Nein», sagte ich.

«Ich muss um jede Münze betteln», murrte er. «Sie bauen Kirchen, aber ich kann sie nicht dazu bringen, den Wall instand zu setzen.»

Und Instandsetzungen hatte der Wall nötiger denn je. Ein großes Stück der römischen Verteidigungsanlage zwischen dem Bischop's Gate und dem Old Gate war in den stinkenden Graben darunter gestürzt. Das war nichts Neues. Damals, als ich selbst Befehlshaber der Garnison war, hatte ich die Lücke mit einer wuchtigen Eichenpalisade geschlossen, doch inzwischen waren die Stämme schwarz verfärbt, und einige verrotteten schon. König Eohric hatte diesen heruntergekommenen Abschnitt gesehen, und zweifellos hatte er sich seine Gedanken darüber gemacht. Nach seinem Besuch in Lundene hatte ich die Instandsetzung dringend angeraten, aber es war nichts getan worden.

«Seht her», sagte Weohstan und stieg unbeholfen den Geröllhang hinunter, der das Ende des eingestürzten Walls darstellte. Er drückte an einen Eichenstamm, und ich sah, dass dieser so locker saß wie ein toter Zahn. «Sie werden nicht zahlen, um diesen Stamm zu ersetzen», sagte Weohstan finster. Er trat ans untere Ende des Stamms, und unter seinem Stiefel stoben weiche dunkle Stücke von pilzbefallenem Holz weg.

«Wir haben doch Frieden», sagte ich höhnisch, «habt Ihr das noch nicht gehört?»

«Das könnt Ihr Eohric erzählen», sagte Weohstan und stieg wieder zu mir herauf. Alles Land im Nordosten gehörte Eohric, und Weohstan berichtete uns, dass die dänischen Spähtrupps bis dicht vor die Stadt kamen. «Sie beobachten uns», sagte er, «und alles, was ich tun darf, ist, ihnen zuzuwinken.»

«Und sie müssten nicht einmal so nah an die Stadt kommen», sagte ich, «ihre Händler haben ihnen bestimmt schon alles erzählt, was sie wissen wollen.» In Lundene waren immer viele Händler. Dänen, Sachsen, Franken und Friesen, und diese Kaufleute trugen die Neuigkeiten zurück in ihre Heimat. Eohric, da war ich sicher, wusste ganz genau, wie schwach Lundenes Verteidigung war, er hatte es ja schließlich mit eigenen Augen gesehen. «Aber Eohric ist ein vorsichtiger Hund», sagte ich.

«Sigurd nicht.»

«Er ist immer noch krank.»

«Ich bete zu Gott, dass er stirbt», sagte Weohstan leidenschaftlich.

In den Schänken der Stadt erfuhr ich mehr. Dort waren Schiffsmeister von der gesamten britannischen Küste anzutreffen, die für ein Ale Gerüchte preisgaben, von denen so manches zutraf. Und kein einziges Gerücht sprach von Krieg. Æthelwold war immer noch in seiner Zuflucht Eoferwic und nahm immer noch für sich in Anspruch, der König von Wessex zu sein, aber er hatte keine Macht, solange ihm die Dänen keine Armee gaben. Warum verhielten sie sich so still? Das bereitete mir Kopfzerbrechen. Ich hatte ihren Angriff nach Alfreds Tod für sicher gehalten, doch sie taten nichts. Bischof Erkenwald wusste die Antwort. «Es ist Gottes Wille», erklärte er mir. Wir waren uns zufällig auf der Straße begegnet. «Gott befiehlt uns, unsere Feinde zu lieben», erklärte er, «und durch die Liebe werden sie in friedfertige Christen verwandelt.»

Ich weiß noch, wie ich ihn anstarrte. «Glaubt Ihr das wirklich?», fragte ich.

«Wir müssen Vertrauen haben», sagte er unerschütterlich. Er segnete eine Frau, die vor ihm geknickst hatte, mit dem Kreuzeszeichen. «Und», sagte er zu mir, «was bringt Euch nach Lundene?»

«Wir suchen Huren», sagte ich. Er blinzelte. «Kennt Ihr ein paar gute, Bischof?»

«Oh, lieber Gott», zischte er und ging seiner Wege.

In Wahrheit hatte ich mich dagegen entschieden, in den Wirtshäusern von Lundene nach Huren zu suchen, denn es bestand immer die Möglichkeit, dass sie wiedererkannt wurden, und deshalb führte ich Finan, Ludda und Pater Cuthbert hinunter zum Sklavenkai, der von der alten Römerbrücke aus gesehen etwas flussauf lag. Lundene hatte nie einen blühenden Sklavenmarkt besessen, aber es wurden immer ein paar junge Leute verkauft, die in Irland oder Wales oder Schottland eingefangen worden waren. Die Dänen hielten mehr Sklaven als die Sachsen, und unsere Sklaven waren üblicherweise Feldarbeiter. Ein Mann, der sich keinen Ochsen leisten konnte, schirrte ein paar Sklaven an den Pflug, auch wenn die Furchen nie so tief wurden, wie bei einer von Ochsen gezogenen Pflugschar. Zudem machten Ochsen weniger Schwierigkeiten, obwohl ein Mann in den alten Zeiten einen Sklaven, der sich als lästig erwies, töten konnte, ohne mit einer Strafe rechnen zu müssen. Das änderten Alfreds Gesetze. Und viele ließen ihre Sklaven frei, weil sie glaubten, sich damit Gottes Wohlgefallen zu verdienen, also gab es in Lundene keine besondere Nachfrage, trotz der paar Sklaven, die gewöhnlich am Kai bei der Temes zum Verkauf angeboten wurden. Die Händler kamen aus Ratumacos, einer Stadt im Frankenreich, und nahezu alle diese Händler waren Nordmänner, denn die Wikingerzüge hatten das gesamte Umland dieser Stadt erobert. Sie kamen, um die jungen Leute zu kaufen, die bei unseren Grenzgefechten gefangen wurden, und einige brachten auch Sklaven zum Verkauf, weil sie wussten, dass die wohlhabenden Männer aus Wessex und Mercien Gefallen an fremdländischen Mädchen fanden. Die Kirche stand diesem Handel missbilligend gegenüber, doch er gedieh weiter.

Der Kai lag nicht weit vor dem Wall am Fluss, und die Sklaven wurden in feuchten Holzhütten innerhalb des Walls gehalten. An diesem Tag waren vier Händler in Lundene, und ihre Wachen sahen uns kommen und machten ihre Herren darauf aufmerksam, dass sich reiche Männer näherten. Die Händler traten auf die Straße heraus und verbeugten sich tief vor uns. «Wein, meine Herren?», fragte einer. «Ale, vielleicht? Oder was auch immer Eure Herrschaften wünschen.»

«Frauen», sagte Pater Cuthbert.

«Still», knurrte ich ihm zu.

«Jesus und Joseph», murmelte Finan vor sich hin, und ich wusste, dass er an die langen Monate dachte, die wir zusammen als Sklaven verbracht hatten, an Sverris Riemen gekettet, das S der Sklaverei in die Arme gebrannt. Sverri war gestorben, ebenso wie sein Handlanger Hakka, Finan hatte beide niedergemetzelt, und der Ire war seinen Hass auf Sklavenhändler nie mehr losgeworden.

«Ihr sucht Frauen?», fragte einer der Händler. «Oder Mädchen? Etwas Junges, Zartes? Ich habe genau, was Ihr braucht. Unberührte Ware! Pikante, auserlesene Bissen! Ihr Herren?» Er verbeugte sich und winkte uns zu einer grobgezimmerten Tür, die in einen römischen Torbogen eingebaut worden war.

Ich sah Pater Cuthbert an. «Lasst dieses Grinsen sein», fauchte ich, dann senkte ich die Stimme, «und geht Weohstan suchen. Sagt ihm, er soll mit zehn oder zwölf Männern herkommen. Schnell.»

«Aber Herr …», setzte er an, weil er bleiben wollte.

«Geht!», schrie ich.

Er hastete davon. «Es ist immer klug, diese Priester loszuwerden, Herr», sagte der Händler, der annahm, ich hätte Cuthbert weggeschickt, weil die Kirche seine Geschäfte verurteilte. Ich mühte mich um eine gefällige Erwiderung, aber der gleiche Zorn, der in Finan kochte, stieg nun auch in mir auf. Ich erinnerte mich an die Demütigungen der Sklaverei, das Elend. Finan und mich hatte man einst in einem ebenso feuchten Gebäude wie diesem angekettet. Die Narbe an meinem Oberarm schien zu brennen, als ich dem Händler durch die niedrige Tür folgte. «Ich habe ein halbes Dutzend Mädchen übers Wasser gebracht», sagte er, «und ich gehe davon aus, dass Ihr keine Milchmägde oder Küchendirnen wollt.»

«Wir wollen Engel», sagte Finan gepresst.

«Genau das kann ich bieten!», sagte der Mann gut gelaunt.

«Wie heißt Ihr?», fragte ich.

«Halfdan», sagte er. Er war in den Dreißigern, schätzte ich, kräftig und groß, mit einem Schädel, der so kahl war wie ein Ei, und einem Bart bis zur Hüfte, um die ein Schwert mit silbernem Heft gegürtet war. In dem Raum, den wir betraten, befanden sich vier Wachen, zwei waren mit Knüppeln und zwei mit Schwertern bewaffnet. Sie bewachten etwa zwanzig Sklaven, die zusammengekettet auf dem von stinkender Jauche aufgeweichten Boden hockten. Die Rückwand der Hütte war die der Stadt zugewandte Seite der Flussmauer. In dem spärlichen Licht, das durch Spalten im verrottenden Strohdach fiel, glänzten ihre Steine grünlich und braun. Die Sklaven sahen uns mit feindseligen Blicken an. «Die meisten sind Waliser», sagte Halfdan sorglos, «aber ein paar kommen auch aus Irland.»

«Bringt Ihr sie ins Frankenreich?», fragte Finan.

«Wenn Ihr sie nicht wollt», sagte Halfdan. Er entriegelte eine andere Tür, dann klopfte er an das dunkle Holz, und ich hörte, wie auf der Gegenseite ein weiterer Riegel zurückgeschoben wurde. Die Tür wurde aufgezogen, und dahinter wartete ein weiterer Mann mit einem Schwert. Er bewachte Halfdans wertvollste Ware, die Mädchen. Als wir uns durch den Türdurchgang bückten, grinste er uns zum Gruße an.

In der Düsternis war es schwer zu erkennen, wie die Mädchen aussahen. Sie kauerten in einer Ecke beisammen, und eins von ihnen schien krank zu sein. Ich konnte sehen, dass ein Mädchen sehr dunkelhäutig war, die anderen waren hell. «Es sind sechs», sagte ich.

«Ihr könnt zählen, Herr», scherzte Halfdan. Er verriegelte hinter uns die Tür zu dem größeren Raum, in dem die männlichen Sklaven festgehalten wurden.

Finan wusste, was ich meinte. Wir waren zu zweit, und die Sklavenhändler waren zu sechst, und wir waren zornig, und wir hatten zu lange keine Gelegenheit gehabt, gegen jemanden zu kämpfen, und wir waren ruhelos. «Sechs ist nichts», sagte Finan. Ludda hörte einen Unterton und sah mich unruhig an.

«Wollt Ihr mehr als sechs?», fragte Halfdan. Er stieß einen klemmenden Fensterladen auf, um ein wenig Licht von der Straße hereinzulassen, und die Mädchen blinzelten halb geblendet. «Sechs Schönheiten», sagte Halfdan stolz.

Die sechs Schönheiten waren mager, schmutzig und starr vor Angst. Das dunkelhäutige Mädchen wandte das Gesicht ab, aber ich hatte schon gesehen, dass es in der Tat schön war. Zwei von den anderen waren blond. «Woher kommen sie?»

«Die meisten aus dem nördlichen Frankenreich», sagte Halfdan, aber die hier?» Er deutete auf die dunkelhäutige Schönheit, die zusammenzuckte. «Sie kommt vom Ende der Welt. Die Götter allein wissen, woher sie stammt. Sie könnte genauso gut vom Mond gefallen sein. Ich habe sie einem Händler aus dem Süden abgekauft. Sie spricht eine merkwürdige Sprache, aber sie ist hübsch genug, wenn man sein Fleisch gut durchgebraten liebt.»

«Und wer tut das nicht?», fragte Finan.

«Ich wollte sie behalten», sagte Halfdan, «aber das Luder hört nicht auf zu heulen, und ich kann weinerliche Weibsstücke nicht ausstehen.»

«Waren sie Huren?», fragte ich.

«Jungfrauen sind sie nicht», sagte Halfdan belustigt.

«Ich sage Euch die Wahrheit, Herr, wenn es das ist, was Ihr wollt, kann ich Euch Jungfrauen besorgen, das dauert einen oder zwei Monate. Aber diese Mädchen sind keine. Die Schwarze und die Friesin sind eine Zeitlang zum Arbeiten in die Schänke geschickt worden, aber sie sind nicht abgenutzt, nur zugeritten. Sie sind immer noch hübsch. Ich zeige es Euch.» Er streckte seine kräftige Hand aus und zog das schwarze Mädchen aus der Gruppe. Die junge Frau schrie, als er an ihr zerrte, und er schlug sie heftig auf den Kopf. «Hör auf zu schreien, du dummes Stück», knurrte er. Dann drehte er mir ihr Gesicht zu. «Was meint Ihr, Herr? Sie hat zwar eine wunderliche Farbe, aber sie ist ein hübsches Ding.»

«Das ist sie», stimmte ich ihm zu.

«Und überall dieselbe Farbe», sagte er grinsend, und zum Beweis zog er ihr das Kleid herunter, um ihre Brüste zu entblößen. «Hör auf zu jammern, du Luder», sagte er und schlug sie wieder. Dann hob er eine ihrer Brüste an. «Seht Ihr, Herr? Braune Titten.»

«Lasst mich sehen», sagte ich. Ich hatte mein Messer gezogen, und Halfdan dachte, ich wollte das lumpige Kleid des Mädchens ganz zerschneiden, also trat er zurück.

«Seht genau hin, Herr», sagte er.

«Das werde ich», versprach ich, und das Mädchen wimmerte immer noch, als ich mich umdrehte und Halfdan die Klinge in den Bauch stieß, aber unter seinem Kittel trug er ein Kettenhemd, und das hielt die Klinge auf. Ich hörte das flüsternde Geräusch, mit dem Ludda sein Schwert aus der Scheide zog, während Halfdan versuchte, mir mit der Stirn die Nase zu brechen, aber ich hatte schon mit der Linken seinen Bart gepackt und zerrte ihn heftig nach unten. Die Messerklinge hatte ich nun nach oben gerichtet und zog

Halfdans Kopf auf die Spitze zu. Die Mädchen kreischten, und einer von den Wachmännern in dem anderen Zimmer hämmerte an die verriegelte Tür. Halfdan brüllte, und dann wurde das Brüllen zu einem Gurgeln, weil die Klinge in seinen Unterkiefer und dann in seine Kehle eindrang. Hellrotes Blut spritzte durch den Raum. Finans Mann war schon tot, getötet mit der Blitzgeschwindigkeit des Iren, und dann ließ Finan die Klinge auf die Rückseite von Halfdans Beinen niederfahren, trennte ihm die Fersensehnen durch, und der große Mann brach in die Knie, und ich brachte die Sache zu einem ordentlichen Ende, indem ich ihm die Kehle durchschnitt. Sein mächtiger Bart saugte das meiste von dem Blut auf.

«Du lässt dir Zeit», sagte Finan belustigt.

«Ich bin außer Übung», sagte ich. «Ludda, sag den Mädchen, sie sollen ruhig sein.»

«Noch vier», sagte Finan.

Ich steckte das Messer zurück, wischte mir an Halfdans Kittel das Blut von den Händen und zog Schlangenhauch. Finan entriegelte die Tür, und sie flog auf. Ein Wachmann duckte sich in den Raum, sah die Klinge, die ihn erwartete, und wollte zurück, aber Finan zog den Mann ganz herein, und ich trieb ihm das Schwert tief in den Bauch, und als er zusammenbrach, rammte ich ihm das Knie ins Gesicht. Er ging auf den blutbesudelten Boden nieder. «Erledige ihn, Ludda», befahl ich.

«Gott im Himmel», murmelte er.

Die übrigen drei Wächter waren vorsichtiger. Sie warteten am gegenüberliegenden Ende des größeren Raumes und hatten schon nach den anderen Sklavenhändlern gerufen. Es brachte den Händlern Vorteile, sich gegenseitig zu helfen, und der Ruf brachte noch mehr Männer in den

Raum. Vier mehr, dann fünf, alle bewaffnet und alle auf einen Kampf aus. «Osferth sagt immer, wir denken nicht genug nach, bevor wir einen Kampf anfangen», sagte Finan.

«Da hat er recht, oder?», sagte ich, doch dann ertönte von der Straße ein lauter Ruf. Weohstan war mit einem Garnisonstrupp angekommen. Die Soldaten kämpften sich in die Hütte und trieben die Sklavenhändler auf die Straße hinaus, wo uns zwei Händler vor Weohstan des Mordes bezichtigten. Brüllend forderte Weohstan Ruhe, dann sah er sich in der Hütte um. Bei dem Gestank im ersten Raum rümpfte er die Nase, dann duckte er sich in den kleinen Raum hinein und betrachtete die beiden Leichen. «Was ist passiert?»

«Die zwei haben sich gestritten», sagte ich und deutete auf Halfdan und den Wachmann, den Finan so schnell niedergemacht hatte, «und sie haben sich gegenseitig umgebracht.»

«Und der da?» Weohstan nickte zu dem dritten Mann, der sich auf dem Boden zusammengekrümmt hatte und wimmerte.

«Ich habe dir doch gesagt, du sollst ihn erledigen», sagte ich zu Ludda und tat es selbst. «Der Kummer über ihren Tod hat ihn überwältigt», erklärte ich Weohstan, «und da hat er sich selbst das Leben genommen.»

Zwei der anderen Sklavenhändler waren uns in die Hütte gefolgt und legten lautstark Widerspruch ein, bezeichneten uns als Lügner und Mörder. Sie betonten, dass ihr Handel legal sei, und dass man ihnen den Schutz durch das Gesetz zugesichert hatte. Sie forderten, dass ich mich wegen Mordes vor Gericht verantworten und eine gewaltige Summe für die Leben zahlen sollte, die ich genommen hatte. Weohstan hörte sie geduldig an. «Wollt Ihr bei dieser Verhandlung einen Eid schwören?», fragte er die beiden Männer schließlich.

«Das werden wir!», sagte einer der Händler.

«Ihr erzählt, was geschehen ist und beschwört es mit einem Eid?»

«Er muss uns eine Entschädigung zahlen!»

«Herr Uhtred», Weohstan wandte sich zu mir, «werdet Ihr Eidschwörer bringen, um dieses Zeugnis anzufechten?»

«Das werde ich», sagte ich, aber die Erwähnung meines Namens hatte genügt, um den Kampfgeist der beiden Männer zum Erliegen zu bringen. Sie starrten mich einen Augenblick an, dann murmelte der eine, Halfdan sei schon immer ein streitsüchtiger Narr gewesen.

«Also werdet Ihr nicht vor Gericht schwören?», fragte Weohstan, aber die beiden waren schon auf dem Rückzug. Sie flohen.

Weohstan grinste. «Was ich tun sollte», sagte er, «ist, Euch wegen Totschlags zu verhaften.»

«Ich habe nichts getan», sagte ich.

Er betrachtete Schlangenhauchs gerötete Klinge. «Das sehe ich, Herr», sagte er.

Ich beugte mich zu Halfdans Leiche hinunter, schlitzte seinen Kittel auf und hatte ein Kettenhemd vor mir, aber auch, wie zu erwarten, einen Beutel, der an seinem Gürtel hing. Es war dieser Beutel gewesen, der meinen ersten Stoß gebremst hatte, und er war mit Münzen voll gestopft, die meisten davon aus Gold.

«Was machen wir mit den Sklaven», fragte sich Weohstan laut.

«Sie gehören mir», sagte ich. «Ich habe sie gerade gekauft.» Ich gab ihm den Beutel, nachdem ich mir ein paar

Münzen herausgenommen hatte. «Damit könnt Ihr Eichenstämme für die Palisade kaufen.»

Er zählte die Münzen und sah mich hoch erfreut an. «Ihr seid die Antwort auf meine Gebete, Herr», sagte er.

Wir nahmen die Sklaven mit in eine Schänke der Neustadt, das war die sächsische Ansiedlung, die sich westlich des römischen Lundenes ausbreitete. Mit den Münzen, die ich aus Halfdans Beutel genommen hatte, kam ich für Essen, Ale und Kleidung auf. Finan redete mit den Männern und vermutete, dass ein halbes Dutzend von ihnen gute Krieger abgeben würden. «Falls wir überhaupt noch einmal Krieger brauchen», knurrte er.

«Ich hasse den Frieden», sagte ich, und Finan lachte.

«Was fangen wir mit den anderen an?», fragte er.

«Lass sie gehen», sagte ich, «sie sind jung, sie können allein überleben.»

Ludda und ich sprachen mit den Mädchen, während Pater Cuthbert sie nur mit weit aufgerissenen Augen anstarrte. Er war bezaubert von dem dunkelhäutigen Mädchen, dessen Name anscheinend Mehrasa lautete. Die junge Frau war wohl die älteste der sechs, etwa sechzehn oder siebzehn, während die übrigen drei oder vier Jahre jünger waren. Als ihnen klarwurde, dass sie in Sicherheit oder wenigstens nicht mehr in unmittelbarer Gefahr waren, begannen sie zu lächeln. Zwei waren Sachsenmädchen, die von fränkischen Plünderern an der Küste von Cent geraubt worden waren, und zwei waren aus dem Frankenreich. Dann waren da die geheimnisvolle Mehrasa und das kranke friesische Mädchen. «Die Mädchen aus Cent können nach Hause gehen», sagte ich, «aber die anderen bringt ihr nach Fagranforda.» Ich hatte mich an Ludda und Pater Cuthbert gewandt. «Sucht zwei von ihnen aus und bringt ihnen bei, was sie wissen müssen. Die anderen können in der Meierei oder der Küche arbeiten.»

«Mit Vergnügen, Herr», sagte Pater Cuthbert.

Ich sah ihn an. «Wenn Ihr sie misshandelt», sagte ich, «werde ich Euch Schmerzen zufügen, dass Ihr noch lange an mich denkt.»

«Ja, Herr», sagte er demütig.

«Und jetzt geht.»

Ich schickte Rypere und ein Dutzend Männer zum Schutz der Mädchen mit auf den Weg, doch Finan und ich blieben in Lundene. Ich habe diese Stadt immer gemocht, und es gab keinen besseren Ort, um festzustellen, was im übrigen Britannien vor sich ging. Ich sprach mit Händlern und Reisenden und hörte mir sogar eine von Erkenwalds endlosen Predigten an, nicht weil ich darin Rat suchte, sondern um festzustellen, was die Kirche ihrem Volk erzählte. Der Bischof predigte gut, und seine Botschaft lautete genau so, wie es Erzbischof Plegmund wollte. Es war eine Bitte um Frieden, damit die Kirche Zeit hatte, die Heiden zu erleuchten. «Wir waren vom Krieg niedergedrückt», sagte Erkenwald, «und wir sind in den Tränen von Müttern und Witwen gewatet. Jeder Mann, der einen anderen Mann tötet, bricht das Herz einer Mutter.» Er wusste, dass ich in der Kirche war und starrte in die Schatten, in denen ich stand, dann deutete er auf ein neues Gemälde an der Wand, das die Gottesmutter Maria zeigte, wie sie weinend am Fuß des Kreuzes saß. «Welche Schuld haben diese Römer auf sich geladen, und welche Schuld laden wir auf uns, wenn wir töten! Wir sind die Kinder Gottes, keine Lämmer, die für die Schlachtbank bestimmt sind.»

Es hatte Zeiten gegeben, in denen Erkenwald den Kampf gepredigt und uns dazu gedrängt hatte, die heidnischen Dänen auszuplündern, aber auf irgendeine Weise hatte der Anbruch des Jahres 900 die Kirche überzeugt, uns zum Frieden zu mahnen, und es schien so, als würden die Gebete erhört. Es gab Viehdiebstähle im Grenzgebiet, doch keine dänische Armee rückte ein. Später in diesem Sommer bestiegen Finan und ich eines von Weohstans Schiffen, und wir ruderten flussab zu dem weiten Mündungsgebiet der Temes, in dem ich so viel Zeit verbracht hatte. Wir fuhren bis nahe an Beamfleot heran und sahen, dass keine Dänen versucht hatten, die niedergebrannten Festungen wieder aufzubauen, und keine Schiffe lagen in der Bucht von Hothlege, nur auf dem Strand die schwarzverkohlten Gerippe der Schiffe, die wir dort verbrannt hatten. Wir wandten uns weiter ostwärts, wo sich die Temes verbreitert, bis sie mit dem Meer verschmilzt, und ruderten durch die Untiefen bei Sceobyrig, einem weiteren Ort, an dem dänische Schiffsmannschaften gern Händlerschiffen auf dem Weg nach Lundene aufgelauert hatten, doch der Liegeplatz war verlassen. Das Gleiche am Südufer des Mündungsgebiets. Nichts als Wildvögel und nasser Schlamm.

Dann ruderten wir die Windungen des Medwæg zu der Wehrstadt Hrofeceastre hinauf, wo ich sah, dass die Balkenpalisade auf dem mächtigen Erdwall genauso verrottete wie die in Lundene. Allerdings legte ein ansehnlicher Stapel frischgefällter Eichenstämme nahe, dass hier jemand bereit war, die Verteidigungsanlagen instand zu setzen. Finan und ich gingen an dem Ankerplatz bei der Römerbrücke an Land und machten uns auf den Weg zum Haus des Bischofs neben der großen Kirche. Der Verwalter verbeugte sich vor uns und wagte nicht, nach meinen Schwert zu fragen, nachdem er meinen Namen gehört hatte. Stattdessen führte er uns in einen behaglichen Raum und ließ die Bediensteten Ale und etwas zu essen bringen.

Bischof Swithwulf und seine Frau trafen eine Stunde später ein. Der Bischof war ein sorgenvoll wirkender Mann, mit grauem Haar, länglichem Gesicht und zuckenden Händen, und seine Frau war klein und unsicher. Sie verbeugte sich wohl zehnmal vor mir, bevor sie sich setzte. «Was bringt Euch zu mir, Herr?», fragte Swithwulf.

«Die Neugier.»

«Die Neugier?»

«Ich frage mich, warum sich die Dänen so ruhig verhalten.»

«Der Wille Gottes», sagte die Frau des Bischofs ängstlich.

«Weil sie etwas aushecken», sagte Swithwulf. «Vertrau niemals einem Dänen, der sich ruhig verhält.» Er sah seine Frau an. «Brauchen die Köchinnen nicht deine Anweisungen?»

«Die Köchinnen? Oh!» Sie stand auf, vollführte ein paar sinnlose Gesten mit den Armen und flüchtete aus dem Raum.

«Und warum sind die Dänen nun so ruhig?», fragte mich Swithwulf.

«Sigurd ist krank», sagte ich, «und Cnut ist an der Nordgrenze seines Landes beschäftigt.»

«Und Æthelwold?»

«Besäuft sich in Eoferwic», sagte ich.

«Alfred hätte ihn erwürgen sollen», knurrte Swithwulf.

Langsam erwärmte ich mich für den Bischof. «Ihr predigt also nicht den Frieden, wie die übrigen?», fragte ich.

«Oh, ich predige, was mir zu predigen aufgetragen

wird», sagte er, «aber ich lasse auch den Festungsgraben vertiefen und den Wall wieder aufbauen.»

«Und Aldermann Sigelf?», fragte ich. Sigelf war der Aldermann von Cent, der militärische Führer der Grafschaft und ihr bedeutendster Edelmann.

Der Bischof beäugte mich misstrauisch. «Was ist mit ihm?»

«Er will König von Cent werden, wie ich höre.»

Swithwulf fuhr bei dieser Behauptung überrascht zurück. Dann runzelte er die Stirn. «Es war sein Sohn, der diesen Einfall hatte», sagte er vorsichtig. «Ich bin nicht sicher, dass Sigelf genauso denkt.»

«Und Sigebriht hat mit den Dänen geredet», sagte ich. Sigebriht, der sich mir vor Sceaftesburi ergeben hatte, war Sigelfs Sohn.

«Das wisst Ihr?»

«Das weiß ich», sagte ich. Darauf schwieg der Bischof. «Was geht in Cent vor sich?», fragte ich, doch er schwieg weiterhin. «Ihr seid der Bischof», sagte ich, «Ihr hört allerlei von Euren Priestern. Also erzählt es mir.»

Einen Moment lang zögerte er noch, doch dann, als wäre der Damm eines Mühlteichs gebrochen, berichtete er mir von der Unzufriedenheit in Cent. «Wir waren früher ein eigenständiges Königreich», sagte er. «Und jetzt werden wir von Wessex wie der schwächste Welpe im Wurf behandelt. Denkt nur daran, was war, als Haesten und Harald gelandet sind! Wurden wir geschützt? Nein!»

Haesten war an der Nordküste von Cent gelandet, während Jarl Harald Bluthaar mit mehr als zweihundert Schiffen zur Südküste gefahren war, wo er eine erst halbbefestigte Wehrstadt gestürmt und die Männer darin abgeschlachtet hatte, um dann in einer Orgie des Sengens,

Tötens, Versklavens und Plünderns durchs Land zu ziehen. Wessex hatte eine Armee unter der Führung von Æthelred und Edward geschickt, um den Eindringlingen Widerstand zu leisten, aber ihre Einheiten hatten nicht gekämpft. Æthelred und Edward hatten ihre Truppen auf den bewaldeten Höhenzug geführt, der sich mitten durch Cent zieht, und dann herumgestritten, ob sie im Norden gegen Haesten oder im Süden gegen Harald vorgehen sollten, und die ganze Zeit hatte Harald weiter gesengt und gemordet.

«Ich habe Harald getötet», sagte ich.

«Das habt Ihr», gestand mir der Bischof zu, «aber erst, nachdem er die ganze Grafschaft verwüstet hatte!»

«Also wollen die Leute, dass Cent wieder ein unabhängiges Königreich wird?», fragte ich.

Wieder zögerte er lange mit der Antwort, und auch dann wich er noch aus. «Solange Alfred am Leben war, wollte das niemand», sagte er, «aber jetzt?»

Ich stand auf und ging zu einem der Fenster, von dem aus ich zu den Anlegeplätzen der Schiffe hinuntersehen konnte. Kreischende Möwen zogen ihre Bahnen durch den Sommerhimmel. Auf dem Kai standen zwei Kräne, mit denen Pferde in den breiten Laderaum eines Händlerschiffs gehievt wurden. Der Laderaum war in Stellplätze unterteilt worden, in denen die verängstigten Tiere angebunden wurden. «Wohin werden diese Pferde geschickt?», fragte ich.

«Pferde?», sagte Swithwulf verwirrt, dann erkannte er, weshalb ich diese unerwartete Frage gestellt hatte. «Sie werden im Frankenreich auf den Markt gebracht. Wir züchten hier gute Pferde.»

«Ihr auch?»

«Aldermann Sigelf tut es», sagte er.

«Und Sigelf regiert hier», sagte ich, «und sein Sohn redet mit den Dänen.»

Der Bischof erschauerte. «Das sagt Ihr», sagte er zurückhaltend.

Ich drehte mich wieder zu ihm um. «Und sein Sohn hat Eure Tochter geliebt», sagte ich, «und deshalb hasst er Edward.»

«Gnädiger Gott», sagte Swithwulf leise und bekreuzigte sich. In seinen Augen standen Tränen. «Sie war ein dummes Mädchen, ein dummes, dummes Mädchen, aber so fröhlich.»

«Es tut mir leid», sagte ich.

Er blinzelte die Tränen weg. «Und Ihr kümmert Euch um meine Enkelkinder?»

«Ja, sie sind in meiner Obhut.»

«Ich habe gehört, der Junge ist kränklich.» Er klang beunruhigt.

«Das ist nur ein Gerücht», versicherte ich ihm. «Sie sind beide vollkommen gesund, aber es ist besser für ihr Wohlergehen, wenn Aldermann Æthelhelm das Gegenteil glaubt.»

«Æthelhelm ist kein schlechter Mann», sagte der Bischof widerwillig.

«Aber er würde Euren Enkelkindern trotzdem die Kehle durchschneiden, wenn er Gelegenheit dazu hätte.»

Swithwulf nickte. «Wie sehen sie aus?»

«Der Junge ist dunkelhaarig wie sein Vater, das Mädchen ist blond.»

«Wie meine Tochter», flüsterte er.

«Die den Ætheling von Wessex geheiratet hat», sagte ich, «der die Eheschließung jetzt bestreitet. Und Sigebriht, der abgewiesene Bewunderer, ist zu den Dänen gegangen, so sehr hasst er Edward.»

«Ja», sagte der Bischof leise.

«Aber dann hat er Edward den Treueid geleistet, nachdem Æthelwold in den Norden geflüchtet ist.»

Swithwulf nickte. «Ich habe davon gehört.»

«Kann man ihm vertrauen?»

Die Deutlichkeit dieser Frage verunsicherte Swithwulf. Er runzelte erneut die Stirn und rutschte unbehaglich auf seinem Platz herum, dann sah er zu einem Fenster hinaus, vor dem sich Krähen auf einer Wiese zankten. «Ich würde ihm nicht vertrauen», sagte er leise.

«Ich habe Euch nicht verstanden, Bischof.»

«Ich würde ihm nicht vertrauen», sagte er etwas lauter.

«Aber der Aldermann hier ist Sigelf, nicht Sigebriht.»

«Sigelf ist ein schwieriger Mann», sagte der Bischof, der seine Stimme wieder gesenkt hatte, «aber er ist kein Narr.» Er sah mich mit unglücklicher Miene an. «Ich werde bestreiten, dass diese Unterhaltung jemals stattgefunden hat», sagte er.

«Hast du etwas von einer Unterhaltung gehört?», fragte ich Finan.

«Kein Wort.»

Wir übernachteten in Hrofeceastre, und am nächsten Tag fuhren wir mit der Flut nach Lundene zurück. Über dem Wasser lag ein kühler Hauch, der Vorbote des kommenden Herbstes, und ich scheuchte meine Männer aus den Schänken der Neustadt und ließ die Pferde satteln. Ich hielt mich absichtlich von Fagranforda fern, weil es so dicht bei Natangrafum lag, und nun führte ich meinen kleinen Trupp auf vertrauten Wegen Richtung Südwesten bis nach Wintanceaster.

Edward war überrascht und erfreut, mich zu sehen. Er wusste, dass ich beinahe den ganzen Sommer nicht in Fagranforda gewesen war und fragte deshalb nicht nach den Zwillingen. Stattdessen erzählte er mir, dass ihm seine Schwester eine Nachricht über die Kinder geschickt hatte. «Es geht ihnen gut», sagte er. Dann lud er mich zu einem Fest ein. «Wir tischen etwas anderes auf als mein Vater», versicherte er mir.

«Das ist ein Segen, Herr», sagte ich. Bei Alfred hatte es immerzu nur fade Mahlzeiten aus dünnen Suppen und schlaffem Gemüse gegeben, während Edward zumindest die Vorzüge von Fleisch zu schätzen wusste. Seine neue Frau war dort, plump und schwanger, und ihr Vater, Aldermann Æthelhelm, war ganz offenkundig zu Edwards vertrautestem Berater geworden. Es waren weniger Priester anwesend als in Alfreds Tagen, aber am Fest nahm immer noch ein gutes Dutzend von ihnen teil, einschließlich meines alten Freundes Willibald.

Æthelhelm begrüßte mich herzlich. «Wir haben gefürchtet, dass Ihr die Dänen herausfordern würdet», sagte er.

«Wer? Ich?»

«Sie verhalten sich ruhig», sagte Æthelhelm, «und es ist das Beste, sie nicht zu reizen.»

Edward sah mich an. «Würdet Ihr sie denn lieber herausfordern?», fragte er.

«Was ich tun würde, Herr», erklärte ich ihm, «ist, hundert Eurer besten Krieger nach Cent schicken. Und dann würde ich noch zweihundert oder dreihundert nach Mercien schicken und dort Wehrstädte anlegen.»

«Cent?», fragte Æthelhelm.

«In Cent herrsch Unzufriedenheit», sagte ich.

«Sie haben schon immer Ärger gemacht», sagte Æthelhelm herablassend, «aber sie hassen die Dänen genauso sehr wie wir.»

«Der Fyrd von Cent muss Cent schützen», sagte Edward.

«Und Herr Æthelred kann Wehrstädte bauen», verkündete Æthelhelm. «Wenn die Dänen kommen, sind wir vorbereitet, aber es hat keinen Sinn, sie mit dem Stachelstock hochzujagen. Pater Willibald!»

«Herr?» Willibald erhob sich halb an einem der unteren Tische.

«Haben wir Nachricht von unseren Missionaren bekommen?»

«Das werden wir noch, Herr!», sagte Willibald. «Ich bin ganz sicher.»

«Missionare?», fragte ich.

«Bei den Dänen», sagte Edward. «Wir werden sie bekehren.»

«Wir schmieden die Dänenschwerter zu Pflugscharen», sagte Willibald, und nur einen Augenblick nach diesen hoffnungsvollen Worten traf ein Bote an. Es war ein schlammbespritzter Priester, der aus Mercien kam, und er war von Werferth, dem Bischof von Wygraceaster nach Wessex geschickt worden. Der Mann hatte offenkundig einen kräftezehrenden Ritt hinter sich, und im Palas kehrte Stille ein, während wir darauf warteten, was er zu berichten hatte. Edward hob die Hand, und der Harfner löste die Finger von den Saiten.

«Herr», der Priester kniete sich vor das Podest, auf dem der Ehrentisch in verschwenderisches Kerzenlicht getaucht war. «Große Neuigkeiten, Herr König.»

«Ist Æthelwold tot?», fragte Edward.

«Gott ist groß!», sagte der Priester. «Die Ära der Wunder ist nicht vorüber!»

«Wunder?», fragte ich.

«Wie es scheint, gibt es da eine Grabstätte aus sehr alter Zeit, Herr», erklärte der Priester und sah zu Edward empor, «ein Grab in Mercien, und dort sind Engel erschienen, um die Zukunft vorauszusagen. Britannien wird christlich sein! Ihr werdet von Meer zu Meer regieren, Herr! Da sind Engel! Und sie haben die Prophezeiung aus dem Himmel gebracht!»

Sofort ergoss sich ein Schwall von Fragen über den Priester, doch Edward brachte die Runde zum Schweigen. Stattdessen befragten er und Æthelhelm den Mann, und wir erfuhren, dass Bischof Werferth vertrauenswürdige Priester zu der alten Grabstätte geschickt hatte und die himmlische Erscheinung von ihnen bestätigt worden war. Der Bote konnte seine Freude kaum bändigen. «Die Engel sagen, dass die Dänen den Glauben an Jesus Christus annehmen werden, Herr, und dass Ihr ein vereintes Königreich aller Angelcynn regieren werdet!»

«Seht Ihr?» Pater Coenwulf, der jene Nacht, in der er mit Æthelwold zum Gebet gegangen war, in einem Stall eingesperrt überlebt hatte, konnte der Versuchung des Triumphes nicht widerstehen. Er sah mich an. «Seht Ihr, Herr Uhtred? Das Zeitalter der Wunder ist nicht vorüber!»

«Ehre sei Gott!», sagte Edward.

Gänsefedern und Wirtshaushuren. Ehre sei Gott.

Natangrafum wurde eine Wallfahrtsstätte. Hunderte pilgerten dorthin, und die meisten wurden enttäuscht, denn die Engel erschienen nicht jede Nacht. Tatsächlich vergingen ganze Wochen, ohne dass sich in dem Grab ein Licht zeigte und ohne dass ein fremdartiges Singen aus seinen steinernen Tiefen drang, doch dann kamen die Engel wieder, und das Tal unterhalb des Grabhügels von Natangrafum hallte von den Gebeten um Hilfe flehender Leute wider.

Nur wenige wurden in das Grab eingelassen, und diese wenigen wurden von Pater Cuthbert ausgesucht und an den Bewaffneten vorbeigeführt, die den Eingang des Erdhügels aus der Alten Zeit bewachten. Es waren meine Männer, angeführt von Rypere, aber das Banner, das nahe dem Eingang auf der Spitze des Hügelgrabes wehte, war Æthelflæds Flagge, die eine recht unansehnliche Gans zeigte, der es irgendwie gelang, mit einem schwimmhäutigen Fuß ein Kreuz und mit dem anderen ein Schwert zu halten. Æthelflæd war überzeugt, von Sankt Werburgh beschützt zu werden, so wie die Heilige einst ein Weizenfeld beschützt hatte, indem sie eine hungrige Schar Gänse daraus vertrieb. Das sollte ein Wunder sein, und wenn es eines war, dann war auch ich ein Wunderwirker, aber ich war klug genug, das nicht zu Æthelflæd zu sagen. Das Gänsebanner ließ darauf schließen, dass die Wachen Æthelflæd gehörten, und jeder, der in das Grab eingelassen wurde, hatte den Eindruck, es stünde unter Æthelflæds Schutz, und das war auch besser so, denn niemand hätte Uhtred dem Gottlosen die Bewachung eines christlichen Pilgerziels geglaubt. Nachdem die Besucher die Wachen hinter sich hatten, kamen sie zum Eingang der Grabstätte, der bei Dunkelheit von trüben Binsenlichtlein erhellt war. Deren Schimmer fiel auf zwei Schädelhaufen, einer an jeder Seite der niedrigen, höhlenartigen Öffnung. Cuthbert kniete sich mit den Pilgern hin, betete mit ihnen, und dann hieß er sie, Waffen und Kettenhemden abzulegen. «Niemand kann in Kriegsausrüstung vor einen Engel treten», sagte er streng, und nachdem sie ihm gehorcht hatten, gab er ihnen einen Silberbecher mit einem Trunk. «Trinkt es ganz leer», wies er sie an.

Ich habe diesen Sud, den Ludda zubereitet hatte, nie gekostet. Meine Erinnerung an Ælfadells Trank war mir mehr als genug. «Es schenkt einem Träume, Herr», erklärte Ludda bei einem meiner seltenen Besuche in Turcandene.

Æthelflæd war mitgekommen und bestand darauf, an dem Trank zu riechen. «Er schenkt einem Träume?», fragte sie.

«Und man muss sich ein- oder zweimal übergeben, Herrin», sagte Ludda, «aber man träumt auch.»

Nicht, dass sie Träume nötig gehabt hätten, denn wenn sie den Becher erst einmal geleert hatten und wenn Cuthbert den unbestimmten Blick in ihren Augen aufsteigen sah, ließ er sie in den langen Durchgang des Grabes kriechen. Dort drinnen sahen sie die Steinwände und an jeder Seite die Kammern mit den aufgehäuften Knochen, alles matt erhellt von den Binsenlichtern, aber vor ihnen waren die Engel. Drei Engel, nicht zwei, saßen dicht beieinander am Ende des Durchgangs, prächtig umrahmt von den Federn ihrer Flügel. «Ich habe drei genommen, weil die Drei eine heilige Zahl ist», hatte Cuthbert erklärt, «ein Engel für jedes Glied der Dreifaltigkeit.»

Die Gänsefedern waren an den Fels geklebt. Sie bildeten Fächer, die in dem schummrigen Licht leicht für Flügel gehalten werden konnten. Es hatte Ludda einen ganzen Tag gekostet, die Federn anzuordnen, und dann mussten die drei Mädchen ihre Aufgabe erlernen, was beinahe einen Monat gedauert hatte. Wenn ein Besucher kam, stimmten sie leisen Gesang an. Cuthbert hatte sie diese Musik gelehrt, die zart und träumerisch klang, kaum lauter als ein Summen und ohne Worte, nur ein Geräusch, das in diesem engen Steingelass widerhallte.

Mehrasa war der Engel in der Mitte. Ihre dunkle Haut, ihr schwarzes Haar und ihre Jett-Augen ließen sie rätselhaft wirken, und Ludda hatte die Rätselhaftigkeit durch einige Rabenfedern gesteigert, die er zwischen die weißen Federn gesteckt hatte. Alle drei Mädchen waren in schlichtes Weiß gewandet, und die schwarze Mehrasa trug noch eine Goldkette um den Hals. Die Männer betrachteten die drei Mädchen bewundernd – kein Wunder, denn sie waren schön. Die zwei aus dem Frankenreich waren beide sehr blond und hatten große blaue Augen. Sie waren Traumgesichte in diesem düsteren Grab, wenn beide auch zu Anfällen von Gekicher neigten, wie mir Ludda erzählte, wo sie doch überaus ernst und feierlich wirken sollten.

Die Besucher nahmen das Kichern offenbar nie wahr. Eine seltsame Stimme, nämlich Luddas, schien aus dem Felsgestein zu dringen. Ludda verkündete in einem Sprechgesang, dass der Besucher vor den Engel des Todes und die beiden Engel des Lebens getreten war und dass er seine Fragen an alle drei richten und auf eine Antwort warten solle.

Diese Fragen waren höchst bedeutend, weil wir durch sie erfuhren, was die Leute wissen wollten, und das meiste davon war, wie sich von selbst versteht, außerordentlich belanglos. Würden sie einen Verwandten beerben? Wie würde die Ernte ausfallen? Manche flehten herzzerreißend um das Leben eines Kindes oder einer Frau, manche beteten um Hilfe in einem Gerichtsfall oder bei einem Streit mit dem Nachbarn, und all diesen riet Ludda so gut er es vermochte, während die drei Mädchen ihre sanfte, leise und widerhallende Melodie gurrten. Dann kamen die interessanteren Fragen. Wer würde Mercien regieren? Würde es Krieg geben? Würden die Dänen in den Süden einfallen und das Land der Sachsen erobern? Die Huren, die Federn und das Grabmal waren ein Netz, und wir fingen darin so manch bemerkenswerten Fisch. Beortsig, dessen Vater Sigurd Geld bezahlt hatte, war zu dem Grab gekommen und wollte wissen, ob die Dänen Mercien übernehmen und einen handzahmen Mercier auf den Thron setzen würden, und dann, noch interessanter, war Sigebriht von Cent in den düsteren Steingang gekrochen, in dem ein stechender Geruch nach brennendem Weihrauch hing, und hatte nach Æthelwolds Schicksal gefragt.

«Und was hast du ihm erzählt?», fragte ich Ludda.

«Was Ihr mir befohlen habt, ihm zu erzählen, Herr: dass all seine Hoffnungen und Träume wahr werden.»

«Und sind sie in dieser Nacht wahr geworden?»

«Seffa hat ihre Pflicht getan», sagte Ludda mit unerschütterlichem Ernst. Seffa war eines der beiden Mädchen aus dem Frankenreich.

Æthelflæd warf einen Blick auf das Mädchen. Ludda, Pater Cuthbert und die drei Engel lebten in dem Römerhaus in Turcandene. «Dieses Haus gefällt mir», hatte mich Pater Cuthbert begrüßt, «ich glaube, ich sollte in einem großen Haus wohnen.»

«Sankt Cuthbert der Bequeme?»

«Sankt Cuthbert der Zufriedene», sagte er.

«Und Mehrasa?»

Er warf ihr einen schmachtenden Blick zu. «Sie ist wirklich ein Engel, Herr.»

«Sie sieht glücklich aus», sagte ich, und so war es. Ich

bezweifelte, dass sie die merkwürdigen Dinge, um die sie gebeten wurde, ganz verstand, aber sie lernte sehr schnell Englisch und war ein gescheites Mädchen. «Ich könnte ihr einen wohlhabenden Ehemann suchen», neckte ich Cuthbert.

«Herr!» Er sah mich verletzt an, dann runzelte er die Stirn. «Mit Eurer Erlaubnis, Herr, würde ich sie zur Frau nehmen.»

«Will sie das auch?»

Er kicherte, ja, er kicherte tatsächlich, und dann nickte er. «Ja, Herr.»

«Also ist sie doch nicht so gescheit, wie sie aussieht», sagte ich säuerlich. «Aber zuerst muss sie hier ihre Aufgabe erfüllt haben. Und wenn sie vorher schwanger wird, maure ich Euch mit den anderen Knochengestellen ein.»

Das Grabmal erfüllte genau den Zweck, den ich mir vorgestellt hatte. Die Fragen der Männer sagten uns, womit sie sich beschäftigten. So bestätigten uns Sigebrihts beunruhigte Erkundigungen nach Æthelwold, dass er immer noch die Hoffnung hatte, König von Cent zu werden, falls Æthelwold Edward vom Thron stoßen würde. Die zweite Aufgabe der Engel bestand darin, den Gerüchten entgegenzuwirken, die sich durch Ælfadells Prophezeiungen im Süden ausbreiteten, nämlich dass die Dänen die Oberherrschaft über ganz Britannien gewinnen würden. Diese Gerüchte hatten den Männern in Mercien und Wessex ihren Kampfgeist genommen, aber jetzt hörten sie eine andere Prophezeiung, nämlich dass die Sachsen die Gewinner wären, und diese Botschaft, das wusste ich, würde die Sachsen ermutigen und die Dänen sowohl neugierig machen als auch verwirren. Ich wollte sie aufstacheln. Ich wollte sie besiegen.

Ich vermute, dass die Dänen eines Tages, wenn ich schon lange tot bin, einen Anführer finden, der sie vereinen kann, und dann wird die Welt vom Feuerbrand verzehrt, und die Säle von Walhall füllen sich mit den feiernden Toten, doch solange ich selbst die Dänen gekannt, geliebt und bekämpft habe, waren sie zänkisch und uneins. Der Priester meiner gegenwärtigen Frau, ein Holzkopf, sagt, es läge daran, dass Gott Zwietracht unter ihnen gesät hat, aber ich habe immer gedacht, der eigentliche Grund ist, dass die Dänen ein eigensinniges, stolzes und unabhängiges Volk sind, das sein Knie nicht vor einem Mann beugt, nur weil er eine Krone trägt. Sie folgen einem Mann mit einem Schwert, aber sobald er scheitert, stieben sie auseinander, um sich einen neuen Anführer zu suchen, und deshalb kommen ihre Armeen zusammen, brechen auseinander und bilden sich wieder neu. Ich habe Dänen gekannt, denen es beinahe gelungen wäre, ein mächtiges Heer zusammenzuhalten und es zu einem großen Sieg zu führen. Da waren Ubba, Guthrum, sogar Haesten, alle hatten sie es versucht, doch am Ende scheiterten sie. Die Dänen kämpften nicht für eine Sache oder gar für ein Land und ganz bestimmt nicht für einen Glauben, sondern nur für sich selbst, und wenn sie eine Niederlage erlitten, lösten sich ihre Armeen auf, weil die Männer nach einem neuen Herrn suchten, der ihnen Silber, Frauen und Land beschaffen könnte.

Und meine Engel waren ein Köder, um sie davon zu überzeugen, dass sie sich im Kampf Ansehen erwerben konnten. «Waren auch Dänen bei dem Grab?», fragte ich Ludda.

«Zwei, Herr», sagte er, «beides Kaufleute.»

«Und hast du es ihnen gesagt?»

Ludda zögerte, streifte Æthelflæd mit einem Blick und

sah dann wieder mich an. «Ich habe ihnen gesagt, was Ihr mir befohlen habt, Herr.»

«Bestimmt?»

Er nickte, dann bekreuzigte er sich. «Ich habe ihnen erzählt, Ihr würdet sterben, Herr, und dass sich ein Däne großen Ruhm verdienen würde, indem er Uhtred von Bebbanburg erschlägt.»

Æthelflæd atmete scharf ein, und dann schlug sie, ebenso wie Ludda, das Kreuz. «Was hast du ihnen da bloß erzählt?», fragte sie.

«Was Herr Uhtred mir aufgetragen hat, Herrin», sagte Ludda unbehaglich.

«Du forderst das Schicksal heraus», wies mich Æthelflæd zurecht.

«Ich will, dass die Dänen kommen», sagte ich, «und ich muss ihnen einen Köder hinhalten.»

Denn Plegmund hatte unrecht, und Æthelhelm hatte unrecht, und Edward hatte unrecht. Der Frieden ist eine schöne Sache, aber wir haben nur Frieden, wenn unsere Gegner zu verängstigt sind, um einen Krieg zu führen. Die Dänen verhielten sich nicht still, weil sie der Christengott zum Schweigen gebracht hatte, sondern weil sie von anderen Dingen abgelenkt waren. Edward wollte glauben, dass sie ihren Traum von der Eroberung Wessex' aufgegeben hatten, doch ich wusste, dass sie kommen würden. Æthelwold hatte seinen Traum ebenso wenig aufgegeben. Auch er würde kommen, und mit ihm wilde Horden von Schwertdänen und Speerdänen, und ich wollte, dass sie kamen. Ich wollte es hinter mich bringen. Ich wollte das Schwert der Sachsen sein.

Und sie kamen immer noch nicht.

Ich habe niemals verstanden, warum die Dänen so lange gebraucht haben, um aus dem Tod Alfreds ihren Vorteil zu ziehen. Wenn Æthelwold die Fähigkeit besessen hätte, andere für seine Sache zu begeistern, statt der schwache Mann zu sein, der er nun einmal war, hätten sie wohl früher angegriffen, aber sie warteten so lange ab, dass in ganz Wessex die Überzeugung herrschte, der Gott der Christen habe ihre Gebete erhört und die Dänen in friedfertige Lämmer verwandelt. Und die ganze Zeit sangen meine Engel ihre beiden Weisen, eine für die Sachsen und eine für die Dänen, und vielleicht bewegten sie etwas. Es gab mehr als genug Dänen, die meinen Kopf an ihren Hausgiebel nageln wollten, und die Weise, die für sie aus dem Grabmal ertönte, war eine Einladung dazu.

Und doch zögerten sie weiter.

Erzbischof Plegmund triumphierte. Zwei Jahre nach Edwards Krönung wurde ich nach Wintanceaster bestellt und musste eine seiner Predigten in der neuen großen Kirche ertragen. Plegmund behauptete mit grimmigem Ernst, Gott habe gesiegt, wo alle Schwerter aus Menschenhand versagt hätten. «Wir erleben die letzten Tage dieser Zeit», sagte er, «und wir werden die Morgendämmerung des christlichen Königreichs heraufziehen sehen.»

Ich erinnere mich an diesen Besuch, weil ich dabei Ælswith, Alfreds Witwe, zum letzten Mal sah. Sie zog sich in ein Kloster zurück, besser gesagt, war durch Plegmunds beharrliches Drängen dazu gebracht worden. Es war Offa, der mir das erzählte. «Sie unterstützt den Erzbischof», sagte Offa, «aber er kann sie nicht ausstehen! Sie ist eine Meckerziege.»

«Die Nonnen tun mir leid», sagte ich.

«Oh, beim lebendigen Herrn, Ælswith wird die Nonnen springen lassen», sagte Offa mit einem Lächeln. Er war jetzt alt. Er hatte noch seine Hunde, aber er richtete keine weiteren mehr ab. «Das sind meine Gefährten», erklärte er mir und streichelte einem Terrier über die Ohren, «und wir werden zusammen alt.» Er saß mit mir im Zwei Kraniche. «Ich leide unter Schmerzen, Herr», sagte er.

«Das tut mir leid.»

«Gott wird mich bald heimholen», sagte er, und in dieser Sache hatte er recht.

«Seid Ihr diesen Sommer gereist?»

«Es war ermüdend», sagte er, «aber ja, ich war im Norden und im Osten. Und jetzt bin ich auf dem Weg nach Hause.»

Ich legte Geld auf den Tisch. «Erzählt mir, was vorgeht.»

«Sie werden angreifen», sagte er.

«Das weiß ich.»

«Jarl Sigurd ist wieder gesund», sagte Offa, «und es kommen Schiffe übers Meer.»

«Es kommen immer Schiffe übers Meer», sagte ich.

«Sigurd hat verbreiten lassen, dass es hier Land zu verteilen gibt.»

«Wessex.»

Er nickte. «Und deshalb kommen die Schiffe, Herr.»

«Wohin fahren sie?»

«Sie sammeln sich in Eoferwic», sagte Offa. Diese Neuigkeit hatte ich schon von Händlern gehört, die aus Northumbrien zurückgekommen waren. Weitere Schiffe fuhren heran, Schiffe voll ehrgeiziger und hungriger Krieger, aber die Händler hatten alle behauptet, dass diese Armee zusammengezogen wurde, um die Schotten anzugreifen. «Das wollen sie Euch denken lassen», sagte Offa. Er berührte eine der Silbermünzen auf dem Tisch, folgte dem Umriss von Alfreds Kopf mit dem Finger. «Sehr gerissen, was Ihr da in Natangrafum treibt», sagte er lauernd.

Einen Moment lang schwieg ich. Eine Gänseschar wurde vor dem Gasthaus vorbeigetrieben, und es gab ärgerliche Rufe, als ein Hund die Tiere anbellte. «Ich weiß nicht, wovon Ihr sprecht», sagte ich. Das war eine äußerst schwache Erwiderung.

«Ich habe niemandem davon erzählt», sagte Offa.

«Ihr träumt wohl, Offa», sagte ich.

Er sah mich an und schlug ein Kreuz vor seiner knochigen Brust. «Ich schwöre es, Herr, ich habe niemandem davon erzählt. Aber es war ein schlauer Einfall, ich beglückwünsche Euch dazu. Er hat Jarl Sigurd viel Ärger gemacht!» Er gluckste in sich hinein, dann benutzte er den Elfenbeingriff seines Messers, um eine Haselnuss aufzuknacken. «Was hat einer von Euren Engeln gesagt? Sigurd wäre ein kleiner Mann und schlecht ausgestattet.» Er lachte wieder leise und schüttelte den Kopf. «Es hat ihn sehr geärgert, Herr. Und vielleicht gibt Sigurd Eohric deshalb Geld, sehr viel Geld. Eohric wird sich den Dänen anschließen.»

«Edward sagt, er hat einen Friedensschwur von Eohric», wandte ich ein.

«Und Ihr wisst, was Eohrics Schwüre wert sind», gab Offa zurück. «Sie werden tun, was sie schon vor zwanzig Jahren hätten tun sollen, Herr. Sie werden sich gegen Wessex verbünden. Alle Dänen und alle Sachsen, die Edward hassen, sie alle.»

«Ragnar?», fragte ich. Ragnar war mein lieber alter Freund, ein Mann, den ich als Bruder betrachtete, ein Mann, den ich seit Jahren nicht gesehen hatte.

«Es geht ihm nicht gut», sagte Offa sanft, «nicht gut genug, um mit einer Armee loszuziehen.»

Das stimmte mich traurig. Ich schenkte Ale nach, und eines der Schankmädchen eilte an den Tisch, um nachzusehen, ob der Krug leer war, aber ich winkte sie fort. «Und was ist mit Cent?», fragte ich Offa.

«Was soll mit Cent sein, Herr?»

«Sigebriht hasst Edward», sagte ich, «und er will sein eigenes Königreich.»

Offa schüttelte den Kopf. «Sigebriht ist ein unreifer Tölpel, Herr, aber sein Vater hat ihn in die Schranken gewiesen. Er hat die Peitsche benutzt, und Cent wird loyal bleiben.» Er klang sehr sicher.

«Also verhandelt Sigebriht nicht mit den Dänen?», fragte ich.

«Wenn er es tut, habe ich nicht die leiseste Andeutung darüber gehört», sagte Offa. «Nein, Herr, Cent ist loyal. Sigelf weiß, dass er Cent nicht allein halten kann, und Wessex ist für ihn ein besserer Verbündeter als die Dänen.»

«Habt Ihr Edward das alles erzählt?»

«Ich habe es Pater Coenwulf erzählt», sagte er. Coenwulf war nun Edwards engster Berater und ständiger Begleiter. «Ich habe ihm sogar erzählt, von wo der Angriff kommen wird.»

«Und das wäre?»

Er betrachtete die Münzen auf dem Tisch und schwieg. Ich seufzte und legte noch zwei dazu. Offa schob die Münzen auf seine Seite des Tischs und richtete sie zu einer säuberlichen Linie aus. «Sie wollen Euch glauben lassen, dass sie von Ostanglien angreifen», sagte er. «Aber das werden sie nicht tun. Der eigentliche Angriff wird von Ceaster aus kommen.»

«Woher wollt Ihr das denn wissen?», fragte ich.

«Brunna», sagte er.

«Haestens Frau?»

«Sie ist eine echte Christin.»

«Tatsächlich?», fragte ich. Ich hatte die Taufe von Haestens Frau immer für eine freche List gehalten, um Alfred zu täuschen.

«Sie hat das Licht gesehen», sagte Offa spöttisch. «Ja, Herr, tatsächlich, und sie hat es mir anvertraut.» Er sah mich mit seinen traurigen Augen an. «Ich war einst ein Priester, und vielleicht kann man danach niemals aufhören, ein Priester zu sein, und sie wollte beichten und dass ich ihr das Beichtsakrament spende und das alles. Gott steh mir bei. Sie bekam, was sie wollte, und jetzt, Gott steh mir bei, habe ich die Geheimnisse verraten, die sie mir erzählt hat.»

«Die Dänen werden in Ostanglien eine Armee aufstellen?»

«Das werdet Ihr erleben, da bin ich gewiss, aber die Armee, die sich hinter Ceaster sammelt, werdet Ihr nicht sehen, und es ist diese Armee, die Richtung Süden ziehen wird.»

«Wann?»

«Nach der Erntezeit», sagte Offa überzeugt und mit so leiser Stimme, dass nur ich ihn hören konnte. «Sigurd und Cnut wollen die größte Armee zusammenziehen, die Britannien je gesehen hat. Sie sagen, es ist an der Zeit, den Krieg für immer zu beenden. Sie wollen nach der Ernte ausrücken, weil sie dann genügend Futter für die Pferde haben. Sie wollen die mächtigste Armee der Geschichte in Wessex einmarschieren lassen.»

«Glaubt Ihr Brunna?»

«Sie verabscheut ihren Ehemann, und deshalb glaube ich ihr, ja.»

«Was sagt Ælfadell dieser Tage?», fragte ich.

«Sie sagt, was ihr Cnut aufträgt: dass der Angriff von Osten kommt und dass Wessex untergehen wird.» Er seufzte. «Ich wünschte, ich könnte lange genug leben, um zu erfahren, wie all das ausgeht, Herr.»

«Ihr habt noch gut und gern zehn Jahre, Offa», erklärte ich ihm.

Er schüttelte den Kopf. «Ich spüre den Engel des Todes dicht hinter mir, Herr.» Er zögerte. «Ihr wart immer gut zu mir, Herr.» Er senkte den Kopf. «Ich schulde Euch Dank für Eure Freundlichkeit.»

«Ihr schuldet mir gar nichts.»

«Doch, das tue ich, Herr.» Er hob den Kopf, und zu meiner Überraschung schwammen seine Augen in Tränen. «Nicht jedermann hat mich freundlich behandelt, Herr», sagte er. «Ihr wart immer großzügig.»

Er hatte mich in Verlegenheit gebracht. «Ihr wart mir von großem Nutzen», murmelte ich.

«Und nun gebe ich Euch mit allem Respekt vor Euch, Herr, und in Dankbarkeit, meinen letzten Rat.» Er hielt inne und schob mir zu meiner Überraschung die Münzen wieder zu.

«Nein», sagte ich.

«Macht mir die Freude, Herr», sagte er. «Ich will Euch danken.» Er schob die Münzen noch dichter vor mich. Eine Träne rollte seine Wange hinab, und er wischte sie mit dem Ärmelaufschlag weg. «Vertraut niemandem, Herr», sagte er leise, «und nehmt Euch vor Haesten in Acht, Herr, und nehmt Euch auch vor der Armee im Westen in Acht.» Er sah mich an und wagte es, mit einem langen Finger meine Hand zu berühren. «Nehmt Euch vor der Armee aus Ceaster in Acht, und lasst nicht zu, dass uns die Heiden zerstören, Herr.»

Noch in diesem Sommer starb er.

Dann kam die Ernte, und sie war gut.

Und nach der Ernte kamen die Heiden.

ZEHN

Ich habe später herausgefunden, wie es geplant wurde, doch dieses Wissen war ein schwacher Trost. Ein Kampfverband ritt nach Natangrafum, und weil so viele der Krieger Sachsen waren, erschien niemandem ihre Anwesenheit merkwürdig. Sie trafen an einem Abend ein, an dem das Grab leer war, denn inzwischen währte der Friede schon so lange, dass die Engel nur noch selten erschienen, doch die Angreifer wussten genau, wohin sie gehen mussten. Sie ritten geradewegs zu dem Römerhaus bei Turcandene, wo sie die paar Wachleute überrumpelten und anschließend schnell und geschickt töteten. Als ich am nächsten Tag ankam, war alles voll Blut, sehr viel Blut.

Ludda war tot. Ich nahm an, dass er versucht hatte, das Haus zu verteidigen, und seine ausgeweidete Leiche lag mitten im Eingang. Sein Gesicht war in einer Schmerzensmaske erstarrt. Acht andere meiner Männer waren ebenfalls tot, und man hatte ihnen die Kettenhemden, Armringe und alles andere von Wert genommen. Mit Blut hatte jemand auf eine Wand, an der noch immer der römische Verputz auf den Backsteinen haftete, in groben Strichen einen fliegenden Raben gezeichnet. Triefend war das Rot an der Wand herabgelaufen, und ich erkannte den Abdruck einer Männerhand unter dem wild gekrümmten Schnabel des Raben. «Sigurd», sagte ich verbittert.

«Ist das sein Zeichen, Herr?», fragte mich Sihtric.

«Ja.»

Von den drei Mädchen war keines dort. Ich vermutete, dass die Angreifer sie alle drei hatten mitnehmen wollen, aber es war ihnen nicht gelungen, Mehrasa zu finden. Sie und Pater Cuthbert hatten sich in einem nahegelegenen Wald versteckt und zeigten sich erst, als sie sicher sein konnten, dass es meine Männer waren, die sich bei dem Schlachthaus herumtrieben. Cuthbert weinte. «Herr, Herr», war alles, was er zuerst herausbrachte. Er fiel vor mir auf die Knie und rang die Hände. Mehrasa war gefasster, auch wenn sie sich weigerte, die nach Blut stinkende Schwelle des Hauses zu überschreiten, wo die Fliegen um Luddas aufgeschlitzten Bauch summten.

«Was ist geschehen?», fragte ich Cuthbert.

«O Gott, Herr», sagte er mit schwankender Stimme.

Ich versetzte ihm einen heftigen Schlag auf die Wange. «Was war los?»

«Sie sind beim Dunkelwerden gekommen, Herr», sagte er, und seine Hände zitterten, als er versuchte, die Finger zu verschränken, «es waren so viele! Ich habe vierundzwanzig Männer gezählt.» Er musste sich unterbrechen, weil er zu stark zitterte, und als er wieder zum Reden ansetzte, kam zuerst nur ein fiepender Laut aus seiner Kehle. Dann sah er den Ärger in meiner Miene und holte tief Luft. «Sie haben uns gejagt, Herr.»

«Was meint Ihr damit?»

«Sie haben das Gelände um das Haus abgesucht, Herr. Den alten Obstgarten, hinten beim Brunnen.»

«Ihr habt Euch versteckt.»

«Ja, Herr.» Er weinte wieder, und seine Stimme war kaum lauter als ein Flüstern. «Sankt Cuthbert, der Feigling, Herr.»

«Seid kein Narr», knurrte ich. «Was hättet Ihr gegen so viele ausrichten können?»

«Sie haben die Mädchen geholt, Herr, und alle anderen umgebracht. Ich habe Ludda so gemocht.»

«Ich habe Ludda auch gemocht», sagte ich, «aber jetzt begraben wir ihn.» Ich hatte Ludda wahrhaftig gemocht. Er war ein gerissener Halunke, und er hatte mir gut gedient, und schlimmer, er hatte mir vertraut, und jetzt war er von der Leiste bis zu den Rippen aufgeschlitzt, und auf seinen Eingeweiden saßen ungezählte Fliegen. «Und wo wart Ihr, als das Haus überfallen wurde?», fragte ich Cuthbert.

«Wir haben vom Hügel aus den Sonnenuntergang betrachtet, Herr.»

Ich lachte ohne jede Heiterkeit. «Den Sonnenuntergang betrachtet!»

«Wirklich, Herr, das haben wir!», sagte Cuthbert verletzt.

«Und seitdem versteckt Ihr Euch?»

Er ließ seinen Blick über die blutig verstümmelten Toten wandern, sein Körper wurde von einem Krampf geschüttelt, und er übergab sich.

Mittlerweile, dachte ich, hatten die beiden Engel wohl den ganzen Schwindel gestanden, und die Dänen verhöhnten uns. Ich suchte im Norden und Osten nach Rauch am Himmel, dem sicheren Zeichen dafür, dass ein Krieg ausgebrochen war, aber ich sah keinen. Es war verlockend zu denken, dass die Mörder nur ein kleiner Trupp waren, der sich in sichere Gebiete zurückgezogen hatte, nachdem der Racheplan ausgeführt war. Aber war es bei dem Überfall wirklich darum gegangen? War es die Rache für die Schiffe von Snotengaham? Und wenn es solch ein Vergeltungsangriff war, woher wussten die Angreifer, dass die Engel mein Einfall waren? Oder brach Plegmunds Frieden nun in tausend blutige Scherben? Dass die Angreifer das Haus nicht niedergebrannt hatten, ließ darauf schließen, dass sie keine Aufmerksamkeit auf sich hatten ziehen wollen. «Ihr sagt, es waren Sachsen bei dem Kampfverband?», fragte ich Cuthbert.

«Ich habe sie reden hören, Herr», sagte er, «und es waren Sachsen dabei.»

Æthelwolds Männer? Wenn es Æthelwolds Gefolgsleute waren, dann herrschte Krieg, und das bedeutete einen Angriff von Ceaster, falls Offa recht hatte. «Hebt die Gräber aus», sagte ich zu meinen Männern. Zuerst würden wir unsere Toten begraben, aber zugleich schickte ich Sihtric mit drei Männern zurück nach Fagranforda. Sie nahmen den Befehl mit, dass sich mein gesamter Haushalt nach Cirrenceastre zurückziehen und auch das Vieh mitgenommen werden sollte. «Sag der Herrin Æthelflæd, sie muss in den Süden, nach Wessex», wies ich ihn an, «und sag ihr, dass sie die Nachricht an Æthelred und ihren Bruder weiterleiten soll. Sorg dafür, dass König Edward es erfährt! Und sag ihr, dass ich Männer brauche und dass ich mich nach Norden Richtung Ceaster auf den Weg mache. Und lass Finan jeden verfügbaren Mann herbringen.»

Es dauerte einen Tag, bis sich meine Männer gesammelt hatten. Wir beerdigten Ludda und die anderen auf dem Friedhof von Turcandene, und Cuthbert sprach die Gebete über den frischen Gräbern. Ich musterte von Zeit zu Zeit den Himmel und entdeckte keine dicken Rauchwolken. Es war Hochsommer, der Himmel zartblau mit träge vorüberdriftenden Wolken, und als wir nordwärts ritten, wusste ich nicht, ob wir in den Krieg zogen oder nicht.

Ich führte nur einhundertundvierunddreißig Mann, und falls die Dänen kamen, musste ich mit Tausenden rechnen.

Zuerst ritten wir nach Wygraceaster, der nördlichsten Festungsstadt im sächsischen Mercien. Der Verwalter des Bischofs war von unserem Erscheinen sehr überrascht. «Ich habe nichts von einem dänischen Angriff gehört, Herr», erklärte er mir. Auf der Straße vor dem großen Haus des Bischofs wurde ein geschäftiger Markt abgehalten, der Bischof selbst allerdings war in Wessex.

«Stellt sicher, dass Eure Lagerhäuser gut gefüllt sind», erklärte ich dem Verwalter. Er verneigte sich, aber ich sah, dass er nicht überzeugt war. «Wer führt hier die Garnison an?», fragte ich.

Es war ein Mann namens Wlenca, einer von Æthelreds Anhängern, und er warf ungläubig den Kopf zurück, als ich ihm riet, davon auszugehen, dass der Krieg begonnen hatte. Er blickte von den Festungswällen aus nordwärts und sah keinen Rauch. «Wenn Krieg wäre, hätten wir es gehört», sagte er überzeugt, und mir fiel auf, dass er mich nicht ‹Herr› nannte.

«Ich weiß nicht, ob er angefangen hat oder nicht», räumte ich ein, «aber geht davon aus, dass es so ist.»

«Der Herr Æthelred würde mir Nachricht geben, wenn die Dänen angegriffen hätten», beharrte er überheblich.

«Æthelred sitzt in Gleawecestre und kratzt sich am Arsch», sagte ich wütend. «Habt Ihr das auch getan, als Haesten das letzte Mal angegriffen hat?» Nun war auch er wütend, sagte aber nichts. «Wie komme ich von hier nach Ceaster?», fragte ich.

«Folgt der Römerstraße», sagte er und deutete in die Richtung.

«Folgt der Römerstraße, Herr», sagte ich.

Er zögerte, offenkundig wollte er mir trotzen, doch dann siegte sein Verstand. «Ja, Herr», sagte er.

«Und nennt mir einen guten Standort zur Verteidigung, etwa einen Tagesritt entfernt.»

Er zuckte mit den Schultern. «Ihr könnt es mit Scrobbesburh versuchen, Herr.»

«Stellt den Fyrd auf», hieß ich ihn, «und stellt sicher, dass alle Wälle bemannt sind.»

«Ich kenne meine Pflicht, Herr», sagte er, aber aus seiner Widerspenstigkeit war klar zu erkennen, dass er keinerlei Absicht hatte, die Wachen zu verstärken, die auf den Wällen faulenzten. Der klare, unbefleckte Himmel überzeugte ihn davon, dass keine Gefahr bestand, und gewiss würde er in demselben Moment, in dem ich wegritt, einen Boten zu Æthelred schicken und ihn ausrichten lassen, dass ich unnötig Unruhe verbreitete.

Und vielleicht war es so. Die einzigen Hinweise auf einen Krieg gaben das Gemetzel in Turcandene und der sechste Sinn eines Kriegers. Der Krieg musste kommen, er hatte sich zu lange zurückgezogen, und ich war davon überzeugt, dass der Überfall, bei dem Ludda getötet wurde, nur der erste Funke eines großen Feuers war.

Wir ritten weiter nordwärts, folgten der Römerstraße, die durch das Sæfern-Tal führt. Ich vermisste Ludda und seine unglaublichen Kenntnisse über das Wegenetz Britanniens. Wir mussten uns durchfragen, und die meisten Leute, bei denen wir uns erkundigten, konnten uns lediglich sagen, wie man zum nächsten Dorf oder der nächsten Stadt kam. Scrobbesburh lag etwas westlich von dem schnellsten Weg nach Norden, und deshalb ritten wir nicht hin. Stattdessen verbrachten wir eine Nacht zwischen Ruinen aus der Römerzeit bei einem Ort namens Rochecestre. Es war ein erstaunliches Dorf. Einst war es eine mächtige römische Stadt gewesen, beinahe so groß wie Lundene, doch nun gab es nur noch Ruinen, in denen die Geister umgingen, zerfallende Mauern, geborstenes Straßenpflaster, umgestürzte Säulen und Marmorscherben. Einige wenige Menschen lebten dort, ihre Hütten aus Flechtwerk und Stroh hatten sie an römische Wände gebaut, und ihre Schafe und Ziegen grasten inmitten der untergegangenen Pracht. Ein magerer Priester war der einzige Mann, aus dem man schlau werden konnte, und er nickte stumm, als ich ihm erzählte, ich würde einen Überfall der Dänen befürchten. «Wohin würdet Ihr gehen, wenn sie kommen?», fragte ich ihn.

«Nach Scrobbesburh, Herr.»

«Dann geht jetzt gleich dorthin», befahl ich, «und sagt den anderen im Dorf, sie sollen auch hingehen. Ist die Garnison bemannt?»

«Die Stadt wird nur von denen verteidigt, die dort wohnen, Herr. Es gibt keinen Thegn. Die Waliser haben den letzten getötet.»

«Und wenn ich von hier aus nach Ceaster will? Welchen Weg muss ich da nehmen?»

«Das weiß ich nicht, Herr.»

Orte wie Rochecestre lassen mich verzweifeln. Ich liebe das Häuserbauen, aber ich sehe mir an, welche Fähigkeiten die Römer hatten, und weiß, dass wir nichts halb so Schönes zuwege bringen. Wir bauen unsere saalartigen Palas-Gebäude aus Eichenstämmen, wir können Wände mauern, und wir holen Steinmetze aus dem Frankenreich, die Kirchen oder Festsäle mit groben Säulen aus schlecht behauenem Stein errichten, die Römer aber haben gebaut wie die Götter. In ganz Britannien stehen noch immer ihre Häuser, Brücken, Versammlungssäle und Tempel, obwohl sie vor Jahrhunderten gebaut wurden! Die Dächer sind eingebrochen, und der Verputz blättert ab, aber sie stehen noch, und ich frage mich, wie ein Volk, das solche Wunderdinge vollbrachte, besiegt werden konnte. Die Christen erzählen uns, wir würden uns unaufhaltsam auf bessere Zeiten zubewegen, nämlich auf das Königreich ihres Gottes auf Erden, aber meine Götter sagen mir nur eine große Verwirrung beim Weltenuntergang voraus, und ein Mann muss sich bloß umsehen, um festzustellen, dass alles bröckelt und verfällt, und das ist der Beweis, dass das Ende der Welt bevorsteht. Wir ersteigen nicht die Jakobsleiter zu irgendeiner himmlischen Vollendung, sondern wir stolpern den Hügel hinab auf Ragnarök zu.

Der nächste Tag brachte dichtere Wolken, die das Land in Schatten tauchten, als wir die niedrigen Hügel hinaufritten und das Sæfern-Tal hinter uns ließen. Wenn es Rauch gab, sahen wir ihn nicht, mit Ausnahme der Rauchfäden von den Kochfeuern in den Dörfern. Im Westen waren die Spitzen der walisischen Berge in Wolken gehüllt. Wenn es einen Angriff gegeben hätte, dachte ich, hätten wir bestimmt mittlerweile davon erfahren. Wir wären den Kundschaftern begegnet, die von dem Blutbad wegritten oder den Flüchtlingen, die sich vor den Eindringlingen in Sicherheit bringen wollten. Stattdessen ritten wir durch friedliche Dörfer, vorbei an Feldern, auf denen die ersten Erntearbeiter die Sicheln schwangen, und immer noch folgten wir der Römerstraße mit ihren Meilensteinen. Das Land fiel nun nach Norden und auf den Dee zu leicht ab. Es begann zu regnen, als der Tag voranschritt, und an diesem Abend fanden wir Unterkunft in einem Palas in der Nähe der Straße. Der Palas war ärmlich, seine Eichenwände von einem Feuer angekohlt, dem offenkundig um ein Haar das ganze Gebäude zum Opfer gefallen wäre. «Sie haben es versucht», erzählte die Hausherrin, eine Witwe, deren Mann von Haestens Kriegern getötet worden war, «aber Gott hat Regen geschickt, und so ist es ihnen nicht gelungen. Aber deshalb bin ich dennoch nicht vom Unglück verschont.» Die Dänen, sagte sie, waren niemals weit weg. «Und wenn es nicht die Dänen sind, dann sind es die Waliser», ergänzte sie bitter.

«Warum bleibt Ihr dann hier?», fragte Finan.

«Wo sollte ich denn hin? Ich wohne hier seit mehr als vierzig Jahren, wo sollte ich noch einmal von vorne anfangen? Oder wollt Ihr mir etwa mein Land abkaufen?»

Es tropfte die ganze Nacht durch das Strohdach, aber die Dämmerung brachte einen kühlen Wind, der den Regen vertrieb. Wir hatten Hunger, weil die Witwe nicht genügend Verpflegung für all meine Männer hatte, solange sie nicht die krähenden Hähne schlachtete, und die Schweine, die in einen nahegelegenen Buchenwald getrieben wurden, während wir unsere Pferde sattelten. Oswi, mein Diener, zog die Sattelgurte meines Hengstes fest, während ich zu dem Graben an der Nordseite des Palas hinüberging. Beim Pissen musterte ich den Himmel vor mir. Die Wolken hingen düster und niedrig, aber war dort nicht ein dunklerer Streifen? «Finan», rief ich, «ist das Rauch?»

«Das weiß nur Gott allein. Hoffen wir es.»

Ich lachte. «Hoffen wir es?»

«Wenn der Frieden noch lange dauert, werde ich verrückt.»

«Wenn im Herbst immer noch Frieden ist, gehen wir nach Irland», versprach ich ihm, «und machen ein paar von deinen Feinden einen Kopf kürzer.»

«Nicht nach Bebbanburg?», fragte er.

«Dafür brauche ich mindestens tausend Männer mehr,

und um tausend Männer zu bekommen, brauche ich die Ausbeute eines Krieges.»

«Wir leiden alle unter Träumen», sagte er wehmütig. Er starrte nordwärts. «Ich glaube, das ist Rauch.» Er runzelte die Stirn. «Oder vielleicht ist es auch nur eine Gewitterwolke.»

Und dann kamen die Reiter.

Es waren drei, sie galoppierten von Norden heran, und als sie uns sahen, wandten sie sich von der Straße ab und hetzten ihre schlammbespritzten, erschöpften Pferde auf den Palas zu. Es waren Merewalhs Männer, die nach Süden geschickt worden waren, um Æthelred die Nachricht vom Angriff der Dänen zu bringen. «Es waren Tausende, Herr», erklärte mir einer von ihnen aufgeregt.

«Tausende?»

«Konnte sie nicht abzählen, Herr.»

«Wo sind sie?»

«In Westune, Herr.»

Der Name sagte mir nichts. «Wo ist das?»

«Nicht weit.»

«Ein zweistündiger Ritt», erklärte ein anderer von ihnen hilfreicher.

«Und Merewalh?»

«Auf dem Rückzug, Herr.»

Die Botschaft, die sie Æthelred überbringen sollten, war einfach, dass eine dänische Armee von Ceaster ausgerückt war, viel zu groß, als dass sie Merewalh mit seinem kleinen Kampfverband hätte aufhalten oder gar angreifen können. Die Dänen zogen südwärts, und Merewalh, der sich an die Strategie erinnerte, die ich gegen Sigurd eingesetzt hatte, zog sich an der walisischen Grenze entlang zurück, in der

Hoffnung, dass die wilden Stammeskrieger aus den Hügeln kommen und die Eindringlinge angreifen würden. «Und wann haben die Dänen ihren Vorstoß gemacht?», fragte ich.

«Gestern Abend, Herr. Beim Dunkelwerden.»

Eine merkwürdige Zeit, dachte ich, doch andererseits hatten sie Merewalhs Truppen wohl überraschen wollen, waren damit allerdings gescheitert. Merewalh war von seinen Kundschaftern vorgewarnt worden und fürs Erste entkommen. «Wie viele Männer hat er?», fragte ich.

«Dreiundachtzig, Herr.»

«Und wer führt die Dänen an? Welche Banner habt Ihr gesehen?»

«Einen Raben, Herr, und ein anderes mit einer Axt, die ein Kreuz zerschmettert, und einen Schädel.»

«Drachen waren auch dabei», warf der zweite Mann ein.

«Und zwei mit Wölfen», sagte der dritte.

«Und ein Hirsch mit Kreuzen auf dem Kopf», sagte der erste Mann. Er schien mir klug und nachdenklich, und er hatte mir gesagt, was ich wissen musste. «Ein fliegender Rabe?», fragte ich ihn.

«Ja, Herr.»

«Das ist Sigurd», sagte ich, «die Axt ist Cnut, und der Schädel ist Haesten.»

«Und der Hirsch, Herr?», fragte er.

«Æthelwold», sagte ich verdrießlich. Es sah so aus, als hätte Offa recht gehabt, und die Dänen griffen von Ceaster aus an, und das bedeutete zweifellos, dass sie sich, vorgeblich unter Æthelwolds Führung, nach Süden bewegten. Ich blickte nach Norden, dachte, die Dänen könnten nicht mehr weit sein. «Herr Æthelred», sagte ich zu dem ersten Mann, «wird Euch vermutlich zu König Edward weiterschicken.»

«Vermutlich, Herr.»

«Weil Ihr die Dänen selbst gesehen habt», sagte ich. «Also erklärt König Edward, dass ich Männer brauche. Erklärt ihm», ich hielt inne, um eine Entscheidung zu finden, die nicht vom Lauf der Dinge zunichte gemacht werden würde. «Erklärt ihm, sie sollen sich bei Wygraceaster mit mir treffen. Und falls Wygraceaster belagert wird, sollen sie in Cirrenceastre nach mir suchen.» Ich wusste schon, dass wir uns wohl zurückziehen müssten, und bis Edwards Antwort und die Männer eintrafen, wenn er überhaupt welche schickte, könnte ich leicht schon übers Südufer der Temes getrieben worden sein.

Die drei Männer ritten weiter nach Süden, und wir tasteten uns, von unseren Kundschafter nach vorn und zu den Flanken abgesichert, vorsichtig nach Norden weiter. Und ich sah, dass die Dunkelheit am Morgenhimmel keine Gewitterwolken waren. Es war der Rauch von brennendem Stroh.

Wie oft habe ich die Rauchwolken des Krieges am Himmel gesehen, dunkel und quellend, hinter Bäumen oder aus einem Tal aufsteigend, und immer wusste ich, dass wieder ein Gehöft oder ein Dorf oder ein Palas in Asche gelegt wurde. Wir ritten langsam, und nun sah ich selbst, dass Plegmunds Frieden beendet war, und ich dachte, wie sehr er ein Friede war, der alles Begreifen übersteigt. Das ist ein Satz aus dem Heiligen Buch der Christen, und Plegmunds Friede überstieg ganz gewiss alles Begreifen. Die Dänen hatten sich so lange ruhig verhalten, und das hatte Plegmund glauben lassen, sein Gott habe seine Feinde kastriert, aber jetzt hatten sie diesen unbegreiflichen Frieden gebrochen, und die Dörfer und Bauernhöfe und Heuschober und Mühlen brannten.

Eine Stunde später sahen wir die Dänen. Unsere Kundschafter kehrten zurück, um uns zu sagen, wo sich der Feind befand, auch wenn der Rauch am Himmel Hinweis genug war und sich auf der Straße schon die Flüchtlinge drängten. Wir ritten auf den Kamm eines niedrigen, bewaldeten Hügels und blickten auf die lodernden Gehöfte hinab. Unmittelbar unter uns stand ein Palas mit Scheunen und Lagerhäusern. Es wimmelte von Männern. Ich sah zu, wie die frisch eingebrachte Ernte auf einen Karren getürmt wurde. «Wie viele?», fragte ich Finan.

«Das dort sind dreihundert», sagte er, «mindestens dreihundert.»

Und noch mehr waren in dem weiten Tal vor uns. Dänentrupps überquerten die Weiden, suchten nach Flüchtlingen oder weiteren Häusern, die sie plündern konnten. Ich sah eine kleine Gruppe Frauen und Kinder, die mit dem Leben davongekommen waren und nun von Schwertdänen bewacht wurden. Zweifellos würden sie bald ihren Weg zu einem Sklavenmarkt jenseits des Meeres antreten. Einen zweiten Karren, vollgeladen mit Kochtöpfen, Spießen, einem Webstuhl, Harken, Hauen und allem, was sich als nützlich erweisen konnte, zog ein Ochsengespann nach Norden, und ein Däne schwang darüber die Peitsche. Die gefangenen Frauen und Kinder folgten ihm zusammen mit einer großen Viehherde, und ein Mann warf eine brennende Fackel auf das Strohdach des Palas. Vom Tal her ertönte der Klang eines Horns, und nach und nach folgten die Dänen dem durchdringenden Ton, und die Reiter zogen Richtung Straße. «Jesus», fluchte Finan, «das sind Hunderte von den Bastarden.»

«Siehst du den Schädel?», sagte ich. Ein menschlicher Kopf war auf eine Stange gesteckt worden.

«Haesten», sagte Finan.

Ich suchte nach Haesten selbst, aber es waren zu viele Reiter. Ich sah keine weiteren Banner, zumindest keine, die ich erkannte. Einen Augenblick lang war ich versucht, meine Männer ein Stück ostwärts zu führen und den Hügel hinunterzugaloppieren, um wenigstens einigen der gegnerischen Nachzügler den Weg abzuschneiden, aber ich widerstand der Versuchung. Die Nachzügler waren nicht weit hinter dem Haupttrupp, und wir wären sofort verfolgt und von ihrer Überzahl niedergemacht worden. Die Dänen bewegten sich gemächlich, ihre Pferde waren ausgeruht und gut gefüttert, und meine Aufgabe war es jetzt, vor ihnen zu bleiben, um zu beobachten, was sie taten und wohin sie zogen.

Wir ritten wieder hinunter zur Straße. Den ganzen Tag blieben wir auf dem Rückzug, und den ganzen Tag kamen die Dänen hinter uns her. Ich sah den Palas der Witwe brennen, sah im Osten und Westen Rauch aufsteigen, und die großen dunklen Wolken am Himmel verrieten mir, dass drei Kriegsverbände das Land plünderten. Die Dänen machten sich nicht einmal die Mühe, Kundschafter einzusetzen, sie wussten, dass ihre Übermacht groß genug war, um jeden Gegner zu besiegen, während meine eigenen Kundschafter immer weiter zurückgedrängt wurden. In Wahrheit aber war ich blind. Ich hatte keine echte Vorstellung davon, mit wie vielen Dänen wir es zu tun hatten. Ich wusste nur, dass es Hunderte waren und dass Rauch aufstieg, und ich war wütend, so wütend, dass die meisten meiner Männer meinem Blick auswichen. Finan kümmerte das nicht. «Wir brauchen einen Gefangenen», sagte er, aber die Dänen waren vorsichtig. Sie blieben in großen Trupps zusammen, waren immer zu viele für meine wenigen Männer. «Sie haben es nicht eilig», stellte Finan mit leichtem Erstaunen fest, «das ist merkwürdig. Sie haben es kein bisschen eilig.»

Wir waren auf einen weiteren Hügel geritten, um sie zu beobachten. Wir hatten die Straße wieder verlassen, weil die Dänen auf ihr entlangzogen und zu viele Leute darauf nach Süden flohen, und diese Leute wollten in unserer Nähe bleiben, aber ihre Anwesenheit machte uns leichter angreifbar. Ich sagte den Flüchtlingen, sie sollten weiter nach Süden gehen, und wir behielten die Dänen von den Hügeln östlich der Straße im Blick, und im Laufe des Tages wurde ich immer ratloser. Wie Finan gesagt hatte, waren die Dänen nicht in Eile. Sie stöberten wie Ratten in einem leeren Kornspeicher herum, erforschten jede Hütte, jeden Palas und jeden Bauernhof und nahmen alles Nützliche mit, doch dieses Land war schon zuvor geplündert worden, gehörte zu dem gefährlichen Gebiet zwischen Sachsen und dem dänischen Mercien, und die Beute musste gering sein. Alles Lohnenswertere lag im Süden, warum also zogen sie nicht schneller durch? Der Rauch warnte die Landbevölkerung vor, die Leute hatten Zeit, ihre Wertsachen zu vergraben oder wegzuschaffen. Es ergab keinen Sinn. Die Dänen sammelten Brosamen ein, während die Festtafel ungeschützt vor ihnen lag. Was hatten sie vor?

Sie wussten, dass sie beobachtet wurden. Es ist unmöglich, einhundertundvierunddreißig Mann in einer nicht durchgehend bewaldeten Landschaft zu verstecken. Ganz bestimmt hatten uns die Dänen in der Entfernung gesehen, auch wenn sie nicht wissen konnten, wer wir waren, weil ich mein Banner absichtlich nicht führte. Wenn sie geahnt hätten, dass Uhtred von Bebbanburg so nah und mit seinen Männern weit in der Unterzahl war, hätten sie vielleicht mehr unternommen, aber so versuchten sie erst am späten Nachmittag, uns in einen Kampf zu verwickeln, und selbst da kämpften sie nur halbherzig. Sieben dänische Reiter stießen nach Süden auf die nun verlassene Straße vor. Sie ließen ihre Pferde im Passschritt gehen, aber ich sah sie unruhige Blicke auf den Wald werfen, der uns verbarg. Sihtric grinste. «Sie haben sich verirrt.»

«Sie haben sich nicht verirrt», sagte Finan trocken.

«Ein Köder.» Es war zu offensichtlich. Sie wollten, dass wir angriffen, und sobald wir das taten, würden sie umdrehen und nordwärts galoppieren, um uns in einen Hinterhalt zu locken.

«Nicht beachten», befahl ich, und wir wandten uns wieder nach Süden und überquerten die Wasserscheide, sodass ich vor uns im trügerischen Frieden des Spätnachmittags kurz den Sæfern glitzern sah. Ich wollte nun schneller vorankommen, um noch einen Platz zu finden, an dem wir einigermaßen sicher und möglichst weit vor den Dänen die Nacht verbringen konnten. Dann sah ich erneut ein Glitzern, ein Schimmern, ein Aufblitzen in den langen, nachmittäglichen Schatten, weit weg zu unserer Linken, und ich starrte lange dorthin und überlegte, ob ich es mir nur eingebildet hatte, aber dann sah ich das Aufblitzen erneut. «Bastarde», sagte ich, weil ich jetzt wusste, warum die Dänen uns so lustlos verfolgt hatten. Sie hatten Männer vorgeschickt, die einen Bogen um unsere östliche Flanke geschlagen hatten, einen Kampftrupp, der uns den Weg abschneiden sollte, aber die Strahlen der niedrigstehenden Sonne waren von einem Helm oder einer Speerspitze zurückgeworfen worden, und jetzt sah ich sie, weit weg, Männer in Kriegsrüstung zwischen den Bäumen. «Reitet!», rief ich meinen Männern zu.

Sporen und Angst. Ein irrsinniger Galopp den langen Abhang hinunter, donnernde Hufe, der Schild klapperte auf meinem Rücken, Schlangenhauchs Scheide schlug gegen den Sattel, und links sah ich die Dänen aus dem Wald brechen, viel zu viele Dänen. Sie spornten ihre Pferde bis zu einem waghalsigen Galopp an, hofften noch, uns den Weg abschneiden zu können. Ich hätte nach Westen ausscheren können, aber ich vermutete, dass ein zweiter Trupp Dänen dort vorgestoßen war, dann wären wir ihnen geradewegs in die Schwerter geritten, und so bestand unsere einzige Hoffnung in einem wilden, schnellen Ritt Richtung Süden, um dem Rachen zu entkommen, dessen Kiefer sich schon um uns schlossen.

Ich ritt auf den Fluss zu. Wir konnten nicht schneller reiten als unser langsamstes Pferd, nicht, wenn wir keinen Mann opfern wollten, und die Dänen trieben ihre Tiere immer härter an, aber wenn es uns gelang, den Sæfern zu erreichen, blieb uns noch eine Chance. Wir mussten die Pferde geradewegs ins Wasser treiben, sodass sie zu schwimmen begannen, und uns dann vom jenseitigen Ufer aus verteidigen, falls wir die wahnwitzige Flussüberquerung lebend überstanden. Also sagte ich Finan, er solle auf die Stelle zuhalten, an der wir das letzte Mal die Sonne im Wasser hatten aufblitzen sehen, und ich ritt hinter meine Männer, wo mir die feuchten Erdklumpen entgegenflogen, die von den schweren Hufen ihrer Pferde emporgeschleudert wurden.

Dann stieß Finan einen Warnruf aus, und ich sah Reiter vor uns. Ich fluchte, ritt aber weiter. Ich zog Schlangenhauch. «Angreifen», rief ich. Hier würde uns keine List mehr weiterhelfen. Wir saßen in der Falle, und unsere einzige Hoffnung war, uns durch die Angreifer vor uns zu kämpfen, die, so glaubte ich, in der Unterzahl waren. «Tötet sie und reitet weiter!», rief ich meinen Männern zu und spornte mein Pferd an, um den Angriff anzuführen. Wir befanden uns nun dicht bei einer vom Regen aufgeweichten Straße, die von tiefen Hufabdrücken und Karrenspuren zerfurcht war. An der Straße wechselten sich niedrige Hütten, kleine Gemüsebeete, Misthaufen und Schweinekoben ab. «Auf der Straße reiten!», brüllte ich, als ich mich an die Spitze unserer Kolonne gesetzt hatte. «Tötet sie und reitet weiter!»

«Sie sind unser!», rief Finan nachdrücklich. «Sie sind unser! Sie sind unser!»

Doch es war Merewalh, der uns entgegenritt. «Dort entlang, Herr!», rief er mir zu und deutete die Straße hinunter. Sein Trupp schloss sich mit meinem zusammen, Hufen zertrampelten das Gras zu beiden Seiten der Straße. Ich warf einen Blick über die linke Schulter und sah nicht weit hinter mir die ersten Dänen, aber vor uns lag ein niedriger Hügel, und auf der Kuppe dieses Hügels erstreckte sich eine Palisade. Eine Festung. Sie war alt, sie war halb zerfallen, aber sie war da, und ich schwenkte auf sie zu, dann warf ich erneut einen Blick zurück und sah, dass ein halbes Dutzend Dänen seinen Gefährten weit voraus war.

«Finan!», rief ich und verkürzte einen Zügel, damit mein Hengst umdrehte. Ein Dutzend meiner Männer sah, was ich vorhatte, und auch ihre Pferde drehten Schlammbrocken verspritzend um. Ich drückte meinem Hengst die Sporen in die Flanken und schlug ihm mit der flachen Seite meines Schwerts auf die Kruppe, und zu meiner Verblüffung drehten die Dänen beinahe ebenso schnell um. Eines ihrer Pferde glitt aus und stürzte mit wirbelnden Hufen, und der Reiter fiel auf die Straße, rappelte sich auf, packte den Steigbügel eines anderen dänischen Reiters und rannte neben dem Pferd her, als sie sich davonmachten. «Halt!», rief ich, aber das galt nicht den Dänen sondern meinen eigenen Männern, denn nun war der größere Verband der Dänen in Sicht, und er bewegte sich schnell auf uns zu. «Zurück!», rief ich. «Zurück und den Hügel rauf!»

Der Hügel mit seiner heruntergekommenen Festung erhob sich auf einer Landenge, die durch eine große Flussschleife des Sæfern gebildet wurde. Auf der Erhebung dahinter stand ein Dorf mit einer Kirche und einem Wirrwarr kleiner Häuser, doch der größte Teil des Geländes bestand aus Buschwerk und Marschen. Flüchtlinge waren in das Dorf gekommen, und ihre Rinder, Schweine, Gänse und Schafe drängten sich um die niedrigen, strohgedeckten Häuser. «Wo sind wir hier?», fragte ich Merewalh.

«Es heißt Scrobbesburh, Herr», antwortete er.

Es war wie zur Verteidigung geschaffen. Die Landenge war etwa dreihundert Schritt breit, und um sie zu halten, hatte ich meine einhundertunddreiundvierzig Mann, und nun auch noch die von Merewalh, zusätzlich waren ein guter Teil der Flüchtlinge Männer, die im Fyrd dienten, und sie hatten Äxte, Speere, Jagdbögen und sogar ein paar Schwerter. Merewalh hatte sie schon in einer Reihe auf der Landenge Aufstellung beziehen lassen. «Wie viele habt Ihr?», fragte ich.

«Dreihundert, Herr, außer meinen dreiundachtzig Kriegern.»

Die Dänen beobachteten uns. Es waren nun wohl etwa einhundertundfünfzig, aber noch viel mehr rückten von Norden heran. «Besetzt mit hundert Männern aus dem Fyrd die Festung», sagte ich zu Merewalh. Die Festung lag auf der Südseite der Landenge, sodass der nördliche Abschnitt anderweitig verteidigt werden musste. Dicht beim Fluss war das Land sumpfig, und ich bezweifelte, dass die Dänen diesen Morast durchqueren konnten, also stellte ich meinen Schildwall zwischen dem niedrigen Festungshügel und dem Beginn des sumpfigen Marschlandes auf. Bald würde die Sonne untergehen. Die Dänen, dachte ich, sollten jetzt angreifen, doch obwohl immer mehr von ihnen kamen, unternahmen sie nichts. Unser Tod, so schien es, sollte bis zum nächsten Morgen warten.

Schlaf fanden wir kaum. Ich ließ entlang der Landenge Lagerfeuer anzünden, sodass wir einen möglichen Nachtangriff der Dänen früher erkennen konnten, und wir beobachteten die dänischen Lagerfeuer, die auf der nördlichen Uferseite immer zahlreicher wurden, als noch mehr Männer ankamen und ständig neue Lagerfeuer entzündet wurden, bis die niedrighängenden Wolken im Widerschein der Flammen zu glühen schienen. Ich befahl Rypere, sich im Dorf umzusehen und festzustellen, was wir uns an Verpflegung beschaffen konnten. Es saßen mindestens achthundert Menschen in Scrobbesburh in der Falle, und ich hatte keine Ahnung, wie lange wir dort bleiben mussten, aber ich glaubte nicht, dass wir Verpflegung für mehr als ein paar Tage beschaffen konnten, selbst wenn wir das Vieh schlachteten. Finan ließ ein Dutzend Männer einige Häuser abbrechen, sodass wir mit den Balken eine Sperre über die Landenge bauen konnten. «Das Vernünftigste wäre», sagte Merewalh irgendwann in dieser unruhigen Nacht, «die Pferde über den Fluss schwimmen zu lassen und sich weiter nach Süden zurückzuziehen.»

«Und warum tut Ihr es dann nicht?»

Er lächelte und nickte zu den Kindern hinüber, die auf

dem blanken Boden schliefen. «Soll ich die hier den Dänen überlassen, Herr?»

«Ich weiß nicht, wie lange wir uns halten können», gab ich zu bedenken.

«Der Herr Æthelred wird eine Armee schicken», erwiderte Merewalh.

«Das glaubt Ihr?»

Beinahe musste er lächeln. «Oder vielleicht König Edward?»

«Mag sein», sagte ich, «aber Eure Boten werden zwei oder drei Tage brauchen, bis sie in Wessex sind, und dort wird dann noch einmal zwei oder drei Tage lang beraten, und bis dahin sind wir tot.» Merewalh zuckte zusammen angesichts dieser grausamen Wahrheit, doch wenn nicht schon jetzt Unterstützung zu uns unterwegs war, dann waren wir wahrhaftig dem Tod geweiht. Die Festung war eine jämmerliche Anlage, ein Überbleibsel aus einem alten Krieg gegen die Waliser, die schon immer im westlichen Mercien auf Raubzug gingen. Der Festungsgraben hätte nicht einmal einen Krüppel aufgehalten, und die Palisade war so verrottet, dass die Balken mit einer Hand umgestoßen werden konnten. Die Sperre, die wir anlegten, war ebenso lächerlich, nichts weiter als eine mehr schlecht als recht angelegte Reihe aus Dachbalken, die vielleicht einen Mann zum Stolpern bringen, aber niemals einen entschlossenen Angriff aufhalten würde. Ich wusste, dass Merewalh recht hatte, dass es unsere Pflicht war, den Sæfern zu überqueren und weiter nach Süden zu reiten, bis wir einen Ort erreicht hatten, an dem sich eine Armee sammeln konnte, aber das zu tun, hätte bedeutet, all die Menschen aufzugeben, die in der großen Flussschleife Zuflucht gesucht hatten.

Zudem waren die Dänen wahrscheinlich schon über den Fluss. Im Westen gab es Furten, und sie würden wohl versuchen, Scrobbesburh zu umzingeln und uns von der Verstärkung abzuschneiden. In Wahrheit, ging es mir durch den Kopf, bestand unsere größte Hoffnung darin, dass die Dänen vor allem ihren Vorstoß in Bewegung halten wollten und daher, statt im Kampf mit uns Männer zu verlieren, einfach weiter nach Süden ritten. Das war eine schwache und keineswegs überzeugende Hoffnung, und tief in dieser Nacht, kurz bevor die graue Morgendämmerung am Osthimmel aufzog, spürte ich die Verzweiflung der Todgeweihten. Die drei Nornen hatten mir keine Wahl gelassen, außer mein Banner aufzupflanzen und mit Schlangenhauch in der Hand zu sterben. Ich dachte an Stiorra, meine Tochter, und wünschte, sie noch ein einziges Mal sehen zu können, und dann kroch die graue Helligkeit heran, und mit ihr zog Nebel auf, und wieder hingen die Wolken niedrig am Himmel und brachten von Westen tröpfelnden Regen mit.

Durch den Nebel sah ich die dänischen Banner. In der Mitte war Haestens Zeichen, der Schädel auf der langen Stange. Der Wind war zu schwach, um die Flaggen wehen zu lassen, und so konnte ich nicht sehen, ob sie Adler, Raben oder Bären zeigten. Ich zählte die Banner. Es waren mindestens dreißig, und der Nebel verbarg noch einige, und unter diesen feuchten Flaggen stellten die Dänen einen Schildwall auf.

Wir hatten zwei Banner. Merewalh führte Æthelreds Flagge mit dem steigenden weißen Pferd, und er hatte sie über der Festung aufgezogen. Sie hing schlaff an ihrer langen Stange. Mein Banner mit dem Wolfskopf war bei den Männern, die in der Senke vor der Nordseite der

Festung standen, und ich befahl Oswi, meinem Diener, einen jungen Baum zu schneiden, damit wir mein Banner hoch aufziehen und den Dänen zeigen konnten, mit wem sie es zu tun hatten. «Das ist eine Einladung», sagte Finan. Er stampfte mit den Füßen auf den durchnässten Boden. «Denk daran, dass die Engel gesagt haben, du würdest sterben. Sie wollen allesamt deinen Schädel an ihren Hausgiebel nageln.»

«Ich werde mich nicht vor ihnen verstecken», sagte ich.

Finan bekreuzigte sich und starrte mit düsterem Blick auf die feindlichen Ränge. «Wenigstens wird es schnell gehen», sagte er.

Langsam hob sich der Nebel, doch der Nieselregen hielt an. Die Dänen hatten etwa eine halbe Meile vor uns zwischen zwei Wäldchen eine Linie gebildet. Die Linie, dicht an dicht mit bemalten Schilden gewappnet, füllte den Abstand zwischen den Bäumen aus, und ich hatte den Eindruck, dass sie sich in den Waldstücken fortsetzte. Merkwürdig, dachte ich, andererseits war nichts an diesem plötzlichen Krieg vorhersehbar. «Siebenhundert Mann?», riet ich.

«So ungefähr», sagte Finan, «eine ganze Menge. Und im Wald sind noch mehr.»

«Aber warum?»

«Die Bastarde wollen vielleicht, dass wir sie angreifen», vermutete Finan. «Und dann nehmen sie uns von zwei Seiten in die Zange.»

«Sie wissen, dass wir nicht angreifen», sagte ich. Wir waren in der Unterzahl, und die meisten unserer Männer waren keine erfahrenen Kämpfer. Das mussten die Dänen wissen, ganz einfach, weil der Fyrd selten mit Schilden ausgerüstet war. Sie würden meinen Schildwall in der Mitte unserer Linie sehen, doch an den Seiten wurde dieser Schildwall von Männern flankiert, die keinen Schutz hatten. Leichte Beute, dachte ich, und es war mir klar, dass die Linie des Fyrds wie ein dürrer Ast brechen würde, wenn die Dänen vorrückten.

Doch sie blieben zwischen den Waldstücken, als der Nebel ganz abzog und der Regen stärker wurde. Von Zeit zu Zeit schlugen die Dänen mit ihren Schwertern auf ihre Schilde, um Kriegsdonner über die Landenge rollen zu lassen, und ich hörte auch einige Männer zu uns herüberbrüllen, doch sie waren zu weit von uns weg, als dass wir ihre Worte verstehen konnten. «Warum kommen sie nicht?», jammerte Finan.

Darauf konnte ich nicht antworten, denn ich hatte nicht die mindeste Ahnung, was die Dänen da trieben. Wir waren ihrer Gnade ausgeliefert, und doch griffen sie nicht an. Am Tag zuvor waren sie so langsam vorgerückt, und jetzt hielten sie unbeweglich die Stellung, und das sollte ihr großer Einmarsch sein? Ich weiß noch, wie ich zu ihnen hinüberstarrte, über ihr Verhalten rätselte, und da flogen zwei Schwäne mit klatschendem Flügelschlag über uns durch den Regen. Ein Omen, aber was bedeutete es? «Wenn sie uns bis auf den letzten Mann töten», sagte ich zu Finan, «wie viele Männer müssen sie dann selbst opfern?»

«Zweihundert?»

«Und deshalb greifen sie nicht an», behauptete ich, und Finan sah mich verwirrt an. «Sie verstecken nicht deshalb Männer im Wald», sagte ich, «weil sie auf einen Angriff von uns hoffen, sondern damit wir nicht feststellen können, wie viele sie haben.» Ich hielt inne, spürte, wie in meinem Kopf ein Gedanke Gestalt annahm. «Oder genauer gesagt», fuhr ich fort, «wie wenige sie haben.»

«Wenige?», fragte Finan.

«Das ist nicht ihre große Armee», sagte ich, mit einem Mal ganz sicher. «Das ist eine Finte. Sigurd ist nicht dabei, und Cnut auch nicht.» Ich riet nur, aber es war die einzige Erklärung, die mir einfiel. Wer auch immer den Befehl über diese Dänen führte, hatte weniger als tausend Mann und wollte nicht zweihundert oder dreihundert davon bei einem Kampf verlieren, der für den eigentlichen Vorstoß unbedeutend war. Seine Aufgabe war es, uns dort festzusetzen und noch mehr sächsische Truppen in das Sæfern-Tal zu locken, während der eigentliche Einmarsch woanders durchgeführt wurde. Von wo aus? Von der Seeseite?

«Ich dachte, Offa hat dir gesagt …», begann Finan.

«Der Bastard hat geweint», stieß ich wild hervor, «dicke Tränen hat er geheult, um mich davon zu überzeugen, dass er die Wahrheit sagt. Er hat mir erzählt, er würde mir meine Freundlichkeit vergelten, aber ich war nie besonders freundlich zu ihm. Ich habe ihn bezahlt, genau wie alle anderen auch. Und die Dänen müssen ihm mehr bezahlt haben, damit er mir einen Sack voll Lügen auftischt.» Wieder wusste ich nicht, ob ich recht hatte, aber warum kamen diese Dänen nicht, um uns niederzumachen?

Dann gab es Bewegung in der Mitte ihrer Linie, und die Schilde teilten sich, um drei Reiter durchzulassen. Einer hielt einen Laubzweig hoch, als Zeichen, dass sie reden wollten, während ein anderer einen hohen, silberverzierten Helm trug, von dem ein Bündel Rabenfedern herabhing. Ich rief Merewalh, dann trat ich mit ihm und Finan vor unsere klägliche Balkensperre und ging den Dänen über die feuchte Wiese entgegen.

Der Mann mit dem Rabenfeder-Helm war Haesten. Der Helm war ein bewunderungswürdiges Stück Handwerkskunst, geschmückt mit der Midgard-Schlange, die sich um die Helmkrone wand, mit dem Schwanz den Genickschutz bildete und mit dem Maul die Rabenfedern hielt. In die Wangenstücke waren Drachenwesen geritzt worden und unter alldem grinste Haesten mich an. «Der Herr Uhtred», sagte er heiter.

«Du trägst die Haube deiner Frau», sagte ich.

«Das ist ein Geschenk von Jarl Cnut», sagte er, «der bis heute Abend hier sein wird.»

«Ich habe mich schon gefragt, worauf du wartest», sagte ich. «Jetzt weiß ich es. Du brauchst Hilfe.»

Haesten lächelte bloß, als ob er meine Beleidigungen genießen würde. Der Mann mit dem Laubzweig war ein paar Schritte hinter ihm, während er an seiner Seite einen weiteren Krieger mit kunstvoll geschmücktem Helm hatte. Dessen Wangenstücke waren jedoch zusammengeschnürt, sodass ich sein Gesicht nicht sehen konnte. Sein Kettenhemd war kostspielig, sein Sattel und Gürtel mit Silber verziert, und an den Armen trug er dicht an dicht wertvolle Ringe. Sein Pferd war unruhig, und er versetzte ihm einen heftigen Schlag auf den Hals, was nur dazu führte, dass das Tier auf dem feuchten Grund seitlich ausscherte. Haesten beugte sich zu ihm hinüber und streichelte den gereizten Hengst. «Jarl Cnut bringt Eisrache mit», sagte er zu mir.

«Eisrache?»

«Sein Schwert», erklärte Haesten. «Ihr und er, Herr Uhtred, werdet im Haselgeviert kämpfen. Das ist mein Geschenk an ihn.»

Cnut Ranulfson stand in dem Ruf, der größte Schwertmann unter allen Schwertdänen zu sein, ein Magier mit der Klinge, ein Mann, der beim Töten lächelte und stolz auf sein Ansehen war. Ich gestehe, dass mich bei Haestens Worten ein Angstschauer überlief. Ein Kampf in einem Geviert, das mit Haselzweigen umgrenzt wird, ist ein öffentlicher Zweikampf bis zum Tode. Cnut würde seine Kunstfertigkeit vorführen. «Ich werde ihn mit Freuden töten», sagte ich.

«Aber haben Eure Engel nicht gesagt, Ihr würdet sterben?», fragte Haesten munter.

«Meine Engel?»

«Ein schlauer Einfall», sagte Haesten. «Der junge Sigurd hier hat sie zu uns gebracht. Zwei so schöne Mädchen! Er hat viel Vergnügen an ihnen gehabt! Wie übrigens auch der größte Teil meiner Männer.»

Also war der Reiter neben Haesten Sigurds Sohn, der Milchbart, der bei Ceaster gegen mich kämpfen wollte, und der Überfall auf Turcandene war sein Werk gewesen, sein Aufnahmeritus als Anführer, allerdings bezweifelte ich nicht, dass sein Vater ältere und erfahrenere Männer mitgeschickt hatte, um einen tödlichen Fehler seines Sohnes zu verhindern. Ich dachte an die Fliegenschwärme über Luddas Leiche und den grob auf den Wandverputz gezeichneten Raben. «Wenn du stirbst, Grünschnabel», erklärte ich ihm, «dann sorge ich dafür, dass du kein Schwert in der Hand hast. Ich schicke dich stattdessen hinab zu Hel, damit sie dich an ihren verwesenden Busen drückt. Mal sehen, ob du auch mit ihr dein Vergnügen hast, du elender Schiss Fledermausdreck.»

Sigurd Sigurdson zog sein Schwert, er zog es sehr langsam, um zu zeigen, dass er mich nicht unmittelbar herausforderte. «Sie heißt Feuerdrache», sagte er und hielt die Klinge aufrecht.

«Ein Kinderschwert», höhnte ich.

«Ihr sollt den Namen der Klinge kennen, die Euch töten wird», sagte er, dann zerrte er die Zügel herum, als wollte er den Hengst auf mich jagen, aber das Tier bäumte sich stattdessen auf, und der junge Sigurd musste sich an die Mähne klammern, um im Sattel zu bleiben. Wieder beugte sich Haesten hinüber und nahm den Hengst am Zaumzeug.

«Steckt das Schwert zurück, Herr», sagte er zu dem Jüngling, dann lächelte er mich an. «Ihr habt bis heute Abend Zeit, um Euch zu ergeben», sagte er, «und wenn Ihr Euch nicht ergebt», sein Ton war schärfer geworden, um die Bemerkung zu unterdrücken, die ich hatte machen wollen, «dann werdet Ihr allesamt sterben. Aber wenn Ihr Euch ergebt, Herr Uhtred, werden wir Eure Männer verschonen. Heute Abend sehen wir uns wieder!» Er ließ sein Pferd umdrehen und zog Sigurd mit sich. «Heute Abend!», rief er noch einmal, während er wegritt.

Das war der Krieg, der alles Begreifen übersteigt, dachte ich. Warum warten? Fürchtete Haesten wirklich so sehr, ein Viertel oder ein Drittel seiner Männer zu verlieren? Doch wenn dies tatsächlich die Vorhut einer großen dänischen Armee war, dann hatte sie nicht in Scrobbesburh herumzutrödeln. Stattdessen sollten sie so schnell wie möglich vorstoßen, tief in den weichen Unterbauch des sächsischen Merciens eindringen und dann die Temes überqueren, um Wessex zu plündern. Jeder Tag, den die Dänen nun warteten, war ein Tag, an dem sich der Fyrd sammeln und Hausmacht-Krieger aus den sächsischen Grafschaften gerufen werden konnten, es sei denn, mein Verdacht traf zu, und dieser dänische Vorstoß war nur vorgetäuscht, weil der eigentliche Angriff anderswo stattfand.

Es waren noch mehr Dänen in der Nähe. Am späten Vormittag, als es endlich aufhörte zu regnen und eine wässrige Sonne schwach durch die Wolken schimmerte, sahen wir neuen Rauch in den östlichen Himmel aufsteigen. Zuerst waren es nur zarte Rauchschleier, doch sie verdichteten sich schnell, und innerhalb einer Stunde tauchten weitere Rauchsäulen auf. Also verwüsteten die Dänen nahegelegene Dörfer, und ein anderer Trupp hatte den Fluss überquert und bewachte die weite Flussschleife, in der wir in der Falle saßen. Osferth hatte zwei Boote beschafft, kaum mehr als lederbespannte Weidenrahmen, und wollte ein großes Floß bauen, wie das, mit dem wir die Ouse überquert hatten, aber als die dänischen Reiter auf der anderen Uferseite aufzogen, war dieser Plan nicht mehr durchführbar. Ich befahl meinen Männern, die Sperre über die Landenge zu verstärken, sie mit Stämmen und Balken zu erhöhen, um die Männer aus dem Fyrd zu schützen und jeden Angriff auf meinen Schildwall zu lenken. Ich glaubte kaum, dass wir einen entschlossenen Angriff überstehen konnten, aber Männer müssen beschäftigt werden, und so brachen sie noch sechs weitere Hütten ab und trugen die Balken zu der Landenge, wo die Sperre allmählich etwas robustere Gestalt annahm. Ein Priester, der nach Scrobbesburh geflüchtet war, ging an meiner Verteidigungslinie entlang und verteilte kleine Brotstücke an die Männer. Sie knieten sich vor ihn, er schob ihnen die Krumen zwischen die Lippen, und dann streute er eine Prise Erde darauf. «Was macht er da?», fragte ich Osferth.

«Staub sind wir, Herr, und zum Staube kehren wir zurück.»

«Wir kehren nirgendwohin zurück, bis Haesten angreift», sagte ich.

«Fürchtet er uns?»

Ich schüttelte den Kopf. «Es ist eine Falle», sagte ich,

und es waren noch viele andere Fallen gestellt worden. Von dem Moment an, als mich die Männer am Sankt-Alnoths-Tag umbringen wollten, über den Ruf zur Unterzeichnung eines Vertrages mit Eohric und das Verbrennen von Sigurds Schiffen bis hin zur Erfindung der Engel. Aber jetzt, vermutete ich, hatten die Dänen ihre größte Falle aufgestellt, und ihr Plan war aufgegangen, denn am Nachmittag breitete sich am anderen Flussufer mit einem Mal Unruhe aus, als die Späher der Dänen ihre Pferde westwärts galoppieren ließen. Irgendetwas hatte sie erschreckt, und wenig später tauchte ein viel größerer Reiterverband auf, und diese Männer führten zwei Banner, eines mit einem Kreuz und eines mit einem Drachen. Es waren Westsachsen. Haesten lockte unsere Männer nach Scrobbesburh, und ich war überzeugt, dass wir alle an einem weit entfernten Ort gebraucht wurden, wo der eigentliche Angriff der Dänen stattfand.

Steapa führte die Neuankömmlinge an. Er stieg vom Pferd, kletterte die Flussböschung zu einem kleinen Landvorsprung hinunter und legte die Hände um den Mund. «Wo können wir über den Fluss?», rief er.

«Richtung Westen», rief ich zurück. «Wie viele seid ihr?»

«Zweihundertundzwanzig!»

«Hier sind siebenhundert Dänen», rief ich, «aber ich glaube nicht, dass es ihre große Armee ist.»

«Es kommen noch mehr von uns», rief er, ohne meine letzte Bemerkung zu beachten. Dann kletterte er wieder das Ufer hinauf.

Er wandte sich westwärts und verschwand auf der Suche nach einer Furt oder einer Brücke zwischen den Bäumen. Ich ging zurück zu der Landenge und sah die Dänen immer noch in ihrer Linie stehen. Sie mussten sich langweilen, aber sie unternahmen keinen Versuch, uns herauszufordern, auch nicht, als es Abend wurde. Haesten musste gewusst haben, dass ich mich nicht verschreckt ergeben würde, aber er hatte auch nichts unternommen, um seine Drohung vom Vormittag wahrzumachen. Wir beobachteten wieder, wie die Dänen ein Lagerfeuer nach dem anderen anzündeten, wir beobachteten das Gelände im Westen, um Steapa eintreffen zu sehen, wir beobachteten, und wir warteten. Es wurde dunkel.

Und in der Morgendämmerung waren die Dänen verschwunden.

Æthelflæd kam eine Stunde nach Sonnenaufgang an und brachte beinahe einhundertundfünfzig Krieger. Wie Steapa musste sie nach Westen reiten, um eine Furt zu suchen, und es war Mittag, bis wir alle beisammen waren. «Ich dachte, du gehst in den Süden», begrüßte ich sie.

«Jemand muss gegen sie kämpfen», gab sie zurück.

«Nur dass sie verschwunden sind», sagte ich. Auf dem Gelände nördlich der Landenge schwelten immer noch die Lagerfeuer, aber es waren keine Dänen mehr da, nur Hufspuren, die nach Osten wiesen. Wir hatten jetzt eine Armee, aber niemanden mehr, gegen den wir kämpfen konnten. «Haesten hatte nie einen Kampf gegen mich geplant», sagte ich, «er wollte mich nur hierherlocken.»

Steapa sah mich fragend an, aber Æthelflæd verstand, was ich meinte. «Und wo sind sie?»

«Wir sind im Westen», sagte ich, «also müssen sie im Osten sein.»

«Und Haesten ist fort, um sich ihnen anzuschließen?»

«Ich glaube schon», sagte ich. Wir wussten allerdings

gar nichts mit Sicherheit, nur dass Haestens Männer südlich von Ceaster angegriffen hatten und dann, rätselhaf-
terweise, nach Osten geritten waren. Edward hatte ebenso
wie Æthelflæd meine ersten Warnungen beantwortet, indem er Männer nach Norden schickte, um festzustellen, ob
dies ein Einmarsch der Dänen war oder nicht. Steapa sollte
meine erste Botschaft bestätigen oder entkräften und dann
nach Wintanceaster zurückkreiten. Æthelflæd hatte meine
Anweisung nicht beachtet. Statt sich in Cirrenceastre in
Sicherheit zu bringen, hatte sie ihre eigenen Hausmacht-
Krieger selbst in den Norden geführt. Weitere mercische
Truppen, sagte sie, waren nach Gleawecestre berufen worden. «Was für eine Überraschung», meinte sie höhnisch.
Æthelred würde, genau wie beim letzten Mal, als Haesten in Mercien einmarschiert war, nur seine eigenen Besitzungen schützen und das übrige Land für sich allein kämp-
fen lassen.

«Ich sollte zurück zum König», sagte Steapa.

«Wie lauten deine Befehle?», fragte ich. «Sollst du die
dänischen Einmarschtruppen finden?»

«Ja.»

«Hast du sie gefunden?»

Er schüttelte den Kopf. «Nein.»

«Dann kommen du und deine Männer mit mir», sagte ich. «Und du», ich deutete auf Æthelflæd, «solltest nach
Cirrenceastre gehen oder zu deinem Bruder.»

«Und du», sagte sie und deutete auf mich, «erteilst
mir keine Befehle, und deshalb mache ich, was ich will.»
Sie starrte mich herausfordernd an, aber ich sagte nichts.
«Warum greifen wir Haesten nicht an und schlagen ihn?»,
fragte sie.

«Weil wir nicht genügend Männer haben», antwortete ich geduldig, «und weil wir nicht wissen, wo die übrigen Dänen sind. Willst du vielleicht eine Schlacht mit Haesten anfangen und dann feststellen, dass du dreitausend Dänen im Rücken hast, die sich in den Tötungsrausch gesoffen haben?»

«Und was machen wir stattdessen?», fragte sie.

«Was ich dir sage», erwiderte ich, und so wandten wir uns nach Osten, folgten Haestens Spuren, und es wurde deutlich, dass keine Gehöfte mehr niedergebrannt und keine Dörfer mehr geplündert worden waren. Das bedeutete, dass Haesten schnell sein wollte und sich deshalb die Gelegenheiten zur Bereicherung entgehen ließ, weil er, so vermutete ich, den Befehl hatte, sich der großen dänischen Armee anzuschließen, wo immer sie auch sein mochte.

Auch wir eilten voran, aber am zweiten Tag kamen wir in die Nähe von Liccelfeld, und dort hatte ich etwas zu tun. Wir ritten in die kleine Stadt, die keinen Festungswall besaß, aber mit einer großen Kirche, zwei Mühlen, einem Kloster und einem beeindruckenden Palas prahlte, in dem der Bischof wohnte. Viele der Bewohner waren Richtung Süden in die Sicherheit einer Festungsstadt geflüchtet, und unser Auftauchen verursachte Angst und Schrecken. Wir sahen Leute in die Wälder rennen, weil sie glaubten, wir wären Dänen.

Wir tränkten die Pferde an den beiden Flüssen der Stadt, und ich schickte Osferth und Finan los, um Verpflegung zu kaufen, während Æthelflæd und ich mit dreißig Männern zum zweitgrößten Palas der Stadt gingen, einem prachtvollen, neuen Gebäude, das am nördlichen Stadtrand von Liccelfeld stand. Die Witwe, die dort lebte, war bei unserem Erscheinen nicht geflohen. Stattdessen erwartete sie uns mit einem Dutzend Bediensteten in ihrem Palas.

Ihr Name war Edith. Sie war jung, sie war schön, und sie war unnachgiebig, auch wenn sie so zart aussah. Ihr Gesicht war rundlich, ihre roten Locken eigenwillig und ihre Gestalt plump. Sie trug ein Gewand aus goldfarbener Wolle, und um ihren Hals lag eine Goldkette. «Ihr seid Offas Witwe», sagte ich, und sie nickte schweigend. «Wo sind seine Hunde?»

«Ich habe sie ersäuft», sagte sie.

«Wie viel hat Jarl Sigurd Eurem Mann bezahlt, damit er uns belügt?», fragte ich.

«Ich weiß nicht, wovon Ihr sprecht», sagte sie.

Ich wandte mich an Sihtric. «Durchsuch das Haus», befahl ich ihm, «nimm alle Nahrungsmittel, die wir brauchen können.»

«Das könnt Ihr nicht ...», begann Edith.

«Ich kann machen, was ich will!», knurrte ich sie an. «Euer Ehemann hat Wessex und Mercien an die Dänen verkauft.»

Sie war dickköpfig, gab nichts zu, doch in ihrem neuerbauten Palas zeigte sich zu viel offenkundiger Reichtum. Sie schrie uns an, wollte mir das Gesicht zerkratzen, als ich ihr die Goldkette abnahm, und kreischte uns Verwünschungen nach, als wir gingen. Ich verließ die Stadt nicht sofort, sondern ging zu dem Friedhof bei der Kathedrale, und dort gruben meine Männer Offas Leiche aus. Er hatte den Priestern Silber gegeben, damit er nahe bei den Reliquien von Sankt Chad bestattet wurde, weil er glaubte, diese Nähe würde seinen Aufstieg in den Himmel am Tag der Wiederkehr Christi beschleunigen, aber ich tat mein Bestes, um seine verdorbene Seele in die Christenhölle hinabfahren zu lassen. Wir trugen seinen verwesenden Körper, der noch in das verblichene Leichentuch gehüllt war, bis vor die Stadt, und dort warfen wir ihn in einen Fluss.

Dann ritten wir weiter ostwärts, um festzustellen, ob sein Verrat den Untergang von Wessex herbeigeführt hatte.

VIERTER TEIL

Tod im Winter

ELF

Das Dorf gab es nicht mehr. Die Häuser waren schwelende Haufen aus verkohlten Balken und Asche, vier niedergemetzelte Hunde lagen auf der morastigen Straße, und der Gestank verbrannten Fleisches mischte sich in den dunklen Rauch. Eine Frauenleiche, nackt und aufgequollen, trieb in einem Teich. Raben waren auf ihre Schulter geflattert und rissen an dem aufgedunsenen Körper. Schwarz angetrocknetes Blut verklebte die Furchen des flachen Scheuersteins beim Wasser. Eine riesige Ulme ragte über dem Dorf empor, aber eine Seite hatte durch das brennende Kirchendach Feuer gefangen und war verkohlt, sodass der Baum wie vom Blitz gespalten erschien, eine Hälfte im üppigen Grün des Laubwerks, die andere schwarz, versengt und trocken. Die Ruinen der Kirche brannten noch, und es gab keinen einzigen Überlebenden, der uns den Namen des Ortes hätte sagen können. Ein Dutzend in den Himmel ziehende Rauchsäulen in der Umgebung verrieten uns, dass noch mehr Dörfer in Schutt und Asche verwandelt worden waren.

Wir waren nach Osten geritten, den Spuren von Haestens Kampfverband gefolgt, dann waren die Hufabdrücke in südlicher Richtung abgeschwenkt und hatten sich einer noch breiteren Spur der Verwüstung angeschlossen. Diese Spur war von Hunderten, vielleicht Tausenden Pferden in die Erde getrampelt worden, und der Rauch am Himmel ließ erkennen, dass die Dänen auf das südlich gelegene Tal der Temes zuhielten, um dahinter in die wohlhabenden Landstriche von Wessex einzufallen.

«In der Kirche liegen Tote», berichtete mir Osferth. Seine Stimme war ruhig, aber ich erkannte trotzdem, wie zornig er war. «Viele Tote», sagte er. «Sie müssen die Leute darin eingesperrt und die Kirche dann in Brand gesteckt haben.»

«Als hätten sie einen Palas abgefackelt», sagte ich und dachte an die lodernden Flammen, die aus dem Palas Ragnars des Älteren weit empor in den Nachthimmel geschlagen waren, und an die Schreie der Menschen, die darin in der Falle saßen.

«Kinder sind auch dabei», sagte Osferth und konnte seine Wut nicht mehr verbergen. «Ihre Körper sind auf die Größe von Säuglingen geschrumpft!»

«Gott hat ihre Seelen zu sich genommen», versuchte Æthelflæd ihn zu trösten.

«Es gibt kein Mitleid mehr auf Erden», sagte Osferth und hob den Blick zum Himmel, an dem sich graue Wolken und schwarzer Rauch vermischten.

Auch Steapa sah zum Himmel hinauf. «Sie gehen nach Süden», sagte er. Er dachte an seinen Befehl, nach Wessex zurückzukehren, und war beunruhigt, weil ich ihn in Mercien festhielt, während eine Dänenhorde seine Heimat bedrohte.

«Oder nach Lundene?», fragte Æthelflæd. «Vielleicht ziehen sie bis zur Temes südwärts und dann flussab nach Lundene.» Sie machte sich die gleichen Gedanken wie ich. Ich dachte an die heruntergekommene Befestigungsanlage der Stadt und daran, dass Eohrics Späher den Wall in Augenschein genommen hatten. Alfred hatte die große Bedeutung Lundenes gekannt, deshalb hatte er mir damals befohlen, die Stadt zu erobern, aber kannten die Dänen sie auch? Wer auch immer die Garnison in Lundene hielt, beherrschte die Temes, und die Temes führte tief in das Gebiet von Mercien und Wessex hinein. In Lundene wurde so viel Handel getrieben, und so viele Straßen führten dorthin, dass derjenige, der über Lundene befehligte, den Schlüssel zum gesamten südlichen Britannien in Händen hielt. Ich sah nach Süden zu den enormen Rauchschwaden, die über den Himmel zogen. Eine dänische Armee war vermutlich erst am Tag zuvor auf diesem Weg vorgerückt, aber war es ihr einziger Truppenverband? Belagerte eine andere Einheit Lundene? Hatte sie die Stadt schon erobert? Am liebsten wäre ich geradewegs nach Lundene geritten, um sicherzustellen, dass die Stadt so gut wie möglich verteidigt wurde, aber das hätte bedeutet, die offensichtliche Spur der Verwüstung durch die dänische Armee zu verlassen.

Æthelflæd beobachtete mich, wartete auf eine Antwort, doch ich schwieg. Sechs von uns saßen mitten in diesem zerstörten Dorf in den Sätteln, während meine Männer ihre Pferde an dem Teich tränkten, auf dem die aufgedunsene Leiche trieb. Æthelflæd, Steapa, Finan, Merewalh und Osferth – alle sahen mich an, und ich versuchte mich in denjenigen hineinzuversetzen, der den Oberbefehl über die Dänen führte, wer auch immer es sein mochte. Cnut? Sigurd? Eohric? Nicht einmal das wussten wir.

«Wir folgen diesem Verband», beschloss ich endlich und nickte zu den Rauchspuren am südlichen Himmel.

«Ich sollte mich den Truppen meines Herrn anschließen», sagte Merewalh unlustig.

Æthelflæd lächelte. «Lasst Euch von mir sagen, was mein Ehemann tun wird», sagte sie zu ihm, und der verächtliche Ton, den sie in das Wort Ehemann legte, war ebenso beißend wie der Gestank aus der brennenden Kirche. «Er wird mit seinen Einheiten in Gleawecestre bleiben», fuhr sie fort, «genau, wie er es beim letzten Einmarsch der Dänen getan hat.» Sie sah, dass Merewalh mit sich rang. Er war ein guter Mann, und wie alle guten Männer wollte er seine Eidespflicht erfüllen, die darin bestand, an der Seite seines Herrn zu stehen. Aber er wusste, dass Æthelflæds Worte zutrafen. Sie straffte sich im Sattel. «Mein Ehemann», sagte sie, dieses Mal ohne jegliche Verachtung, «hat mir erlaubt, jedem seiner Gefolgsmänner, die mir unterwegs begegnen, Befehle zu erteilen. Also befehle ich Euch jetzt, bei mir zu bleiben.»

Merewalh wusste, dass sie log. Er sah sie einen Moment lang an, dann nickte er. «Dann werde ich es tun, Herrin.»

«Und was ist mit den Toten?», fragte Osferth und sah zu der Kirche hinüber.

Æthelflæd beugte sich zu ihm und legte ihrem Halbbruder sanft die Hand auf den Arm. «Die Toten müssen ihre Toten begraben», sagte sie.

Osferth wusste, dass keine Zeit war, um den Toten ein christliches Begräbnis zu bereiten. Sie mussten zurückgelassen werden, wie sie waren, doch die Wut schnürte ihm die Kehle zu, und er glitt aus dem Sattel und ging zu der Kirche, aus der immer noch Rauch quoll, während kleine Flammen an den Balken leckten. Er zog zwei verkohlte Holzstücke aus den Trümmern. Eines war etwa fünf Fuß lang, das andere wesentlich kürzer, und dann stöberte er so lange zwischen den niedergebrannten Hütten herum, bis er ein Stück Lederkordel fand, das vielleicht einmal ein Gürtel war, und band damit die beiden Holzstücke zusammen. Er machte ein Kreuz daraus. «Mit Eurer Erlaubnis, Herr», sagte er zu mir. «Ich möchte mein eigenes Feldzeichen haben.»

«Der Sohn eines Königs sollte ein Banner haben», sagte ich.

Er rammte das Langholz des Kreuzes so fest in die Erde, dass Asche emporstäubte und das Querstück kippte und leicht schief herunterhing. Es hätte zum Lachen sein können, wäre er nicht von so bitterem, ehrlichen Zorn erfüllt gewesen. «Das ist mein Feldzeichen», sagte er und winkte seinen Diener herbei, einen Taubstummen namens Hwit, damit er das Kreuz trug.

Wir folgten den Hufspuren nach Süden, durch weitere niedergebrannte Dörfer, vorbei an einem großen Palas, der zu Asche und schwarzem Balkenwerk in sich zusammengesunken war, und vorbei an Feldern, auf denen das Milchvieh jämmerlich blökte, weil es gemolken werden musste. Wenn die Dänen Kühe zurückließen, mussten sie schon eine riesenhafte Herde haben, zu groß, um damit fertigzuwerden, und sie mussten auch Frauen und Kinder für den Sklavenmarkt mit sich führen. Und dadurch wurden sie behindert. Aus einer schnellen, gefährlichen, berittenen Armee blutrünstiger Räuber war ein schleppender Zug von Gefangenen, Rinder- und Schafherden geworden. Sie schickten sicher weiterhin Trupps zum Plündern aus, doch jeder dieser Trupps brachte noch mehr Beute und verlangsamte damit weiter den Hauptverband.

Sie hatten die Temes überquert. Das stellten wir am nächsten Tag fest, als wir Cracgelad erreichten, wo ich Aldhelm, einen von Æthelreds Männern, getötet hatte. Die kleine Stadt war nun zur Wehrstadt ausgebaut und hatte eine gemauerte Wallanlage, nicht länger eine aus Erde und Holz. Für diesen Festungsbau hatte Æthelflæd gesorgt. Sie hatte den Befehl dazu nicht nur gegeben, weil die Stadt an einem Übergang über die Temes lag, sondern auch, weil sie dort Zeugin eines kleinen Wunders geworden war, das, so glaubte sie, die Hand eines toten Heiligen gewirkt hatte. Nun also war Cracgelad eine beeindruckende Festungsstadt, mit einem gefluteten Graben vor dem neuen Steinwall, und es war kaum eine Überraschung, dass die Dänen keinen Angriff auf die Garnison unternommen, sondern auf den Dammweg zugehalten hatten. Dieser führte über das Marschland am Nordufer der Temes zu der Römerbrücke, die zur gleichen Zeit wie die Wallanlage von Cracgelad instand gesetzt worden war. Auch wir folgten dem Dammweg, und dann standen wir mit unseren Pferden am Nordufer der Temes und schauten auf den Himmel über Wessex, der im Widerschein der Feuer glühte. Sie verwüsteten Edwards Königreich.

Æthelflæd hatte Cracgelad zur Festung gemacht, dennoch wehte über dem südlichen Stadttor immer noch das Banner ihres Ehemannes mit dem weißen Pferd und nicht ihres mit der Gans und dem Kreuz. Ein Dutzend Männer tauchten nun am Tor auf und kamen uns entgegen. Einer war ein Priester, Pater Kynhelm, und von ihm erhielten wir die ersten verlässlichen Berichte. Æthelwold, sagte er, sei bei der dänischen Armee. «Er ist zum Tor gekommen, Herr, und hat gefordert, dass wir uns ergeben.»

«Habt Ihr ihn denn erkannt?»

«Ich hatte ihn nie zuvor gesehen, Herr, aber er hat sich selbst zu erkennen gegeben, und ich habe geglaubt, dass er es ist. Er ist mit sächsischen Kriegern gekommen.»

«Nicht mit Dänen?»

Pater Kynhelm schüttelte den Kopf. «Die Dänen haben sich im Hintergrund gehalten. Wir konnten sie sehen, aber soweit ich es beurteilen kann, waren die Männer am Tor allesamt Sachsen. Viele haben uns zugerufen, wir sollten uns ergeben. Es waren zweihundertundzwanzig. Ich habe sie gezählt.»

«Und eine Frau», fügte ein Mann hinzu.

Ohne darauf einzugehen, fragte ich Pater Kynhelm: «Und wie viele Dänen?»

Er zuckte mit den Schultern. «Hunderte, Herr, die Felder waren schwarz von ihnen.»

«Æthelwolds Banner zeigt einen Hirsch», sagte ich, «mit Kreuzen als Geweih. War das die einzige Flagge?»

«Sie haben auch ein schwarzes Kreuz mitgeführt, Herr, und eine Flagge mit einem Keiler.»

«Einem Keiler?», sagte ich.

«Einem Keiler mit großen, aufwärts gebogenen Hauern.»

Also hatte sich Beortsig seinen Meistern angeschlossen, was bedeutete, dass die Armee, die Wessex plünderte, zum Teil sächsisch war. «Was habt Ihr Æthelwold geantwortet?», fragte ich Pater Kynhelm.

«Dass wir dem Herrn Æthelred dienen.»

«Und habt Ihr Nachricht von Herrn Æthelred?»

«Nein, Herr.»

«Habt Ihr Verpflegung?»

«Genug für den Winter, Herr. Die Ernte war auskömmlich, Lob sei Gott.»

«Welche Streitkräfte habt Ihr?»

«Den Fyrd, Herr, und zweiundzwanzig Krieger.»

«Wie viele sind im Fyrd?»

«Vierhundertundzwanzig, Herr.»

«Behaltet Sie hier», sagte ich, «die Dänen werden vermutlich wiederkommen.» Ich hatte Alfred auf seinem Sterbebett gesagt, dass die Nordmänner nicht gelernt hatten, wie man uns bekämpft, wir aber sehr wohl, wie man gegen sie kämpft, und das stimmte. Sie hatten keinen Versuch gemacht, Cracgelad zu erobern, von der halbherzigen Forderung nach Kapitulation einmal abgesehen, und wenn Tausende Dänen eine kleine Wehrstadt nicht erobern konnten, ganz gleich, wie stark ihre Mauern waren, dann würde es ihnen bei den großen Garnisonsstädten von Wessex erst recht nicht gelingen, und wenn sie diese mächtigen Wehrstädte nicht erobern und damit die Truppen ausschalten konnten, die Edward dort stationiert hatte, dann mussten sie sich irgendwann wieder zurückziehen. «Welche dänischen Banner habt Ihr gesehen?», fragte ich Pater Kynhelm.

«Keines ganz deutlich, Herr.»

«Was zeigt Eohrics Banner?», fragte ich die Umstehenden laut.

«Einen Löwen und ein Kreuz», sagte Osferth.

«Was immer auch ein Löwe sein mag», sagte ich. Ich wollte wissen, ob sich Eohrics ostanglische Verbände der dänischen Horde angeschlossen hatten, aber Pater Kynhelm konnte es mir nicht sagen.

Am nächsten Morgen regnete es wieder, dicke Tropfen gingen auf die Temes vor den Festungsanlagen der Stadt nieder. Die niedrige Bewölkung machte es schwierig, die Rauchwolken zu unterscheiden, aber ich hatte den Eindruck, die Brände loderten nicht weit südlich des Flusses. Æthelflæd ging zum Kloster Sankt Werburgh, um dort zu beten, Osferth suchte sich in der Stadt einen Zimmermann, der sein Kreuz ordentlich ausrichtete und es fest zusammennagelte, während ich zwei von Merewalhs Männern und zwei von Steapas Leuten zu mir rief. Die Mercier schickte ich mit einer Botschaft für Æthelred nach Gleawecestre. Ich wusste, dass er eine Botschaft, die von mir kam, nicht beachten würde, und so befahl ich ihnen zu sagen, König Edward fordere ihn auf, seine Truppen, all seine Truppen nach Cracgelad zu bringen. Die große Armee, so erklärte ich, habe bei der Wehrstadt die Temes überquert und würde sich beinahe mit Sicherheit auf demselben Weg zurückziehen. Freilich war es möglich, dass sie eine andere Furt oder eine andere Brücke benutzen würden, doch der Mensch hat die Gewohnheit, auf vertrauten Wegen zu gehen. Wenn Mercien seine Streitkräfte am Nordufer der Temes zusammenzog, dann konnte Edward mit den Westsachsen von Süden kommen, und wir würden die Dänen zwischen uns einschließen. Die gleiche Nachricht brachten Steapas Männer zu Edward, nur dass ich mich hier als Absender zu erkennen gab und ihm dringend riet, den Dänen bei ihrem Rückzug mit seiner Armee nachzusetzen, ohne sie jedoch anzugreifen, bis sie kurz vor der Überquerung der Temes standen.

Der Vormittag war schon weit fortgeschritten, als ich den Männern den Befehl gab, die Pferde zu satteln und sich zum Aufbruch bereit zu machen, wenn ich auch nicht sagte, wohin. Gerade, als wir losreiten wollten, kamen zwei Boten von Bischof Erkenwald aus Lundene.

Ich habe Erkenwald nie gemocht, und Æthelflæd hasste ihn, seit er eine Predigt über den Ehebruch gehalten und sie die gesamte Zeit über mit seinen Blicken durchbohrt hatte, dennoch verstand der Bischof sein Handwerk. Er hatte über jede Straße, die von Lundene wegführte, zwei Boten mit dem Befehl losgesandt, mercische oder westsächsische Streitkräfte ausfindig zu machen. «Er hat gesagt, wir sollen nach Euch Ausschau halten, Herr», sagte einer der beiden Männer. Er stammte aus Weohstans Garnison und berichtete uns, dass die Dänen vor Lundene standen, allerdings nur mit einem kleinen Kampfverband. «Wenn wir sie bedrohen, Herr, ziehen sie sich zurück.»

«Wessen Männer sind es?»

«König Eohrics Truppen, Herr, und einige reiten auch unter Sigurds Banner.»

Also hatte sich Eohric den Dänen angeschlossen und nicht den Christen. Erkenwalds Boten sagten, sie hätten gehört, dass sich die Dänen bei Eoferwic gesammelt hätten und von dort aus mit Schiffen nach Ostanglien gefahren seien, und während ich nach Ceaster gelockt worden war, hatte die große Armee, verstärkt von Eohrics Kriegern, über die Ouse gesetzt und ihren Weg des Brennens und Mordens angetreten. «Was tun Eohrics Männer vor Lundene?», fragte ich.

«Sie beobachten nur die Stadt, Herr. Der Verband ist nicht stark genug, um einen Angriff zu wagen.»

«Aber stark genug, um die Truppen hinter dem Wall zu halten», sagte ich. «Und was will Bischof Erkenwald nun?»

«Er hofft, dass Ihr nach Lundene geht, Herr.»

«Sagt ihm, er soll mir stattdessen die Hälfte von Weohstans Männern schicken», sagte ich.

Bischof Erkenwalds Ersuchen, das er vermutlich als Befehl formuliert hatte, von den Boten aber zu einem Vorschlag abgemildert worden war, erschien mir wenig sinnvoll. Wohl wahr, Lundene musste verteidigt werden, aber die Armee, die tatsächlich eine Bedrohung für Lundene war, befand sich hier, südlich der Temes, und wenn wir schnell waren, konnten wir sie an dieser Stelle in eine Falle locken. Die gegnerischen Kräfte vor Lundene waren vermutlich nur dort, um die kampfstarke Garnison an einem Ausfall und einem Angriff auf die große Armee zu hindern. Ich ging davon aus, dass die Dänen plündern und sengen würden, aber am Ende würden sie eine Wehrstadt belagern müssen oder im offenen Land von einer westsächsischen Armee angegriffen werden, und es war wichtiger zu wissen, wo sie waren und was sie vorhatten, als unsere Kräfte im fernen Lundene zu sammeln. Um die Dänen zu besiegen, mussten wir in der offenen Schlacht auf sie treffen. Dort würde es vor den Schrecken des Schildwalls kein Entkommen geben. Die Wehrstädte konnten die Niederlage hinauszögern, doch den Sieg brachte nur der Kampf Auge in Auge, und mein Gedanke war, die Dänen in eine Schlacht zu verwickeln, wenn sie über die Temes zurückkamen. Wenn ich eines genau wusste, dann, dass wir selbst den Ort dieser Schlacht wählen mussten, und Cracgelad, mit dem Fluss, dem Dammweg und der Brücke, war so gut wie jede andere Stelle, ebenso gut wie die Brücke bei Fearnhamme, an der wir einst Harald Bluthaars Streitkräfte schlugen, nachdem wir sie in die Zange genommen hatten, als erst die Hälfte seiner Truppen über den Fluss gelangt war.

Ich gab Erkenwalds Boten frische Pferde und schickte sie nach Lundene zurück, allerdings machte ich mir keine großen Hoffnungen, dass der Bischof Unterstützung senden würde, solange er keinen direkten Befehl von Edward erhalten hatte. Dann führte ich den größten Teil unseres Kampfverbands über den Fluss. Merewalh blieb in Cracgelad, und ich hatte Æthelflæd gesagt, sie solle mit ihm zurückbleiben, aber sie kümmerte sich nicht um meine Anweisungen und ritt neben mir. «Der Kampf», sagte ich verstimmt zu ihr, «ist keine Frauenangelegenheit.»

«Und was sind Frauenangelegenheiten, Herr Uhtred?», fragte sie mich mit gespielter Süße. «Oh, bitte, bitte, erklärt es mir!»

Ich suchte nach der Hinterlist, die in dieser Frage versteckt war. Denn ganz sicher gab es eine Hinterlist, nur konnte ich sie nicht erkennen. «Die Angelegenheit der Frau», sagte ich steif, «ist es, sich um den Haushalt zu kümmern.»

«Aufräumen? Wischen? Am Spinnrocken sitzen? Kochen?»

«Und die Bediensteten beaufsichtigen, ja.»

«Und die Kinder aufziehen?»

«Das auch», sagte ich.

«Mit anderen Worten», sagte sie spitz, «Frauen sollen alles tun, was Männer nicht können. Und jetzt gerade sieht es so aus, als könnten Männer nicht kämpfen, also übernehme ich das besser auch noch.» Sie lächelte triumphierend, dann brach sie angesichts meiner grimmigen Miene in Gelächter aus. In Wahrheit war ich froh, sie bei mir zu haben. Nicht nur, weil ich sie liebte, sondern weil Æthelflæds Anwesenheit die Männer schon immer befeuert hat. Die Mercier beteten sie an. Sie mochte eine Westsächsin sein, doch ihre Mutter war aus Mercien, und Æthelflæd hatte dieses Land als ihr eigenes angenommen. Ihre Großzügigkeit war berühmt, es gab kaum ein Kloster in Mercien, das nicht von den Erträgen aus den weitläufigen Besitzungen abhing, die Æthelflæd geerbt hatte und mit denen sie Witwen und Waisen half.

Auf der anderen Seite der Temes waren wir auf dem Gebiet von Wessex. Die gleichen, von ungezählten Hufen aufgewühlten Wege zeigten, wo die große Armee auf ihrem Weg nach Süden ausgeschwärmt war, und die ersten Dörfer, an denen wir vorbeikamen, waren niedergebrannt, die Asche war nach dem nächtlichen Regen zu grauen Rinnsalen geworden. Ich schickte Finan und fünfzig Männer voraus und warnte sie, weil die Rauchspuren am Himmel viel näher waren, als ich geglaubt hatte. «Was hast du denn erwartet?», fragte mich Æthelflæd.

«Dass die Dänen auf dem schnellsten Weg nach Wintanceaster vorrücken», sagte ich.

«Und die Stadt angreifen?»

«Das würde ich an ihrer Stelle tun», sagte ich, «oder das Umland der Stadt verwüsten und hoffen, dass sie damit Edward zu einem Kampf herauslocken können.»

«Wenn er dort ist», sagte sie unsicher.

Doch statt Wintanceaster anzugreifen, schienen die Dänen nur durch das Land südlich der Temes zu streifen. Es war gutes Land, mit ertragreichen Bauerngehöften und wohlhabenden Dörfern, allerdings hatten die Leute nun wohl viel von ihrer Habe in die nächste Wehrstadt getrieben oder getragen. «Sie müssen eine Wehrstadt belagern oder sich zurückziehen», sagte ich. «Und gewöhnlich fehlt ihnen die Geduld für eine Belagerung.»

«Warum sind sie dann überhaupt erst hergekommen?»

Ich zuckte mit den Schultern. «Vielleicht hat Æthelwold gedacht, das Landvolk würde ihn unterstützen. Oder sie hoffen, dass Edward eine Armee gegen sie führt, die sie besiegen können.»

«Wird er das tun?»

«Nicht, bevor er nicht genügend Streitkräfte hat», sagte ich und hoffte, dass es stimmte. «Aber inzwischen», sagte ich, «werden die Dänen von Gefangenen und Beute behindert, und sie werden einen Teil davon nach Ostanglien zurückschicken.» So hatte es Haesten bei seinen großen Plünderungen von Mercien gemacht. Seine Truppen hatten sich schnell bewegt, aber er hatte ständig Einheiten vom Kampf freigestellt, um die erbeuteten Sklaven und schwerbeladenen Packtiere zurück nach Beamfleot zu bringen. Wenn meine Ahnung richtig war, würden die Dänen Männer auf demselben Weg zurückschicken, auf dem sie gekommen waren, und deshalb ritt ich nach Süden, um Ausschau nach diesen dänischen Verbänden zu halten, die mit der Beute nach Ostanglien zurückkehrten.

«Es wäre besser für sie, wenn sie einen anderen Weg nähmen», sagte Æthelflæd.

«Dazu müssten sie das Land kennen. Den eigenen Spuren nach Hause zu folgen ist viel einfacher.»

Wir ritten nach der Brücke nicht mehr sehr weit, denn die Dänen waren überraschend nahe vor uns, sogar sehr nahe. Innerhalb einer Stunde war Finan mit der Nachricht zurück, dass große dänische Verbände über das gesamte nähere Umland verteilt waren. Die Landschaft stieg Richtung Süden langsam an, und wir sahen die zerstörerischen Feuer auf den Hügeln, von denen Männer Gefangene, Vieh und Beute in das Tal herunterbrachten. «Vor uns an der Straße liegt ein Dorf», sagte Finan, «besser gesagt, lag ein Dorf, und dort sammeln sie die Beute, und es sind nicht mehr als dreihundert von den Bastarden zur Bewachung dort.»

Es beunruhigte mich, dass die Dänen keine Truppen an der Brücke bei Cracgelad abgestellt hatten, wie es zu erwarten war, und die einzige Erklärung dafür konnte sein, dass sie keinen Angriff aus Mercien erwarteten. Ich hatte Späher Richtung Osten und Westen am Ufer entlanggeschickt, aber kein einziger brachte Meldung von Dänen. Der Gegner schien nur darauf aus, Beute anzuhäufen und sicherte sich nicht gegen einen Angriff vom anderen Ufer der Temes aus. Das war entweder höchst sorglos oder eine sorgfältig geplante Falle.

Wir zählten beinahe sechshundert Mann. Wenn es eine Falle war, dann wären wir nicht ohne weiteres niederzuschlagen, also beschloss ich, selbst einen Hinterhalt zu legen. Langsam kam ich zu dem Schluss, dass die Dänen zu leichtsinnig waren, sich zu sehr auf ihre überwältigende Überzahl verließen, wir aber standen in ihrem Rücken, hatten einen sicheren Fluchtweg, und die Gelegenheit war einfach zu gut.

«Können wir uns zwischen den Bäumen verstecken?», fragte ich Finan und nickte zu einem dichten Waldstück, das etwas weiter südlich lag.

«Dort könnte man tausend Mann verstecken», sagte er.

«Wir anderen verstecken uns im Wald», sagte ich. «Du führst meine Männer zu ihnen», wies ich Finan an und meinte meine Schwurmänner, «und greifst die Bastarde an. Dann zieht ihr euch zu uns zurück.»

Es war ein einfacher Hinterhalt, so einfach, dass ich im Grunde nicht an ein Gelingen glaubte, aber wir standen in dem Krieg, der alles Begreifen übersteigt. Zunächst einmal fand er drei Jahre zu spät statt, und nun, nachdem sie versucht hatten, mich nach Ceaster zu locken, schienen mich die Dänen vollkommen vergessen zu haben. «Sie haben zu viele Anführer», vermutete Æthelflæd, als wir unsere Pferde Richtung Süden auf die Römerstraße lenkten, die von der Brücke wegführte, «und es sind alles Männer, also wird keiner von ihnen nachgeben. Sie streiten untereinander.»

«Dann hoffen wir, dass sie weiterstreiten», sagte ich. Als wir in dem Wald waren, verteilten wir uns. Æthelflæds Männer standen auf der rechten Seite, und zum Schutz Æthelflæds schickte ich Osferth mit ihnen. Steapas Männer gingen nach links, und ich blieb in der Mitte. Ich stieg vom Pferd, gab Oswi die Zügel und ging mit Finan zum

Waldrand im Süden. Unser Auftauchen hatte Tauben aufgeschreckt, und sie waren mit rauschendem Flügelschlag über dem Wald aufgestiegen, aber die Dänen bemerkten nichts davon. Die nächsten waren zweihundert oder dreihundert Schritt entfernt, dicht bei einer Herde Schafe und Ziegen. Dahinter stand ein Gehöft, es war noch nicht in Brand gesetzt worden, und dort sah ich eine Menschengruppe.

«Gefangene», sagte Finan. «Frauen und Kinder.»

Dänen mussten auch dort sein, das verrieten die vielen gesattelten Pferde auf einer Koppel, um die sich eine Hecke zog. Es war schwer zu sagen, wie viele Pferde es waren, aber wenigstens hundert. Das Gehöft bestand aus einem kleinen Palas neben einigen Scheunen mit so neuen Strohdächern, dass sie hell in der Sonne leuchteten. Hinter dem Palas waren noch mehr Dänen auf den Feldern, wo sie vermutlich Vieh zusammentrieben. «Ich denke, es ist am besten, du hältst auf den Palas zu», sagte ich, «tötest so viele wie möglich und bringst mir einen Gefangenen und ihre Pferde mit zurück.»

«Es wurde auch Zeit, dass wir wieder kämpfen», sagte Finan grimmig.

«Lock sie durch deinen Rückzug zu uns», sagte ich, «und wir töten noch den letzten Sohn einer Mutter.» Er wandte sich zum Gehen, aber ich legte ihm die Hand auf den Arm. Immer noch blickte ich nach Süden. «Es ist keine Falle, oder?»

Finan folgte meinem Blick mit den Augen. «Sie sind sehr weit gekommen, ohne zu kämpfen», sagte er. «Jetzt glauben sie, dass niemand es wagt, sich ihnen entgegenzustellen.»

Einen Moment lang ergriff mich tiefe Unzufriedenheit. Wenn ich die mercische Armee in Cracgelad gehabt und Edward seine Männer aus Wessex heraufgeführt hätte, dann hätten wir diese leichtsinnige Armee zwischen uns zerquetschen können, aber soweit ich wusste, gehörten alle sächsischen Truppen in der Nähe zur dänischen Armee. «Ich will sie hier festhalten», sagte ich.

«Hier festhalten?», fragte Finan.

«In der Nähe der Brücke, sodass König Edward sie mit seinen Männern niederschlagen kann.» Wir hatten mehr als genug Kräfte, um die Brücke zu halten, ganz gleich, wie viele Vorstöße die Dänen auch unternehmen mochten. Wir brauchten nicht einmal Æthelreds Mercier, um diese Falle zum Zuschnappen zu bringen. Dies war das Schlachtfeld, das ich wollte. «Sihtric!»

Dieser Ort war zur Vernichtung der Dänen so günstig gelegen, so verlockend und so vorteilhaft, dass ich Edward so schnell wie möglich davon erfahren lassen wollte. «Es tut mir leid, dass du nicht an dem Kampf teilnehmen kannst», erklärte ich Sihtric, «aber diese Sache ist dringend.» Ich schickte ihn mit drei weiteren Männern zunächst Richtung Westen los, dann sollten sie sich nach Süden wenden. Sie sollten meinen ersten Boten folgen und dem König berichten, wo die Dänen waren und wie sie geschlagen werden konnten. «Sag ihm, der Gegner wartet nur darauf, getötet zu werden. Sag ihm, dies kann sein erster großer Sieg werden, sag ihm, die Dichter werden für Generationen ihre Lieder darüber singen, und vor allem sag ihm, er soll sich beeilen!» Ich wartete, bis Sihtric fort war, dann richtete ich meinen Blick wieder auf den Feind. «Bring mir so viele Pferde wie möglich», sagte ich zu Finan.

Finan führte meine Männer Richtung Süden, wobei er sich in der Deckung eines Waldes östlich der Straße hielt, während ich alle übrigen Reiter in Stellung brachte. Ich ritt an unserer Linie entlang, duckte mich unter niedrigen Zweigen und erklärte den Männern, sie sollten nicht sämtliche Gegner töten, sondern auch viele nur verletzen. Verwundete Männer behindern eine Armee. Wenn Sigurd, Cnut und Eohric viele Verletzte bei sich hatten, konnten sie sich nicht schnell und frei bewegen. Ich wollte, dass diese Armee so langsam wie möglich wurde, um sie in der Falle zu haben, um sie so lange festzuhalten, bis von Süden die Truppen aus Wessex kamen, um sie zu vernichten.

Ich beobachtete, wie dort, wo Finan meine Männer entlangführte, die Vögel aus den Bäumen aufflogen. Kein einziger Däne bemerkte etwas davon oder dachte sich etwas dabei, falls er die Vögel sah. Mit Æthelflæd neben mir wartete ich ab und spürte, wie ein rauschhaftes Hochgefühl in mir aufstieg. Die Dänen saßen in der Falle. Sie wussten es nicht, aber sie waren dem Untergang geweiht. Bischof Erkenwald hatte mit seiner Predigt recht gehabt, der Krieg ist grauenvoll, aber er konnte auch so aufregend sein, und von allem das Aufregendste war, den Gegner dazu zu bringen das zu tun, was man selbst will. Dieser Gegner war dort, wo ich ihn haben wollte und wo er sterben würde, und ich weiß noch, dass ich laut auflachte, sodass Æthelflæd mich neugierig ansah. «Was ist denn so lustig?», fragte sie, aber ich antwortete nicht, weil in diesem Moment Finans Männer aus der Deckung brachen.

Sie griffen von Osten an. Sie stießen schnell vor, und einen Augenblick lang wirkten die Dänen wie gelähmt von ihrem unvermittelten Auftauchen. Von den Pferdehufen emporgeschleuderte Erdbrocken wirbelten um meine Männer, ich sah, wie sich das Licht in ihren Klingen brach, und ich beobachtete, wie die Dänen auf den Palas zurannten, und dann kamen Finans Männer über sie, ritten sie nieder, Reiter überholten Fliehende, Klingen fuhren nieder, Blut färbte den Tag, Männer stürzten, bluteten, hasteten entsetzt weiter, und Finan trieb sie vor sich her, auf dem Weg zu der Koppel, auf der die Pferde der Dänen standen.

Ich hörte einen Hornklang. Männer sammelten sich in dem Palas, Männer packten ihre Schilde, aber Finan beachtete sie nicht. Ein Gatter versperrte die Öffnung der Hecke, und ich sah, wie sich Cerdic aus dem Sattel hinabbeugte, um es aufzuziehen. Die dänischen Pferde fluteten durch die Lücke, um meinen Männern zu folgen. Noch mehr Dänen galoppierten von Süden heran, von dem dringlichen Ton des Horns herbeigerufen, während Finan einen wilden Sturm reiterloser Pferde auf unseren Wald anführte. Sein eigener Angriffsweg zu den Dänen war mit gefallenen Kriegern übersät. Ich zählte dreiundzwanzig, und es waren nicht nur Tote. Einige waren verwundet, wanden sich auf dem Boden, färbten mit ihrem Blut rote Flecken ins Gras. Kopflos vor Angst liefen die Schafe durcheinander, ein zweiter Hornklang fiel in den ersten ein, der Ton hallte scharf durch den Nachmittag. Die Dänen sammelten sich, aber sie hatten uns übrige im Wald noch immer nicht entdeckt. Sie sahen, dass eine Herde ihrer Pferde Richtung Norden getrieben wurde, und sie mussten vermuten, Finan käme aus der Garnison von Cracgelad und würde die Pferde über die Temes hinter die sicheren Wallmauern bringen, und einige Dänen nahmen die Verfolgung auf. Sie spornten ihre Pferde an, während Finan zwischen den Bäumen verschwand. Ich zog Schlangenhauch, und mein Hengst zuckte mit den Ohren, als er das Zischen hörte, mit dem die Klinge aus

der fellgefütterten Scheidenkehle fuhr. Er zitterte, stampfte mit einem schweren Huf auf den Boden. Er hieß Broga, und die dänischen Pferde, die durch den Wald brachen,
erregten ihn. Er wieherte, und ich ließ die Zügel locker,
damit er loslaufen konnte.

«Töten und verwunden!», rief ich. «Töten und verwunden!»

Broga, der Name bedeutet Schrecken, machte einen
Satz nach vorn. Am gesamten Waldrand tauchten mit
schimmernden Klingen meine Reiter auf, und wir griffen
die über die Fläche verteilten Dänen brüllend an, und die
Welt versank in einem trommelnden Wirbel aus Hufschlä-
gen.

Die meisten Dänen machten kehrt, um zu fliehen. Die
klügeren behielten ihre Angriffsrichtung bei, weil sie wussten, dass sie die besten Überlebenschancen hatten, wenn
sie durch unsere Kampflinie brachen und versuchten, hinter uns zu entkommen. Mein Schild tanzte auf meinem
Rücken, Schlangenhauch war erhoben, und ich scherte in
Richtung eines Mannes auf einem grauen Pferd aus und
sah, dass er im Begriff war, mit seinem Schwert auszuholen, doch da traf ihn schon einer von Æthelflæds Männern
mit dem Speer, und er fuhr im Sattel herum, das Schwert
fiel zu Boden, und ich ließ ihn hinter mir und holte zu einem zu Fuß flüchtenden Dänen auf und hieb ihm Schlangenhauch in die Schulter, zog die Klinge an seinem Hals
entlang zurück, sah ihn wanken, ritt weiter, schwang das
Schwert über einem rennenden Mann und hieb ihm die
Kopfhaut auf, sodass sein langes Haar mit einem Mal nass
war vor Blut.

Die Dänen bei dem Palas hatten einen Schildwall gebildet. Es waren etwa vierzig oder fünfzig Männer, die sich

uns, ihre Rundschilde auf einer Seite überlappend, entgegenstellten. Aber Finan war umgekehrt und hatte seine Männer in weitem Bogen zurückgebracht, hatte sich mit blitzendem Schwert die Straße entlanggekämpft, und Leichen markierten seinen Weg, als er seine Männer nun hinter den dänischen Schildwall brachte. Er brüllte seine irische Herausforderung, Worte, die keiner von uns verstand und die einem dennoch das Blut in den Adern stocken ließen, und der Schildwall brach augenblicklich auseinander, als die Dänen erkannten, dass sie nun Angreifer vor und hinter sich hatten. Die Gefangenen der Dänen kauerten sich im Hof des Palas zusammen, es waren nur Frauen und Kinder, und ich rief ihnen zu, sie sollten nordwärts Richtung Fluss gehen. «Geht, geht!» Broga war auf zwei Männer zugaloppiert. Einer holte mit seinem Schwert nach Brogas Maul aus, aber mein Hengst war gut abgerichtet und stellte sich mit wirbelnden Hufen auf die Hinterbeine, sodass sich der Mann wegducken musste. Ich hielt mich im Sattel, wartete, bis Broga wieder herunterkam, und ließ Schlangenhauch hart auf den Kopf des zweiten Mannes niederfahren, sodass Helm und Schädel gespalten wurden. Ich hörte einen Schrei und sah, dass Broga dem ersten Mann das Gesicht weggebissen hatte. Ich galoppierte weiter. Hunde jaulten, Kinder schrien, und Schlangenhauch hielt Mahl. Eine nackte Frau stolperte aus dem Palas, das Haar aufgelöst, das Gesicht blutbeschmiert. «Dorthin!», rief ich ihr zu und deutete mit meiner roten Klinge nach Norden.

«Meine Kinder!»

«Such sie! Geh!»

Ein Däne kam mit dem Schwert in der Hand aus dem Palas, starrte entsetzt auf das Geschehen und drehte sich wieder um, aber Rypere hatte ihn gesehen und galoppierte auf ihn zu, packte ihn an seinem langen Haar und zerrte ihn weg. Zwei Speere gruben sich in seinen Bauch, ein Hengst trampelte über ihn, und er krümmte sich blutend und stöhnend auf der Erde, und dort ließen wir ihn liegen.

«Oswi!» Ich rief nach meinem Diener. «Horn!»

Südwärts waren noch mehr Dänen aufgetaucht, viel mehr, und es war Zeit für den Rückzug. Wir hatten dem Gegner schwere Verluste beigebracht, aber es hatte keinen Sinn, es mit einer Dänenhorde aufzunehmen, die weit in der Überzahl war. Ich wollte einfach nur, dass die Dänen dort blieben, wo sie waren, vom Fluss gefangen, sodass Edward die Armee von Wessex gegen sie führen und sie in die Klingen meiner Männer treiben konnte. Oswi blies immer wieder das Horn, der schrille Klang zog über das Schlachtfeld.

«Zurück!», rief ich. «Alle! Zurück!»

Unser Rückzug verlief reichlich langsam. Wir hatten bei unserem wilden Angriff mindestens dreihundert Männer verletzt oder getötet, sodass überall auf den kleinen Bauernäckern Dänen hingestreckt waren. Die Verletzten lagen in Gräben oder bei Hecken, und dort ließen wir sie. Steapa grinste, was immer ein schreckenerregender Anblick war, seine enormen Zähne entblößt, sein Schwert bluttriefend. «Deine Männer bilden die Nachhut», sagte ich zu ihm, und er nickte. Ich sah mich nach Æthelflæd um und war erleichtert, sie unverletzt zu finden. «Kümmere dich um die Flüchtlinge», sagte ich zu ihr. Die geflüchteten Gefangenen mussten zurückgebracht werden. Ich sah die nackte Frau mit zwei kleinen Kindern an der Hand.

Ich ließ meine Männer am Waldrand Aufstellung nehmen, von wo aus wir unseren Angriff begonnen hatten. Dort warteten wir, die Schilde jetzt in der Hand, die Schwerter glitzernd von Feindesblut, und wir forderten die Dänen zum Angriff heraus, aber ihre Kampfeinheiten waren nicht geordnet, und sie waren geschwächt, und sie wollten keinen Angriff riskieren, bevor sie Verstärkung hatten, und als ich sah, dass die Flüchtlinge sicher Richtung Norden unterwegs waren, rief ich meinen Männern zu, sie sollten sich ihnen anschließen.

Wir hatten fünf Männer verloren; zwei Mercier und drei Westsachsen, aber wir hatten den Gegner schwer getroffen. Finan hatte zwei Gefangene, und ich schickte sie mit den Flüchtlingen voraus. Auf der Brücke drängten sich Pferde und Menschen, und ich blieb mit Steapa zur Bewachung auf der Südseite, bis ich sicher war, dass auch noch der Letzte von unseren Leuten über den Fluss war.

Dann verbarrikadierten wir die nördliche Seite der Brücke, häuften Holzkloben auf die Straße und luden die Dänen ein, zu kommen und sich zwischen den Römerwällen umbringen zu lassen. Aber keiner kam. Sie beobachteten, was wir taten, sie sammelten sich sogar noch zahlreicher auf der westsächsischen Seite der Brücke, aber sie unternahmen keinen Vergeltungsversuch. Ich ließ Steapa und seine Männer als Wache bei der Brückensperre, sicher, dass kein Däne den Fluss überqueren konnte, solange Steapa dort war.

Dann ging ich, um die Gefangenen zu befragen.

Sechs Mercier von Æthelflæd bewachten die beiden Dänen vor dem Zorn einer Menge, die sich auf dem Platz vor dem Kloster Sankt Werburgh versammelt hatte. Als ich kam, trat Stille ein, möglicherweise machte Broga den Leuten Angst, weil sein Maul immer noch blutverschmiert war. Ich glitt aus dem Sattel und ließ Oswi die Zügel nehmen. Immer noch hatte ich Schlangenhauch in der Hand, die Klinge ungewaschen.

Neben dem Kloster war ein Gasthaus, dessen Schild eine Gans zeigte, und ich ließ die beiden Männer dort in den Hof bringen. Sie hießen Leif und Hakon, beide waren noch jung, beide waren verängstigt, und beide versuchten, es sich nicht anmerken zu lassen. Ich ließ die Hoftore schließen und verriegeln. Die beiden standen mitten auf dem Hof, und sechs von uns standen um sie im Kreis. Leif, der keinen Tag älter als sechzehn aussah, konnte den Blick nicht von Schlangenhauchs blutverkrusteter Klinge abwenden. «Ihr habt die Wahl», erklärte ich den beiden. «Ihr könnt meine Fragen beantworten und mit einem Schwert in der Hand sterben oder ihr könnt starrsinnig sein, dann reiße ich euch die Kleider vom Leib und werfe euch nackt den Leuten da draußen vor. Erstens, wer ist euer Herr?»

«Ich diene Jarl Cnut», sagte Leif.

«Und ich diene König Eohric», sagte Hakon mit so verzagter Stimme, dass ich ihn kaum hören konnte. Er war ein kräftiger Bursche mit strohblondem Haar. Er trug ein altes Kettenhemd mit Löchern an den Ellbogen, das ihm zu groß war, und ich vermutete, dass es zuvor seinem Vater gehört hatte. Außerdem trug er ein Kreuz um den Hals, während Leif einen Thorshammer umgehängt hatte.

«Wer führt in eurer Armee den Befehl?», fragte ich.

Beide zögerten. «König Eohric?», meinte Hakon schließlich, aber sicher schien er nicht zu sein.

«Jarl Sigurd und Jarl Cnut», sagte Leif, beinahe ebenso unsicher und in fast demselben Augenblick.

Und das erklärte vieles, dachte ich. «Nicht Æthelwold?», fragte ich.

«Er auch, Herr», sagte Leif. Er zitterte.

«Ist Beortsig bei der Armee?»

«Ja, Herr, aber er dient Jarl Sigurd.»

«Und Jarl Haesten dient Jarl Cnut?»

«Das tut er, Herr», sagte Hakon.

Æthelflæd hat recht, dachte ich. Zu viele Führer und niemand, der den Befehl hatte. Eohric war schwach, aber er war stolz, und er würde sich Sigurd oder Cnut nicht unterstellen, während die beiden wiederum Eohric verabscheuten und ihn dennoch als König behandeln mussten, wenn sie seine Truppen haben wollten. «Und wie groß ist die Armee?», fragte ich.

Keiner der beiden wusste es. Leif glaubte, sie zählte zehntausend Männer, was lachhaft war, während Hakon nur sagte, man habe ihnen versichert, es sei die größte Armee, die jemals die Sachsen angegriffen habe. «Und wohin zieht sie?», fragte ich.

Auch das wussten sie nicht. Man hatte ihnen gesagt, sie würden Æthelwold zum König von Wessex machen und Beortsig zum König von Mercien, und diese beiden Monarchen würden sie mit Landbesitz entlohnen, aber als ich fragte, ob die Armee nach Wintanceaster ginge, sahen sie mich beide vollkommen ausdruckslos an, und mir wurde klar, dass sie den Namen dieser Stadt noch nie auch nur gehört hatten.

Ich ließ Leif von Finan töten. Er starb tapfer und schnell, ein Schwert in der Hand, Hakon aber bettelte darum, mit einem Priester sprechen zu können, bevor er starb. «Du bist Däne», sagte ich zu ihm.

«Und ein Christ, Herr.»

«Verehrt niemand in Ostanglien Odin?»

«Einige, aber nicht viele.»

Das war beunruhigend. Ein paar Dänen traten, wie ich wusste, zum Christentum über, weil es Vorteile brachte. Haesten hatte darauf bestanden, dass seine Frau und seine Töchter getauft wurden, aber nur, weil er damit bessere Vertragsbedingungen von Alfred angeboten bekam, wenn allerdings Offa vor seinem Tod nicht nur Lügen erzählt hatte, war Haestens Frau wahrhaft gläubig. Dieser Tage, wo ich meinen eigenen Tod vor Augen habe und mein hohes Alter die Herrlichkeiten dieser Welt verblassen lässt, sehe ich nur noch Christen. Vielleicht sind im fernen Norden, wo das Eis auch im Sommer nicht schmilzt, noch ein paar Leute übrig, die Thor, Odin und Freya opfern, aber in Britannien weiß ich von keinen mehr. Wir gleiten der Dunkelheit entgegen, der Weltenverwirrung des Ragnarök am Ende der Zeiten, wenn die Meere strudeln und brennen werden und die Erde aufbricht und selbst die Götter sterben werden. Hakon kümmerte es nicht, ob er im Augenblick des Todes ein Schwert in der Hand hielt oder nicht, er wollte nur seine Gebete aufsagen, und während sie aufgesagt wurden, schlugen wir ihm den Kopf ab.

Ich sandte Boten zu Edward, allerdings schickte ich dieses Mal Finan mit, weil ich wusste, dass der König dem Iren zuhören würde, und mit ihm ritten sieben weitere Männer. Sie sollten sich westlich halten, bevor sie die Temes überquerten, und dann so schnell wie möglich Wintanceaster erreichen, oder wo auch immer der König sich aufhielt, und sie überbrachten einen Brief, den ich selbst geschrieben hatte. Die Leute sind immer überrascht, dass ich lesen und schreiben kann, aber Beocca hat es mich gelehrt, als ich ein Kind war, und ich habe die Fähigkeit nie verloren. Alfred hatte selbstredend darauf bestanden, dass alle Herren in seinem Land das Lesen und Schreiben erlernen sollten, doch seit seinem Tod machten sich viele nicht mehr die Mühe, aber ich kann es immer noch. Ich schrieb, dass die Dänen mit zu vielen Führern geschlagen waren, dass sie zu lange knapp südlich der Temes lagerten und dass ich ihre Geschwindigkeit eingeschränkt hatte, indem ich ihnen viele Pferde genommen und sie mit vielen Verletzten zurückgelassen hatte. Kommt nach Cracgelad, drängte ich den König. Nehmt jeden verfügbaren Krieger mit, drängte ich, ruft den Fyrd zusammen und rückt vom Süden aus gegen die Dänen vor, und dann wäre ich der Amboss, auf dem er den Feind zu Blut, Knochen und Rabenfutter zerschmettern konnte. Wenn die Dänen weiterzogen, schrieb ich, würde ich sie vom Norduferer der Temes aus beschatten und ihre Flucht verhindern, aber ich bezweifelte, dass sie die Armee in größerem Umfang verlegen würden. «Wir haben sie in der Hand, Herr König», schrieb ich, «und jetzt müsst Ihr die Faust schließen.»

Und dann wartete ich. Die Dänen rührten sich nicht. Weit im Süden sahen wir die Rauchsäulen, die uns sagten, dass sie nun ein größeres Gebiet von Wessex durchstreiften, aber ihr Hauptlager war weiterhin nur ein kurzes Stück südlich der Brücke von Cracgelad, die wir inzwischen vollkommen gesichert hatten. Niemand konnte über die Brücke, es sei denn, wir erlaubten es. Ich ging jeden Tag hinüber und ritt mit fünfzig oder sechzig Mann zur Erkundung, um sicher zu sein, dass die Dänen noch dort waren, und jedes Mal war ich erstaunt darüber, dass der Gegner es uns so leicht machte. Nachts sahen wir den Schein ihrer Lagerfeuer im Süden, und am Tag beobachteten wir den Rauch, und in vier Tagen änderte sich nichts bis auf das Wetter. Regen kam und ging, der Wind trieb Wellen über den Fluss, und eines Morgens verhüllte früher Herbstnebel die Festungsanlagen, und als er sich verzog, waren die Dänen immer noch da.

«Warum ziehen sie nicht weiter?», fragte Æthelflæd.

«Weil sie sich nicht darüber einigen können, wohin.»

«Und wenn du ihr Anführer wärst», sagte sie, «wohin würden sie dann gehen?»

«Nach Wintanceaster», sagte ich.

«Um es zu belagern?»

«Um es zu erobern», sagte ich, und das war ihr Problem. Sie wussten, dass im Festungsgraben und auf den hohen Wällen Männer sterben würden, aber das war kein Grund, es nicht zu versuchen. Alfreds Wehrstädte hatten seinen Gegnern ein Rätsel aufgegeben, das sie nicht lösen konnten, und ich würde eine Lösung finden müssen, wenn ich Bebbanburg zurückerobern wollte, eine Festung, die gewaltiger war als jede von Alfreds Wehrstädten. «Ich würde nach Wintanceaster gehen», erklärte ich Æthelflæd, «und so lange Männer gegen die Wälle anrennen lassen, bis sie überwunden wären, und dann würde ich Æthelwold dort zum König machen und von den Westsachsen Gefolgschaft verlangen, und dann würden wir auf Lundene marschieren.»

Doch die Dänen taten gar nichts. Stattdessen stritten sie. Wir hörten später, dass Eohric die Armee auf Lundene führen wollte, während Æthelwold einen Angriff auf Wintanceaster für besser hielt, und Cnut und Sigurd waren dafür, über die Temes zurückzukehren und Gleawecestre einzunehmen. Also wollte Eohric Lundene seinem Königreich einverleiben, Æthelwold wollte, was er für sein Geburtsrecht hielt, und Cnut und Sigurd wollten einfach ihr Gebiet südlich über die Temes ausweiten, und ihre Streitereien führten dazu, dass die große Armee unentschlossen auf ein und demselben Fleck verharrte, und ich stellte mir Edwards Boten vor, wie sie zwischen den Wehrstädten unterwegs waren, Krieger zusammenriefen und eine Sachsenarmee aufstellten, die jeden dänischen Einfluss in Britannien für immer auslöschen konnte.

Dann kam Finan mit allen Boten zurück, die ich nach Wintanceaster geschickt hatte. Sie überquerten ein gutes Stück weiter westlich die Temes, schlugen einen Bogen um die Dänen und kamen auf schweißglänzenden und staubbedeckten Pferden in Cracgelad an. Sie brachten einen Brief des Königs. Ein priesterlicher Schreiber hatte ihn geschrieben, aber Edward hatte ihn unterzeichnet, und der Brief trug sein Siegel. Das Schreiben grüßte mich im Namen des Christengottes, dankte mir überschwänglich für meine Botschaft, und dann befahl es mir, Cracgelad augenblicklich zu verlassen und mit allen Streitkräften unter meinem Befehl nach Lundene zu ziehen, um den König zu treffen. Ungläubig las ich die Zeilen. «Hast du dem König gesagt, dass die Dänen am Fluss in der Falle sitzen?», fragte ich Finan.

Finan nickte. «Das habe ich ihm gesagt, aber er will uns in Lundene haben.»

«Versteht er nicht, was das für eine Gelegenheit ist?»

«Er geht nach Lundene, und er will, dass wir uns ihm dort anschließen», sagte Finan einfach.

«Aber warum?» Ich fand keine Antwort auf diese Frage.

Allein konnte ich nichts erreichen. Ich hatte Männer, das stimmte wohl, aber nicht annähernd genügend. Ich brauchte zweitausend oder dreitausend Krieger, die aus dem Süden anrückten, und das würde nun nicht geschehen. Edward brachte seine Armee anscheinend auf einem Weg nach Lundene, der in sicherem Abstand zu jeglichem dänischen Vorreiter verlief. Ich fluchte, aber ich hatte Kö-

nig Edward Gefolgschaft geschworen, und mein Schwur-
herr hatte mir einen Befehl erteilt.

Also entriegelten wir die Falle, ließen die Dänen am Leben und ritten nach Lundene.

König Edward war schon in Lundene und überall auf den
Straßen wimmelte es von Kriegern, jeder Hof wurde als
Stall benutzt, sogar in dem alten römischen Amphitheater
drängten sich die Pferde.

Edward war in dem einstigen mercischen Königspalast.
Lundene gehörte eigentlich zu Mercien, stand aber unter
der Herrschaft von Wessex, seit ich die Stadt für König Alfred erobert hatte. Ich fand Edward in dem großen Römersaal mit den Säulen, dem Kuppelgewölbe, dem abgeplatz-
ten Wandverputz und dem gesprungenen Fliesenboden.
Es wurde eine Ratsversammlung abgehalten, und der König saß zwischen Erzbischof Plegmund und Bischof Erkenwald, und vor ihnen saßen auf Bänken in einem Halbkreis
noch mehr Kirchenvertreter und Aldermänner. Die Banner von Wessex hingen hinten im Saal. Als ich hereinkam,
war eine lebhafte Unterhaltung im Gange, und die Stimmen erstarben, als ich mit lauten Schritten über den be-
schädigten Fliesenboden ging. Winzige Fliesenstückchen
rutschten unter meinen Tritten weg. Einst hatten sie ein
Bild ergeben, aber das hatte sich inzwischen aufgelöst.

«Herr Uhtred», grüßte mich Edward warmherzig,
wenn ich auch eine leichte Unruhe aus seiner Stimme her-
aushörte.

Ich beugte das Knie vor ihm. «Herr König.»

«Willkommen», sagte er, «setzt Euch zu uns.»

Ich hatte mein Kettenhemd nicht reinigen lassen. Angetrocknetes Blut verklebte die Ringelemente, und die

Männer sahen es. Aldermann Æthelhelm befahl, dass ein Stuhl neben seinem aufgestellt wurde, und lud mich ein, dort Platz zu nehmen. «Wie viele Männer bringt Ihr uns, Herr Uhtred?», fragte Edward.

«Steapa ist bei mir», sagte ich, «und wenn ich seine Männer mitzähle, haben wir fünfhundertunddreiundsechzig.» Einige wenige hatte ich bei dem Kampf bei Cracgelad verloren, und andere waren auf dem Weg nach Lundene zurückgefallen, weil ihre Pferde lahmten.

«Bei wie vielen sind wir dann insgesamt?», fragte Edward einen Priester, der an einem Tisch an der Seite des Saales saß.

«Dreitausendvierhundertunddreiundzwanzig Männer, Herr König.»

Offenkundig meinte er nur die Hausmacht, nicht den Fyrd, und es war eine ansehnliche Armee. «Und der Gegner?», fragte Edward.

«Viertausend bis fünftausend Männer, Herr, soweit wir es einschätzen können.»

Diese gekünstelte Unterhaltung wurde offenkundig nur für meine Ohren geführt. Erzbischof Plegmund, das Gesicht wie üblich säuerlich verzogen wie ein geschrumpfter Holzapfel, behielt mich genau im Blick. «Ihr seht also, Herr Uhtred», wandte sich Edward wieder an mich, «wir hatten nicht genügend Männer, um ein Gefecht am Ufer der Temes zu erzwingen.»

«Die Männer von Mercien hätten sich Euch angeschlossen, Herr König», sagte ich. «Gleawecestre ist nicht weit von dort.»

«Sigismund ist von Irland aus gelandet», nahm Erzbischof Plegmund den Faden auf, «und hat Ceaster besetzt. Der Herr Æthelred muss ihn in Schach halten.»

«Von Gleawecestre aus?», fragte ich.

«Von wo aus auch immer es ihm passend erscheint», sagte Plegmund gereizt.

«Sigismund», sagte ich, «ist ein Nordmann, der von den eingeborenen Wilden aus Irland vertrieben wurde, und stellt für Mercien wohl kaum eine Bedrohung dar.» Ich hatte nie zuvor von Sigismund gehört und keine Ahnung, warum er Ceaster besetzt hatte, aber es schien mir eine wahrscheinliche Erklärung.

«Er hat ganze Schiffsmannschaften von diesen Heiden mitgebracht», sagte Plegmund, «eine Heerschar!»

«Das ist nicht unsere Angelegenheit», mischte sich Edward ein, dem der scharfe Ton des letzten Wortwechsels offenkundig nicht behagte. «Unsere Angelegenheit ist es, meinen Cousin Æthelwold zu besiegen. Nun», er sah mich an, «seid Ihr der Meinung, dass unsere Wehrstädte gut gesichert sind?»

«Das hoffe ich, Herr.»

«Und es ist unsere Überzeugung», fuhr Edward fort, «dass der Feind diese Festungen nicht einnehmen kann und sich daher bald zurückziehen wird.»

«Und wir werden gegen ihn kämpfen, wenn er auf dem Rückzug ist», sagte Plegmund.

«Und warum sollten wir dann nicht südlich von Cracgelad gegen ihn kämpfen?», fragte ich.

«Weil die Männer von Cent nicht rechtzeitig genug dorthin gekommen wären», sagte Plegmund, und sein Tonfall verriet, dass ihn meine Frage ärgerte, «und Aldermann Sigelf hat uns siebenhundert Krieger versprochen. Sobald sie bei uns eingetroffen sind», fuhr er fort, «sind wir zum Kampf bereit.»

Edward sah mich erwartungsvoll an und wartete offenkundig auf meine Zustimmung. «Es ist doch gewiss vernünftig», sagte er schließlich, als ich mich nicht äußerte, «abzuwarten, bis wir die Männer von Cent haben? Ihre Verstärkung wird unsere Armee wahrhaft groß machen.»

«Ich habe einen Vorschlag, Herr König», sagte ich respektvoll.

«All Eure Vorschläge sind willkommen, Herr Uhtred», sagte er.

«Ich glaube, dass statt Brot und Wein in der Kirche Ale und alter Käse verteilt werden sollten», sagte ich, «und ich schlage vor, dass die Predigt am Anfang und nicht am Ende des Gottesdienstes gehalten wird, und ich denke, die Priester sollten bei der Messe nackt sein, und …»

«Schweigt!», rief Plegmund.

«Wenn Eure Priester Eure Kriege führen, Herr König», sagte ich, «warum sollten dann nicht Eure Krieger die Kirche führen?» Darauf erklang verhaltenes Gelächter, doch als die Ratsversammlung ihren Fortgang nahm, wurde klar, dass wir ebenso wenig einen Führer hatten wie die Dänen. Die Christen reden davon, dass die Blinden die Blinden führen, und jetzt kämpften die Blinden gegen die Blinden. Alfred hätte solch einen Rat beherrscht, doch Edward schob die Entscheidung auf seine Berater, und Männer wie Æthelhelm waren vorsichtig. Sie wollten lieber warten, bis Sigelfs Truppen aus Cent angekommen waren.

«Warum sind die Männer aus Cent nicht jetzt schon hier?», fragte ich. Cent lag dicht bei Lundene, und in der Zeit, in der ich mit meinen Männern das halbe sächsische Britannien durchquert hatte, war es den Männern von Cent offenbar nicht gelungen, einen Zweitagemarsch zurückzulegen.

«Sie werden kommen», sagte Edward. «Darauf hat mir Aldermann Sigelf sein Wort gegeben.»

«Aber warum kommt er so spät?», bestand ich auf meiner Frage.

«Der Feind ist mit Schiffen nach Ostanglien gefahren», antwortete Erzbischof Plegmund, «und wir haben befürchtet, dass sie auf diesen Schiffen weiter die Küste hinunter nach Cent fahren würden. Also hat es Aldermann Sigelf vorgezogen, so lange abzuwarten, bis er sicher sein konnte, dass diese Gefahr nicht eintreten würde.»

«Und wer führt den Befehl über unsere Armee?», fragte ich und rief damit sichtliche Betretenheit hervor.

Ein paar Wimpernschläge lang herrschte vollkommene Stille. Dann sagte Erzbischof mit bösem Blick: «Unser Herr König befehligt die Armee, wie sich von selbst versteht.»

Und wer führt den Befehl über den König, dachte ich, aber ich sagte es nicht. An diesem Abend schickte Edward nach mir. Es war dunkel, als ich zu ihm kam. Er entließ seine Diener, um mit mir allein zu sein. «Erzbischof Plegmund ist nicht der Armeeführer», sagt er tadelnd und bezog sich damit auf meine letzte Frage in der Versammlung, «aber sein Rat erscheint mir gut.»

«Nichts zu tun, Herr König?»

«All unsere Streitkräfte zusammenzuziehen, bevor wir kämpfen. Und die Ratsmitglieder sind derselben Meinung.» Wir waren in dem großen, im ersten Stockwerk gelegenen Raum, in dem ein großes Bett zwischen zwei Lampenstöcken mit Blendschirmen stand. Edward war an das Fenster getreten, von dem aus man Richtung Westen über die Altstadt schauen konnte, das Fenster, an dem Æthelflæd und ich so oft gestanden hatten. Hinter der Altstadt lag die Neustadt, in der sanfte Lichter schimmerten. Noch weiter im Westen war Dunkelheit, ein schwarzes Land. «Sind die Zwillinge in Sicherheit?», fragte Edward.

«Sie sind in Cirrenceastre, Herr König», sagte ich, «und dort sind sie sicher.» Die Zwillinge, Æthelstan und Eadgyth, waren zusammen mit meiner Tochter und meinem jüngeren Sohn in Cirrenceastre gut behütet. Diese Wehrstadt hatte eine ebenso gute Verteidigungsanlage wie Cracgelad. Fagranforda war niedergebrannt worden, und ich hatte es auch nicht anders erwartet, aber meine Leute waren alle sicher in Cirrenceastre.

«Und der Junge ist gesund?», fragte Edward ängstlich.

«Æthelstan ist ein kräftiges Kind», sagte ich.

«Ich wünschte, ich könnte sie sehen», sagte er.

«Pater Cuthbert und seine Frau kümmern sich um sie», sagte ich.

«Cuthbert ist verheiratet?», fragte Edward überrascht.

«Mit einem sehr hübschen Mädchen.»

«Die arme Frau», sagte Edward, «er wird sie zu Tode schwatzen.» Er lächelte und sah mich unglücklich an, als ich sein Lächeln nicht erwiderte. «Und meine Schwester ist hier?»

«Ja, Herr König.»

«Sie sollte sich um die Kinder kümmern», sagte er streng.

«Versucht ruhig, ihr das zu sagen, Herr König», sagte ich. «Und sie hat Euch fast einhundertundfünfzig mercische Krieger gebracht», fuhr ich fort. «Warum hat Æthelred keinen einzigen geschickt?»

«Er ist wegen der irischen Nordmänner in Sorge», sagte er und zuckte mit den Schultern, als ich höhnisch die Luft ausstieß. «Warum ist Æthelwold nicht tiefer nach Wessex eingedrungen?», fragte er.

«Weil sie keinen Führer haben», sagte ich, «und weil niemand unter seinem Banner kämpfen wollte.» Edward sah mich fragend an. «Ich glaube, sie hatten geplant nach Wessex zu gehen, Æthelwold zum König zu erklären und darauf zu warten, dass sich die Leute dem neuen König unterstellen, aber das hat niemand getan.»

«Und was werden sie jetzt machen?»

«Wenn sie es nicht schaffen, eine Wehrstadt zu erobern», sagte ich, «werden sie dorthin zurückgehen, woher sie gekommen sind.»

Edward drehte sich wieder zum Fenster um. Fledermäuse jagten durch die Dunkelheit, zeigten sich manchmal für winzige Momente in dem Lampenlicht, das aus dem großen Raum fiel. «Es sind zu viele, Herr Uthred», sagte er und meinte die Dänen, «einfach zu viele. Wir müssen sicher sein, dass wir gewinnen können, bevor wir sie angreifen.»

«Wer im Krieg auf Sicherheit wartet, Herr König», sagte ich, «der stirbt beim Warten.»

«Mein Vater hat mich ermahnt, Lundene zu halten», sagte er. «Er hat gesagt, wir sollten die Stadt niemals aufgeben.»

«Und stattdessen Æthelwold den Rest überlassen?», fragte ich säuerlich.

«Er wird sterben, aber wir brauchen Aldermann Sigelfs Männer.»

«Und er bringt siebenhundert?»

«Das hat er versprochen», sagte Edward, «und damit haben wir mehr als viertausend Mann.» Diese Zahl verschaffte ihm Behagen. «Und, wie sich versteht», fuhr er fort, «haben wir jetzt auch Eure Männer und noch die Mercier. Wir werden stark genug sein.»

«Und wer führt bei uns den Oberbefehl?», fragte ich schroff.

Edward sah mich überrascht an. «Ich, selbstredend.»

«Nicht Erzbischof Plegmund?»

Edward straffte sich und sagte abweisend: «Ich habe Berater, Herr Uhtred, und nur ein närrischer König hört sich nicht an, was seine Berater zu sagen haben.»

«Nur ein närrischer König», gab ich zurück, «weiß nicht, welchen Beratern er trauen darf. Und der Erzbischof hat Euch geraten, mir zu misstrauen. Er glaubt, ich bin den Dänen gewogen.»

Edward zögerte, dann nickte er. «Darüber macht er sich Sorgen, das stimmt.»

«Allerdings bin ich bis jetzt, Herr König, der Einzige von Euren Männern, der ein paar von den Bastarden getötet hat. Für einen Mann, dem man nicht vertrauen sollte, ist das ein recht merkwürdiges Verhalten, findet Ihr nicht auch?»

Edward sah mich einfach nur an, dann zuckte er zusammen, weil ein großer Nachtfalter dicht vor sein Gesicht flog. Er rief die Bediensteten, damit sie die Fensterläden schlossen. Irgendwo draußen in der Dunkelheit hörte ich Männer singen. Ein Diener nahm Edward den Umhang von den Schultern, dann hob er ihm die Goldkette über den Kopf und legte sie weg. Hinter dem Eingangsbogen zum Zimmer, dessen Tür offen stand, sah ich ein Mädchen wartend in den tiefen Schatten stehen. Es war nicht Edwards Frau. «Danke, dass Ihr gekommen seid», sagte er, und damit war ich entlassen.

Ich verbeugte mich vor ihm und ging.

Und am nächsten Tag kam Sigelf.

ZWÖLF

Der Streit begann in der Straße unterhalb der großen Kirche, ganz in der Nähe des alten mercischen Palastes, in dem Edward und seine Gefolgschaft untergebracht waren. Die Männer von Cent waren vormittags gekommen, über die Römerbrücke geströmt und unter dem eingestürzten Torbogen hindurch, der durch Lundenes Wallmauer am Fluss führte. Sechshundertundachtundsechzig Männer, geführt von ihrem Aldermann Sigelf und seinem Sohn, Sigebriht, ritten unter den Bannern, die Sigelfs gekreuzte Schwerter und Sigebrihts Bullenschädel mit den blutigen Hörnern zeigten. Sie führten noch Dutzende anderer Flaggen, die meisten mit Kreuzen oder Heiligen, und die Reiter wurden von Mönchen, Priestern und Karren voller Verpflegung begleitet. Nicht alle Krieger Sigelfs waren beritten, mindestens einhundert kamen ohne Pferde, und diese Männer erreichten die Stadt erst lange nach den Reitern.

Edward befahl den Männern aus Cent, sich im östlichen Teil Lundenes Unterkunft zu suchen, aber die Neuankömmlinge wollten die Stadt kennenlernen, und der Streit fing an, als ein Dutzend von Sigelfs Männern in einer Schänke namens Rotes Schwein Ale verlangten. Diese Schänke war bei den Männern von Aldermann Æthelhelm sehr beliebt. Zuerst gerieten die Krieger wegen einer Hure aneinander, dann schlugen sie sich auf der Straße, die den Hügel hinabführte. Mercier, Westsachsen und Männer aus Cent krakeelten auf der Straße, und innerhalb von Minuten wurden Schwerter und Messer gezogen.

«Was geht da vor?» Edward unterbrach die Ratsversammlung und starrte entsetzt aus einem Fenster des Palastes. Er hörte Rufe, das Aneinanderklirren von Schwertern, und er sah tote und verwundete Männer auf der gepflasterten Straße liegen. «Sind das die Dänen?», fragte er erschrocken.

Ich achtete nicht auf den König. «Steapa!», rief ich, rannte die Stufen hinunter und schrie dem Verwalter zu, er solle mir Schlangenhauch bringen. Steapa holte schon seine Männer zusammen. «Du!» Ich packte einen Mann von der Leibwache des Königs am Arm. «Such ein Seil. Ein langes.»

«Ein Seil, Herr?»

«Da sind Zimmerleute, die das Dach des Palastes instand setzen. Sie haben Seile! Hol eins! Sofort! Und bring uns jemanden, der ein Horn blasen kann!»

Ein Dutzend von uns stürmte auf die Straße, aber dort kämpften wenigstens hundert Männer miteinander, und zweimal so viele sahen zu und feuerten sie an. Ich schlug einem Mann die flache Seite meiner Klinge an die Stirn, trat einen anderen zu Boden, brüllte den Kämpfenden zu, sie sollten aufhören, aber sie waren taub für mich. Ein Mann rannte sogar schreiend und mit erhobenem Schwert auf mich zu, dann bemerkte er seinen Irrtum und schwenkte ab.

Der Mann, den ich nach einem Seil geschickt hatte, kam mit einem, an das noch ein schwerer Kübel geknotet war, und ich benutzte den Eimer als Zuggewicht, um das Seil über das Gasthausschild des Roten Schweins zu werfen, das weit über die Straße ragte. «Hol mir einen Mann, ganz gleich welchen, einen von denen, die sich da schlagen», sagte ich zu Steapa.

Er hastete los, während ich eine Schlinge knüpfte. Ein Verwundeter, dem die Därme aus dem Leib hingen, kroch den Hügel hinunter. Eine Frau kreischte. In der Gosse floss mit Ale verdünntes Blut ab. Einer der Männer des Königs kam mit einem Horn zu mir. «Blas es», sagte ich, «und hör nicht auf.»

Steapa zerrte einen Mann zu mir. Wir wussten nicht, ob er aus Wessex oder aus Mercien war, aber darauf kam es auch nicht an. Ich legte ihm die Schlinge um den Hals, schlug ihn ins Gesicht, als er um Gnade bettelte, und zog ihn hoch, sodass er mit strampelnden Beinen in der Luft hing. Der Hornklang tönte immer weiter, beharrlich, unüberhörbar. Ich gab Oswi, meinem Diener, das Ende des Seils in die Hände. «Binde es irgendwo fest», sagte ich, dann drehte ich mich um und brüllte durch die Straße: «Will noch jemand hängen?»

Der Anblick eines Mannes, der sich am Seil windet, während er davon zu Tode gewürgt wird, hat eine höchst beruhigende Wirkung auf eine erregte Menge. Es wurde still auf der Straße. Der König und ein Dutzend weiterer Männer waren am Palasttor aufgetaucht, und viele Kämpfer verbeugten sich ehrfürchtig vor ihnen oder knieten nieder.

«Noch ein solcher Streit», rief ich, «und ihr seid allesamt des Todes!» Ich sah mich nach einem meiner Männer um. «Häng dich dem Bastard an die Füße», sagte ich und deutete auf den Mann am Seil.

«Du hast gerade einen von meinen Leuten getötet», sagte eine Stimme, und als ich mich umdrehte, hatte ich einen schlanken Mann mit einem scharfgeschnittenen

Fuchsgesicht und langen roten Schnurrbartzöpfen vor mir. Er war ein älterer Mann, wohl beinahe schon fünfzig, und sein rotes Haar ergraute an den Schläfen. «Du hast ihn ohne Verhandlung getötet!», sagte er anklagend.

Ich beugte mich über ihn, doch er hielt meinem Blick streitlustig stand. «Ich hänge noch ein Dutzend mehr von Euren Leuten, wenn sie auf der Straße kämpfen», sagte ich, «und wer seid Ihr?»

«Aldermann Sigelf», sagte er, «und Ihr nennt mich Herr.»

«Und ich bin Uhtred von Bebbanburg», sagte ich und wurde mit einem erstaunten Blinzeln belohnt, «und Ihr nennt mich Herr.»

Sigelf zog es vor, nicht mit mir zu streiten. «Sie hätten sich nicht schlagen sollen», räumte er widerstrebend ein. Dann runzelte er die Stirn. «Ihr seid meinem Sohn begegnet, soweit ich weiß?»

«Ich bin Eurem Sohn begegnet», sagte ich.

«Er war ein Dummkopf», sagte Sigelf so scharf, wie sein Gesicht geschnitten war, «jung und dumm. Er hat seine Lektion gelernt.»

«Die Lektion der Untertanentreue?», fragte ich und sah über die Straße, wo sich Sigebriht gerade tief vor dem König verneigte.

«Sie haben dasselbe Weibsbild geliebt», sagte Sigelf, «aber Edward war ein Prinz, und Prinzen bekommen, was sie wollen.»

«Ebenso wie die Könige», sagte ich milde.

Sigelf verstand, was ich damit meinte, und warf mir einen eiskalten Blick zu. «Cent braucht keinen König», sagte er, und versuchte damit offenkundig, das Gerücht zu entkräften, er wolle diesen Thron selbst.

«Cent hat einen König», sagte ich.

«Das haben wir auch gehört», sagte er höhnisch, «aber Wessex muss mehr für uns tun. Jeder verfluchte Nordmann, der mit einem Tritt in den Arsch aus dem Frankenreich verabschiedet wird, taucht an unserer Küste auf, und was tut Wessex? Kratzt sich selbst bloß am Arsch, und dann riecht es an seinen Fingern, während wir leiden.» Er sah zu, wie sich sein Sohn erneut vor Edward verbeugte, und spuckte aus, allerdings war es schwer zu entscheiden, ob der Grund dafür die Unterwürfigkeit seines Sohnes oder die Führung von Wessex war. «Denkt nur daran, was geschehen ist, als Harald und Haesten gekommen sind!», forderte er mich auf.

«Ich habe sie beide besiegt», sagte ich.

«Aber erst, als sie halb Cent geplündert und fünfzig oder mehr Dörfer niedergebrannt hatten. Wir brauchen mehr Verteidigung.» Er funkelte mich wütend an. «Wir brauchen Hilfe!»

«Aber nun seid Ihr hierher gekommen», sagte ich beruhigend.

«Wir helfen Wessex», sagte Sigelf, «obwohl Wessex uns nicht hilft.»

Ich hatte geglaubt, dass die Ankunft der Einheiten aus Cent Edward zum Handeln bringen würde, doch stattdessen wartete er weiter ab. Täglich wurde ein Kriegsrat abgehalten, aber er entschied nichts, abgesehen davon, dass wir weiter abwarten und den Gegner beobachten sollten. Kundschafter wurden ausgeschickt und brachten jeden Tag Berichte, und diese Berichte enthielten nichts anderes, als dass sich die Dänen immer noch nicht bewegt hatten. Ich drängte den König, endlich anzugreifen, aber ich hätte ihn ebenso gut bitten können, zum Mond zu fliegen. Ich flehte ihn an, mich meine eigenen Männer südwärts führen zu lassen, um den Feind auszukundschaften, doch er lehnte ab.

«Er glaubt, du würdest angreifen», erklärte mir Æthelflæd.

«Aber warum greift er nicht selbst an?», fragte ich verzweifelt.

«Weil er Angst hat», sagte sie, «weil er von zu vielen Seiten Ratschläge bekommt, weil er sich davor fürchtet, die falsche Entscheidung zu treffen, weil er nur diese eine Schlacht verlieren muss, und er ist nicht mehr König.»

Wir waren im obersten Stockwerk eines Römerhauses, einem dieser erstaunlichen Gebäude, in dem Treppen von einem Stockwerk zum anderen hinaufführen. Der Mond schien durch ein Fenster herein und durch die Löcher im Dach, wo die Ziegel heruntergefallen waren. Es war kalt, und wir hatten uns in Felle gewickelt. «Ein König sollte sich nicht fürchten», sagte ich.

«Edward weiß, dass er an seinem Vater gemessen wird. Er fragt sich, was unser Vater jetzt tun würde.»

«Alfred hätte mich rufen lassen», sagte ich, «mir zehn Minuten lang eine Predigt gehalten und mir dann die Armee überlassen.»

Sie lag schweigend in meinen Armen und sah zu dem vom Mondlicht durchbrochenen Dach hinauf. «Glaubst du», sagte sie, «dass wir jemals Frieden haben werden?»

«Nein.»

«Ich träume von dem Tag, an dem wir in einem großen Palas wohnen, auf die Jagd gehen, den Sängern zuhören, am Fluss entlangspazieren und niemals Angst vor einem Feind haben müssen.»

«Du und ich?»

«Nur du und ich.» Sie drehte ihren Kopf herum, sodass ihr das Haar über die Augen fiel. «Nur du und ich.»

Am nächsten Morgen erhielt Æthelflæd von Edward den Befehl, nach Cirrenceastre zurückzukehren, eine Anweisung, die sie glatt missachtete. «Ich habe ihm gesagt, er soll dir den Befehl über die Armee geben», sagte sie.

«Und was hat er gesagt?»

«Dass er der König ist und die Armee führt.»

Ihr Ehemann hatte auch Merewalh nach Gleawecestre zurückbefohlen, aber Æthelflæd überzeugte ihn davon, zu bleiben. «Wir brauchen jeden guten Mann», sagte sie, und so war es, aber nicht, damit diese guten Männer hinter den Mauern Lundenes verrotteten. Wir hatten eine ganze Armee dort, und alles, was sie tat, war, Wallmauern zu bewachen und auf die immer gleiche Landschaft davor hinauszublicken.

Wir taten nichts, und die Dänen verheerten Wessex, ohne aber je zu versuchen, eine Wehrstadt zu erstürmen. Die Herbsttage wurden kürzer, und immer noch saßen wir in Lundene, ohne dass eine Entscheidung fiel. Erzbischof Plegmund kehrte nach Contwaraburg zurück, und ich hoffte, seine Abreise würde Edwards Mut stärken, aber Bischof Erkenwald wich dem König nicht von der Seite und riet ihm zur Vorsicht. Ebenso wie Pater Coenwulf, der für Edward die Messen las und der sein wichtigster Berater war. «Es sieht den Dänen nicht ähnlich, die Armee nicht zu verlegen», erklärte er Edward, «daher befürchte ich eine Falle. Lasst sie den ersten Zug machen, Herr König. Sie können schließlich nicht für alle Ewigkeit dort bleiben.» Darin zumindest hatte er recht, denn als aus der Herbstkühle langsam Winter wurde, bewegten sich die Dänen endlich.

Sie waren genauso unentschlossen gewesen wie wir, und nun überquerten sie einfach den Fluss bei Cracgelad und zogen auf demselben Weg ab, auf dem sie gekommen waren. Steapas Kundschafter berichteten uns von ihrem Rückzug, und Tag für Tag erhielten wir Nachricht, dass sie mitsamt den Sklaven, dem Vieh und der Beute zurück nach Ostanglien gingen. «Und wenn sie erst einmal dort sind», erklärte ich vor der Ratsversammlung, «werden die northumbrischen Dänen mit ihren Schiffen nach Hause fahren. Sie haben nichts erreicht, von den vielen Gefangenen und dem Vieh einmal abgesehen, aber auch wir haben nichts erreicht.»

«König Eohric hat den Friedensvertrag gebrochen», betonte Bischof Erkenwald empört, doch welchen Nutzen diese Bemerkung haben sollte, entging mir.

«Er hat versprochen, Frieden mit uns zu halten», sagte Edward.

«Er muss bestraft werden, Herr König», beharrte Erkenwald. «Dieser Vertrag war von der Kirche gesegnet!»

Edward warf mir einen Blick zu. «Und wenn die Northumbrier nach Hause gehen», sagte er, «ist Eohric verwundbar.»

«Falls sie nach Hause gehen, Herr König», gab ich zu bedenken. «Möglicherweise warten sie damit bis zum Frühling.»

«So viele kann Eohric nicht verköstigen», kam es von Aldermann Æthelhelm. «Sie werden nicht lange in seinem Königreich bleiben. Denkt doch nur daran, wie schwer es uns fällt, im Winter eine Armee durchzufüttern.»

«Also wollt Ihr im Winter bei ihm einmarschieren?», fragte ich verächtlich. «Wenn die Flüsse über die Ufer treten, wenn es regnet, und wenn wir durch gefrorenen Schlamm waten müssen?»

«Gott steht auf unserer Seite», erklärte Edward.

Die Armee war nun seit beinahe drei Monaten in Lundene, und die Nahrungsvorräte der Stadt gingen zur Neige. Es stand kein Feind vor den Toren, also wurde immer neue Verpflegung in die Lagerhäuser geschafft, aber das erforderte einen unglaublichen Aufwand an Karren, Ochsen, Pferden und Männern. Und die Krieger selbst waren am Ende ihrer Geduld. Einige schoben den Männern aus Cent die Schuld zu, weil sie so spät gekommen waren, und trotz des Mannes, den ich gehenkt hatte, gab es häufig Auseinandersetzungen mit Dutzenden von Toten. In Edwards Armee herrschten Unzufriedenheit, Unterbeschäftigung und Hunger, doch Bischof Erkenwalds Empörung über Eohrics Verrat an einem von der Kirche gesegneten Bündnis verlieh den Ratsmitgliedern mehr Entschlusskraft und brachte den König endlich dazu, zu handeln. Wochenlang waren die Dänen unserer Gnade ausgeliefert gewesen, und nun, wo sie Wessex verlassen hatten, fasste der Rat mit einem Mal Mut. «Wir müssen den Feind verfolgen», verkündete Edward, «uns zurückholen, was sie uns gestohlen haben, und uns an König Eohric rächen.»

«Wenn wir sie verfolgen», sagte ich mit einem Blick auf Sigelf, «brauchen wir alle Pferde.»

«Wir haben Pferde», sagte Edward.

«Aber nicht alle Männer aus Cent», sagte ich.

Sigelf fuhr auf. Er schien mir ein Mann zu sein, der die geringste Andeutung von Kritik als Beleidigung auffasste, aber er wusste, dass ich recht hatte. Die Dänen waren immer beritten, und eine Armee, die von Fußsoldaten verlangsamt wurde, würde sie niemals einholen oder schnell auf eine Bewegung des Gegners reagieren können. Sigelf warf mir einen finsteren Blick zu, widerstand aber der Versuchung, mir mit einer wütenden Bemerkung zu antworten. Stattdessen sah er den König an. «Könnt Ihr uns Pferde leihen?», fragte er Edward. «Was ist mit den Pferden von der Garnison hier?»

«Das würde Weohstan nicht gefallen», sagte Edward bedrückt. Das Pferd eines Mannes war eines seiner wertvollsten Besitztümer und keines, das leichthin einem Fremden ausgeliehen wurde, der damit in den Krieg zog.

Einen Moment lang herrschte Schweigen, dann sagte Sigelf schulterzuckend: «Also lasst hundert von meinen Männern bei der Garnisontruppe hier bleiben, und Euer, wie hieß er, Weohstan, kann hundert von seinen Reitern mitschicken, um sie zu ersetzen.»

Und so wurde es entschieden. Lundenes Garnison würde der Armee hundert Reiter geben, Sigelfs Männer würden auf den Wällen eingesetzt, und dann würden wir endlich marschieren können. Und so rückte die Armee am nächsten Vormittag durch das Bischop's Gate und das Old Gate von Lundene aus. Wir folgten den Römerstraßen nach Norden und Osten, aber unser Zug konnte kaum eine Verfolgung genannt werden. Einige aus der Armee, die Männer mit Erfahrung, ritten mit leichtem Gepäck, aber zu viele Einheiten hatten Wagen, Diener und Ersatzpferde dabei, und wir konnten von Glück reden, wenn wir in der Stunde drei Meilen hinter uns brachten. Steapa führte die Hälfte der königlichen Truppe als Vorhut, mit dem Befehl, in Sichtweite der Armee zu bleiben, und er murrte, weil man ihn zu solcher Langsamkeit zwang. Mir hatte Edward befohlen, mich bei der Nachhut zu halten, aber ich gehorchte ihm nicht und setzte mich weit vor Steapas

Männer. Æthelflæd und ihre Mercier kamen mit mir. «Ich dachte, dein Bruder hat darauf bestanden, dass du in Lundene bleibst», sagte ich zu ihr.

«Nein», sagte sie, «er hat mir befohlen, nach Cirrenceastre zu gehen.»

«Und warum gehorchst du ihm nicht?»

«Ich gehorche ihm ja», gab sie zurück, «aber er hat nicht gesagt, welchen Weg ich nehmen soll.» Sie lächelte mich an, wollte mich dazu herausfordern, sie wegzuschicken.

«Bleib aber bloß am Leben, Weib», knurrte ich.

«Ja, Herr», sagte sie mit gespielter Demut.

Ich schickte meine Späher weit voraus, doch alles, was sie entdeckten, waren die Hufabdrücke des dänischen Rückzugs. Nichts von alldem, dachte ich, ergab einen Sinn. Die Dänen hatten eine Armee von vermutlich mehr als fünftausend Mann, sie waren durch ganz Britannien gezogen, waren in Wessex eingefallen, und dann hatten sie nichts getan, als die Dörfer auszuplündern. Jetzt zogen sie sich zurück, aber es konnte kaum ein lohnenswerter Sommer für sie gewesen sein. Alfreds Wehrstädte hatten ihre Aufgabe erfüllt und den größten Teil der Reichtümer von Wessex geschützt, dennoch war es nicht dasselbe, ob man die Dänen abwehrte oder ob man sie besiegte.

Lundene liegt an der Grenze zu Ostanglien, und so waren wir am zweiten Tag schon tief in das Gebiet Eohrics vorgedrungen, und Edward erlaubte den Streitkräften, Rache zu nehmen. Die Truppen verteilten sich, plünderten Gehöfte, trieben Vieh zusammen und brannten Dörfer nieder. Unser Vorankommen verlangsamte sich zum Kriechgang, und unsere Anwesenheit wurde durch die hohen Rauchsäulen, die von den brennenden Häusern aufstiegen, noch weit in der Ferne verraten. Die Dänen taten nichts. Sie hatten sich weit hinter die Grenze zurückgezogen, und wir folgten ihnen, kamen aus den Hügeln in die weite ostanglische Ebene. Dieser Landstrich war von feuchten Feldern, weitem Marschland, langen Deichen und trägen Flussläufen geprägt, von Röhricht und Wildvögeln, von Morgennebeln und ewigem Morast, von Regen und bitterkalten Winden, die vom Meer hereinwehten. Straßen waren spärlich und die Wege trügerisch. Ich riet Edward ein ums andere Mal, er solle die Armee zusammenhalten, doch er war zu begierig, Eohrics Land zu verwüsten, und so verteilten sich die Truppen in immer größerem Umkreis, und meine Männer, die weiterhin als Späher vorausritten, hatten Mühe, die Verbindung zu den Truppenteilen zu halten, die sich am weitesten entfernt hatten. Die Tage wurden kürzer, die Nächte wurden kälter, und es gab niemals genügend Bäume, um all die Lagerfeuer zu unterhalten, die wir brauchten, sodass die Männer stattdessen Balken und Stroh von den Gebäuden dazu benutzten, und diese Feuer waren nachts weit über den Landstrich verteilt zu sehen, und dennoch taten die Dänen nichts, um einen Vorteil aus der Zerstreuung unserer Streitkräfte zu ziehen. Wir drangen noch weiter in ihr Reich aus Wasser und Schlamm vor, und trotzdem sahen wir keine Dänen. Wir schlugen einen Bogen um Grantaceaster, wendeten uns Richtung Eleg, und auf den höhergelegenen Landstücken fanden wir riesige Palasbauten mit schwerem Dachgebälk, die dick mit Ried gedeckt waren, das mit hartem, hellen Knacken brannte. Doch die Bewohner dieser Palasgebäude hatten sich schon lange vor uns in Sicherheit gebracht.

Am vierten Tag erkannte ich, wo wir waren. Wir hatten uns auf den Überresten einer Römerstraße gehalten, die pfeilgerade durchs Land führte, und als ich die Gegend westlich davon auskundschaftete, fand ich mich bei der Brücke von Eanulfsbirig wieder. Sie war mit langen, grobbehauenen Holzbalken instand gesetzt worden, die über dem rauchgeschwärzten Mauerwerk der römischen Pfeiler lagen. Ich war auf dem Westufer der Ouse, wo mich Sigurd herausgefordert hatte, und die Straße führte von der Brücke aus nach Huntandon. Ich erinnerte mich an Luddas Bericht von dem höhergelegenen Geländestreifen dort auf der anderen Uferseite. An dieser Stelle hatten mich Eohrics Männer in den Hinterhalt locken wollen, und es schien wahrscheinlich, dass Eohric dies auch jetzt vorhatte. Also schickte ich Finan und fünfzig Männer voraus, damit sie die zweite Brücke bei Huntandon auskundschafteten. Nachmittags kehrten sie zurück. «Hunderte von Dänen», sagte Finan knapp, «und eine Flotte. Sie warten auf uns.»

«Hunderte?»

«Ich konnte nicht über den Fluss, um sie genau zu zählen», sagte er, «jedenfalls nicht, ohne umgebracht zu werden, aber ich habe einhundertunddreiundvierzig Schiffe gesehen.»

«Also Tausende von Dänen», sagte ich.

«Die auf uns warten.»

Ich fand Edward etwas weiter südlich in einem Kloster. Aldermann Æthelhelm und Aldermann Sigelf waren bei ihm, ebenso wie Bischof Erkenwald und Pater Coenwulf, und ich unterbrach sie beim Abendessen, um ihnen die Neuigkeiten mitzuteilen. Es war ein kalter Abend, und feuchter Wind rüttelte an den Fensterläden des Klostersaals.

«Wollen sie den Kampf?», fragte Edward.

«Was sie wollen, Herr», sagte ich, «ist, dass wir dumm genug sind, ihnen den Kampf anzubieten.»

Er sah mich verwirrt an. «Aber wenn wir sie endlich entdeckt haben …», begann er.

«Wir müssen sie niedermachen», erklärte Bischof Erkenwald.

«Sie sind auf dem anderen Ufer eines Flusses, den wir dort nicht überqueren können», erklärte ich. «Es sei denn, wir benutzen die Brücke, die sie verteidigen. Dann werden sie uns einen nach dem anderen abschlachten, bis wir uns zurückziehen, und dann verfolgen sie uns wie Wölfe eine Schafherde. Das ist es, was sie wollen, Herr König. Sie haben den Ort der Schlacht gewählt, und wir wären närrisch, wenn wir diese Wahl annehmen.»

«Der Herr Uhtred hat recht», zischte Aldermann Sigelf. Ich war so überrascht, dass ich schwieg.

«In der Tat», pflichtete ihm Æthelhelm bei.

Offenkundig hätte Edward am liebsten gefragt, was er nun tun solle, aber er wusste, dass ihn solch eine Frage schwach erscheinen lassen würde. Ich sah ihm an, wie er sich andere Möglichkeiten durch den Kopf gehen ließ und war erfreut, als er die richtige erkannte. «Die andere Brücke, von der Ihr gesprochen habt», sagte er, «Eanulfsbirig?»

«Ja, Herr König.»

«Können wir auf ihr zum anderen Ufer?»

«Ja, Herr König.»

«Und wenn wir sie überquert haben, können wir sie zerstören?»

«Ich würde die Brücke überqueren, Herr König», sagte ich, «und auf Bedanford marschieren. Damit würde ich die Dänen einladen, uns dort anzugreifen. Auf diese Art sind wir es, die den Ort der Schlacht bestimmen, nicht sie.»

«Das ist sinnvoll», sagte Edward zögernd und suchte mit den Blicken Unterstützung bei Bischof Erkenwald und Pater Coenwulf. Beide nickten. «Dann werden wir es tun», sagte Edward etwas zuversichtlicher.

«Ich bitte um eine Gunst, Herr König», sagte Sigelf ungewöhnlich demütig.

«Was immer Ihr wünscht», gab Edward gnädig zurück.

«Gestattet Ihr, dass meine Männer die Nachhut bilden, Herr König? Wenn die Dänen angreifen, können meine Schilde sie abwehren, und die Männer von Cent werden die Hauptarmee verteidigen.»

Edward sah ihn nach dieser Bitte zugleich überrascht und erfreut an. «Gewiss», sagte er, «ich danke Euch, Herr Sigelf.»

Und so wurden Boten zu den verstreuten Einheiten geschickt, um sie bei der Brücke von Eanulfsbirig zusammenzurufen. Sie sollten sich beim ersten Tageslicht in Bewegung setzen, und zur gleichen Zeit würden Sigelfs Einheiten aus Cent auf der Straße vorrücken, um sich den Dänen südlich von Huntandon entgegenzustellen. Wir taten genau das Gleiche, was die Dänen getan hatten. Wir waren in das Land eingefallen, hatten es verwüstet, und nun würden wir uns zurückziehen, nur dass dieser Rückzug vollkommen ungeordnet verlief.

Die Dämmerung brachte schneidende Kälte. Raureif lag über den Feldern, und die Gräben waren mit einer Eisschicht überzogen. Ich erinnere mich so gut an diesen Tag, weil der halbe Himmel in strahlendem Blau glänzte, während die andere Hälfte, im Osten, voll dunkler Wolken hing. Es war, als hätten die Götter eine Decke über die halbe Welt gezogen, den Himmel zerteilt, und der Wolkenrand war so gerade wie eine Klinge. Die Wolkenkante wurde von der Sonne versilbert, das Land darunter lag in düsteren Schatten, und über dieses Land kämpften sich Edwards Truppen westwärts. Viele hatten Beute bei sich und wollten auf der Römerstraße weiter, auf der auch Sigelfs Einheiten vorrückten. Ich sah einen liegengebliebenen Karren, auf den ein Mühlstein geladen worden war. Ein Mann schrie seine Krieger an, sie sollten den Karren flicken, und gleichzeitig peitschte er auf das hilflose Ochsengespann ein. Ich war mit Rollo und zweiundzwanzig Männern zusammen, und wir schnitten die Ochsen aus dem Geschirr und schoben den Karren mit seiner unglaublichen Last in den Graben, wo er in das dünne Eis einbrach. «Das ist mein Stein», schrie der wütende Mann.

«Und das ist mein Schwert», knurrte ich zurück, «und jetzt bringt Eure Männer nach Westen.»

Finan hatte die meisten meiner Männer in die Nähe von Huntandon geführt, während ich Osferth befohlen hatte, Æthelflæd mit zwanzig Reitern in sicherer Entfernung westlich über den Fluss zu bringen. Æthelflæd hatte sich meiner Anweisung widerspruchslos gefügt, was mich überraschte. Dann fiel mir ein, dass Ludda von einer anderen Straße gesprochen hatte, die um die weite Flussschleife herum von Huntandon nach Eanulfsbirig führte, und ich berichtete Edward von dieser Straße und schickte Merewalh und seine Mercier los, um dort Wache zu halten. «Die Dänen könnten versuchen, uns den Rückzug abzuschneiden», erklärte ich Edward. «Sie könnten Schiffe flussaufwärts schicken oder diese kleinere Straße nehmen, aber Merewalhs Späher werden sie entdecken, falls sie das versuchen.»

Er hatte genickt. Ich war nicht sicher, ob er genau verstand, was ich sagte, aber er war nun so dankbar für meinen Rat, dass er wohl auch genickt hätte, wenn mein Vorschlag gewesen wäre, er solle Männer zur Bewachung auf die abgewandte Seite des Mondes schicken.

«Ich bin nicht sicher, ob sie wirklich versuchen werden, uns den Rückweg abzuschneiden», erklärte ich dem König, «aber wenn Eure Armee über die Brücke geht, dann soll sie dort halten. Niemand marschiert auf Bedanford, solange wir nicht alle sicher über dem Fluss sind! Bringt die Männer in Kampfstellung. Wenn alle Streitkräfte auf der anderen Uferseite sind, rücken wir zusammen gegen Bedanford vor. Was wir nicht tun, ist, unsere Armee entlang der Straße auseinanderzuziehen.»

Wir hätten alle bis zur Mittagszeit über den Fluss sein sollen, aber es herrschte Unordnung. Einige Truppen wurden vermisst, andere waren so mit Beute beladen, dass sie nur im Schneckengang vorankamen, und Sigelfs Männer waren denjenigen im Weg, die aus der anderen Richtung heranzogen. Die Dänen hätten über den Fluss setzen und uns angreifen sollen, aber stattdessen blieben sie in Huntandon, und Finan hielt sie von Süden aus unter Beobachtung. Sigelf kam erst am Nachmittag bei Finan an. Anschließend stellte er seine Männer entlang der Straße etwa eine halbe Meile südlich des Flusses auf. Es war eine gutgewählte Stellung. Ein verwuchertes Waldstück verbarg einen Teil seiner Männer, die an den Flanken von breiten Streifen Marschland geschützt wurden und von vorn durch einen überfluteten Graben. Wenn die Dänen über die Brücke kamen, konnten sie ihren Schildwall aufstellen, aber um Sigelf anzugreifen, mussten sie den tiefen, überfluteten Graben hinter sich bringen, und dahinter erwarteten sie die Schilde, Schwerter, Äxte und Speere der Männer aus Cent.

«Sie könnten versuchen, einen Bogen um die Marschen zu schlagen, um Euch von hinten anzugreifen», sagte ich zu Sigelf.

«Das ist nicht meine erste Schlacht», knurrte er böse.

Es kümmerte mich nicht, ob ich ihn beleidigte. «Also bleibt Ihr nicht hier, wenn sie die Brücke überqueren», erklärte ich ihm, «Ihr zieht Euch zurück. Und wenn sie nicht über die Brücke kommen, gebe ich Euch Nachricht, wann Ihr Euch wieder unseren Einheiten anschließen sollt.»

«Führt Ihr den Befehl?», fragte er. «Oder Edward?»

«Ich führe ihn», sagte ich, und er sah mich überrascht an.

Sein Sohn, Sigebriht, war Zeuge dieses Wortwechsels und ritt anschließend mit mir nordwärts, als ich versuchte, mir einen Eindruck von den dänischen Einheiten zu verschaffen. «Werden sie angreifen, Herr?», fragte er.

«Ich verstehe in diesem Krieg gar nichts», erklärte ich ihm, «überhaupt nichts. Die Bastarde hätten schon vor Wochen angreifen sollen.»

«Vielleicht fürchten sie uns», sagte er und lachte, was mir seltsam erschien, doch ich schrieb es seiner jugendlichen Torheit zu. Er war wirklich ein Narr, aber ein höchst gutaussehender. Noch immer trug er sein Haar lang, im Nacken mit einem Lederband zusammengenommen, und um seinen Hals hing das rosafarbene Seidenband, auf dem noch schwach der Blutfleck von dem Morgen bei Sceaftesburi zu erkennen war. Sein kostspieliges Kettenhemd war poliert worden, sein goldbesetzter Gürtel schimmerte, und sein Schwert mit dem Kristallknauf steckte in einer Scheide, die mit verschlungenen Drachengestalten aus feingedrehtem Golddraht geschmückt war. Sein Gesicht war kantig, mit strahlenden Augen, und seine Haut von der Kälte gerötet. «Also hätten sie uns angreifen sollen», sagte er, «aber was hätten wir tun sollen?»

«Sie bei Cracgelad angreifen.»

«Warum haben wir es nicht getan?»

«Weil Edward fürchtete, Lundene zu verlieren», sagte ich, «und weil er auf Euren Vater gewartet hat.»

«Er braucht uns», sagte Sigebriht mit offenkundiger Befriedigung.

«Was er gebraucht hätte», sagte ich, «ist eine Versicherung der Gefolgschaftstreue von Cent.»

«Vertraut er uns nicht?», fragte Sigebriht hinterlistig.

«Warum sollte er?», sagte ich wild. «Ihr habt Æthelwold unterstützt und Boten zu Sigurd geschickt. Da versteht es sich, dass er Euch nicht getraut hat.»

«Ich habe mich Edward unterworfen, Herr», sagte Sigebriht demütig. Er warf mir einen Seitenblick zu und beschloss, dass er noch mehr sagen musste. «Ich gestehe alles ein, was Ihr sagt, Herr, aber in der Jugend herrscht Tollheit, nicht wahr?»

«Tollheit?»

«Mein Vater sagt, junge Männer werden betört bis zur Tollheit.» Er schwieg einen Moment lang. «Ich habe Ecgwynn geliebt», sagte er dann wehmütig. «Habt Ihr sie je kennengelernt?»

«Nein.»

«Sie war klein, Herr, wie eine Elfe, und so schön wie die Morgenröte. Sie konnte das Blut eines Mannes zum Kochen bringen.»

«Tollheit», sagte ich.

«Aber sie hat Edward gewählt», sagte er, «und das hat mich irre werden lassen.»

«Und jetzt?», fragte ich.

«Das Herz kann heilen», sagte er gefühlvoll, «es bleibt eine Narbe, aber aus meiner Tollheit ist keine Torheit geworden. Edward ist König, und er war gut zu mir.»

«Und es gibt andere Frauen», sagte ich.

«Gott sei es gedankt, ja», sagte er und lachte wieder.

Ich mochte ihn in diesem Moment. Ich hatte ihm nie getraut, aber er hatte gewiss recht damit, dass es Frauen gibt, die uns in die Tollheit und in die Torheit treiben, und das Herz kann heilen, auch wenn die Narbe bleibt, und dann beendeten wir die Unterhaltung, weil Finan auf uns zugaloppierte und der Fluss vor uns war und wir die Dänen sehen konnten.

Die Ouse war an dieser Stelle breit. Die Wolken waren weiter über den windstillen Himmel gezogen, sodass der Fluss grau und flach vor uns lag. Ein Dutzend Schwäne glitt langsam über das träge Wasser. Mir schien es, als sei die ganze Welt verstummt, sogar die Dänen waren still, obwohl sie da waren, zu Hunderten, zu Tausenden, ihre Banner leuchtend unter der dunklen Wolkenbank. «Wie viele?», fragte ich Finan.

«Zu viele», sagte er, und diese Antwort hatte ich verdient, denn es war unmöglich, die Gegner zu zählen, die von den Häusern der kleinen Stadt verdeckt wurden. Weitere hatten zu beiden Seiten der Stadt am Fluss entlang Aufstellung genommen. Ich sah Sigurds Banner mit dem fliegenden Raben auf einer Erhebung inmitten der Stadt und Cnuts Flagge mit der Axt und dem zerschmetterten Kreuz auf der anderen Seite der Brücke. Es waren auch Sachsen dort, denn Beortsigs Keiler wurde neben Æthelwolds Hirsch geführt. Etwas flussabwärts von der Brücke aus lag eine dänische Flotte dicht an dicht am jenseitigen Ufer, aber nur sieben Schiffe waren mit heruntergelassenem Mast unter die Brücke gebracht worden, was darauf hindeutete, dass die Dänen nicht planten, mit den Schiffen flussauf zu einem Angriff auf Eanulfsbirig vorzustoßen.

«Und warum greifen sie nicht an?», fragte ich.

Kein einziger Däne war über die Brücke gekommen, die, wie sich von selbst versteht, von den Römern erbaut worden war. Manchmal denke ich, wenn die Römer nicht in England eingefallen wären, hätten wir es niemals geschafft, einen Fluss zu überqueren. Am südlichen Flussufer, dort in der Nähe, wo unsere Pferde standen, waren ein verfallenes Römerhaus und einige strohgedeckte Hütten. Diese Stelle hätte sich gut für eine dänische Vorausabteilung geeignet, aber aus irgendeinem Grund waren sie es zufrieden, am Nordufer abzuwarten.

Es begann zu regnen. Es war ein feiner, stechender Regen, und er kam mit Windböen, die um die Schwäne auf dem Fluss leichte Wellen schwappen ließen. Die Sonne stand niedrig im Westen, wo der Himmel immer noch wolkenlos war, sodass es mir schien, als würden das Land auf der anderen Flussseite und die Kampfschilde der Dänen in einer grauen Schattenwelt glühen. Ein gutes Stück weiter nordwärts sah ich Rauchwolken aufsteigen, und das war merkwürdig, denn was immer dort brannte, befand sich auf Eohrics Land, und wir hatten so weit im Norden keine Männer. Vielleicht, dachte ich, war es nur eine Sinnestäuschung durch die Bewölkung oder ein Brand, wie er eben manchmal ausbricht. «Hört Euer Vater auf Euch?», fragte ich Sigebriht.

«Ja, Herr.»

«Dann sagt ihm, wir schicken einen Boten, wenn er mit dem Rückzug anfangen soll.»

«Und bis dahin bleiben wir?»

«Es sei denn, die Dänen greifen an, ja», sagte ich, «und noch eins. Behaltet diese Bastarde im Auge.» Ich deutete auf die dänische Stellung, die sich am westlichsten befand. «Dort ist eine Straße, die um die Flussschleife herumführt, und wenn Ihr entdeckt, dass der Gegner auf dieser Straße vorrückt, gebt Ihr uns Nachricht.»

Er runzelte die Stirn. «Weil sie versuchen könnten, uns den Rückzug abzuschneiden?»

«Ganz genau», sagte ich, erfreut, dass er verstanden hatte, worum es ging, «und falls es ihnen gelingt, die Straße nach Bedanford zu sperren, müssen wir nach vorn und nach hinten gegen sie kämpfen.»

«Und dorthin wollen wir?», fragte er, «nach Bedanford?»

«Ja.»

«Und das liegt im Westen?»

«Ja, im Westen», erklärte ich Sigebriht, «aber Ihr müsst Euch den Weg dorthin nicht alleine suchen. Ihr seid heute Abend wieder bei unserer Armee.» Was ich ihm nicht sagte, war, dass ich die meisten meiner Männer nicht weit hinter den Truppen aus Cent halten ließ. Sigebrihts Vater Sigelf war ein so stolzer Mann und so schwierig im Umgang, dass er mich sofort beschuldigt hätte, ihm nicht zu trauen, wenn er geahnt hätte, dass meine Männer so dicht hinter ihm waren. In Wahrheit wollte ich Huntandon von meinen eigenen Leuten beobachten lassen, und Finan hatte die schärfsten Augen von allen.

Ich ließ Finan an der Straße eine halbe Meile südlich von Sigelf, dann ritt ich mit einem Dutzend Männer zurück nach Eanulfsbirig. Es wurde dämmrig, als ich dort ankam, und endlich kehrte Ordnung ein. Bischof Erkenwald war auf der Straße zurückgeritten und hatte befohlen, dass die langsamsten, schwersten Karren aufgegeben wurden, und Edwards Armee sammelte sich auf den Feldern jenseits des Flusses. Wenn die Dänen angriffen, wären sie gezwungen, über die Brücke zu setzen und geradewegs auf Edwards Armee vorzustoßen, oder sie mussten über die schlechte Straße um die Flussschleife herum vorrücken. «Bewacht Merewalh diese Straße noch, Herr König?», fragte ich Edward.

«Das tut er, und bisher hat er den Gegner dort nicht gesehen.»

«Gut. Wo ist Eure Schwester?»

«Ich habe sie nach Bedanford zurückgeschickt.»

«Und sie hat auf Euch gehört?»

Er lächelte. «Das hat sie!»

Es war nun abzusehen, dass die gesamte Armee, mit Ausnahme meiner Männer und Sigelfs Nachhut, bei Einbruch der Dunkelheit sicher über den Fluss sein würde, und so schickte ich Sihtric zu den beiden Einheiten zurück, mit der Nachricht, dass sie sich so schnell wie möglich zurückziehen sollten. «Sag ihnen, sie sollen zur Brücke kommen und den Fluss überqueren.» Sobald sie das getan hatten, und solange die Dänen nicht versuchten, unsere Flanken zu umgehen, hätten wir uns dem Ort der Schlacht entzogen, den die Dänen ausgesucht hatten. «Und sag Finan, er soll Sigelfs Männer zuerst gehen lassen», erklärte ich Sihtric. Ich wollte, dass Finan die eigentliche Nachhut bildete, denn kein anderer Krieger in der Armee war so verlässlich.

«Ihr seht müde aus, Herr», sagte Edward mitfühlend.

«Ich bin auch müde, Herr König.»

«Es wird zumindest eine Stunde dauern, bis Aldermann Sigelf hier ist», sagte Edward, «also erholt Euch ein wenig.»

Ich sorgte dafür, dass mein Dutzend Männer und ihre Pferde ausruhten, dann aß ich ein armseliges Mahl aus hartem Brot und Bohnenbrei. Es regnete nun stärker, und ein Ostwind ließ den Abend grässlich kalt werden. Der König hatte sein Quartier in einer der Hütten bezogen, die wir halb zerstört hatten, um die Brücke zu verbrennen, aber irgendwo hatten seine Diener ein Stück Segeltuch aufgetrieben, mit dem sie ein behelfsmäßiges Dach aufspannten. In der Kochstelle brannte ein Feuer und ließ wirbelnden Rauch zu der dürftigen Überdachung aufsteigen. Zwei Priester stritten sich leise, als ich mich dicht ans Feuer setzte. An der Wand hatten sie einige wertvolle Kästchen gestapelt, die mit Silber, Gold und Kristall besetzt waren und die Reliquien enthielten, die der König mit auf den Kriegszug nahm, um sich das Wohlwollen seines Gottes zu sichern. Die Priester konnten sich nicht darüber einigen, ob eines der Reliquiare einen Splitter der Arche Noah oder einen Zehennagel Sankt Patricks enthielt. Ich beachtete sie nicht.

Ich war kurz davor einzuschlafen und dachte, wie eigenartig es war, dass all diese Menschen, die in den letzten drei Jahren mein Leben beeinflusst hatten, nun an ein und demselben Ort oder in der Nähe dieses Ortes waren. Sigurd, Beortsig, Edward, Cnut, Æthelwold, Æthelflæd, Sigebriht, alle hatten sich in dieser kalten, feuchten Ecke Ostangliens eingefunden, und das war gewiss bedeutsam. Die drei Nornen verwoben die Schicksalsfäden miteinander, und dahinter musste eine Absicht stehen. Ich suchte nach einem Muster in dieser Weberei, doch ich fand keines, und dann verschwammen meine Gedanken, als ich in einen Dämmerschlaf fiel. Ich erwachte, als sich Edward durch die niedrige Tür hereinduckte. Draußen herrschte nun Dunkelheit, pechschwarze Dunkelheit. «Sigelf zieht sich nicht zurück», sagte er mit klagender Stimme zu den beiden Priestern.

«Herr König?», fragte einer der beiden.

«Sigelf ist starrsinnig», sagte der König und hielt die Hände über das Feuer, um sich aufzuwärmen. «Er bleibt, wo er ist! Ich habe ihm den Rückzug befohlen, aber er tut es nicht.»

«Er tut *was* nicht?», fragte ich, mit einem Mal vollkommen wach.

Edward wirkte bestürzt, als er mich nun wahrnahm. «Es geht um Sigelf», sagte er, «er beachtet meine Boten nicht! Ihr habt ihm auch einen Mann geschickt, nicht wahr? Und ich habe noch fünf weitere gesandt! Fünf! Aber sie sind alle zurück und berichten mir, dass er den Rückzug verweigert! Er sagt, es ist zu dunkel, und er wartet, bis es hell wird, aber Gott weiß, dass er das Leben seiner Männer aufs Spiel setzt. Die Dänen werden beim ersten Tageslicht handeln.» Er seufzte. «Gerade habe ich noch einen Mann mit dem Befehl losgeschickt, dass er sich zurückziehen muss.» Stirnrunzelnd hielt er inne. «Ich habe doch recht, nicht wahr?», fragte er mich, um eine Bestätigung zu bekommen.

Ich antwortete nicht. Ich schwieg, weil ich schließlich erkannte, was die Nornen taten. Ich erkannte das Muster, in dem sie all unsere Lebensfäden verwebten, und verstand, endlich, diesen Krieg, der alles Begreifen übersteigt. Entsetzen muss auf meiner Miene gestanden haben, denn Edward starrte mich wortlos an. «Herr König», sagte ich, «befehlt der Armee, über die Brücke zurückzukommen und sich dann Sigelf anzuschließen. Versteht Ihr?»

«Ihr wollt, dass ich …», begann er verwirrt.

«Die gesamte Armee!», brüllte ich. «Jeder Mann! Sie sollen zu Sigelf stoßen. Jetzt!» Ich schrie ihn an, als wäre er mein Untergebener und nicht mein König, denn wenn er mir jetzt nicht gehorchte, würde er nicht mehr viel länger König sein. Möglicherweise war es schon zu spät, aber ich hatte keine Zeit, ihm alles zu erklären. Ein Königreich musste gerettet werden. «Sie sollen sich sofort in Bewegung setzen», knurrte ich ihn an, «auf demselben Weg zurück, auf dem wir gekommen sind. Zurück zu Sigelf. Und schnell!»

Und ich hastete zu meinem Pferd.

Ich nahm meine zwölf Männer. Wir führten die Pferde über die Brücke, stiegen auf und folgten der Straße nach Huntandon. Es herrschte tiefste Nacht, es war finster und kalt, der Wind blies uns Regen ins Gesicht, und wir konnten nicht schnell reiten. Ich weiß noch, wie Zweifel in mir aufstiegen. Wenn ich mich nun irrte? Wenn ich mich irrte, führte ich Edwards Armee zurück auf das Schlachtfeld, das die Dänen ausgesucht hatten. Ich ließ sie in der Flussschleife stranden, womöglich mit Dänen zu beiden Seiten, doch dann widerstand ich dem Zweifel. Nichts hatte einen Sinn ergeben, und nun ergab alles Sinn, alles bis auf die Feuer, die weiter im Norden gebrannt hatten. Am Nachmittag hatte es eine Rauchwolke gegeben, nun nahm ich, durch den glühenden Widerschein an den niedrighängenden Wolken, drei riesige Brände wahr. Weshalb sollten die Dänen einen Palas oder Dörfer in König Eohrics Land niederbrennen? Ein weiteres Rätsel, aber keines, um das ich mir Sorgen machte, denn die Brände waren weit weg, weit jenseits von Huntandon.

Nach einer Stunde rief uns ein Späher an. Es war einer meiner eigenen Männer, und er führte uns dorthin, wo Finan in einem Wäldchen Stellung bezogen hatte. «Ich habe mich nicht zurückgezogen», erklärte Finan, «weil sich Sigelf nicht von der Stelle rührt. Gott weiß, warum.»

«Erinnerst du dich noch daran, wie wir in Hrofeceastre waren?», fragte ich ihn. «Zu dem Gespräch mit Bischof Swithwulf?»

«Ich erinnere mich.»

«Was haben sie dort auf die Schiffe geladen?»

Es herrschte einen Moment Stille, als Finan die Bedeutung meiner Worte aufging. «Pferde», sagte er ruhig.

«Pferde für das Frankenreich», sagte ich, «und Sigelf kommt nach Lundene und behauptet, nicht genügend Pferde für seine Männer zu haben.»

«Und jetzt bilden hundert von seinen Männern einen Teil der Garnisonsbesatzung von Lundene», sagte Finan.

«Und sind darauf vorbereitet, die Tore zu öffnen, wenn die Dänen kommen», fuhr ich fort, «weil Sigelf ein Schwurmann von Æthelwold ist, oder von Sigurd oder wer immer ihm den Thron von Cent versprochen hat.»

«Jesus und Joseph», fluchte Finan.

«Und die Dänen waren keineswegs unentschlossen», sagte ich, «sie haben darauf gewartet, dass ihnen Sigelf Gefolgschaft schwört. Nun haben sie seinen Schwur, und der Bastard aus Cent zieht sich nicht zurück, weil er darauf wartet, dass sich die Dänen mit seiner Einheit zusammenschließen, und das haben sie vielleicht auch schon getan, und sie denken, wir ziehen westwärts, während sie nach Süden abrücken, und dann werden Sigelfs Männer die Stadttore von Lundene öffnen, und die Stadt wird fallen, während wir in Bedanford auf die Earslings warten.»

«Und was tun wir jetzt?», fragte Finan.

«Sie aufhalten natürlich.»

«Wie?»

«Indem wir die Seiten wechseln natürlich.»

Wie auch sonst?

DREIZEHN

Der Zweifel schwächt den Willen. Angenommen, ich irrte mich? Angenommen, Sigelf war einfach nur ein dickköpfiger, dummer alter Mann, der wirklich glaubte, es wäre zu dunkel für den Rückzug? Doch obwohl diese Zweifel an mir nagten, rückte ich weiter vor und führte meine Männer östlich um das Marschland herum, das die rechte Flanke von Sigelfs Stellung abgrenzte.

Der Wind war schneidend, die Nacht war eisig, der Regen heimtückisch und die Dunkelheit vollkommen, und wenn die Lagerfeuer der Einheiten aus Cent nicht gewesen wären, hätten wir uns mit Sicherheit verlaufen. Eine Reihe von Feuern zeigte Sigelfs Stellung an, und nördlich davon waren noch mehr, was mir verriet, dass schließlich doch einige Dänen über den Fluss gekommen waren und in den Hütten um das alte Römerhaus Schutz vor dem Wetter gesucht hatten. Die rätselhaften großen Brände, der enorme Widerschein lodernder Bauten zeigte sich weiterhin im Norden, und diese drei Feuer konnte ich mir nicht erklären.

So vieles überstieg das Begreifen, nicht nur die Brände in der Ferne. Einige Dänen waren über den Fluss gekommen, aber die Lagerfeuer auf dem Nordufer zeigten, dass die meisten in Huntandon geblieben waren, und das war merkwürdig, wenn sie planten, nach Süden vorzurücken. Sigelfs Männer waren noch dort, wo ich sie verlassen hatte, und das bedeutete, dass es zwischen seinen Männern und den nächsten Dänen eine Lücke gab, und diese Lücke bot mir eine Möglichkeit.

Unsere Pferde hatten wir in einem Wald angebunden zurückgelassen, und meine Männer zogen zu Fuß mit ihren Schilden und Waffen weiter. Die Feuer leiteten uns, doch lange waren wir so weit vom nächsten Lichtpunkt entfernt, dass wir den Boden nicht vor den Füßen sehen konnten und stolperten, fielen, uns weiterquälten, durch Sumpfstellen wateten und so unseren Weg durch das Marschland erzwangen. Wenigstens einmal stand ich bis zur Hüfte im Wasser, der Schlamm haftete an meinen Stiefeln, das Gebüsch ließ mich straucheln, während aufgeschreckte Vögel mit Warnrufen in die schwarze Nacht aufstiegen, und dieser Lärm, dachte ich, musste unseren Gegnern zeigen, dass wir auf ihrer Flanke waren, doch sie schienen nichts zu bemerken.

Manchmal liege ich wach in den langen Nächten des Alters und denke an die aberwitzigen Dinge, die ich getan habe, an die Gefahren, weil ich mit dem Schicksal gewürfelt und die Götter herausgefordert habe. Ich erinnere mich an den Angriff auf die Festung von Beamfleot oder den Kampf mit Ubba oder daran, wie ich den Hügel von Dunholm hinaufschlich, doch kaum eine von diesen irrsinnigen Unternehmungen konnte es mit dieser kalten, regnerischen Nacht in Ostanglien aufnehmen. Ich führte einhundertunddreißig Männer durch die winterliche Finsternis, und wir griffen zwischen zwei gegnerischen Verbänden an, die zusammengenommen mindestens viertausend Mann ausmachten. Wenn wir entdeckt würden, wenn wir angegriffen würden, wenn wir geschlagen würden, bliebe uns kein Fluchtweg und kein Versteck außer unseren Gräbern.

Ich hatte all meine Dänen in die Vorhut gestellt. Männer wie Sihtric und Rollo, deren Muttersprache Dänisch war,

Männer, die zu mir gekommen waren, nachdem sie ihre Herren verloren hatten, Männer, die mit mir verschworen waren, selbst wenn wir gegen andere Dänen kämpften. Ich hatte siebzehn solche Männer, und ihnen stellte ich mein Dutzend Friesen zur Seite. «Wenn wir angreifen», hatte ich ihnen eingeschärft, «dann ruft ihr ‹Sigurd›!»

«Sigurd», sagte einer von ihnen.

«Sigurd!», wiederholte ich. «Sigelfs Männer müssen denken, wir wären Dänen.» Die gleiche Anweisung gab ich meinen Sachsen. «Ihr brüllt ‹Sigurd›! Das ist euer Schlachtruf, bis das Horn geblasen wird. Ihr brüllt und ihr tötet, aber haltet euch bereit zum Rückzug, wenn der Hornklang kommt.»

Es würde ein Tanz mit dem Tod werden. Aus irgendeinem Grund musste ich an Ludda denken, der in meinen Diensten niedergemetzelt worden war, und wie er mir erzählt hatte, dass alle Zauberei darin besteht, jemanden etwas Bestimmtes denken zu lassen, während in Wahrheit etwas anderes geschieht. «Ihr zieht ihre Aufmerksamkeit auf Eure rechte Hand, Herr», hatte er einmal zu mir gesagt, «während Ihr ihnen mit der linken den Beutel stehlt.»

Also würde ich die Männer von Cent jetzt glauben lassen, sie wären von ihren Verbündeten verraten worden, und wenn der Plan aufging, hoffte ich, sie in gute Männer von Wessex zurückverwandeln zu können. Und wenn er scheiterte, dann würde Ælfadells Prophezeiung wahr werden, und Uhtred von Bebbanburg würde in diesem elendigen Wintersumpf sterben, und mit mir würde ich die meisten meiner Männer in den Tod reißen. Und wie sehr ich diese Männer liebte! Selbst in dieser erbärmlich kalten Nacht, in der wir in einen verzweifelten Kampf zogen, waren sie voller Eifer. Sie vertrauten mir, wie ich ihnen vertraute. Gemeinsam würden wir uns Ruhm erwerben, wir würden die Männer in jedem Palas Britanniens dazu bringen, die Geschichte von unserer Heldentat zu erzählen. Oder von unserem Sterben. Sie waren Freunde, sie waren Schwurmänner, sie waren jung, sie waren Krieger, und mit solchen Männern wäre es vielleicht sogar möglich, die Tore von Asgard selbst zu erstürmen.

Es schien eine Ewigkeit zu dauern, bis wir dieses kurze Stück durch das Marschland hinter uns gebracht hatten. Immer wieder sah ich unruhig nach Osten und hoffte dabei, dass die Morgendämmerung noch nicht kam, dann wieder sah ich nordwärts und hoffte, dass sich die Dänen Sigelfs Männern noch nicht anschlossen. Als wir uns ihrer Stellung näherten, sah ich zwei Reiter auf der Straße, und das nahm mir meine Zweifel. Boten ritten zwischen den beiden Lagern hin und her. Die Dänen, so vermutete ich, warteten auf das erste Tageslicht, bevor sie die Hütten von Huntandon verließen und nach Süden zogen, doch wenn sie sich erst einmal in Bewegung gesetzt hatten, wären sie schnell in Lundene. Es sei denn, wir hielten sie auf.

Und dann, endlich, waren wir ganz dicht bei Sigelfs Lagerfeuern. Seine Männer schliefen oder saßen bei den wärmenden Flammen. Ich hatte den Graben vergessen, der sie schützte, und schlitterte mit klapperndem Schild hinein. Knirschend brach die Eisschicht, als ich im Wasser aufkam. An der centischen Linie bellte ein Hund, und ein Mann blickte kurz in unsere Richtung, sah aber nichts, was ihn beunruhigte. Ein anderer Mann schlug den Hund, und jemand lachte.

Leise befahl ich vier von meinen Männern zu mir in den Graben. Dort standen sie, bildeten eine Linie und halfen den anderen die tückische, schlüpfrige Schräge hinunter, durch das Wasser und auf der anderen Seite wieder hinauf. In meinen Stiefeln schmatzte das Wasser, als ich aus dem Graben stieg. Ich kauerte mich tief hin, während meine Männer den Graben überquerten und eine Kampflinie bildeten. «Schildwall», zischte ich meiner Vorhut aus Dänen und Friesen zu. «Osferth?»

«Herr?»

«Du weißt, was du zu tun hast.»

«Ja, Herr.»

«Dann tu's.»

«Ich hatte Osferth beinahe die Hälfte meiner Männer und sorgfältige Anweisungen gegeben. Er zögerte. «Ich habe für Euch gebetet, Herr», sagte er.

«Dann hoffen wir, dass deine verdammten Gebete wirken», flüsterte ich und berührte den Thorshammer, den ich um den Hals trug.

Meine Männer bildeten einen Schildwall. Jeden Augenblick, so dachte ich, würde uns jemand entdecken, und die Gegner, denn in diesem Moment waren Sigelfs Männer unsere Gegner, würden ihren eigenen Schildwall aufstellen und uns vierfach oder fünffach überlegen sein, doch der Sieg kommt nicht zu Männern, die auf ihre Ängste hören. Mein Schild berührte den von Rollo, und ich zog Schlangenhauch. Seine lange Klinge fuhr seufzend die Kehle der Schwertscheide hinauf. «Sigurd!», zischte ich. Dann lauter: «Vorwärts!»

Wir griffen an. Beim Voranstürmen brüllten wir den Namen unseres Gegners. «Sigurd!», schrien wir. «Sigurd! Sigurd!»

«Töten!», rief ich auf dänisch. «Töten!»

Wir töteten. Wir töteten Sachsen, Männer von Wessex, wenn sie auch in dieser Nacht von ihrem Aldermann dazu verführt worden waren, in den Diensten der Dänen zu kämpfen, doch wir töteten sie, und von diesem Tage an hat es immer Gerüchte über das gegeben, was wir in jener Nacht taten. Ich bestreite diese Gerüchte, das versteht sich, doch nur wenige glauben mir. Zuerst war das Töten leicht. Die Männer von Cent schliefen noch halb, wurden überrascht, ihre Späher hatten im Süden gestanden, statt nach Gegnern im Norden Ausschau zu halten, und wir hieben und hackten uns bis tief in ihr Lager hinein. «Sigurd!», rief ich und rammte Schlangenhauch in einen erwachenden Mann, dann beförderte ich ihn mit einem Fußtritt in ein Lagerfeuer und hörte ihn schreien, während ich die Klinge zum Hieb gegen einen Jüngling zurückschwang, und unsere Angriffsspitze nahm sich nicht die Zeit, die Männer, die wir verletzten endgültig zu töten, sondern überließ diese Aufgabe der zweiten Reihe unserer Krieger. Wir verkrüppelten die Männer von Cent, verwundeten sie, machten sie nieder, und unsere zweite Reihe stach mit dem Schwert oder Speer auf sie ein, und ich hörte Männer um Gnade flehen, rufen, dass sie auf unserer Seite waren, und ich brüllte unseren Kampfruf nur noch lauter. «Sigurd! Sigurd!»

Dieser erste Angriff brachte uns bis zum zweiten Drittel ihres Lagers. Männer flohen vor uns. Ich hörte einen Mann mit dröhnender Stimme rufen, sie sollten einen Schildwall aufstellen, aber unter Sigelfs Männern war kopfloses Entsetzen ausgebrochen. Ich sah einen Mann, der seinen Schild aus einem Stapel herausziehen wollte. Verzweifelt zerrte er an den Lederschlaufen und starrte uns mit schreckgeweiteten Augen entgegen. Dann ließ er den Schild los und rannte. Ein Speer flog in einem Bogen durch das Licht eines Lagerfeuers und verschwand hinter meiner Schulter. Unser Schildwall hatte seinen Zusammenhalt verloren, aber den brauchte er nicht, denn die Gegner zerstreuten sich. Es konnte nur noch wenige Momente dauern, bis sie erkannten, wie lächerlich klein meine Angriffstruppe war, aber dann bewiesen die Götter, dass sie auf unserer Seite waren, denn Aldermann Sigelf galoppierte uns entgegen. «Wir sind mit euch!», rief er. «Herr im Himmel, ihr verdammten Narren, wir sind mit euch!»

Die Wangenstücke meines Helmes waren geschlossen. Wir trugen kein Banner, denn das hatte ich Osferth mitgegeben. Sigelf hatte keine Vorstellung, wer wir waren, wenn er auch zweifellos meinen prächtigen Helm bemerkte und die feingeschmiedeten Glieder meines schlammbespritzten Kettenhemdes. Ich hob mein Schwert und hielt damit meine Männer an.

Sigelf bebte vor Zorn. «Ihr verdammten Narren», knurrte er. «Wer seid ihr?»

«Seid Ihr auf unserer Seite?», fragte ich.

«Wir sind mit Jarl Sigurd verbündet, du verdammter Narr, und das kostet dich deinen Kopf!»

Ich lächelte, wenn er es auch hinter dem glänzenden Stahl meiner Wangenstücke nicht sehen konnte. «Herr», sagte ich demütig, dann ließ ich Schlangenhauch auf das Maul seines Pferdes niederfahren, und das Tier bäumte sich auf, schrie, schleuderte blutigen Schaum in die Nacht, und Sigelf fiel rücklings aus dem Sattel. Ich zerrte ihn in den Schlamm, schlug dem Pferd aufs Hinterteil, damit es blind vor Schmerz auf die Männer des Aldermanns zuraste, dann trat ich Sigelf ins Gesicht, als er aufzustehen versuchte. Ich stellte meinen rechten Stiefel auf seine magere Brust und hielt ihn damit auf dem Boden fest. «Ich bin Uhtred», sagte ich, aber so leise, dass nur Sigelf allein es hören konnte. «Hörst du, Verräter? Ich bin Uhtred.» Und ich sah, wie sich seine Augen weiteten, bevor ich ihm das Schwert tief in seine dürre Kehle stieß, sodass sein Schrei zu einem Gurgeln wurde und das Blut weit über den feuchten Boden spritzte und er zuckend und zitternd starb.

«Horn!», rief ich Oswi zu. «Jetzt!»

Das Horn wurde geblasen. Meine Männer wussten, was sie zu tun hatten. Sie wandten sich zum Marschland um, zogen sich in die Dunkelheit jenseits der Feuer zurück, und als sie dabei waren, erklang ein zweites Horn, und ich sah Osferth einen Schildwall aus dem Wald heranführen. Mein Banner mit dem Wolfskopf und Osferths verkohltes Kreuz wurden über der Mauer aus Schilden getragen. «Männer von Cent!», rief Osferth. «Männer von Cent, Euer König kommt, um euch zu retten! Zu mir! Zu mir! Sammelt euch um mich!»

Osferth war der Sohn eines Königs, und seine gesamte Abstammung lag in seiner Stimme. In einer Nacht von Kälte, Verwirrung und Tod klang er selbstbewusst und sicher. Männer, die gesehen hatten, wie ihr Aldermann niedergemacht wurde, die sein Blut im Lichtkreis eines Lagerfeuers hatten emporquellen sehen, gingen auf Osferth zu und reihten sich in seinen Schildwall ein, weil er ihnen Sicherheit versprach. Meine Männer dagegen zogen sich in die Schatten zurück, dann schlugen sie einen Bogen und schlossen sich Osferths rechter Flanke an. Ich zog meinen Helm ab und warf ihn Oswi zu, dann ging ich mit langen Schritten den anwachsenden Schildwall ab. «Edward hat uns geschickt, um euch zu retten!», rief ich den Männern aus Cent zu. «Die Dänen haben euch betrogen! Der König kommt mit seiner gesamten Armee! Stellt euch auf, Schilde hoch!»

Am Osthimmel zeigte sich ein grauer Rand. Es regnete noch, aber nun würde es bald hell werden. Ich sah nach Norden und entdeckte Reiter. Die Dänen mussten sich gefragt haben, warum Schlachtenlärm und Hornsignale durch die Nacht klangen, und einige ritten über die Straße heran, um selbst nachzusehen, und was sie sahen, war ein immer stärker werdender Schildwall. Sie sahen mein Banner mit dem Wolfskopf, sie sahen Osferths geschwärztes Kreuz, und sie sahen Tote zwischen den zertrampelten Lagerfeuern liegen. Sigelfs führungslose Männer waren immer noch fassungslos und wussten ebenso wenig wie die Dänen, was gerade vor sich ging, aber unser Schildwall bot Sicherheit, und sie nahmen ihre Schilde auf, ihre Helme und Waffen, und hasteten voran, um sich einzureihen. Finan und Osferth wiesen ihnen Plätze zu. Ein großer Mann ohne Helm und mit einem Schwert in der Hand eilte auf mich zu. «Was ist los?»

«Wer seid Ihr?»

«Wulferth», sagte er.

«Und wer ist Wulferth?», fragte ich mit vollkommen ruhiger Stimme. Er war ein Thegn, einer von Sigelfs reicheren Gefolgsleuten, und er hatte dreiundvierzig Männer nach Ostanglien gebracht. «Euer Herr ist tot», sagte ich, «und gleich werden uns die Dänen angreifen.»

«Wer seid Ihr?»

«Uhtred von Bebbanburg», sagte ich, «und Edward rückt mit der Armee an. Wir müssen den Dänen standhalten, bis der König bei uns ist.» Ich nahm Wulferth am Ellbogen und führte ihn Richtung Westen zu dem Streifen Marschland auf der linken Seite unserer Verteidigungsstellung. «Lasst Eure Männer hier antreten», sagte ich, «und kämpft für Euer Land, für Cent, für Wessex.»

«Für Gott!», rief Osferth herüber.

«Meinetwegen auch für Gott», sagte ich.

«Aber …», setzte Wulferth an, der immer noch nicht begriff, was in dieser Nacht geschehen war.

Ich sah ihm in die Augen. «Für wen wollt Ihr kämpfen? Für Wessex oder für die Dänen?»

Er zögerte. Nicht, weil er unsicher war, was er antworten sollte, sondern weil sich gerade alles änderte und er nicht verstand, was vorging. Er hatte nach Süden auf Lundene marschieren wollen, und nun wurde er zum Kämpfen aufgefordert.

«Nun?», drängte ich ihn.

«Wessex, Herr.»

«Dann kämpft gut», sagte ich. «Ihr seid für diese Flanke verantwortlich. Stellt Eure Männer auf und sagt ihnen, dass der König schon auf dem Weg ist.»

Von Sigebriht hatte ich beim Kampf nichts gesehen, doch als das erste schwache Tageslicht über den Osthimmel kroch, sah ich ihn von Norden näher kommen. Er war zweifellos bei den Dänen gewesen, hatte zweifellos in aller Wärme und Bequemlichkeit geschlafen, die Huntandon zu bieten hatte, und nun saß er auf dem Pferd und hinter ihm führte ein Mann die Flagge mit dem Bullenschädel. «Oswi!», rief ich. «Such mir ein Pferd! Finan! Sechs Männer, sechs Pferde! Wulferth!», ich drehte mich wieder zu dem Thegn um.

«Herr?»

«Sucht Sigelfs Banner und lasst es einen Mann neben meinem Banner tragen.»

In dem Wald hinter unserer Stellung hatten die Männer aus Cent viele Pferde angebunden. Oswi brachte mir eines davon, fertig gesattelt, und ich zog mich hinauf, drückte dem Tier die Fersen in die Flanken und ritt auf Sigebriht zu, der etwa fünfzig oder sechzig Schritt entfernt angehalten hatte. Er und sein Flaggenträger wurden von fünf weiteren Männern begleitet, von denen ich keinen kannte. Ich befürchtete, dass die Männer von Cent zu der Flagge mit dem Bullenschädel laufen könnten, aber glücklicherweise ließ der Regen sie schlaff und unansehnlich herunterhängen.

Erst dicht vor Sigebriht zügelte ich mein Pferd. «Willst du dir einen Namen machen, Junge?», forderte ich ihn heraus. «Dann töte mich jetzt.»

Er sah an mir vorbei zu den Truppen seines Vaters, die sich zum Kampf bereitmachten. «Wo ist mein Vater?», fragte er.

«Tot», sagte ich und zog Schlangenhauch. «Diese Klinge hat ihn umgebracht.»

«Dann bin ich Aldermann», sagte er und atmete tief ein, und ich wusste, dass er zu den Männern seines Vaters hinüberrufen wollte, sie dürften ihren Treueid nicht brechen, aber bevor er noch einen Ton herausbrachte, hatte ich mein Pferd vorangetrieben und das Schwert gehoben.

«Sprich lieber mit mir, Junge», sagte ich und ließ Schlangenhauch dicht vor seiner Kehle schweben, «und nicht mit denen dort.»

Finan war an meine Seite gekommen, und noch fünf weitere Männer von mir hielten sich dicht hinter uns.

Sigebriht fürchtete sich, aber er zwang sich zur Tapferkeit. «Ihr werdet alle sterben», sagte er.

«Vermutlich», stimmte ich ihm zu, «aber wir nehmen euch mit in den Tod.»

Sein Pferd scheute zurück, und ich ließ zu, dass er sich aus der Reichweite meines Schwertes bewegte. Mit einem

Blick an ihm vorbei stellte ich fest, dass dänische Truppenverbände über die Brücke kamen. Warum hatten sie so lange gewartet? Wenn sie am Abend zuvor gekommen wären, hätten sie sich mit Sigelf zusammenschließen können und wären in diesem Moment auf dem Zug nach Süden, doch irgendetwas hatte sie zurückgehalten. Dann fielen mir wieder diese rätselhaften Brände in der Nacht ein, die drei hoch auflodernden Flammenherde, mit denen ein Palas oder Dorf verbrannte. War irgendwer den Dänen in den Rücken gefallen? Das war die einzige Erklärung für das Abwarten der Dänen, aber wer hätte das sein sollen? Jetzt aber setzten die Dänen über den Fluss, es waren Hunderte, Tausende, und sie strömten über die Brücke, und bei ihnen waren Æthelwolds Männer und Beortsigs Mercier, und ich schätzte, dass uns die gegnerische Armee wenigstens acht zu eins überlegen war.

«Ich gebe dir drei Wahlmöglichkeiten, du armseliger Wicht», sagte ich zu Sigebriht. «Du kannst dich uns anschließen und für deinen rechtmäßigen König kämpfen, oder du kannst gegen mich kämpfen, nur du und ich, jetzt und hier, oder du kannst weglaufen zu deinen dänischen Herren.»

Er sah mich an, doch es gelang ihm kaum, meinem Blick standzuhalten. «Ich verfüttere Eure Leiche an die Hunde», sagte er und versuchte, verächtlich zu klingen.

Ich starrte ihn einfach nur an, und schließlich drehte er ab. Er ritt mit seinen Männern zurück zu den Dänen, und ich sah ihm nach, und erst als er zwischen den immer dichter werdenden Reihen des Gegners verschwunden war, ließ ich mein Pferd umdrehen und ritt zurück zu unserem Schildwall. «Männer von Cent!», rief ich dort vom Sattel aus. «Euer Aldermann war ein Verräter seines Landes und seines Gottes! Die Dänen haben ihm den Thron von Cent versprochen, aber wann haben die Dänen je ein Versprechen gehalten? Sie wollten, dass ihr für sie kämpft, und nachdem ihr das getan hättet, wollten sie sich eure Frauen und Töchter holen, um sie zu schänden! Und Æthelwold haben sie den Thron von Wessex versprochen, aber glaubt auch nur einer von euch, dass er länger als einen Monat auf diesem Thron sitzen würde? Die Dänen wollen Wessex! Sie wollen Cent! Sie wollen unsere Felder, sie wollen unsere Frauen, sie wollen unser Vieh, sie wollen unsere Kinder! Und heute Nacht haben euch diese verräterischen Hunde in eurem Lager überfallen! Warum? Weil sie beschlossen haben, dass sie euch nicht brauchen! Sie haben genügend Männer, also hatten sie beschlossen, euch zu töten!»

Vieles von dem, was ich sagte, entsprach der Wahrheit. Ich sah an den centischen Reihen entlang, den Schilden und Speeren und Äxten und Schwertern. Ich sah unruhige, verängstigte Mienen. «Ich bin Uhtred von Bebbanburg», rief ich, «und ihr wisst, wer ich bin und wen ich schon getötet habe. Ihr kämpft nun an meiner Seite, und alles, was uns gelingen muss, ist, diese verräterischen Hunde so lange in Schach zu halten, bis unser König bei uns ist. Er kommt!» Ich hoffte, dass es wirklich so war, denn wenn nicht, dann würde dieser Tag mein Todestag werden. «Er ist schon ganz nahe», rief ich, «und wenn er da ist, werden wir diese Dänen abschlachten wie die Wölfe die Lämmer zerfleischen. Ihr!» Ich richtete meinen Finger auf einen Priester. «Warum kämpfen wir?»

«Für das Kreuz, Herr», sagte er.

«Lauter!»

«Für das Kreuz!»

«Osferth! Wo ist dein Feldzeichen?»

«Ich habe es, Herr», rief Osferth.

«Dann zeig es uns!» Ich wartete, bis Osferths Kreuz vor die Mitte unserer Linie getragen worden war. «Das ist unser Feldzeichen!», rief ich, deutete mit Schlangenhauch auf das verkohlte Kreuz und hoffte dabei, dass mir meine eigenen Götter verzeihen würden. «Heute kämpft ihr für euren Gott, für euer Land, für eure Frauen und eure Familien, denn wenn ihr verliert», ich hielt kurz inne, «wenn ihr verliert, dann wird all das ebenfalls für immer verloren sein!»

Und dann hob hinter mir, bei dem Haus am Fluss, der grollende Donner an. Die Dänen schlugen ihre Speere und Schwerter an ihre Schilde, ließen den Kriegsdonner erschallen, den Lärm, der den Mut des tapfersten Mannes sinken lassen kann, und es war an der Zeit, vom Pferd zu steigen und meinen Platz im Schildwall einzunehmen.

Der Schildwall.

Er verbreitet Furcht und Schrecken, es gibt keinen grauenvolleren Ort als den Schildwall. Es ist der Ort, an dem wir sterben und an dem wir siegen und an dem wir uns unser Ansehen erwerben. Ich berührte meinen Thorshammer, betete, dass Edward kam, und machte mich zum Kampf bereit.

Im Schildwall.

Ich wusste, dass die Dänen versuchen würden, hinter uns zu kommen, aber dafür brauchten sie Zeit. Sie mussten entweder um das Marschland herum oder mitten durch das sumpfige Gelände, und keines von beiden dauerte weniger als eine Stunde, vermutlich zwei. Ich hatte einen Boten auf der Straße zurückgeschickt, der Edward suchen und ihn zur Eile drängen sollte, denn seine Truppen waren die einzigen, die verhindern konnten, dass uns die Dänen einkreisten. Und wenn die Dänen versuchten, einen Bogen um uns zu schlagen, bedeutete das zugleich, dass sie mich an Ort und Stelle festhalten wollten, also konnte ich mit einem Angriff von vorne rechnen, während ein Teil ihrer Truppen unterwegs war, um uns von hinten in die Zange zu nehmen.

Und wenn Edward nicht kam?

Dann war dies der Ort, an dem ich sterben würde, an dem sich Ælfadells Prophezeiung erfüllen würde und an dem ein Mann den Ruhm für sich beanspruchen würde, Uhtred getötet zu haben.

Nur langsam kamen die Dänen näher. Kein Mann genießt den Kampf im Schildwall. Niemand wirft sich hastig in die Umarmung des Todes. Vor sich sieht man die überlappenden Schilde, die Helme, das Blitzen der Äxte und Speere und Schwerter, und man weiß, dass man in die Reichweite dieser Klingen vorrücken muss, an den Ort des Todes, und es braucht Zeit, um dazu den Mut zusammenzuraffen, um das Blut in Wallung zu bringen, bis die Vorsicht vom Rausch des Tötens überwältigt wird. Deshalb trinken die Männer vor der Schlacht. Meine eigenen Leute hatten kein Ale oder Met, die Truppen aus Cent aber hatten ausreichend davon und auch in den dänischen Reihen sah ich, wie sich die Männer die Schläuche weiterreichten. Sie schlugen weiter mit ihren Waffen auf die Schilde aus Weidenholz, und der langsam heraufziehende Tag warf lange Schatten über den bereiften Boden. Ich hatte Reiter nach Osten ziehen sehen und wusste, dass sie nach einem Weg suchten, einen Bogen um meine Flanke zu schlagen, doch um diese Männer machte ich mir keine Gedanken, denn ich hatte genügend Truppen zu ihrer Abwehr. Ich musste nur den Dänen vor mir standhalten, bis Edward kam, um die hinter mir zu töten.

Priester gingen an unserer Kampflinie entlang. Männer knieten sich vor sie, und die Priester segneten sie und streuten ihnen Erdkrumen auf die Zunge. «Heute ist der Luciatag», rief einer der Priester den Kriegern zu, «Sankt Lucia wird den Feind blenden! Sie wird uns beschützen! Gesegnet sei Sankt Lucia! Betet zu Sankt Lucia!»

Es hatte aufgehört zu regnen, doch der größte Teil des winterlichen Himmels war noch mit Wolken verhangen, unter denen die Farben der gegnerischen Banner leuchteten. Sigurds fliegender Rabe und Cnuts zerschmettertes Kreuz, Æthelwolds Hirsch und Beortsigs Keiler, Haestens Schädel und Eohrics seltsame Bestie. Es gab auch einige weniger bedeutende Jarle in den gegnerischen Reihen, und sie hatten ihre eigenen Zeichen: Wölfe und Äxte und Bullen und Falken. Ihre Männer brüllten Beleidigungen und schlugen die Waffen an die Schilde, und langsam kamen sie voran, einen Schritt nach dem anderen. Die Sachsen und Ostanglier der gegnerischen Armee wurden von ihren Priestern ermutigt, während die Dänen Thor und Odin anriefen. Die meisten meiner Männer erwarteten den Feind schweigend, allerdings wurde mit so manchem derben Scherz versucht, die Angst zu überspielen. Herzen schlugen schneller, Blasen entleerten sich, Muskeln begannen zu zittern. Das war der Schildwall.

«Denkt daran», rief der Priester aus Cent, «dass Sankt Lucia so vom Heiligen Geist erfüllt war, dass nicht einmal zwanzig Männer sie von der Stelle bewegen konnten! Dann haben sie ein Ochsengespann an sie geschirrt, und sie konnte immer noch nicht fortbewegt werden! So müsst ihr sein, wenn die Heiden kommen! Standfest, unbeweglich! Erfüllt vom Heiligen Geist! Kämpft für Sankt Lucia!»

Vom Marschland heranziehender Nebel hatte die Männer verschluckt, die nach Osten geritten waren. Und es waren so viele Gegner, eine Horde, eine todbringende Horde, und sie kamen immer näher, nur noch hundert Schritt, und Reiter galoppierten vor ihrem dicht verwobenen Schildwall auf und ab und feuerten sie an. Einer dieser Reiter schwenkte zu uns ab. Er trug ein schimmerndes Kettenhemd, dicke Armringe und einen glitzernden Helm, und sein Pferd war ein prachtvolles Geschöpf, frisch gestriegelt und geölt, sein Harnisch aus glänzendem Silber. «Bald seid ihr tot!», schrie der Reiter zu uns herüber.

«Wenn du furzen willst», rief ich zurück, «dann stink dich auf deiner eigenen Seite aus.»

«Wir schänden eure Frauen», schrie der Mann. Er sprach Englisch. «Wir schänden eure Töchter!»

Ich war recht zufrieden, dass er solcherlei Hoffnungen zu uns herüberrief, denn sie würden meine Männer nur dazu bringen, noch erbitterter zur kämpfen. «Und was war deine Mutter?», schrie einer der Männer aus Cent ihm zu. «Eine Sau?»

«Wenn ihr eure Waffen niederlegt», kam es von dem Mann zurück, «werden wir euch verschonen!» Er ließ sein Pferd umdrehen, und da erkannte ich ihn. Es war Oscytel, Eohrics Befehlshaber, der wild und grausam aussehende Krieger, dem ich auf Lundenes Wallmauer begegnet war.

«Oscytel!», rief ich.

«Ich höre ein Lamm blöken!», schrie er zurück.

«Steig ab», sagte ich laut und trat einen Schritt vor, «und kämpfe gegen mich.»

Er ließ die Hände auf dem Sattelknauf ruhen und starrte mich an, dann ließ er seinen Blick über den überfluteten Graben schweifen, auf dem eine zarte Eiskruste lag. Ich wusste, dass er deshalb gekommen war, es ging weniger darum, uns zu beleidigen, als darum, zu sehen, mit welchen Hindernissen der dänische Angriff zu rechnen hatte. Er richtete seinen Blick wieder auf mich und grinste. «Ich kämpfe nicht gegen alte Männer», sagte er.

Das war eigenartig. Nie zuvor hatte mich jemand alt genannt. Ich weiß noch, dass ich lachte, aber hinter diesem Lachen verbarg sich ein Erschrecken. Wochen zuvor, im Gespräch mit Æthelflæd, hatte ich mich über sie lustig gemacht, weil sie ihr Gesicht lange in einer großen, polierten Silberplatte angeschaut hatte. Sie war bekümmert, weil sie Falten um die Augen entdeckte, und meinen Spott hatte sie damit beantwortet, dass sie mir die Silberplatte zuwarf, und ich hatte meine eigene Spiegelung angesehen und festgestellt, dass mein Bart grau war. Ich weiß noch, dass ich wie gebannt daraufstarrte und sie mich auslachte, aber ich fühlte mich nicht alt, obwohl meine frühere Verwundung dazu führte, dass mein Bein manchmal tückisch steif wurde. Sahen mich die Leute so? Als alten Mann? Und doch war ich in jenem Jahr fünfundvierzig, also war ich ein alter Mann, ja. «Dieser alte Mann schlitzt dich von den Eiern bis zur Gurgel auf», rief ich Oscytel zu.

«Heute ist der Tag, an dem Uhtred stirbt!», schrie er in Richtung meiner Männer. «Und ihr alle sterbt mit ihm!» Damit ließ er sein Pferd umdrehen und galoppierte zum dänischen Schildwall zurück. Diese Schilde waren nun noch achtzig Schritt weit weg. Nahe genug, um die Gesichter der Männer zu erkennen, ihre grimmig verzogenen Mienen. Ich sah Jarl Sigurd, eine mächtige Erscheinung in Kettenrüstung und einem Umhang aus schwarzem Bärenpelz, der schwer von seinen Schultern hing. Sein Helm war mit einem Rabenflügel gekrönt, der in der grauen Morgendämmerung tiefschwarz glänzte. Ich sah Cnut, den Mann mit dem flinken Schwert, sein Umhang war weiß, sein Gesicht blass, und sein Banner zeigte das zerschmetterte christliche Kreuz. Sigebriht ritt neben Eohric, der wiederum Æthelwold an seiner anderen Seite hatte, und um sie waren die wildesten, schlagkräftigsten Kämpfer, die Männer, die das Leben des Königs und der Jarle und der Herren beschützen sollten. Krieger betasteten Kreuze und Thorshämmer. Sie schrien, doch was sie brüllten, kann ich nicht sagen, denn mit einem Mal schien die ganze Welt von Stille erfüllt. Ich beobachtete den Gegner vor mir, überlegte, welcher Mann mich angreifen würde, um mich zu töten und wie ich ihn zuerst töten würde.

Mein Banner wurde hinter mir mitgeführt, und dieses Banner würde ehrgeizige Männer anziehen. Sie wollten mein Schädeldach als Trinkschale und meinen Namen als Kampftrophäe. Sie beobachteten mich ebenso wie ich sie beobachtete, und sie sahen einen schlammbedeckten Mann und doch einen Kriegsherrn mit einem wolfsbekrönten Helm und Armringen aus Gold und einem Kettenhemd mit dichten Gliedern und einem tiefdunklen Umhang, den Säume aus Goldgarn zierten, und einem Schwert, das in ganz Britannien berühmt war. Schlangenhauch war berühmt, doch ich steckte die Waffe dennoch in die Scheide, denn ein Langschwert hilft nichts in der Umarmung des Schildwalls, und stattdessen zog ich Wespenstachel, die kurze Klinge, die in solch einem Kampf tödlich ist. Ich küsste das kalte Metall, dann brüllte ich meine Herausfor-

derung in den Winterwind. «Kommt und bringt mich um!
Kommt und bringt mich um!»

Und sie kamen.

Zuerst kamen die Speere, geschleudert von Männern in
der dritten oder vierten Reihe der Gegner, und wir fingen
sie mit unseren Schilden ab. Die Klingen trafen schwer in
das Weidenholz, und die Dänen stürmten brüllend auf uns
zu. Obwohl sie vor dem Graben gewarnt worden waren,
wurde er für Dutzende von ihnen zur Falle, als sie versuchten darüber hinwegzuspringen und auf unserer Seite aus-
glitten, während unsere langschäftigen Äxte auf sie niederfuhren. Wenn wir den Schildwall proben, stelle ich einen
Axtmann neben einen Schwertmann, und die Aufgabe des
Axtmannes ist es, seine Klinge über dem Rand des gegnerischen Schildes einzuhaken und ihn herunterzuziehen, sodass das Schwert über den Schild hinweg in das Gesicht
des Feindes gerammt werden kann, doch nun krachten die
Äxte herab durch Helme und Schädel, und mit einem Mal
zerbarst die Welt in Lärm, in Schreien, in den Schlach-
tergeräuschen von Klingen, die Schädel spalteten, und die
Männer hinter der ersten Reihe der Dänen drängten durch
den Graben, und ihre langen Speere hämmerten auf unsere Schilde. «Dicht zusammenbleiben!», brüllte ich. «Schilde übereinander! Schilde übereinander! Einen Schritt vorwärts!»

Unsere Schilde überlappten. Wir hatten Stunden damit
verbracht, dies einzuüben. Unsere Schilde bildeten eine
Mauer, als wir zum Rand des Grabens vorrückten, wo uns
die steile, schlüpfrige Böschung das Töten leichtmachte.
Ein zu Boden gestürzter Mann versuchte, sein Schwert unter meinem Schild nach oben zu stoßen, aber ich trat ihn
ins Gesicht, und mein eisenbeschlagener Stiefel fuhr hart

gegen seine Nase und sein Auge, und er sank zurück, und ich stieß Wespenstachel vor, fand die Lücke zwischen zwei gegnerischen Schilden, rammte die kurze Klinge durch ein Kettenhemd in Fleisch, ich schrie, beobachtete unausgesetzt die Blicke der Gegner, sah die Axt niederfahren, wusste, dass Cerdic sie hinter mir mit seinem Schild abfing, doch die Gewalt des Hiebes riss seinen Schild nach unten auf meinen Helm, und einen Moment lang war ich benommen und blind, stieß aber immer weiter mit Wespenstachel vor. Rollo neben mir hatte seine Axt in einen gegnerischen Schild eingehakt, und als sich mein Blick wieder klärte, entdeckte ich die Lücke und ließ Wespenstachel vorschnellen, sah die Spitze der Klinge in ein Auge eindringen und bohrte sie tief hinein. Dann traf ein schwerer Hieb meinen Schild und ließ ein Brett splittern.

Cnut versuchte zu mir zu kommen und brüllte seinen Männern zu, ihm Platz zu machen, und das war töricht, denn es bedeutete, dass sie ihre Reihe öffnen mussten, um ihren Herrn in die Kampflinie zu lassen. Cnut und seine Männer waren in Raserei, wollten um jeden Preis unseren Schildwall aufbrechen, und ihre Schilde überlappten nicht mehr, und sie rutschten in den Graben, und zwei von meinen Männern trieben ihre Speere in die herankommenden Männer. Cnut stolperte über einen von ihnen und fiel in den Graben, und ich sah Rypere seine Axt auf Cnuts Helm schmettern, es war nur ein Streifhieb, doch so heftig, dass er Cnut betäubte, denn er stand nicht auf. «Sie sterben!», rief ich. «Jetzt töten wir die Bastarde!»

Cnut war nicht tot, aber seine Männer schleppten ihn weg, und an seiner Stelle kam Sigurd Sigurdson, der Milchbart, der versprochen hatte, mich umzubringen, und er schrie mit wild rollenden Augen, als er die Böschung des

Grabens heraufstürmte, kaum festen Halt unter den Füßen, und ich schwang meinen gesplitterten Schild nach außen, um ihm ein Ziel zu bieten, und wie ein Narr richtete er sich darauf aus, wollte mir sein Schwert Feuerdrache in den Bauch rammen, doch da ließ ich schon meinen Schild zurückschwingen, lenkte Feuerdrache zwischen mich und Rollo ab und drehte mich halb um, als ich ihm Wespenstachel in den Hals stieß. Er hatte vergessen, was man ihm beigebracht hatte, vergessen, sich mit dem Schild zu schützen, und die kurze Klinge fuhr unter sein Kinn, aufwärts durch seinen Mund, ließ Zähne splittern, durchbohrte seine Zunge, zerschmetterte die feinen Nasenknochen und traf so hart auf seine Schädeldecke, dass ich ihn einen Moment von den Füßen hob und sein Blut an meinem Arm herab in den Ärmel meines Kettenhemdes lief. Und dann schüttelte ich ihn von der Klinge und schwang sie nach einem Dänen, der zurückwich, fiel, und ich überließ es einem anderen ihn zu töten, weil Oscytel kam, brüllte, ich sei ein alter Mann, und da packte mich die Kampfeslust.

Diese Lust. Diese Tollheit. So müssen sich die Götter an jedem Augenblick des Tages fühlen. Es ist, als würde die Welt ihren Lauf verlangsamen. Du siehst den Angreifer, du siehst ihn brüllen, aber du hörst nichts, und du weißt, was er tun wird, und all seine Bewegungen sind so langsam, und deine sind so schnell, und in diesem Moment kannst du nichts Falsches tun, und du wirst ewig leben, und dein Name wird als Wappenzeichen am Himmel stehen, umrahmt von weißem Feuer, denn du bist der Gott der Schlacht.

Und Oscytel kam mit seinem Schwert, und mit ihm kam ein Mann, der meinen Schild mit seiner Axt herunterziehen wollte, doch im letzten Moment kippte ich die Oberkante meines Schildes zu mir, und die Axt fuhr an dem bemalten Holz herunter und schrammte über den Schildbuckel, und Oscytel wollte mir sein Schwert beidhändig in die Kehle rammen, aber mein Schild war noch da, und sein eisenbeschlagener Rand fing die Klinge auf, die Spitze blieb stecken, und ich drückte den Schild nach vorn, brachte ihn aus dem Gleichgewicht, und dann stieß ich mit Wespenstachel unter dem unteren Rand des Schildes vor, und meine ganze Altmännerkraft lag in diesem abscheulichen Hieb, der unterhalb des Schildes geführt wird, und ich spürte, wie die Spitze der Klinge einen Oberschenkelknochen hinauffuhr, Fleisch und Muskeln zerfetzte und in seinen Schritt fuhr, und dann hörte ich ihn. Ich hörte seinen Schrei den Himmel erfüllen, als ich mich in seine Leiste grub und sein Blut in den eisigen Graben spritzen ließ.

Eohric sah seinen Vorkämpfer fallen, und bei diesem Anblick erstarrte er auf der anderen Seite des Grabens. Und seine Männer blieben zusammen mit ihm stehen. «Schilde!», rief ich, und meine Männer rückten dichter im Schildwall zusammen. «Du bist ein Feigling, Eohric», rief ich, «ein Feigling und Fettwanst, ein Schwein aus einem Wurf in der Jauchegrube, ein Ferkel, ein Kümmerling! Komm und stirb, du fetter Bastard!»

Er wollte nicht, doch die Dänen siegten. Nicht unbedingt in der Mitte der Linie, wo mein Banner flatterte, aber auf unserer linken Seite hatten die Dänen den Graben überquert und stellten einen Schildwall auf unserer Seite auf, und sie drängten Wulferths Männer zurück. Ich hatte Finan und dreißig Männer als Reserve zurückgelassen und sie waren zu Wulferths Unterstützung auf die Flanke gerückt, aber sie wurden schwer angegangen, waren weit in der Unterzahl, und wenn es den Dänen erst einmal gelang, zwischen unsere Flanke und das Marschland zu kommen, würden sie meine Linie von der Flanke her aufrollen, und wir würden sterben. Das wussten die Dänen, und das machte sie selbstbewusst, und immer mehr kamen, um mich zu töten, weil mein Name der Name war, mit dem die Sänger sie rühmen würden, und Eohric wurde mit seinen übrigen Männern über den Graben geschoben, und sie stolperten über die Toten, glitten im Morast aus, stiegen über ihre eigenen Gefallenen, und wir brüllten unseren Kriegsgesang, während Äxte niederfuhren und die Speere zustachen und die Schwerter vorgestoßen wurden. Mein Schild war zerstört, so viele Klingen hatten ihn getroffen. Ich hatte eine Verletzung am Kopf, ich spürte Blut an meinem linken Ohr, doch wir kämpften und töteten weiter, und Eohric bleckte die Zähne und ließ ein Schwert gegen Cerdic wirbeln, der den Mann zu meiner Linken ersetzt hatte. «Hak ihn ein», knurrte ich Cerdic zu, und er brachte seine Axt unter Eohrics Schild hoch, und die Klinge verfing sich in Eohrics Kettenhemd, und Cerdic zerrte ihn nach vorn, und ich hackte ihm Wespenstachel in den fetten Nacken, und schreiend brach er vor unseren Füßen zusammen. Seine Männer versuchten ihn zu retten, und ich sah ihn verzweifelt zu mir emporstarren, und er biss die Zähne so fest zusammen, dass sie brachen, und wir töteten König Eohric von Ostanglien in einem nach Blut und Exkrementen stinkenden Graben. Wir stachen auf ihn ein und schlitzten ihn auf, wir zerhackten ihn und trampelten mit den Stiefeln auf ihm. Wir kreischten wie Dämonen. Männer riefen nach ihrem Herrn Jesus, riefen nach ihren Müttern, brüllten vor Schmerz, und ein König starb mit einem Mund voll zerbrochener Zähne in einem Graben, dessen Wasser rot gefärbt war. Einige Ostanglier versuchten, Eohric wegzuziehen, aber Cerdic hielt ihn fest, und ich hackte weiter auf seinen Nacken ein, und dann rief ich den Ostangliern zu, dass ihr König tot war, dass ihr König gefallen war und dass wir gewannen.

Nur, dass wir nicht gewannen. Wir kämpften in der Tat wie Dämonen, wir lieferten den Sängern eine Geschichte, die sie noch nach vielen Jahren erzählen konnten, doch diese Geschichte würde mit unserem Tod enden, denn unsere linke Flanke gab nach. Sie kämpften noch, aber sie zogen sich zurück, und die Dänen stießen in die Lücke vor. Die Männer, die losgeritten waren, um uns in den Rücken zu fallen, mussten nun nicht mehr kommen, denn wir waren bereits gezwungen, uns umzudrehen, und nun würden wir einen Schildwall aufstellen, mit dem wir uns in jede Richtung verteidigen konnten, und dieser Schildwall würde immer weiter schrumpfen, und wir würden einer nach dem anderen den Tod finden.

Ich sah Æthelwold. Er saß auf einem Pferd, ritt hinter einigen Dänen, trieb sie mit seinen Rufen voran, und bei ihm war ein Bannerträger mit der Drachenflagge von Wessex. Æthelwold wusste, dass er König werden würde, wenn sie diese Schlacht gewannen, und er hatte sein weißes Hirschbanner aufgegeben, um stattdessen Alfreds Flagge zu tragen. Er war noch immer nicht über den Graben gekommen, und er achtete darauf, nicht in den Kampf verwickelt zu werden, sondern schickte stattdessen die Dänen vor, um uns zu töten.

Dann vergaß ich Æthelwold, denn unsere linke Flanke wurde heftig zurückgedrängt, und nun waren wir nur noch ein Trupp Sachsen, der in einer Dänenhorde gefangen war. Wir bildeten einen ungefähren Kreis, umringt von Schilden und den Männern, die wir getötet hatten. Und auch von unseren eigenen Toten. Und die Dänen hielten ein, um einen neuen Schildwall aufzustellen, um ihre Verwundeten zu retten und um ihren bevorstehenden Sieg zu genießen.

«Ich habe diesen Bastard Beortsig getötet», sagte Finan, als er zu mir kam.

«Gut», sagte ich, «hoffentlich hat es weh getan.»

«So hat es sich jedenfalls angehört», sagte er. Sein Schwert war blutverschmiert, sein grinsendes Gesicht mit Blut bespritzt. «Es sieht nicht gut aus, was?»

«Kann man nicht unbedingt behaupten», sagte ich. Es hatte wieder zu regnen begonnen, ein feiner Nieselregen. Unser Verteidigungsring stand nahe an dem östlichen Streifen Marschland. «Was wir tun sollten», sagte ich, «ist, den Männern zu sagen, sie sollen in die Marschen fliehen und sich Richtung Süden halten. Ein paar werden entkommen.»

«Aber nicht viele», sagte Finan. Wir sahen, dass die Dänen die Pferde von Cent zusammentrieben. Sie nahmen unseren Toten die Kettenhemden ab und die Waffen und was immer sie haben wollten. Ein Priester kniete betend mitten unter unseren Männern. «Im Marschland bringen sie uns wie Ratten zur Strecke», sagte Finan.

«Also kämpfen wir hier», sagte ich, und wir hatten auch kaum eine andere Wahl.

Wir hatten ihnen Verluste zugefügt. Eohric war tot, Oscytel niedergemacht, Beortsig war eine Leiche, und Cnut war verwundet, doch Æthelwold lebte, und Sigurd lebte, und Haesten lebte. Ich sah sie auf ihren Pferden, wie sie Männer in die Kampflinie schoben, wie sie ihre Truppen bereitmachten, uns abzuschlachten.

«Sigurd!», brüllte ich, und er drehte sich nach mir um. «Ich habe deinen Wicht von einem Sohn getötet!»

«Daran denkst du noch, wenn ich dich ganz langsam sterben lasse», schrie er.

Ich wollte ihn zu einem unüberlegten Angriff verführen und ihn vor seinen Männern umbringen. «Er hat wie ein Säugling gekreischt, als er gestorben ist!», rief ich. «Gekreischt wie ein kleiner Feigling! Wie ein Milchbart!»

Sigurd, die langen Zöpfe um den Hals geschlungen, spuckte in meine Richtung aus. Er hasste mich, er wollte mich töten, aber wann und wie, das wollte er selbst entscheiden.

«Die Schilde dicht beisammenhalten», rief ich meinen Männern zu. «Haltet sie dicht zusammen, und sie können unsere Linie nicht aufbrechen! Zeigt den Bastarden, wie Sachsen kämpfen!»

Selbstredend konnten sie unsere Linie aufbrechen, aber man sagt Männern, die an der Schwelle des Todes stehen, nicht, dass sie an der Schwelle des Todes stehen. Sie wussten es auch so. Einige bebten vor Angst, doch sie blieben in der Linie stehen. «Kämpf an meiner Seite», sagte ich zu Finan.

«Wir verabschieden uns gemeinsam.»

«Mit dem Schwert in der Hand.»

Rypere war tot. Ich hatte ihn nicht sterben sehen, aber ich sah einen Dänen, der das Kettenhemd von seinem mageren Körper zog. «Er war ein guter Mann», sagte ich.

Osferth kam zu uns. Er war üblicherweise so ordentlich, so makellos gekleidet, doch nun war sein Kettenhemd gerissen, sein Umhang zerfetzt, und sein Blick wild. Sein Helm hatte eine tiefe Delle, doch er schien unverletzt. «Lasst mich mit Euch kämpfen, Herr», sagte er.

«Für alle Zeit», erklärte ich ihm. Osferths Kreuz wurde immer noch in der Mitte unseres Kreises hochgehalten, und ein Priester rief, Gott und Sankt Lucia würden ein Wunder wirken, wir würden gewinnen, wir würden leben, und ich ließ ihn predigen, denn er sagte, was die Männer hören mussten.

Jarl Sigurd schob sich in den dänischen Schildwall mir gegenüber. Er trug eine mächtige Kampfaxt mit breiter Klinge, und an seinen Seiten standen Speermänner. Ihre Aufgabe war es, mich festzuhalten, während er mich zu Tode hackte. Ich hatte einen neuen Schild, einen, der die gekreuzten Schwerter Aldermann Sigelfs zeigte. «Hat jemand Sigebriht gesehen?», fragte ich.

«Er ist tot», sagte Osferth.

«Bist du sicher?»

«Ich habe ihn getötet, Herr.»

Ich lachte. Wir hatten so viele gegnerische Anführer getötet, doch Sigurd und Æthelwold lebten, und sie waren stark genug, um uns zu vernichten und anschließend Edwards Armee zu besiegen und damit Æthelwold auf Alfreds Thron zu bringen. «Weißt du noch, was Beornnoth gesagt hat?», fragte ich Finan.

«Sollte ich das?»

«Er wollte wissen, wie die Geschichte ausgeht», sagte ich. «Und ich würde es auch gern wissen.»

«Unsere endet hier», sagte Finan und zeichnete mit dem Heft seines Schwertes ein Kreuz in die Luft.

Und dann kamen die Dänen wieder.

Sie kamen langsam. Kein Mann will sterben, wenn er den Sieg schon beinahe mit Händen greifen kann. Sie wollten den Triumph genießen, die Reichtümer aufteilen, die das

Gewinnen bringt, und deshalb kamen sie langsam und stetig, mit enggeschlossener Schildreihe.

Irgendwer in unseren Reihen begann zu singen. Es war ein Christenlied, vielleicht ein Psalm, und die meisten meiner Männer fielen in die Melodie ein, die mich an meinen ältesten Sohn denken ließ, und daran, was für ein schlechter Vater ich war, und ich fragte mich, ob er stolz auf meinen Tod in der Schlacht sein würde. Die Dänen schlugen Klingen und Speerschäfte an ihre Schilde. Die meisten dieser Schilde waren angebrochen, von Axthieben gezeichnet, gesplittert. Die Männer waren mit Blut beschmiert, mit dem Blut ihrer Widersacher. Die Schlacht am frühen Morgen. Ich war abgekämpft, und als ich zu den Regenwolken hinaufsah, dachte ich, was für ein schlechter Platz zum Sterben dies war. Aber wir suchen uns unseren Tod nicht aus. Das tun die Nornen am Fuße von Yggdrasil, und ich stellte mir eine der drei Schicksalsfrauen vor, die ihre Schere schon zu meinem Lebensfaden gehoben hatte. Sie war kurz davor, ihn abzuschneiden, und alles, worauf es jetzt noch ankam, war, dass ich mein Schwert fest in der Hand behielt, damit mich die geflügelten Frauen in die Festhalle von Walhall tragen würden.

Ich beobachtete die brüllenden Dänen vor uns. Ich hörte sie nicht, obwohl ich sie nicht weit vor mir hatte, doch erneut war die Welt in eine merkwürdige Stille gehüllt. Ein Reiher tauchte aus dem Nebel auf und flog über uns hinweg, und ich hörte ganz deutlich den schweren Schlag seiner Flügel, aber die Beleidigungen meiner Feinde hörte ich nicht. Suche dir festen Stand, lass deinen Schild überlappen, behalte die gegnerische Klinge im Blick, sei bereit zum Gegenschlag. Meine rechte Hüfte schmerzte, das spürte ich erst jetzt. War ich verwundet? Ich wagte nicht hinzusehen, weil die Dänen nun dicht vor uns waren, und ich beobachtete die zwei Speerspitzen vor mir, weil ich wusste, dass sie sich in die rechte Seite meines Schildes bohren würden, um ihn zurückzuschnellen zu lassen, sodass mich Sigurd von links angreifen konnte. Ich begegnete Sigurds Blick, und wir starrten uns an, und dann kamen die Speere.

Sie schleuderten Dutzende von Speeren aus ihren hinteren Reihen, wuchtige Speere, die einen Bogen über ihren vordersten Reihen beschrieben und schwer auf unsere Schilde trafen. In diesem Augenblick muss sich ein Mann in der vordersten Linie ducken und sich mit seinem Schild schützen, und als die Dänen sahen, dass wir uns duckten, griffen sie an. «Los!», rief ich. Mein Schild wurde von zwei steckengebliebenen Speeren beschwert. Meine Männer brüllten vor Grimm, und die Dänen stießen in unsere Linie vor, kreischten ihre Kampfrufe, hackten mit ihren Äxten auf uns ein, wir drängten sie zurück, und die beiden Kampflinien verschmolzen zu einer wogenden Reihe. Entscheidend war, welche Seite die andere zurückschieben konnte, aber wir standen nur drei Reihen tief, und die Dänen hatten zumindest sechs, und sie drängten uns zurück. Ich versuchte, Wespenstachel nach vorn zu stoßen, und die Klinge traf einen Schild. Sigurd versuchte, zu mir zu kommen, schreiend und brüllend, aber der Strom von Männern trug ihn weg von mir. Ein Däne mit aufgerissenem Mund und bluttriefendem Bart ließ die Axt auf Finans Schild niederfahren, und ich wollte Wespenstachel über den Rand meines eigenen Schildes in sein Gesicht rammen, aber eine andere Klinge lenkte meine ab. Wir wurden immer weiter zurückgedrängt, die Gegner standen so dicht vor uns, dass wir das Ale in ihrem Atem rochen. Und dann erfolgte der nächste Angriff.

Er kam von unserer Linken, von Süden, Reiter mit erhobenen Speeren galoppierten unter einem Drachenbanner die Römerstraße herauf. Reiter kamen aus dem Nebel, Reiter, die ihre Herausforderung brüllten, als sie die hinteren Ränge des Gegners angriffen. «Wessex!», riefen sie, «Edward und Wessex!» Ich sah die dichtgedrängten dänischen Reihen unter dem Anprall wanken, und die zweite Reihe der Reiter hatte Schwerter, mit denen sie auf den Feind einhieb, und dieser Feind sah noch mehr Reiter kommen, Reiter mit schimmernden Rüstungen im Morgenlicht, und die neuen Flaggen zeigten Kreuze und Heilige und Drachen, und die hinteren Reihen der Dänen lösten sich auf, und die Männer rannten zurück in den Schutz des Grabens.

«Vorwärts!», rief ich, und ich fühlte, wie der Druck des dänischen Angriffs nachließ, und ich schrie meinen Männern zu, sich auf sie zu stürzen, die Bastarde zu töten, und als wir sie angriffen, brüllten wir wie Männer, die aus dem finsteren Tal des Todes entkommen sind. Sigurd verschwand, geschützt von seinen Männern. Ich hackte mit Wespenstachel auf den Dänen mit dem blutverschmierten Bart ein, aber der Druck der kämpfenden Männerreihe schob ihn nach rechts von mir weg, und die Dänen vor mir konnten ihre Kampflinie nicht geschlossen halten, Reiter hatten sich zwischen sie gedrängt, Schwerter fuhren nieder, Speere trafen ihr Ziel, und dort war Steapa, riesenhaft und wutschäumend, er knurrte die Gegner an, setzte sein Schwert wie ein Schlachterbeil ein, sein Hengst biss um sich und trat aus, wirbelte mit den Hufen, trampelte Männer nieder. Steapas Einheit war klein, wohl kaum größer als vierhundert oder fünfhundert Mann, aber es war ihm durch den Angriff von hinten gelungen, Verwirrung unter den Dänen zu stiften.

Allerdings würde es nicht lange dauern, bis sie sich erholten und einen neuen Angriff einleiteten.

«Zurück!», brüllte mir Steapa zu und deutete mit seinem Schwert nach Süden. «Geht zurück!»

«Holt die Verwundeten!», befahl ich meinen Männern. Noch mehr Reiter kamen, Helme glitzerten im grauen Frühlicht, Speerspitzen blitzten wie silberner Tod, Schwerter fuhren auf flüchtende Dänen nieder. Unsere Männer trugen die Verwundeten Richtung Süden, weg vom Feind, und vor uns lagen die Toten und Sterbenden, und Steapas Reiter stellten sich neu auf, nur ein einzelner Reiter gab seinem Hengst die Sporen und galoppierte vor unsere Kampflinie, und ich sah, wie er sich bis dicht über die schwarze Mähne des Pferdes vorbeugte, und da erkannte ich ihn, und ich ließ Wespenstachel fallen, um einen Speer vom Boden aufzuheben. Er war schwer, aber ich schleuderte ihn mit aller Kraft, und ich hörte den Mann aufschreien, als der Speer dumpf in die feuchte Wiese fuhr, und das Pferd schlug aus, bäumte sich auf, und der Fuß des Reiters verfing sich im Steigbügel. Ich zog Schlangenhauch, rannte zu ihm und trat den Steigbügel weg. «Edward ist König», sagte ich zu dem Mann.

«Hilf mir!» Einer meiner Krieger hatte das Pferd am Zügel genommen, und nun versuchte der Mann aufzustehen, doch ich versetzte ihm einen Fußtritt, sodass er wieder zu Boden ging. «Hilf mir, Uhtred», sagte er.

«Ich habe dir dein Leben lang geholfen», sagte ich, «dein ganzes erbärmliches Leben lang, und jetzt ist Edward König.»

«Nein», sagte er. «Nein!»

Damit meinte er nicht den Herrschaftsanspruch seines Cousins, sondern die Bedrohung durch mein Schwert. Ich bebte vor Zorn, als ich Schlangenhauch niederstieß. Ich rammte ihm die breite Klinge in die Brust, und sie fraß sich durch sein Kettenhemd, drückte geborstene Kettenglieder bis unter sein Brustbein, fuhr zwischen die Rippen und bis mitten hinein in sein niederträchtiges Herz, das unter dem Druck des Stahls zerrissen wurde. Er schrie immer noch, und immer noch drückte ich die Klinge tiefer, und dann verklang der Schrei in einem Keuchen, und ich hielt Schlangenhauch fest und sah zu, wie sein Leben in der Erde Ostangliens versickerte.

Damit war Æthelwold tot, und Finan, der Wespenstachel aufgehoben hatte, zog mich am Arm weg. «Komm», sagte er, «komm jetzt!» Die Dänen brüllten wieder zu uns herüber, und wir rannten, geschützt von den Reitern, und bald tauchten noch mehr Reiter aus dem Nebel auf, und ich wusste, dass Edwards Armee gekommen war, doch weder er noch die führungslosen Dänen wollten einen weiteren Kampf. Die Dänen standen nun hinter der Deckung des Grabens, hatten einen Schildwall aufgestellt, aber sie würden nicht mehr auf Lundene marschieren.

Und so marschierten stattdessen wir dorthin.

Zum Weihnachtsfest trug Edward die Krone seines Vaters. Die Smaragde schimmerten im Licht der Feuerstelle in dem großen Römersaal auf dem Hügel von Lundene. Lundene war sicher.

Ein Schwert oder eine Axt hatte meine Hüfte getroffen, doch ich hatte es in jenem Augenblick nicht einmal bemerkt. Mein Kettenhemd wurde von einem Schmied geflickt, und die Verwundung an meiner Hüfte heilte. Ich dachte an die Angst, das Blut, die Schreie.

«Ich habe mich geirrt», erklärte mir Edward.

«Das stimmt, Herr König», sagte ich.

«Wir hätten sie bei Cracgelad angreifen sollen», sagte er und starrte in den Saal, in dem seine Herren und Thegn tafelten. In diesem Augenblick sah er aus wie sein Vater, wenn auch seine Züge kräftiger waren. «Die Priester haben gesagt, man könne Euch nicht trauen.»

«Vielleicht kann man das auch nicht», sagte ich.

Darüber musste er lächeln. «Aber die Priester sagen auch, Gottes Vorsehung habe den Verlauf des Krieges bestimmt. Dadurch, dass wir abgewartet haben, sagen sie, hätten wir all unsere Feinde getötet.»

«Fast alle unsere Feinde», stellte ich richtig. «Und ein König kann nicht auf Gottes Vorsehung warten. Ein König muss Entscheidungen treffen.»

Er nahm den Vorwurf gut auf. «*Mea culpa*», sagte er leise, «und doch war Gott auf unserer Seite.»

«Der Graben war auf unserer Seite», sagte ich, «und diesen Krieg hat Eure Schwester gewonnen.»

Æthelflæd hatte die Dänen aufgehalten. Wenn sie nachts den Fluss überquert hätten, wären sie früher zum Angriff bereit gewesen und hätten uns ganz gewiss längst überwältigt, bevor Steapas Reiter zu unserer Rettung gekommen wären. Doch die meisten Dänen waren in Huntandon geblieben, weil sie hinter ihren Linien bedroht wurden. Diese Bedrohung hatte sich in den riesenhaften Bränden gezeigt. Æthelflæd, von ihrem Bruder angewiesen, sich in Sicherheit zu bringen, hatte stattdessen ihre mercischen Truppen nach Norden geführt und Feuer gelegt, sodass die Dänen geglaubt hatten, eine feindliche Armee stünde in ihrem Rücken.

«Ich habe zwei Palas-Bauten verbrannt», sagte sie, «und eine Kirche.»

Sie saß zu meiner Linken, Edward zu meiner Rechten, während Pater Coenwulf und den Bischöfen Plätze weit am anderen Ende der Ehrentafel angewiesen worden waren. «Du hast eine Kirche niedergebrannt?», fragte Edward entsetzt.

«Es war ein hässliche Kirche», sagte sie, «aber groß, und das Feuer hat sehr hell gebrannt.»

Hell gebrannt. Ich berührte ihre Hand, die auf dem Tisch lag. Nahezu all unsere Feinde waren tot, nur Haesten, Cnut und Sigurd waren am Leben geblieben, doch einen Dänen zu töten heißt, ein Dutzend anderer zum Leben zu erwecken. Ihre Schiffe würden weiter übers Meer kommen, denn die Dänen würden niemals ruhen, ehe die Smaragdkrone nicht ihre war oder bis wir sie endgültig vernichtet hatten.

Doch für den Augenblick waren wir sicher. Edward war König. Lundene war unser, Wessex hatte überlebt, und die Dänen waren besiegt.

Wyrd bið ful āræd.

NACHWORT DES AUTORS

Die angelsächsischen Chroniken sind unsere beste Quelle zu den Ereignissen der Epoche, in der die Angeln und die Sachsen Britannien dominierten, doch es gibt keine einheitliche Chronik. Es ist wahrscheinlich, dass Alfred selbst die Erstellung des Originaltextes beauftragt hat, der, beginnend mit Christi Geburt, Jahr für Jahr eine Zusammenfassung der Ereignisse bietet, und dieses erste Manuskript wurde abgeschrieben und an Klöster verteilt, in denen die Abschriften jeweils aktualisiert wurden, sodass keine zwei identischen Versionen existieren. Die Eintragungen sind zum Teil so unklar, dass es einen zum Wahnsinn treibt, und keineswegs immer verlässlich. So berichten die Chroniken etwa für das Jahr 793 AD von feuerspeienden Drachen am Himmel über Northumbrien. Für 902 berichten die Chroniken von einer Schlacht «beim Holme», einem Ort, der niemals identifiziert werden konnte, obwohl wir wissen, dass er irgendwo in Ostanglien lag. Eine dänische Armee unter der Führung König Eohrics und Æthelwolds, der Ansprüche auf den Thron von Wessex geltend machte, fiel in Mercien ein, überquerte bei Cracgelad (Cricklade) die Thames, plünderte Wessex und zog sich dann wieder zurück. König Edward setzte ihr Richtung Ostanglien nach und nahm Rache, indem er König Eohrics Land verwüstete. Dann folgt die fesselnde Beschreibung der Schlacht: «Als er (Edward) von dort abziehen wollte, ließ er es der Armee verkünden, dass sie alle gemeinsam gehen sollten. Die Kenter blieben gegen seinen Befehl dort, trotz sieben Nachrichten, die er ihnen gesandt hatte. Die Streitmacht stieß dort auf sie, und sie kämpften.» Daran anschließend listet der Eintrag die namhaftesten Verluste auf, darunter Æthelwold, König Eohric, Aldermann Sigelf, sein Sohn Sigebriht und Beortsig. «Auf jeder Seite», erzählen uns die Chroniken, «wurden viele niedergemetzelt, und von den Dänen wurden mehr getötet, doch sie hielten das Schlachtfeld.» Das deutet darauf hin, dass die Dänen den Sieg davontrugen, bei diesem Sieg aber die meisten ihrer Anführer verloren. (Ich nutze die Übersetzung der Chroniken von Anne Savage, veröffentlicht bei Heinemann, London, 1983.)

Das Fesselnde an diesem kurzen Bericht ist die Weigerung der Streitkräfte aus Kent, sich zurückzuziehen, und meine Erklärung dafür, dass nämlich Aldermann Sigelf Verrat an der westsächsischen Armee begehen wollte, ist reine Erfindung. Wir wissen weder, wo die Schlacht ausgetragen wurde, noch was dort genau passiert ist, nur dass es eine Schlacht gab und dass Æthelwold, Edwards Rivale um den Thron von Wessex, dabei getötet wurde. Die Chroniken berichten uns von Æthelwolds Auflehnung in einem langen Eintrag für das Jahr 900 (auch wenn Alfred 899 gestorben ist): «Alfred, Sohn von Æthelwulf, ist verschieden in der sechsten Nacht vor Allerheiligen. Er war König über alle Engländer, außer für den Teil, der unter dänischer Herrschaft stand; und er hielt das Königreich für ein und ein halbes Jahr weniger als dreißig. Dann erhielt sein Sohn Edward das Königreich. Æthelwold, seines Vaters Bruders Sohn, übernahm die Landgüter bei Wimbourne und bei Christchurch ohne die Genehmigung des Königs und seiner Berater. Dann ritt der König mit seiner Armee, bis er bei Badbury Rings nahe Wimbourne ein

Lager aufschlug, und Æthelwold besetzte die Landgüter mit denjenigen Männern, die ihm treu ergeben waren, und ließ alle Tore gegen sie versperren; er sagte, er würde dort bleiben, lebendig oder tot. Dann stahl er sich im Schutze der Nacht davon und suchte die Streitmacht von Northumbrien. Der König befahl ihnen, hinter ihm herzureiten, aber er konnte nicht eingeholt werden. Sie ergriffen die Frau, die er sich ohne die Genehmigung des Königs und gegen den Rat des Bischofs gepackt hatte, weil sie als Nonne geheiligt war.» Aber wir erfahren nicht, wer diese Frau war, oder warum Æthelwold sie entführt hat oder was aus ihr geworden ist. Wieder ist meine Antwort auf diese Fragen, dass es Æthelwolds Cousine Æthelflæd war, reine Erfindung.

Die Chroniken geben uns das Gerüst der geschichtlichen Ereignisse, aber ohne große Einzelheiten oder gar Erklärungen für das Geschehen. Ein anderes Rätsel ist das Schicksal der Frau, die Edward vielleicht oder vielleicht auch nicht geheiratet haben könnte: Ecgwynn. Wir wissen, dass sie ihm zwei Kinder gebar, und dass eines von ihnen, Æthelstan, für die Entwicklung Englands überaus bedeutend wurde. Und doch verschwindet Ecgwynn vollständig aus den Berichten und wird durch Ælflæd, die Tochter des Aldermanns Æthelhelm ersetzt. Ein wesentlich jüngerer Bericht deutet an, dass die Ehe von Edward und Ecgwynn nicht als gültig angesehen wurde, doch in Wahrheit wissen wir kaum etwas von diesen Geschehnissen, nur, dass der mutterlose Æthelstan zur gegebenen Zeit der erste König aller Engländer werden sollte.

Die Chroniken heben hervor, Alfred sei «König über alle Engländer» gewesen, doch dann folgt die vorsichtige und entscheidende Einschränkung «außer für den Teil, der unter dänischer Herrschaft stand». In Wahrheit stand zu dieser Zeit das meiste, was einst England werden sollte, unter dänischer Herrschaft; das gesamte Northumbrien, das gesamte Ostanglien und die nördlichen Grafschaften Merciens. Alfred wollte zweifellos König über alle Engländer sein, und zum Zeitpunkt seines Todes war er der bei Weitem bedeutendste und mächtigste Anführer unter den Sachsen, doch seinen Traum von der Vereinigung sämtlicher Gebiete, in denen Englisch gesprochen wurde, hat er nicht verwirklicht. Allerdings hatte er das Glück, einen Sohn, eine Tochter und einen Enkel zu haben, die sich diesem Traum ebenso verschrieben haben wie er selbst, und die ihn im Lauf der Zeit wahrmachen würden. Das ist die Geschichte, die hinter den Erzählungen von Uhtred steht: die Geschichte von der Entstehung Englands. Es hat mich immer erstaunt, dass wir Engländer so wenig an der Entstehung unserer Nation interessiert sind. In der Schule scheint es manchmal so, als würde die Geschichte Britanniens AD 1066 beginnen, und alles, was vorher geschah, wäre bedeutungslos, dabei ist die Geschichte von der Entstehung Englands groß, aufregend und nobel.

Der Vater Englands ist Alfred. Er mag die Vereinigung des Landes der Angelcynn nicht erlebt haben, aber er hat diese Vereinigung überhaupt erst ermöglicht, indem er sowohl die sächsische Kultur als auch die englische Sprache bewahrte. Er machte Wessex zur Festung, die einem dänischen Angriff nach dem anderen widerstand, und mächtig genug, um sich nach seinem Tod nordwärts auszuweiten, bis die dänischen Lehnsherren überwunden waren oder sich angepasst hatten. Es gab einen Uhtred, der in diesen Jahren eine Rolle spielte, und er ist mein direkter Vorfahre, aber die Geschichten, die ich von ihm erzähle, sind erfunden. Die Sippe hielt Bebbanburg (heute Bamburgh Castle in Northumberland) von den frühesten Jahren der angelsächsischen Invasion in Britannien bis beinahe zur normannischen Eroberung. Als der Rest des Nordens unter dänische Herrschaft fiel, hielt Bebbanburg stand, eine Enklave der Angelcynn unter den Wikingern. Es ist so gut wie sicher, dass dieses Überleben ebenso stark der Zusammenarbeit mit den Dänen wie der nahezu uneinnehmbaren Lage der gewaltigen Festung geschuldet war. Ich habe Uhtred von der Geschichte Bebbanburgs abgetrennt, damit er näher an den Ereignissen sein konnte, die England entstehen ließen, Ereignisse, die im sächsischen Süden beginnen und langsam zum Norden der Angeln hinaufwandern. Ich wollte ihn dicht bei Alfred haben, einem Mann, den er ebenso ablehnt wie er ihn bewundert.

Alfred ist sicher der einzige britische Monarch, den man «der Große» nennen kann. Es gibt kein Komitee wie beim Nobelpreis, das ihm diesen Ehrentitel zuspricht, der durch die übereinstimmende Beurteilung der Historiker aus der Geschichte erwachsen ist, aber kaum jemand würde Alfreds Anrecht auf diesen Titel bestreiten. Er war, nach jedem Maßstab, ein überaus intelligenter Mann, und er war darüber hinaus ein guter Mann. Uhtred mag der christlichen Gesellschaft, in der das Gesetz regiere, feindselig gegenüberstehen, doch die Alternative war die Dänenherrschaft und fortgesetztes Chaos. Alfred setzte Gesetz, Bildung und Religion in seinem Volk durch, und er schützte es auch vor furchterregenden Gegnern. Er schuf einen funktionstüchtigen Staat, und das ist keine Kleinigkeit. Justin Pollard fasst Alfreds Errungenschaften in seiner wundervollen Biographie *Alfred the Great* (John Murray, London, 2005) folgendermaßen zusammen: «Alfred wollte ein

Königreich, in dem die Bewohner jedes Marktfleckens bereit waren, ihr Eigentum und ihren König zu verteidigen, weil ihr Wohlstand mit dem Wohlstand des Staates identisch war.» Er bildete eine Nation, zu der sich die Bevölkerung zugehörig fühlte, weil das Gesetz gerecht war, weil Anstrengung belohnt wurde und weil die Regierung nicht tyrannisch war. Das ist keine schlechte Ordnung.

Alfred wurde in der alten Klosterkirche von Winchester beerdigt, später aber wurde er in die neue Klosterkirche umgebettet und der Sarg mit Blei ummantelt. William der Eroberer, der seine neuen englischen Untertanen davon abbringen wollte, der Vergangenheit nachzuhängen, ließ den bleiumhüllten Sarg nach Hyde Abbey außerhalb von Winchester bringen. Diese Abtei wurde, wie alle anderen Ordenshäuser, unter Heinrich VIII. aufgelöst, kam in Privatbesitz und wurde später als Gefängnis genutzt. Im späten achtzehnten Jahrhundert wurde Alfreds Grab von den Häftlingen entdeckt, die das Blei aufbrachen und die Knochen wegwarfen. Justin Pollard vermutet, dass die Überreste des größten angelsächsischen Königs wohl immer noch in Winchester sind und verstreut unter einer Erdschicht irgendwo zwischen einem Parkplatz und einer viktorianischen Häuserreihe liegen. Seiner smaragdbesetzten Krone erging es nicht besser. Sie überstand die Zeiten bis ins siebzehnte Jahrhundert, als, so heißt es, die elenden Puritaner, die England nach dem Bürgerkrieg regierten, die Steine herausbrachen und das Gold einschmolzen.

Winchester ist immer noch Alfreds Stadt. Viele Besitzgrenzen im Herzen der Altstadt wurden von seinen Landvermessern markiert. Die Knochen vieler seiner Familienmitglieder liegen in steinernen Kästen in der Kathedrale, die seine Klosterkirche ersetzt hat, und seine Statue steht im Stadtzentrum, kraftvoll und kriegerisch, obwohl er in Wahrheit sein Leben lang kränkelte. Und seine größte Liebe waren nicht die Ehren des Schlachtfeldes, sondern die Religion, die Gelehrsamkeit und das Gesetz. Er war wahrhaftig Alfred der Große, aber in dieser Erzählung von der Entstehung Englands ist sein Traum noch nicht wahr geworden, und deshalb muss Uhtred weiterkämpfen.

Weitere Titel

1356

Das Fort

Das letzte Königreich /
Der weiße Reiter

Das Zeichen des Sieges

Der Bogenschütze / Legenden
des Krieges: Das blutige
Schwert / Vespasian:
Das Schwert des Tribuns

Galgendieb

Narren und Sterbliche

Rotröcke

Stonehenge

The Last Kingdom

Waterloo

Die Artus-Chroniken

Der Winterkönig

Der Schattenfürst

Arthurs letzter Schwur

Die Bücher vom Heiligen Gral

Der Bogenschütze

Der Wanderer

Der Erzfeind

Die Segel-Thriller

Hart am Wind

Sea Lord

Sturmbucht

Unter Segeln

Die Starbuck-Chroniken

Starbuck: Der Rebell

Starbuck: Der Verräter

Starbuck: Der Gegner

Starbuck: Der Kämpfer

Die Uhtred-Saga

Das letzte Königreich

Der weiße Reiter

Die Herren des Nordens

Schwertgesang

Das brennende Land

Der sterbende König

Der Heidenfürst

Der leere Thron

Die dunklen Krieger

Der Flammenträger

Wolfskrieg